KB150310

高麗銅鏡研究

高麗銅鏡研究

2021년 8월 12일 초판 1쇄 발행

글쓴이 최주연
펴낸이 권혁재
편 집 조혜진
표 지 이정아

제 작 성광인쇄
펴낸곳 학연문화사
등 록 1988년 2월 26일 제2-501호
주 소 서울시 금천구 가산디지털1로 168 우림라이온스밸리 B동 712호

전 화 02-2026-0541
팩 스 02-2026-0547
E-mail hak7891@chol.com

책값은 뒷표지에 있습니다.
잘못된 책은 바꾸어 드립니다.

ISBN 978-89-5508-440-5 93910

高麗銅鏡研究

崔朱延 지음

학연문화사

책을 펴내며

시대적 관심이 고려에 집중되어 있었던 석사를 마치고, 박사과정에는 시대와 더불어 공예품에 관심을 갖기 시작했다. 그 중 관심 있었던 고려동경을 연구하면서 학문적으로 많이 부족한 자신을 깨달으며, 한국에 있는 동경들에 대한 개인적 궁금증들을 해결해보고 싶었다. 그런 과정 속에서 고려동경 연구는 고려뿐 만 아니라, 중국의 동경까지 공부할 수 있는 계기가 되었다.

중국에서 제작된 동경들이 고려로 유통되면서 다양한 종류가 유입되었으며, 시기별 유행 동경도 상이했다. 이는 고려시대 전반에 걸쳐 중국 내 변화가 반영된 것이라는 어렴풋한 추측 속에 이전까지 연구가 부족했던 '교류'를 중심으로 본 고려동경의 유입을 연구하게 된 계기가 되었다. 물론 그 궁금증이 현재 완벽히 해소된 것은 아니며, 아직도 풀어야 할 궁금증이 많은 것이 현실이다. 하지만 이 책을 통해 필자가 알고자 했던 그리고 알아냈다고 생각한 것을 일부분이나마 정리할 수 있을 것으로 생각되어 출판하고자 한다.

이 책은 필자의 2019년 박사학위 논문인 「中世 동아시아 交流와 高麗銅鏡 硏究」를 2019년 이후 연구 결과를 토대로 부분적 수정 · 보완한 내용이다. 동경이라는 주제가 많은 수량의 개체를 다뤄야 한다는 부담감과 다른 유물들에 비해 출처, 제작시기를 명확히 알 수 없다는 한계로 인해 많은 우여곡절을 겪어야 했다. 또한 중국 동경에 대한 이해를 바탕으로 고려동경과 비교 · 분석해야 한다는 어려움 역시 연구에 있어 큰 난관이었다. 그래서 많은 자료를 수집하는 것에 집중했고, 이를 활용할 수 있는 연구방법과 내용을 생각하며, 기존 연구보다 많은 정보를 담아내고자 노력했다. 비록 그 결과가 논문에서 눈에 확연히 띌 정도로 획기적이지는 못했지만, 중국동경과 고려동경의 비교할 수 있는 계기를 마련했다는 것에 의의가 있다고 생각한다.

책이 나오기까지는 여러 분들의 응원과 배려가 있었기에 가능했다. 먼저, 지도교수이신 최응천 교수님의 지도 하에 논문을 무사히 마칠 수 있었다. 박사과정동안 교수님과의 연구에 관한 대화는 연구에서 봉착하는 어려움을 해결할 수 있는 토대가 되었으며, 이러한 요소가 글을 쓰는 동안 많은 도움이 되었다.

그리고 논문심사를 맡아주신 안경숙선생님의 면밀한 검토를 통해 논문의 방향이 바르게 갈 수 있었다. 고려동경을 전공하는 같은 연구자의 입장에서 좀 더 연구가 잘 진행될 수 있도록 도와주신 점에 감사드린다. 그 외, 이 글이 완성될 때까지 긴 글을 읽어주고, 수정에 도움을 준 송우솔, 장소영에게도 감사드린다.

또한 이번 책을 펴낼 수 있게 가장 큰 도움을 주신 분은 단국대 박경식 교수님이시다. 박사과정 때 참여하게 된 실크로드 답사를 교수님과 함께 하면서 중국의 다양한 문화를 알 수 있게 해주셨으며, 이를 계기로 중국의 공예품에 대한 관심도 갖게 되었다. 이번 책을 통해 감사드리며, 앞으로도 좋은 학자로 거듭나도록 노력하여 은혜에 보답하고자 한다.

공부하는 딸을 묵묵히 지켜 봐주시고, 지원해주신 부모님께 무한한 감사를 드리고 싶다. 두 분의 헌신적인 지원과 응원이 없었다면 아마 공부를 지속하지 못했을 것이다. 평생 딸을 믿고 지지해주신 아버지, 어머니께 마음 속깊이 감사의 뜻을 전한다. 그리고 부족한 며느리를 항상 응원해주시는 시부모님께 감사드리며, 특히 이번 책을 쓰면서 옆에서 용기와 자신감을 심어주신 어머니께 감사드린다. 또한 언제나 필자의 연구를 지지하고, 응원해준 동생 내외와 시누에게도 감사드린다. 같은 전공자로서 조언을 아끼지 않은 남편에게 감사하며, 부족한 엄마의 연구를 지지해준 아들 서윤에게도 감사를 전한다.

목　차

Ⅰ. 머리말

1. 연구목적

고려동경은 고려시대에 제작되고, 유통되면서 실생활에 사용된 구리거울에 대한 총칭이다. 이 시대에 사용된 동경은 현존하는 한국동경 가운데서 다수를 차지하고 있을 뿐만 아니라 제작과 소비에서 가장 많은 수량을 차지하고 있다. 뿐만 아니라 10세기에서 14세기에 이르기 까지 동아시아에 존속했던 국가들에서도 확인되기에, 각국의 문화적인 특성 및 이를 통한 문화교류를 파악하는데 중요한 단초를 머금고 있는 중요한 유물이기도 하다.

동아시아에서 동경의 재작은 고대 중국에서 시작되었고, 실용적이라기보다는 신앙과 정치적 성격으로 제작되었다. 이같은 전통은 당나라시대 까지 지속되었고, 이에 따라 사용계층 역시 제한적일 수 밖에 없었다. 이러한 경향은 송대 초기까지 이어지는 추세였으나, 이후 정치 · 문화적으로 교류와 성장을 거듭함에 따라 동경은 정치적 산물이 아니라 생활용품으로 변화하게 되었다. 다시 말해 특수한 계층의 전유물에서 대중성을 함유한 기물로 그 성격이 변화했음을 의미한다.

이처럼 중국에서 동경의 성격이 대중성을 기반으로 한 생활용품으로 변화됨에 따라, 그 영향은 자연스레 주변국으로 전파되었고, 고려 역시 예외는 아니었다. 고려는 당은 물론 송, 요, 금, 원과 같은 나라들의 성장과 쇠퇴 와중에서도 국세를 유지시켰던 국가였다. 그렇기 때문에 각국으로 부터 새로운 문화와 문물을 유입은 당연한 귀결이라 하겠다. 이를 통해 고려문화에 내재된 외래문화의 영향을 배제할 수 없지만, 보다 주목되는 점은 이를 소화 · 발전시켜 고려 나름대로 독자적인 문화를 구축했다는 점이다. 이 책의 주제인 고려동경 역시 이를 확인할 수 있는 표지적인 유물이라 하겠다.

고려동경은 과거 정치적인 의미에서 생활용품으로 그 성격이 변화됨에 따라 다양한 유형과 많은 수량이 유통되어 고려시대에 구축된 다양한 문화현상을 파악하는데 중요한 단서를 제공하는 유물이라 판단된다, 하지만, 이에 대한 연구는 형태와 문양에 치중된 형식분류에 집중되었기에, 동경이 지닌 다양성에 대한 분석은 거의 시도되지 못하고 있었다. 하지만 최근에 이르러 기왕의 연구에서 벗어나 동경이 지닌 문화와 종교 등에 대한 연구가 진행되고 있다. 이같은 연구 경향의 변화는 고려동경이 지닌 다양한 속성과 특성을 밝히는데 진일보했지만, 아직도 동아시아의 국제적인 교류 가운데서 고려동경이 지닌 특성과 독자성의 규명에는 접근하지 못하고 있다. 따라서 본 연구에서는 중국에서 흥망을 거듭했던 송, 요, 금, 원 및 일본과 고려의 교류에 집중하여 각 나라에서 유입된 동경의 종류와 편년을 설정하고, 이를 토대로 고려동경의 계열성과 특징을 도출하는 것에 일차적 목적을 두고자 한다. 이와 더불어 선행연구에서 송과의 연관성에 집중했기에 거의 주목을 받지 못했던 요와 금과의 교류를 통해 제작 · 유통되었던 동경을 분석하는 것에 이차적 목적이 있다. 이같은 연구를 통해 고려동경이 지닌 국제성은 물론 이를 통래 이룩된 고려만의 독자적인 동경문화를 도출하는 것이 본 연구의 최종 목적이라 하겠다.

2. 연구동향

고려동경에 대한 연구는 미술사, 고고학, 보존과학 등 다양한 분야에서 진행되고 있으며, 전시 등을 통해 고려동경을 살펴볼 수 있는 기회를 제공하고 있다.

고려동경에 대한 연구는 미술사적인 측면에서 가장 먼저 시도되었다. 이 분야의 선구적인 연구는 대부분 1970~1990년대에 진행되었는데, 주로 동경의 형태와 문양을 토대로 분석한 연구가 주류를 이루고 있다.[1] 이 시기에 진행된 연구는 대부분이 李蘭暎 선생이 중심을 이루고 있는데, 『韓國의 銅鏡』은 국립중앙박물관에 소장되어 있는 동경을 주제별로 분류 · 정리하여 동경 종류, 문양을 체계적으로 파악했다.[2] 이같은 선생의 연구는 향후 고려동경을 다양한 시각에서 접근할 수 있는 초석을 놓았다는 점에서 큰 의미를 지니고 있다.

2000년대에 이르러 다양한 관점에서 고려동경을 살펴보고자 하는 시도가 이루어졌다. 황정숙은 「고려 동경의 연구 : 편년시도를 위한 기초연구」를 통해 고려동경을 미술사적으로 접근하여 고려동경의 상징성과 편년에 대해 정리하고자 했다.[3] 뿐만 아니라 이난영이 저술한 『高麗鏡의 硏究』에서는 동경의 기원, 고려경의 정의, 종류, 국적문제 등 다양한 측면을 다루고 있다.[4] 특히 한국, 중국, 일본이 밀접한 영향관계 속에서 동경을 교류했던 점에 착안하여 각국에 현존하는 동경을 비교 검토했다. 이는 형태와 문양에 국한한 연구에서 進一步하여 다양한 관점에서 동경을 분석했다는 점에서 동경연구가 발전하는 발판을 마련했다는 의의가 크다. 黃貞淑은 동경의 형식 분류와 제작배경, 편년 등을 제시하였으며, 더불어 동경 제작에 영향을 끼친 사상적 배경을 파악하고자 했다.[5] 이 연구에서는 기왕의 문양별 정리하던 수준에서 동경에 새겨진 문양의 의미와 제작지, 시기에 대

1 全英順, 「高麗銅鏡 硏究 : 刑態와 紋樣을 中心으로」(홍익대학교대학원 석사학위논문, 1972) ; 李培根, 『高麗銅鏡解說』, (技文社, 1991) ; 황호근, 『韓國文樣史』(悅話堂, 1994)

2 李蘭暎, 『韓國의 銅鏡』(韓國精神文化硏究院, 1983)

3 黃貞淑, 「고려 동경의 연구 : 편년시도를 위한 기초연구」(대구가톨릭대학교대학원 석사학위논문, 2000)

4 李蘭暎, 『高麗鏡 硏究』(통천문화사, 2003)

5 黃貞淑, 「高麗 中 · 後期 思想을 통해본 銅鏡 文樣의 象徵性 硏究」(대구카톨릭대학교 대학원 박사학위논문, 2006)

해 면밀히 검토하여 고려동경이 갖는 성격과 정체성을 구체화하는 수준으로 발전했다. 고유민은 고려시대 '용수전각'을 문양으로 표현한 동경을 집중적으로 분석했다.[6] 고려 '용수전각문'경이 중국 '월궁고사문'경 양식과 도상배치 등에서 유사함을 언급하면서 이를 통해 '용수전각문'경의 문양을 해석하고자 했다. 또한 고유민은 '용수전각문'경 연구를 구체화하여 도상과 양식에 중점을 둔 연구를 진행했다.[7] 이후 최주연은 '용수전각'문경의 원본인 '월궁고사문'경에 대한 중국 동경을 분석함으로써 이 동경에 표현된 도상과 문양의 의미에 대해 분석하는 연구를 진행하기도 했다.[8]

고려동경에 대한 다각적 분석 시도는 박진경의 연구에서도 엿보인다.[9] 선생은 고려로 유입된 다양한 물품이 대부분 중국 송나라에서 들어왔을 것으로 보는 견해에서 벗어나 동경의 유입에 중국 금나라 영향이 있었음을 밝히고자 했다. 이 연구에서는 금에서 유입된 동경류를 金系로 분류하면서 금대 동경의 특징인 驗記를 통해 제작 · 사용지를 추정했다. 또한 이러한 금에서 사용했던 동경이 고려로 유입되면서 고려동경으로 유통 · 제작된 시기를 Ⅰ기(12세기 중반~13세기 전반), Ⅱ기(13세기 중반~14세기)로 나누어 구체적으로 제시했다. 이송란은 월정사 팔각구층석탑에서 발견된 동경 4점에 주목하여 이 동경이 발견된 사리구를 비롯해 고려 이전 사리구로써의 동경에 대해 분석했다. 또한 동경이 석탑에 매납된 방식에 대해 중국 오월국 탑 봉안 동경과 비교함으로써 동경의 매납 목적에 대해 고찰했다. 이는 사리구로 사용된 동경의 매납방식을 분석함으로써 고려시대 동경사용목적에 대한 구체적 사례를 연구한 것에 의의가 있다.[10]

---

6 고유민,「高麗 '龍樹殿閣文'鏡 硏究」(이화여자대학교대학원 석사학위논문, 2007)

7 _____,「고려 龍樹殿閣文鏡 도상과 양식연구」,『고문화』No.83(한국대학박물관협회, 2014)

8 최주연,「宋 · 金代 月宮故事紋鏡의 變化와 圖像解釋」,文化史學』No.55(한국문화사학회, 2021)

9 朴珍璟,「金系 高麗銅鏡 硏究」(홍익대학교대학원 석사학위논문, 2009) ; 박진경,「金系 高麗鏡의 제작과 유통」,『美術史學硏究』No.279 · 280(한국미술사학회, 2013)

10 李松蘭,「高麗時代 月精寺 八角九層石塔 舍利具의 銅鏡 埋納의 樣相」,『博物館紀要』(단국대학교출

이와 더불어 앞서 언급한 '용수전각문'경과 '황비창천'명경과 같이 고려시대 많이 제작한 동경에 집중해 다각적 접근이 이루어졌다.[11] '황비창천'명경은 명문과 문양이 함께 표현되어 있어 이 동경이 갖는 의미와 제작배경, 제작시기에 대해 밝히고자 했다. 정수희는 이 동경 제작배경을 불교적 관점에 입각하여 水難을 겪지 않게끔 하는 목적성을 띤 기물로 보았다. 이에 대한 근거로 '大隨求陀羅尼'를 토대로 동경 문양을 분석했다. 이처럼 단일 주제를 구체적으로 연구하고자 하는 경향은 현재도 이어지고 있는 편이다. '서우망월'문경, '배도선사'문경, '준제관음'문경 등과 같이 명확한 도상이 문양으로 표현된 동경에 대한 연구가 대표적이다.[12]

그 외, 종교적 용도로 사용한 거울인 '線刻佛像紋鏡(鏡像)'에 대한 연구가 있다.[13] 선각불상문경은 '線刻鏡', '線刻佛像鏡' 등의 명칭이 있으며, 경면에 선각으로 불교 관련 도상을 새겨 넣은 것이 특징이다. 이에 관한 연구는 곽동석에 의해 국내 선각불상문경에 새겨진 도상과 그 용도에 대해 알 수 있는 토대가 마련되었다. 그리고 우주옥은 고려시대 제작된 경상을 '선각불상경'이라는 명칭으로 제안

판분, 2010)

11 정수희, 「고려 煌丕昌天銘鏡의 도상과 불교적 해석」, 『美術史學硏究』 No.286(한국미술사학회, 2015) ; 최주연, 「高麗時代 '煌丕昌天'銘 銅鏡 考察」, 『先史와 古代』 Vol.48(한국고대학회, 2016) ; 김성준, 「황비창천명 항해도문 고려동경에 새겨진 배의 국적」, 『역사와 경계』 Vol.105(부산경남사학회, 2017)

12 박진경, 「瑞花雙鳥文八稜鏡의 연원과 전개」, 『한국고대사탐구』 Vol.10(한국고대사탐구학회, 2012) ; 최주연, 「金代 '犀牛望月'紋 銅鏡의 多樣性과 地域性」, 『고문화』 No.87(한국대학박물관협회, 2016) ; 최주연, 「杯度禪師紋 銅鏡의 圖像과 製作背景」, 『文化史學』 No.47(한국문화사학회, 2017) ; 박진경, 「准提 修行儀軌와 儀式具로 제작된 銅鏡」, 『불교미술사학』 Vol.24(불교미술사학회, 2017)

13 郭東錫, 「高麗 鏡像의 圖像的 考察」, 『미술자료』 No.44(국립중앙박물관, 1989) ; 郭東錫, 「准提觀音 白衣觀音 線刻方形鏡像의 圖像解釋 : 中國 准提觀音圖像의 新解釋」, 『미술자료』 No.48(국립중앙박물관, 1991) ; 鄭智禧, 「고려 수월관음경상(水月觀音鏡像)과 서울역사박물관 경상의 연구」, 『강좌미술사』 Vol.24(한국불교미술사학회, 2005) ; 우주옥, 「高麗時代 線刻佛像鏡 硏究」(고려대학교 대학원 석사학위논문, 2009) ; 우주옥, 「高麗時代 線刻佛像鏡과 密敎儀式」, 『美術史學』 Vol.24(한국미술사교육학회, 2010) ; 김순아, 「동국대학교박물관소장 금동아미타 · 구층보탑경상」, 『佛敎美術』 Vol.21(동국대학교박물관, 2010)

했으며, 사용목적에 있어 밀교의식과의 관련성을 제시했다. 2020년에는 중국의 선각불상문경과 국내 선각불상문경을 비교하여, 국내 선각불상문경이 늦어도 13세기 초에 유입되었음을 밝힌 연구가 이루어졌다.[14] 이와 더불어 「고려시대 銅鏡과 불교문화 연구」에서 동경과 불교문화의 관련성을 살펴본 연구가 이루어지기도 했다.[15]

고려동경에 대한 연구는 고고학과 보존과학적 측면에서도 연구가 진행되고 있다. 이 분야에서는 고려시대의 무덤에 부장품으로 매장된 동경을 통해 형식분류와 편년검토를 시도했으며, 보존과학에서도 역시 매장품인 고려동경의 성분을 분석·비교하여 국내 제작 고려동경의 성분 특성을 파악하고자 했다.

설지은에 의해 호서지역의 고려시대 민묘에서 출토된 동경에 대한 분석이 이루어졌고,[16] 박미욱은 경북지역에서 출토된 동경과 공반유물을 통해 출토 동경의 제작시기를 추정했다.[17] 또한 동경 부장의 의미와 성격에 대해 일상생활에서 사용한 생활용기를 그대로 부장했던 것으로 보았으며, 화장도구로 사용하던 동경을 매장 시 함께 넣어 기원했던 것으로 추정했다. 주영민은 고려시대 분묘에서 출토한 동경을 중심으로 고고학적 관점에서 살펴보았다.[18] 연구대상으로 삼은 71점의 동경을 3가지 속성인 동경형태, 뉴의 투공형태, 뉴의 높이로 나누어 고려동경의 유형분류를 시도했다. 또한 남연의는 울산 복산동 손골유적 출토 고려동경을 분석하는 연구와 함께 한국에서 출토된 동경 연구사를 정리했다. 이와 더불어 고려시대 동경 사용의 목적과 인식에 대한 연구를 통해 동경의 사용 목적을 매장품, 불교의

---

14 최주연, 「高麗時代 線刻佛像文鏡의 傳來와 製作要因」, 『文化史學』 No.53(한국문화사학회, 2020)

15 정수희, 「고려시대 銅鏡과 불교문화 연구」(동아대학교대학원 박사학위논문, 2020)

16 薛智恩, 「湖西地域 高麗時代墳墓 出土 銅鏡 硏究 」(동국대학교대학원 석사학위논문, 2015)

17 박미욱, 「고려분묘 출토 동경의 검토 : 경북지역 자료를 중심으로」, 『博物館硏究論集』 Vol.16(부산박물관, 2011)

18 주영민, 「高麗墳墓 출토 銅鏡 연구」, 『嶺南考古學』 56호(영남고고학회, 2011)

식용품 등으로 나누어 그 의미를 알아보았다.[19]

안경숙의 연구는 고고학적 관점에서 고려동경을 중점적으로 분석했다는 점에서 학문적으로 갖는 의미가 크다.[20] 이 연구에서는 출토된 고려동경의 지리적 분포양상을 4가지 지역으로 크게 나누어 정리했으며, 대표적 문양을 정리했다. 그리고 편년과 사회적 의미를 알아보기 위해 고려시대 대표적 분묘인 청주 용암지구 금천유적을 분석하여 편년을 제시했다. 고고학 분야에서 동경 연구는 청동기시대에서 삼국시대에 제작, 유통된 동경에 중점을 둔 경우가 많으나, 최근 고려분묘 분석을 통한 고려동경 연구가 이루어지기 시작했다. 이러한 경향 속에서「고려동경연구」는 사회적 배경과 부장문화의 변화 등 고려사회 배경에 집중하였다는 점에서 의의가 있다.

이처럼 고려동경에 대한 연구가 미술사와 고고학을 아우르며 진행되는 가운데 전시회를 통한 실물의 견학과 자료집의 간행은 이 방면 연구에 더욱 박차를 가하는 계기를 마련했다. 대표적으로 국립중앙박물관에서 개최된 "고려동경" 전시와 국립중앙박물관에서 출판된『국립중앙박물관 소장 고려시대 동경 자료집』, 청주박물관의『청동거울』등이 있다.[21] 전시에서는 고려시대 대표적인 동경들을 다양한 주제로 분류해 고려동경의 개성적 측면을 보여줬으며,『국립중앙박물관 소장 고려시대 동경 자료집』은 박물관에 소장중인 湖州 · 杭州 · 蘇州銘鏡의 종류와 성분분석을 통해 면밀히 검토하였고, 이를 통해 국내에서 제작된 동경도 있음을 밝

---

19 남연의,「울산 복산동 손골유적 출토 高麗銅鏡」,『蔚山史學』Vol.16(蔚山史學會, 2012) ; 남연의,「한반도 출토 銅鏡 연구사」,『蔚山史學』Vol.18(蔚山史學會, 2014) ; 남연의,「고려인의 동경인식」,『蔚山史學』Vol.19(蔚山史學會, 2015)

20 안경숙,「高麗 銅鏡 硏究」(한양대학교대학원 박사학위논문, 2015)

21 국립경주박물관,『銅鏡 과거를 비추는 거울』(2007) ; 국립부여박물관,『청동거울』(2010) ; 복천박물관,『神의 거울 銅鏡(2009) ; 국립중앙박물관,『고려동경-거울에 담긴 고려 사람들의 삶』(국립중앙박물관, 2010) ; 국립중앙박물관 · 고고역사부편,『국립중앙박물관 소장 고려시대 동경 자료집』(2012)

혀냈다.

지금까지 살펴본 고려동경에 대한 선행연구들은 미술사와 고고학적인 소양을 통해 다양한 분야에서 고려동경을 분석했다. 뿐만 아니라 정치적 의미에서 실용성이 강조된 탓에 단순히 거울로만 치부되던 동경이 사회적 · 문화적 요소가 반영된 공예품임을 입증하고 있다. 본 연구에서는 이같은 선학들의 연구성과를 바탕으로 고려동경이 지닌 국제성을 확인하고, 이를 통해 고려문화이 독자성을 규명하는데 주력하고자 한다.

3. 연구의 범위와 방법

동경 연구는 형태와 문양을 중심으로 동경의 제작방법, 시기 등을 파악하는 연구가 주류를 이룬다. 이는 동경의 제작시기를 알 수 있는 구체적 자료가 부족하다는 점에 주된 원인이 있다. 그렇기에 이를 파악하기 위해서는 동시대 다양한 공예품과의 비교와 분묘 출토 동경은 공반유물을 통한 간접적 시기구분 등이 이루어졌다. 본 연구 역시 이러한 방식에서 크게 벗어나지 못하는 한계를 안고 시작한다. 하지만, 선행연구에서와는 달리 국내 유물에만 국한된 기존 연구에서 확장하여 동아시아라는 큰 틀 안에서 고려동경이 지닌 특수성을 확인하고자 한다.

Ⅱ장에서는 본격적으로 고려동경에 대해 살펴보기에 앞서, 중세로 접어들기 전 주변국가의 동경제작에 큰 영향을 끼친 唐代를 시작으로 송, 요, 금, 원대와 일본 동경의 대해 먼저 파악하고자 한다.

당대 동경은 한대 이후 동경이 비약적으로 발전한 시기로 다양한 문양과 주제의 동경이 제작됨에 따라 이후 중세 여러 나라의 동경 제작의 발판으로 작용했다. 이에 동경의 전개양상에서는 당대 동경의 기본적 특징을 먼저 알아보고, 송, 요,

금, 원대 동경의 특징을 문양, 사회적 배경, 종교적 배경 등 다각적 측면에서 분석하고자 한다.

송대는 북송과 남송으로 나누어 각 시기별 특징에 대해 정리해보고자 한다. 북송은 당대 화려하고 귀족적이던 동경에서 벗어나 일상생활에서 볼 수 있는 주제를 동경에 표현하고자 했던 동경의 대중화가 진행되었다. 이는 당대 동경이 왕실 혹은 귀족층에서 향유하던 신분의 상징물이었다면, 송대에는 상업의 발전으로 인한 서민층의 성장과 서민문화의 발달로 동경의 사용이 확대되었고, 향유층이 변화함에 따라 주제도 달라졌다. 이에 북송대 동경은 초화문, 인물고사문 등이 성행하고, 고부조로 제작되던 당대 동경과 달리 얕고 섬세한 표현으로 변하면서 동경의 세속적 표현이 강조된다.

남송대에는 지역명경인 호주, 소주, 항주 지역명이 동경에 주출된 상품경 제작이 활발해진다. 이는 동경의 저변 확대에 의해 판매를 목적으로 하는 상품경이 등장했으며, 소문에 명문만을 주출한 것이 특징이다. 이 상품경들은 생산 공방이 있었으며, 鏡匠들이 가족으로 구성되어 있었다. 또한 공방이 한 곳에 밀집되어 있어, 치열한 경쟁을 하며 이를 판매했음을 당시 동경 명문을 통해 알 수 있다. 즉, 송대에는 북송과 남송대 동경이 문양, 제작 등에서 다른 양상을 보이고 있어, 이에 대해 면밀히 검토해보고자 한다.

요, 금대는 북방민족이 세운 나라인 만큼 중원문화와 다른 양상의 발전을 보인다. 특히 금대에는 銅禁政策으로 인한 驗記制度를 시행하면서 독특한 동경 문화가 성립된다. 동경의 연부, 문양 내부, 동경의 측면 등에 동경을 검수한 내용을 새기는 험기는 당시 동 사용을 제한하기 위한 방법이었으며, 많은 동경에 그 흔적이 남아 있다. 동 사용을 제한하기 위해 새겼던 험기는 그 내용을 통해 제작시기를 유추할 수 있는 자료로 활용된다는 점에서 금대 동경의 큰 특징으로 볼 수 있다. 더욱이 이러한 험기가 새겨진 동경이 고려로 유입되기도 해, 당시 동경문화를 살펴보는 중요한 자료이다. 본 연구에서는 다양한 험기내용을 분석함으로써 금대 동경의 특징을 정리해보고자 한다.

원대는 그 존속기간이 짧으나, 종교적 목적을 갖고 제작한 동경이 있다. 요대 성립되어 발전하던 준제신앙은 원대에 더욱 성장했으며, 준제법에 따라 수행하는 신앙이 성립되면서 준제관음경의 제작이 활발해진다. 이에 준제신앙을 바탕으로 제작된 준제관음경의 사용법을 살펴보고, 당시 준제관음경의 특징과 도상에 대해 알아보고자 한다.

동아시아에서 고려의 주변국으로 중국 이외 일본이 있으며, 당시 일본에서 제작된 동경인 和鏡은 당의 영향에서 벗어나 독자적 동경 제작을 시도하기 시작했다. 중세 일본은 平安時代부터 鎌倉時代까지 해당하는 시기로 당대 동경의 경향이 남아 있긴 하지만 그 색채가 옅어지면서 일본경의 독자성을 드러내는 시기이기도 하다.

平安時代에는 당대 동경을 바탕으로 동경 제작과 발전이 이루어졌으나, 이후 藤原家門의 등장과 함께 일본 특유의 동경 제작이 시작된다. 또한 鎌倉時代에는 화경의 정립이 이루어져, 장식성이 높고, 입체적인 동경이 등장하게 된다. 즉, 화경은 고려동경과 같이 중국의 영향을 깊게 받았으나, 일본이 추구하는 미적 요소를 동경에 표현함에 따라 변화한다. 따라서 이에 대한 화경의 변화 양상을 간략하게나마 설명하고자 한다.

Ⅲ장에서는 고려동경의 製作背景과 技法에에 대해 고찰하고자 한다. 제작배경을 확인하기 위해 문헌기록에 나오는 장인, 동 생산, 종교 등 내용을 분석해 고려동경 제작과 관련된 당시 여러 상황에 대해 살피고자 한다.『고려사』기록에서 보이는 '鏡匠'이라는 기록은 국가에서 거울을 만드는 장인을 두었다는 것을 알 수 있는 것으로 중국동경을 수용하면서도 왕실에서 사용할 거울을 직접 제작했음을 추정할 수 있는 근거이다. 그리고 동경의 재료인 동은 동전사용이 시작되면서 그 수급에 차질이 생겼고, 중국 송, 금에는 이를 조절하기 위한 정책도 시행되었다. 이에 고려에서의 동 생산과 사용양상을 정리해봄으로써 동수급이 고려동경 생산에

끼친 영향에 대해 추론해보고자 한다. 또한 종교적 배경에서는 불교와 도교가 고려시대 크게 발전했고, 동경이 의식구 혹은 법기로 사용되었음을 생각해봄으로써 종교적 용도로 제작된 배경에 대한 근거를 제시하고자 한다.

고려동경의 제작기법에 대해 면밀히 이루어진 연구가 현재까진 없는 실정이다. 이는 고려동경을 제작하기 위한 틀이 발견되지 않아 구체적인 사항을 알 수 없기 때문이다. 그렇기에 본 연구에서는 중국에서 이루어지는 다양한 제작기법을 살펴봄으로써 고려동경 제작기법을 추론해 보고자 한다. 이와 더불어 중국과 한국 동경의 성분분석 비교 자료를 검토하여 국내에서 생산된 고려동경의 성분적 특징을 살펴보고자 했다.

Ⅴ장에서는 고려 동경의 形態와 文樣에 대해 집중분석했다. 이를 위해 먼저 중국의 동경에 구현된 형태와 문양을 파악하고, 이를 통해 고려 동경과의 연관성에 대해 고찰하고자 한다.

중국 동경은 당대 이후 다양한 형태의 동경 제작이 이루어지면서, 圓形, 方形, 陵形, 葵花形에 국한되던 동경 형태가 雲板形, 瓶形, 亞字形, 鐘形, 鼎形 등 특수형태까지 등장한다. 이에 중국 동경의 형태분류를 토대로 고려동경에서 주로 보이는 형태를 규명하고자 한다. 동경의 배면에 장식된 주제는 당시 유행한 소설, 고사 내용이나 동·식물문 등이 표현되었다. 이는 시대적 미감을 표현했다는 점에서 당시 사회에서 선호한 문양을 알 수 있어 중요한 요소이다. 이에 반해 고려동경의 문양은 크게 동물문, 식물문, 인물·고사문, 문자문, 도교·불교주제문, 기하학문으로 나눌 수 있으며, 하부분류에는 더욱 다양한 문양의 동경이 존재한다. 수많은 동경문양 중 당시 성행한 대표적 문양을 중심으로 문양이 갖는 의미와 형태적 특징 등을 중점적으로 살펴보고자 한다.

Ⅵ장에서는 고려동경의 製作時期과 特徵에 대한 검토를 시도하고자 한다. 송대, 요대, 금대 동경은 분묘에서 출토된 예가 많은 편이며, 분묘에서 발견된 墓誌는 내용을 통해 조성시기를 알 수 있어 동경 편년의 기준이 된다. 이에 분묘의 묘

지내용을 통해 조성시기를 구분하고, 출토 동경을 정리하고자 한다. 또한 이와 더불어 각 나라별 성행한 동경을 시기별로 구분하여 송대, 요대, 금대 동경의 제작 시기를 생각해보고자 한다. 시기 구분은 송대 동경은 Ⅰ~Ⅴ기, 요대 동경은 Ⅰ~Ⅲ기, 금대 동경 역시 Ⅰ~Ⅲ기로 구분하고자 하며, 이에 따른 분묘의 특징과 편년을 알 수 있는 유물분석을 통해 시대적 특징을 도출하고자 한다.

고려동경의 수요는 개성을 중심으로 이루어졌으며, 가장 많이 출토된 지역 역시 개성이다. 하지만 지역적으로 북한이라는 한계성으로 인해 개성출토 동경은 정확한 파악이 어려움이 있다. 따라서 현재 국내에서 발굴조사한 분묘 및 사지 유적에서 출토된 동경을 파악하여, 당시에 각 지방에서 유행한 동경의 종류를 알아보고, 공반유물 중 시대 판단이 가능한 도자기, 동전류를 통해 고려동경의 편년을 확립하고자 한다. 이와같은 내용을 바탕으로 고려동경은 앞서 고찰한 '황비창천'명경, '고려국조'명경, '용수전각'문경, 쌍룡문경 등에서 보듯이 국제적인 활동을 통해 유입된 외래경을 바탕으로 문양을 재구성하여 새롭게 제작한 고려가 구축했던 독자적인 동경문화에 대해 고찰하고자 한다.

Ⅱ. 中世 동아시아 情勢와 銅鏡의 展開樣相

1. 中世 동아시아의 情勢

중세 동아시아는 중국을 중심으로 문화, 정치, 경제 등의 교류가 이루어졌다. 당이 멸망하고 혼란에 빠진 중국은 오대를 거쳐 송에 의해 재통일이 이루어졌으며, 이후 북방에 거란이 세운 요나라가 성장하고, 요동지역에 있던 여진족 역시 12세기에 금나라를 세움으로써 중세 중국에는 여러 나라가 공존했다.

일본은 貴族政治時代로 鎌倉時代에 이어 平安時代에 접어들면서 귀족은 도시나 쿠니(國)에 거점을 두어 자신의 지위를 굳혔으며, 대표적 귀족으로 후지와라 가문이 있다. 그리고 봉건시대에는 가마쿠라 막부가 성립되면서 8세기 이후 궁정을 기반으로 한 귀족과 중앙의 사원에 의한 권력의 독점이 해체되었다. 또한 軍事貴族層의 역할이 증대되어 군사령부 '막부'가 설립되면서 권력 구조 · 정치 권력 행사의 여러 가지 변화가 이루어졌다.[22]

중세 동아시아는 중국, 한국, 일본에 존재한 나라들이 서로를 견제하면서 자국의 이익을 추구하고자 했으나, 다른 측면에서는 정치, 경제, 문화적 부분에서는 다양한 교류를 통해 영향을 받기도 했다. 중세 동아시아 정세는 각 국가가 서로에게 끼친 영향과 국가별 내적 문제 등이 복합적으로 작용하면서 복잡한 양상을 띠며, 특히 중국의 송, 요, 금의 세력변화는 고려에도 큰 영향을 끼쳤다.

---

22 존 W. 홀 지음 · 박영재 옮김,『선사부터 현대까지 일본사』(역민사, 2003), pp.73~84.

고려는 일본보다 중국과의 교류에 집중했으며, 중세 존재했던 여러 국가와의 관계도 적극적이거나 혹은 소극적으로 대응하는 등 다양한 태세를 갖추었다. 그렇기에 중세 동아시아 정세는 당시 강국이었던 중국의 송, 요, 금을 중심으로 보고자 하며, 그 관계성에서는 고려와 연관하여 정리해보고자 했다. 이에 고려와 공존한 중국 각 왕조의 동향과 교류를 파악하고, 이를 통해 중세 동아시아에서 고려가 갖는 위치를 생가해보고자 한다.

1) 動向

10~14세기는 분열되었던 중국이 송에 의해 남부지역이 통일 되었으며, 이 시기 거란은 북방에서 세력을 확장하여 나라를 세워 기틀을 다지고 있었다. 그리고 고려의 북쪽 지역에 자리 잡고 있던 여진족도 11세기 후반 세력을 확장하기 시작하여, 1115년 금나라를 세움으로써 이 시기 중국은 원에 의해 멸망하기 전까지 남방에는 송이 자리 잡고, 북방에는 요와 금이 세력을 떨쳤다.

송은 후주의 장군이었던 조광윤에 의해 건국되었으며, 이후 금의 침략으로 인해 큰 변화를 겪는 정강의 변(1126~1127)을 기점으로 북송과 남송으로 나뉜다. 건국 초기 송은 문치주의 체제를 강화하기 위해 節度使를 文官으로 교체하고, 민정, 재정, 군사에 관한 절도사의 권한을 빼앗는 등 왕권 중심으로 체제를 정비했다.[23] 하지만 지나친 문치주의 정책 추진은 절도사 세력의 위축을 초래했으며, 이는 국방력 약화로 이어졌다. 이로 인해 송은 북방에서 성장한 나라들에 의해 위협받아 이에 군사적으로 맞섰으나, 실패했으며, 요, 서하와 맹약을 맺고 매년 막대한 세폐를 보내게 되었다. 이는 송대 재정을 악화시키는 결과를 낳았으며, 그 현상은

23 문경호, 「12세기 초의 동아시아 국제정세와 神舟의 고려 항로」, 『한국중세사연구』(한국중세사연구, 2018), p.13.

날로 심각해졌다.

송 왕조는 재정 악화를 타개하기 위해 新宗 熙寧2년(1069)에 王安石의 新法을 통해 해결을 모색했다. 이는 기존 제도를 대대적 개혁으로 변화시키고자 한 것이며, 왕안석의 신법은 부국과 강병 양 측면을 다루어 재정적으로 큰 성과를 올렸다. 하지만 정치적으로는 이를 옹호하는 파와 반대하는 세력으로 양분되어 정치적 문제로도 비화 되었다. 단기간에 이루어진 재정 잉여 축적은 신법이 가진 단점을 드러내는 것으로 국고의 잉여 축적은 백성들로부터 징수된 것이었다. 신법 반대론자들은 입법 취지가 소농민의 보호라는 선의를 지니고 있다 할지라도 지방 단위에서 시행될 때 왜곡되는 단면이 많다고 주장하며, 신법에 대해 부정적 견해를 표출했다.[24]

왕안석의 개혁은 국가의 재정과 국방력 약화를 보완하기 위한 방법으로 실시되었으나, 당시 정치의 중심에 있던 사대부를 견제하고, 정치를 중앙 정부가 주도할 수 있는 조직으로 변화시키기 위한 노력으로도 볼 수 있다. 그렇기에 당시 기득권이었던 舊黨派의 반발을 불러 일으켰으며, 新黨派와 구당파가 서로 견제하고 권력을 잡기 위해 대립했다. 이러한 경향은 徽宗代 왕안석이 추구한 신법은 변질되어 백성 수탈의 도구로 전락했다.

반면, 송대 문화는 상업 발전을 토대로 새로운 국면을 조성했다. 송대에는 사회생산력이 크게 향상되어 租佃制와 雇佣制의 발달로 노동생산력을 가진 서민의 사회지위도 성장했다. 또한 상공업 발전과 함께 城郭戶 등의 사회적 지위 향상 그리고 상품경제의 성장과 국내외무역의 발달은 새로운 도시의 출현과 발전을 가져왔고, 사회계층의 활발한 유동성 등 많은 요소들이 새롭게 출현했다.[25]

송대 문화의 다양한 변화 중 눈에 띄는 것은 단연 문학의 발전이다. 송대에는

---

24 이근명, 「王安石 新法의 시행과 黨爭의 발생」, 『역사문화연구』 第46집(한국외국어대학교 역사문화연구소, 2013), pp.246~247.

25 강길중, 「宋代 文化形成과 人文學의 發展」, 『역사문화연구』 第35집(한국외국어대학교 역사문화연구소, 2010), pp.129~130.

많은 소설과 시가 당대 문학을 바탕으로 성장했으며, 문치주의를 표방한 송의 기조는 다양한 문학이 발전하는 토대가 되었다.

송대는 태조의 영향 하에 사상의 자유가 허용되고 서적출판이 성행하면서 소설류 역시 사람들이 많이 찾는 서적으로 성장하고, 다양한 장르로 확대된다. 그리고 황실부터 민간까지 성행한 소설류는 통속소설이 있다. 당대 通俗소설로 變文 · 俗賦 · 話本 · 詞文 등 형식이 있었다. 이러한 형식의 문학은 송 · 원대에 영향을 끼쳤다. 송대에는 개봉과 항주를 중심으로 경제발전이 이루어졌으며, 도시 번영과 상공업의 발전, 시민계급이 성장함으로써 문학예술의 발전의 토대가 되었다.[26]

송대 문학발전은 다양하고 흥미로운 이야기를 쏟아냈으며, 이는 다양한 인물고사문경이 제작될 수 있는 밑바탕으로 작용했고 이후 금 · 원대 동경에까지 영향을 끼쳤다.

한편, 거란과 여진은 북방민족으로 요동지역에 건립한 왕조로 오대, 송, 고려, 西夏와 병립하면서 세력을 키웠다. 중국은 漢族文化를 중심으로 발전했으나, 북방민족이 세운 나라가 등장함에 따라 중세 동아시아 정세는 크게 변화했으며, 특히 송과 고려는 이들과 근접한 지리적 조건으로 인하여 거란과 여진이 세운 나라와의 관계에 민감하게 반응했다.

거란은 901년 무렵, 耶律阿保機의 권력이 증대되기 시작해 907년 遙輦氏를 대신해 연맹의 수령이 되면서 세력을 확장했다. 이후 916년 야율아보기는 정식으로 稱帝하면서 거란 귀족을 핵심으로 하는 정권을 세웠고, 국호를 거란으로 정했다. 그리고 요 태종 會同 元年(938)에 황도를 상경으로 정하고 府를 臨潢이라 불렀으며, 大同 元年(947)에 遼로 개칭했다. 또한 요 성종 統和 元年(983)에 다시 대거란으로 고쳤으나, 요 도종 咸雍 2년(1066)에 또 다시 大遼로 불렀다.[27]

---

26 張國風 지음 · 이등연, 정영호 편역, 『중국 고전소설사의 이해』(전남대학교출판부, 2011), pp.102~103.

27 이계지 지음 · 나영남, 조복현 옮김, 『정복 왕조의 출현 요 · 금의 역사』(신서원, 2014), pp.60~63.

태조 야율아보기는 대외적으로 神册元年(916)에 西征에 착수하여 突厥, 党項, 吐渾, 小蕃, 沙陀 등 諸部를 모두 평정했다. 또한 안으로 제도를 정비하여 신책5년(921)에는 契丹大字를 만들고 6년에는 법률을 정비함으로써 국력 강화에 힘을 쏟았다.[28]

건국 후 태조는 일련의 정책들을 통해 국가의 기틀을 다지는데, 중요한 역할을 했으며 이후 성종 치세기에 요의 전성기를 이루었다. 성종은 어린 나이에 보위에 오르게 되자, 그의 모후인 承天太后가 섭정했다. 승천태후는 어린 아들의 황권을 공고히 하기 위해 적극적인 정치활동을 하면서 요의 전성기를 이끌었다.

승천태후는 경종의 皇后로 병약했던 경종을 대신해 조정의 일을 보았으며, 경종이 30세로 죽은 후 아들이 즉위했고, 그가 성종이다. 어린 나이에 즉위한 성종을 대신해 승천태후는 1009년 사망할 때까지 많은 정치활동에 적극적으로 관여했다.

승천태후는 특히 인재등용에 각별히 신경을 써, 韓德讓, 耶律斜軫 등에 정사를 결정하도록 했고, 변방에 대한 일은 耶律裕悅과 耶律休哥 등에게 맡겼다. 태후는 이들과 함께 성종 전반기에 권력을 장악하고 조정을 공동 집정하는 형태로 운용했다. 또한 요의 원활한 통치를 위해 최대한 많은 한족 인재를 뽑고자 했으며, 이를 위해 과거를 실시하기도 했다.[29] 승천태후의 이러한 노력은 아들인 성종 치세기에 이루어졌고, 성종은 승천태후가 사망한 이후에도 이를 이어감에 따라 요는 이 시기에 체계적으로 법령을 확립하고, 봉건질서를 마련함으로써 황권의 강화를 이루게 되었다.

한편, 안정적 치세를 펼치던 성종대 이후, 興宗代에는 친모가 국정을 장악하고자 하면서 왕실을 혼란스럽게 했으며, 결국 아들 흥종을 폐위시키려는 계획을 세

---

28 나영남, 「契丹의 異民族 支配政策과渤海人의 存在樣態」(한국외국어대학교대학원 박사학위논문, 2013), p.20.

29 박지훈, 「요대 承天 蕭太后의 섭정」, 『역사문화연구』 제64집(한국외국어대학교 역사문화연구소, 2017), pp.119~123.

웠으나, 발각되어 유폐되는 '欽哀之變'이 발생했다. 이미 전성기의 정점에서 하락세를 보이기 시작한 요대는 홍종의 무리한 출병과 내부의 권력투쟁으로 인해 쇠락의 길로 접어들었다.

여진은 요 왕조가 발해를 멸망시키자 남하하여 남으로는 고려, 서로는 요와 인접해 두 나라와 모두 밀접한 관계를 맺었다. 일찍이 會同初年에 고려로 사자를 파견해 알현하고 특산품을 바쳤으며, 고려의 선진적인 경제와 문화의 영향을 받기도 했다. 完顔氏는 생여진 중에서도 발전이 늦은 부족이었으나, 요 왕조에서 관직을 받은 뒤 요에 대한 친화적 태도를 보였다. 그 결과, 완안씨 귀족은 요 왕조라는 강력한 지지자의 도움을 받아 생여진 귀족 가운데 그들의 지위를 提高하고, 생여진 여러 부락 중 그들 부락의 영향력을 확대했으며, 통일 활동을 위한 실력을 증강시켰다.[30] 이러한 노력은 阿骨打의 등장으로 더욱 구체화 되었으며, 여진은 요와의 전쟁에서 승리함으로써 자신감이 생겼고, 이로 인해 나라를 건국하고자 하는 움직임이 일어났다. 이에 아골타는 1115년 즉위해 황제가 됨으로써 금 태조로 등극했고, 국호를 大金, 연호는 收國으로 하여 나라를 開創했다.

금의 전성기는 海陵王의 실패를 발판삼아 이루어졌다. 해릉왕대에 봉건사회로써의 기틀을 마련하기 위해 양자강으로 진출했으나, 지나친 토목공사와 국민에 대한 수취와 압박으로 곳곳에서 저항의 움직임이 일어났고, 이로 인해 동경에서 宗室의 政變으로 사촌동생인 烏祿이 옹립되면서 해릉왕은 揚州에서 시해되었다.

오록은 금 世宗으로 해릉왕의 실패를 교훈 삼아 사회적 갈등을 감소시키기 위해 관리를 肅正하고, 질서안정에 힘쓰고자 노력하면서 여진족에 대한 보호를 강화했다. 이러한 세종의 노력은 그의 손자 完顔璟(章宗)까지 이어져 금대의 전성기를 이루었다.

세종과 장종의 치세기에는 질서의 안정을 추구하면서 제도를 완비하기 위해 노

---

30 이계지 지음 · 나영남, 조복현 옮김, 앞의 책, pp.340~346.

력했으며, 이는 해릉왕대부터 지속된 혼란한 상황을 종식시켰다. 세종은 비록 해릉왕의 정책이 실패했지만, 이를 계속 집행하면서 개혁의 성과를 발전시키고자 했다. 그는 즉위한 초기에 당시 형세를 분석하고 參知政事 이석의 의견을 받아들여 계속 한족지역을 통치의 중심으로 삼으면서 봉건제를 추진하고자 했다.[31]

장종은 6대 황제로 세종대 정치적 기반을 토대로 明昌, 承安年間까지 금대 전성기를 이끌었다. 장종이 즉위했던 시기에도 하급관리에게 이권이 과중되고, 상인들에 의해 농민들이 수확한 곡식 가격이 낮아 손해를 입는 등 세부적 사회문제는 해결되지 않아, 장종은 이 문제에 주목했다. 또한 사치에 대해서도 경계하여 이러한 풍속에 대해 과분한 의식을 버리고 이유 없는 사치를 금하기도 했다.[32] 특히 장종은 문치주의를 표방하여 자신도 문화적 소양이 높았다. 세종의 제도를 이어받아 발전시킨 장종은 문화사업 정책을 적극적으로 펼침으로써 많은 업적을 남기기도 했다. 대표적으로 禮樂을 정하고, 전적을 정리하였으며, 역사서 편찬도 중시해 太祖, 太宗, 熙宗, 世宗에 대한『聖訓』을 편집하기도 했다.

하지만 이러한 전성기도 장종 太和年間에 접어들면서 내적으로는 사치적이고 모순된 사회의 병폐가 드러나기 시작했으며, 외적으로는 몽골의 성장으로 압박을 받기 시작했고, 쇠퇴기로 접어들게 된다. 더욱이 내적으로 부정부패와 사치풍속이 만연한 상황은 군사력에도 영향을 미쳐 군대는 훈련이 제대로 이루어지지 못하고, 장수들도 안일한 상태에 있어 전투력이 상실되었다. 이러한 상황에 태화6년 몽골은 칭기즈칸이 즉위하면서 금과 송을 압박하였다. 이에 장종은 송과의 화의를 통해 남쪽으로의 안정은 이루었으나, 몽골과의 끊임없는 전쟁은 금이 멸망하는 이유로 작용했다.

---

31 이계지 지음 · 나영남, 조복현 옮김, 앞의 책, p.405.

32 宋德金,「金章宗简論」,『民族研究』(1988年 4期), p.55.

2) 交流樣相

(1) 송과의 교역

고려시대 송과의 관계는 주변 국가와의 대치 속에서 국교가 이루어지거나, 혹은 단절되는 과정이 반복적으로 이루어졌다. 고려와 송의 관계는 주변 국가들의 변화, 발전에 영향을 받았으며, 두 국가간의 교류도 각 나라의 실리적 이익에 맞춰 이뤄졌다. 북방의 요, 금이 세력을 확장해 고려와 송을 위협하는 상황에서 고려와 송은 이를 견제하기 위해 교류를 했다. 하지만 두 나라는 각 나라의 실리를 우선으로 했던 만큼 파병 등의 요청에 응했던 적은 거의 없었으며, 요청거절로 인해 국교가 단절되기도 했다.

고려와 송의 외교에서 두 국가의 교류는 문화적 욕구를 충족하기 위한 부분이 컸고, 각 국가에서 필요로 하는 다양한 품목인 書籍, 宗教, 醫生, 藥材 등과 人的交流인 구법승과 유학생을 통해서도 교류하고자 했다.

고려에서 송으로 사신을 보낸 것은 962년이었으며, 송이 고려로 처음 사신을 파견한 것은 963년인 光宗 14년 12월로 이때 송의 연호를 사용하였다는 기록이 있다. 송에서 册命使 時贊을 파견했는데, 바다에서 풍랑을 만나 죽은 사람이 90인이나 되었고, 시찬만 홀로 살아 왕이 위로했다는 내용이다.[33] 이후 송과의 교류는 활발히 진행된 것으로 보이며, 이에 대해 崔承老는 성종 원년(982) 6월 왕에게 올린 時務策에 당시 잦은 왕래에 대해 비판하는 내용이 있다.

'지금은 방문하는 사신뿐만 아니라 무역으로 인해 사명(使命)을 띤 사람들[使价]이 번거롭게 많으니, 중국에서 천하게 여길까 염려됩니다. 또한 〈잦은〉 왕래로 배가 난

33 『高麗史』卷2「世家」卷第2 光宗14年12月 '冬十二月 行宋年號. 宋遣册命使時贊來, 在海遇風, 溺死者九十人, 贊獨免, 王特厚勞之.'

파되어 목숨을 잃는 사람들도 많습니다. 요청하건대 지금부터는 교빙하는 사신에게 무역을 겸하여 행하게 하고, 그 나머지 때에 맞지 않는 매매는 모두 금지하십시오.'[34]

시무책의 내용에는 사신뿐 아니라 무역으로 인해 왕래가 너무 잦으니, 交聘하는 사신에게 무역을 겸하게 하고 때에 맞지 않은 매매는 금지해달라는 요청이었다. 이는 公貿易 뿐 아니라, 私貿易으로도 송과의 교역이 활발히 이루어지고 있었음을 알 수 있다. 하지만 996년 고려가 요의 압력으로 책봉을 받으면서 송과의 공식 관계는 단절되었다.

고려와 송의 정식 외교관계로 보았을 때, 사신왕래가 중단되었던 시기는 995~998년, 1004년~1013년, 1037~1070년, 1139~1161년, 1165~1279년 등 총 5회이며 186년간 정식 외교는 중단되었다.[35] 짧게는 4년 길게는 115년 동안 공식적 외교가 단절된 고려와 송은 사무역을 통한 교역을 통해 꾸준히 교류가 진행되었다. 송 상인의 고려 내항한 공식적 기록은 1031년 송 태주의 상인이 들어왔다는 기록[36]을 시작으로 남송이 멸망하기 1년 전인 1278년까지 이어졌으며[37], 남송대 상인들이 공식적 공문을 가지고 방문한 점은 송 상인들이 사무역을 통해 공적인 임무를 수행했던 것으로 판단된다.[38]

고려와 송은 공식적 관계 속 주고받은 공물과 사무역을 통해 교역된 물품이 조

34 『高麗史』卷93「列傳」卷第6 '……今非但聘使, 且因貿易, 使价煩夥, 恐爲中國之所賤。且因往來, 敗船殞命者多矣. 請自今, 因其聘使, 兼行貿易, 其餘非時買賣, 一皆禁斷。'

35 朴玉杰,「高麗來航 松商人과 麗·宋의 貿易政策」,『대동문화연구』vol.32(성균관대학교 대동문화연구원, 1997), p.33.

36 『高麗史』卷5「世家」卷第5 德宗卽位年6月 '宋台州商客陳惟志等六十四人來。'

37 『高麗史』卷28「世家」卷第28 忠烈王4年10月 '宋商人馬曄獻方物, 賜宴內庭。'

38 송 상인들의 공문을 갖고 들어온 것은 고려에 있는 명주 사람 2명을 찾아 보내달라는 내용과 이 2명을 고려에 거주할 것을 허락하는 등의 공문이 오갔으며, 송 황제의 뜻에 따라 고려에 온 상인들이 고려 왕에게 글을 올리는 등의 기록을 통해 사신들이 공적 업무도 간접적으로 수행했음을 알 수 있다. 『高麗史』卷15「世家」卷第15 仁宗2年5月 ;『高麗史』卷15「世家」卷第15 仁宗4年7月

금씩 달라, 이에 대해 살펴보고자 한다. 고려는 초기 송과 책봉관계 속에서 공적 교역이 있었으며, 이로 인해 정기적으로 송에 사신을 파견해 조공했다. 이후 고려의 사절은 물품을 바치는 進奉이나 謝恩의 명목으로 파견되고, 송과 통교를 재개한 이후에는 대등한 관계 속에서 국가간 신뢰를 표하는 國信使를 보냈다.

고려는 주로 송 황제가 하사한 것에 대한 사은으로 방물을 가져갔다. 그 종류는 말, 갑옷, 鍮銅器(놋쇠그릇), 金線織成, 龍鳳鞍幞, 繡龍鳳鞍幞, 御衣, 金腰帶, 금사라, 金花銀器, 色羅, 色綾, 生羅, 生綾, 幞頭紗, 帽子紗, 罽屛, 畫龍帳, 大紙, 먹, 器仗(병기), 細弓, 哮子箭(소리나는 화살), 細箭, 鞍轡, 細馬, 散馬, 金器, 銀器, 金盒, 盤盞, 注子, 紅罽倍背, 紅罽褥, 장도, 상중포, 삼, 松子, 향유, 螺鈿裝車 등이 있다.[39] 물품들은 송 황실에 사은하는 것이었던 만큼 양적, 질적으로 우수하였으며, 품목은 황제나 태후 등 받는 사람에 따라 약간의 차이가 있었다.

고려 역시 송 황실에서 보내온 진귀한 물품들을 받았다. 문종23년(1069) 6월에 송 황제의 詔書와 함께 많은 국신물을 받았다는 기록이 있다.[40] 송 신종이 보낸 것 가운데에는 衣 · 公服, 한삼, 바지, 犀帶 등 고려 국왕에게 주는 어의를 비롯하여 복식류가 가장 큰 비중을 차지하고 그 다음이 비단 옷감들이었으며, 별사품으로 차, 술, 악기 등이 있었다. 이것을 문종대 송의 황제가 보낸 하사품과 연계시키면, 첫째 권위를 보여주는 의복류와 무기류, 둘째 구하기 어려운 귀금속 공예품, 견직물, 모직물류, 진기품, 토산물류, 셋째 문종의 치료를 위한 약물 등이 있었다.[41]

사절단과 상인 이외에 고려와 송 사이에 왕래한 학자, 승려, 유학생 등을 통한 인적교류를 통해 많은 서적과 경전, 불사리 등이 전해졌다. 『宣和奉使高麗圖經』에는 이와 관련된 기록이 있다.

---

39 이진한, 『고려시대 무역과 바다』(경인문화사, 2015), pp.118~119.

40 『高麗史』卷9「世家」卷第9 文宗32年6月

41 이진한, 앞의 책, p.121.

'興王寺는 國城 동남쪽에 있다. 長霸門을 나서 2리 가량을 가면 앞으로 흐르는 시냇물을 만난다. 사찰의 규모가 매우 크다. 그 가운데에 (중국이) 元豊年間(1078~1085)에 하사한 夾紵佛像과 元符年間(1098~1100)에 하사한 藏經이있다. 양쪽 벽에는 그림이 있는데, 숙종[王顒]이 崇寧(1102~1106)때의 使者 劉逵 등에게, "이것은 文王께서 사신을 보내 神宗皇帝께 고해 相國寺를 본 따 모방해 만든 것으로, 우리나라 사람들이 우러러 사모하게 되었습니다. 우러러 황제의 은혜에 감사하여 지금까지도 소중하게 아끼는 것입니다."라고 하였다.'[42]

興王寺에 元豊年間 송에서 하사한 夾紵佛像과 元符年間에 보내온 대장경, 相國寺에서 모사해 온 벽화 등이 있었다는 내용이다. 이는 송에 발달된 불교문물이 전래된 구체적 예로 당시 불상, 불화, 경전 등이 송의 영향을 받았음을 알 수 있는 자료이기도 하다. 이러한 점은 국제 정세 속에서 국교가 단절되는 등 관계 악화가 있었으나, 사무역과 인적교류를 통한 고려와 송의 교역은 많은 물품이 전래되었고, 음악, 종교 등 문화적 측면에서도 서로 영향을 주고 받았다. 이는 당시 책봉과 조공에 종속된 봉건적 관계에서 벗어나 각 국가의 실리를 위한 관계 속에 교역이 이루어졌던 것으로 볼 수 있다.

(2) 遼 · 金과의 交流 및 交易方式

고려시대 요와의 관계를 알 수 있는 최초의 기록은 922년 태조 때 거란이 낙타와 말, 모직물을 보내왔다는 내용이다.[43] 하지만 태조25년(942) 거란이 발해를 멸망시킴에 따라 고려는 거란과의 親善을 유지할 수 없다고 생각하여 交聘을 끊고 사신 30명을 섬으로 유배 보냈으며, 낙타를 萬夫橋 아래 매어두어 굶어 죽게 했

42 『宣和奉使高麗圖經』권17「祠宇」

43 『高麗史』卷1「世家」卷第1 太祖5年2月 '(壬午)五年 春二月 契丹來遺槖駝馬及氈。'

다.[44] 이로 인해 고려와 거란의 관계는 악화되었으며, 國交가 단절되고 적대적 관계로 이어졌다. 요와 국교가 단절된 시기 중 성종10년(991)~현종9년(1018)기간 동안 세 차례의 전쟁을 치르는 등 관계가 악화되었으나, 1019년 和議가 맺어짐에 따라 고려와 요의 관계는 새로운 국면으로 접어들게 되었다.[45]

고려와 요는 화의를 계기로 잦은 사신 왕래가 있었으며, 이는 연례적으로 행하던 각국의 사절단이 왕래함으로써 외교적으로 뿐만 아니라, 무역적 성격을 띤 경제적 측면을 갖게 되었다. 요와의 공식적인 무역은 사행무역이 있다. 사절단은 요의 황제에게 전해줄 공물을 갖고 요로 향했으며, 요에서는 이에 대한 답례품을 전해줌으로써 물품교역이 이루어졌다.

사행을 간 사절단을 통한 사무역 역시 이루어졌다. 『高麗史』卷第95「列傳」第8 諸臣 邵台輔에 내용을 통해 유추할 수 있다.

> "北路 변경에 있는 성의 장수와 병졸들은 대부분 山南 州縣에서 충원되었습니다. 그러므로 정전이 먼 곳에 있어서 살림이 궁핍합니다. 혹시 병란이 생긴다면 이들은 모두 선봉이 됩니다. 청컨대 지금부터는 요에 들어가는 사신으로 하여금 <그중에서> 건장한 자를 훈련시켜 시종으로 삼게 하소서. <그들을 통해> 변경의 정세를 정찰하게 하고 또 호시에서 이익을 얻게 하면, 사람들이 반드시 다투어 권면할 것입니다."[46]

---

44 『高麗史』卷2「世家」卷第2 太祖25年10月 '(壬寅)二十五年 冬十月 契丹遣使, 來遣槖駝五十匹。王以契丹嘗與渤海, 連和, 忽生疑貳, 背盟殄滅, 此甚無道, 不足遠結爲隣。遂絶交聘, 流其使三十人于海島, 繫槖駝萬夫橋下, 皆餓死。'

45 전쟁기간동안 고려는 요의 책봉국이 되었으나 두 나라의 관계가 원만했던 것은 아니었으며, 이로 인해 전쟁은 계속되는 실정이었다. 더욱이 고려는 요를 금수의 나라로 생각하여 송과의 친교를 계속 이어나가고자 했다. 이러한 고려의 행동은 요를 자극했으며, 요는 압록강 쪽 保州를 점령함으로써 고려와의 영토문제를 일으켰다.

46 『高麗史』卷第95「列傳」第8 諸臣 邵台輔 '…故丁田在遠, 貲産貧乏。脫有兵事, 並爲先鋒。請自今, 令入遼使臣, 揀壯健者爲傔從。因使偵察疆域事勢, 且有互市之利, 人必競勸。'

선종 재위 당시 中書侍郞平章事인 소태보가 왕에게 건의한 내용으로 북로에 있는 장수와 병졸들의 생활이 궁핍하니 요에 들어가는 사신으로 하여금 이들을 시종으로 데려가게 하여 변경의 정세를 정찰하게 함과 동시에 호시에서 개인적 이익을 추구하게 할 수 있도록 한다면 서로 다투어 할려고 할 것이라 했다. 이는 사행무역을 가는 사절단 내에 개인적으로 시장거래를 함으로써 사적 이익을 추구했으며, 이는 사무역의 형태로 일상생활에서 필요한 용품에서 귀중품까지 다양한 물품이 거래되었을 것으로 생각된다.

고려와 요의 무역에는 '榷場'이라는 互市를 뺄 수 없다. 각장은 요 뿐만 아니라 금, 원과도 관련 있는 무역이지만, 요와의 관계에서는 무역의 성격보다는 외교적 · 정치적 문제로 부각된다는 점에서 차이가 있다. 각장은 원래 송대 한족과 북방민족의 교역을 위해 설치된 무역시장을 칭하는 용어였으나, 그 외 국가 간에 이루어진 무역 장소도 각장이라고 칭하여 국가간 무역을 위해 설치한 장소를 의미하게 되었다. (表1)은 고려와 요나라 간의 각장설치에 대한 내용이다.

요와의 사이에서 각장문제는 『遼史』, 『高麗史』를 통해 그 내용을 확인할 수 있다. 선종대 요는 각장설치를 시도했고, 이로 인해 두 나라 간에 큰 갈등이 발생했다. 압록강변에 각장을 설치하려고 하는 요의 요구는 (表1)의 선종3년 5월 기사에서 확인할 수 있으며, 이에 대해 고려는 告奏使를 요에 파견하여 이를 철회해달라는 뜻을 문서로 전달했다.

하지만 고려의 요청은 요에서 받아들여지지 않아, 선종4년(1087)에는 정월에 요에 秘書監 林昌槩를 고주사로 보냈으며, 15일만에 다시 閤門引進使 金韓忠을 密進使로 요에 보냈다. 이 외 같은 해 10월에 고주사를 보내는 등 여러 차례 사신을 파견했다. 이는 각장 설치를 둘러싼 양국 관계가 매우 급박해졌음을 보여주는 것으로 생각된다.[47]

47 이미지, 「고려시기 對거란 외교의 전개와 특징」(고려대학교대학원 박사학위논문, 2012), p.184.

表 1. 高麗 · 遼간의 権場에 대한 記錄

권명	내용
『遼史』卷第60 志第29 食貨志 下	성종 통화 23년(1005)에 振武軍 및 保州(평양 서북 100여리)에 모두 榷場을 두었다.
『遼史』卷第38 志第8 地理志2	保州 宣義軍. 節度使를 두었다. 고려가 州를 설치하였다. 옛 縣이 1곳 있었는데 來遠縣이라고 하였다. 聖宗이 고려왕 王詢, 현종이 멋대로 왕위에 즉위하였다 하여 죄를 물었으나 굴복하지 않다가 統和연간 말에 고려가 항복하였다. 開泰 3년(1014)에 그 보주, 定州를 취하여 이곳에 搉場을 설치하였다. 東京統軍司에 예속되었다.
『高麗史』권제10 宣宗3년 5월	병자 尙書禮部侍郎 崔洪嗣를 遼에 보내 落起復을 사례하였다. 禮賓卿 李資智는 신년을 하례하였고, 知中樞院事 李子威와 尙書左丞 黃宗慤은 책册命을 보낸 것에 사례하였다. 또 告奏使로 尙書右丞 韓瑩을 보내서 당시에 요가 鴨綠江에 榷場을 세우려 하였는데 그것을 중지할 것을 요청하였다.
『高麗史』권제10 宣宗5년 2월	2월 갑오 遼에서 鴨江 기슭에 榷場을 설치할 것을 의논하자, 中樞院副使 李顔을 藏經燒香使로 의탁하여 龜州로 가서 비밀리에 변방의 일을 의논하게 하였다.
『高麗史』권제10 宣宗5년 9월	9월 遼에 太僕少卿 金先錫을 보내 榷場 설치계획을 중지하기를 요청하였다. "…엎드려 바라건대 폐하는 지방의 소임을 맡은 閫臣의 어긋난 의논을 물리치고 변방에 있는 나라의 심한 근심을 생각하여서, 마음대로 田原에서 밭 갈고 샘을 파서 근심 없이 살며 다시 舊業에 만족할 수 있도록 榷酤之場의 건물을 금지하여 새로 만들지 못하도록 해주십시오. 만일 소란을 그치게 해준다면 영원히 있는 힘을 다하여 은혜를 갚도록 하겠습니다."
『高麗史』권제10 宣宗5년 11월	임신 遼에서 金先錫이 돌아왔는데, 회답한 詔書에서 말하기를, "여러 차례 글을 올려 榷場을 정지하도록 요청하였으나, 살펴보면 작은 일인데 어찌 번거롭게 말할 필요가 있겠는가? 가까운 시일 내에 편의에 따라 의논할 것이다. 하물며 설치할 것을 결정하지도 않았으므로 될 수 있는 대로 안심하도록 하려고 진력을 기울이고 있으니, 깊은 의심을 풀고 나의 지극한 뜻을 체득하라." 라고 하였다.
『高麗史』권제10 宣宗5년 11월	都兵馬使에서 아뢰기를, "지금 遼 東京兵馬都部署에서 문서를 보내 정주靜州關 안에 있는 軍營을 철수하기를 청하였습니다. 앞서 大安 연간에 요가 鴨江에 亭子와 榷場을 설치하려고 하였는데, 우리 조정에서 사신을 보내 철수하기를 청하였더니 요의 황제가 그것을 들어주었습니다. 지금 역시 그 청을 따르는 것이 마땅합니다."라고 하니, 왕이 그렇게 하라고 하였다.
『高麗史』권제11 肅宗6년 8월	都兵馬使에서 아뢰기를, "지금 遼 東京兵馬都部署에서 문서를 보내 정주관내 안에 있는 軍營을 철수하기를 청하였습니다. 앞서 大安연간에 요가 鴨江에 亭子와 榷場을 설치하려고 하였는데, 우리 조정에서 사신을 보내 철수하기를 청하였더니 요의 황제가 그것을 들어주었습니다. 지금 역시 그 청을 따르는 것이 마땅합니다."라고 하니, 왕이 그렇게 하라고 하였다.

이러한 노력에도 불구하고, 여전히 각장 문제는 해결되지 못했으며, 선종5년(1088) 9월 고려는 요에 表文을 전달함으로써 각장 철회를 구체적으로 요구했다. 표문은 先代 요가 고려의 영토인 압록강변에 건물을 설치하는 등 일련의 행동에 대해 언급함으로써 고려의 관할권을 꾸준히 침해하였음을 지적하면서 항의를 표현했다. 이에 대해 선종5년 11월 太僕少卿 金先錫이 요의 회답을 갖고 돌아왔다.

조서에는 각장 정지 요청이 살펴보면 작은 일이니 가까운 시일 내에 의논을 할 것이며, 설치를 결정하지 않았으니 되도록 안심하도록 진력을 기울이겠다는 미온적 답변이었다. 이로써 선종대에는 이 회답과 같이 각장 철회에 대한 확답을 얻지 못했다. 하지만 숙종6년(1101) 5월의 기사를 보면, 대안연간에 요가 압강에 정자와 각장을 설치하려고 했으나, 고려에서 사신을 보내 철수하기를 청하였고, 이를 요 황제가 들어주었다는 내용을 통해 숙종대 각장문제가 해결되었음을 알 수 있다.

금은 여진족으로 두만강과 압록강 유역에 흩어져 살던 유목민족으로 고려에 조공하며 관계를 맺었다. 여진족은 고려의 북서부에 있던 압록강 유역에 거주한 서여진과 동북 함경도 지방에 거주했던 동여진으로 나뉜다. 고려는 초기에 여진과 직접 교류하였고, 여진은 고려를 상국으로 여겼다. 하지만 完顔部의 추장 阿骨打가 요를 배반하고 1115년에 황제의 자리에 올라 국호를 金으로 칭하면서 태조로 즉위했다.

對金貿易은 요와 마찬가지로 외교를 통한 사행무역이 중심이었다. 금 역시 요와 마찬가지로 고려와의 국경에서 각장무역을 실시했으나, 그 양상은 달랐다. 요는 각장 설치를 국경문제로 확장시킴으로써 고려로 하여금 경계하게끔 했다면, 금의 경우는 실제 교역이 이루어졌다는 점에서 각장이 원래의 역할을 했음을 알 수 있다. 이는 압록강변 보주를 고려가 되찾게 됨에 따라 국경분쟁이 해소되었고, 이는 금과 원활히 무역을 할 수 있던 배경으로 작용했다. 금과의 각장에 대해『東文選』卷第6 金克己의「擢場」이 있다.

'…문득 보니 들판 가운데 저자에 氈廬(모포로 된 천막)가 있으니,

높은 깃발이 펄럭이고 북소리 들린다.

큰 상인의 담비 모피 옷은 손을 지질 것 같고,

거친 콧김은 바로 올라와 구름과 연기를 만든다.

한 푼을 서로 다투면서 재물을 모으고

수레에 실으니 굴대가 부러져 어깨에 멘다.…'[48]

이 시에 의하면 각장은 압록강변의 고려 쪽 들판에 있었으며, 상인들은 천막을 치고 물품을 팔았다. 큰 상인들은 매우 귀한 담비 모피 옷을 입고 장사를 했고, 매매한 후에는 산 물건을 수레나 어깨에 메고 날랐으며, 수레는 굴대가 부러질 만큼 큰 거래도 있었다. 이 시를 통해 각장은 활발한 상거래가 이루어지고 있었다는 것을 알 수 있으며, 각장이 국경지대에 있었으므로 금나라 사람의 출입이나 고려인의 무역은 모두 국가의 허가나 승인 하에 진행되었을 것이다.[49]

하지만 금 역시 고려와의 갈등으로 인해 각장이 폐쇄되는 시기가 있었다. 고려 高宗3년(1216)에 금의 宣撫使 蒲鮮萬奴가 요동을 근거지로 삼고 천왕을 僭稱하고 국호를 大眞이라고 하는 사건이 발생했다. 이로 인해 금은 帖文을 보내어 고려에 곡식을 팔라고 간청했으나, 고려는 금의 요청을 거절했다. 이는 1215년부터 금의 사람들이 전쟁이 일어나서 물자가 고갈되자 의주와 정주의 관문 밖에 머무르며 미곡을 호시했다. 이에 대해 국가에서 엄한 형벌을 내리고 재물을 몰수 했음에도 매매행위가 끊이지 않았다고 한다.[50]이러한 경위를 보면, 고려와 금의 각장무역은 중단되었을 것으로 판단된다.

금과의 교역은 동경에 새겨진 험기의 지역명을 통해서도 확인할 수 있다. 앞서 살펴본 바와 같이 금은 동금정책을 시행하면서 동사용량을 제한하기 위해 동경에 험기를 남기는 제도를 마련했다. 이는 당시 동경이 어느 지역에서 주조 · 검수받

---

48 『東文選』卷第6 金克己「擢場」'……忽見氈廬臨野市。高旗獵獵鼓闐闐。豪商貂裘手可炙。鼻息直上成雲煙。奔競毫芒收貨貝。載車折軸擔赬肩。……'

49 이진한, 앞의 책, p.187.

50 『高麗史』卷第22「世家」卷22 高宗3年 '時, 金宣撫蒲鮮萬奴, 據遼東, 僭稱天王, 國號大眞。先是, 金再牒乞糴, 國家令邊官, 拒而不納。自去年, 金人因兵亂資竭, 爭賫珍寶, 款義 · 靜州關外, 互市米穀。至以銀一錠, 換米四五石, 故商賈爭射厚利, 國家雖嚴刑籍貨, 然猶貪瀆無厭, 潛隱互市不絶。金將率兵到關, 責云, "何棄舊好, 不通告糴乎?" 乃擄十餘人而去, 中道脫還。'

았는지 알 수 있다.

表 2. 國立中央博物館 所藏 金代 銅鏡의 '驗記'內容[51]

분류		명칭	유물번호	크기	험기내용	출토지
倣古紋	1	昭明鏡	본관 2690	徑 9.7cm	北京驗記官(花押)	高麗古蹟
	2	昭明鏡	본관 2593	徑 9.6cm	北京驗記官(花押)	高麗古蹟
	3	青蓋鏡	덕수 182	徑 11.2cm	金城□正 奉聖州錄事司官(花押)	개성부근
	4	青蓋鏡	덕수 895	徑 9.7cm	官□	개성부근
	5	青蓋鏡	본관 2702	徑 9.4cm	金城記官匠	高麗古蹟
	6	青蓋鏡	본관 2746	徑 10.1cm	官□	高麗古蹟
	7	青蓋鏡	본관 2270	徑 10.3cm	官□	高麗古蹟
	8	海獸葡萄紋鏡	본관 12407	徑 13.2cm	鏡子	高麗古蹟
	9	海獸葡萄紋鏡	덕수 5997	徑 13.3cm	刑家庄毛克官記	개성부근
	10	海獸葡萄紋鏡	덕수 5502	徑 13.3cm	信州武昌縣(花押)	개성부근
人物故事紋	11	任女紋鏡	덕수 1404	徑 9.7cm	金城官記匠	개성부근
	12	任女紋鏡	본관 5168	徑 8.4cm	銅院匠(花押)	慶南 河東 花開面
	13	許由巢父紋鏡	덕수 686	徑 14.5cm	寶坻官□	개성부근
	14	王質觀棋紋鏡	덕수 6174	徑 12.7cm	官□	개성부근
	15	人物殿閣紋鏡	덕수 5049	徑 19.4cm	□昌縣造	개성부근
	16	人物殿閣紋鏡	덕수 1711	徑 24.7cm	蓋州鑄字司 辰州建安縣	개성부근
	17	人物殿閣紋鏡	덕수 1323	徑 15.4cm	清安令□	개성부근
	18	人物殿閣紋鏡	덕수 6175	徑 22.5cm	□院□	개성부근
	19	杯度禪師紋鏡	증 5469	徑 14.2cm	都右院官	불명
	20	彈琴古事紋鏡	덕수 2592	徑 13.2cm	眞正錄事官(花押)	개성부근
	21	仙人龜鶴紋鏡	본관 9128	徑 16.1cm	古安(花押)	불명
童子紋	22	童子遊戲紋鏡	덕수 2952	徑 14.1cm	□谷□住(花押)	개성부근
	23	童子遊戲紋鏡	본관 4325	徑 12.1cm	西京官記	개성부근
	24	童子遊戲紋鏡	동원 1811	徑 14.2cm	都右院官(花押)	불명
	25	童子遊戲紋鏡	덕수 4902	徑 16.7cm	韓州主薄	개성부근

51 (表2)는 박진경「금계 고려경의 제작과 유통」의 (표3)을 바탕으로 이난영『한국의 동경』,『고려경 연구』를 참고하여 수정, 보완했다.

	26	雙魚紋鏡	덕수 1817	徑 17.4cm	臨潢縣(花押)	
	27	雙魚紋鏡	덕수 56	徑 10.9cm	銅院匠(花押)	개성부근
	28	龍紋鏡	덕수 3299	徑 9.3m	판독불가	개성부근
	29	四神紋鏡	덕수 1690	徑 15.8cm	都右院官	개성부근
	30	瑞獸紋鏡	본관 9539	徑 10.3cm	官(花押)	불명
動·植物紋	31	龍鳳紋鏡	본관 2768	徑 7.1cm	官(花押)	불명
	32	走馬葡萄紋鏡	본관 7894	徑 8.8cm	洛□官匠□□	개성부근
	33	花鳥紋柄鏡	덕수 5334	徑 9.4cm	金城(花押)	개성부근
	34	菊花唐草紋鏡	덕수 427	徑 6.3cm	交河縣官	개성부근
	35	寶相花紋鏡	덕수 373	徑 16.0cm	秦仙官□	개성부근
	36	寶相花紋鏡	본관 2741	徑 22.3cm	西京閤門司候金演造	高麗古蹟
	37	寶相花紋鏡	덕수 2057	徑 21.5cm	西京僧院監造	개성부근
	38	寶相花紋鏡	본관 2757	徑 21.7cm	西京僧院監造	高麗古蹟
	39	卍字紋鏡	본관 2734	徑 16.5cm	咸平府榮安縣□	高麗古蹟
	40	八卦紋鏡	덕수 2585	徑 18.0cm	河縣記官□	개성부근
文字紋	41	'壽山福海'銘鏡	덕수 57	徑 16.3cm	左巡院驗記官(花押)	개성부근
	42	家祿進官銘鏡	덕수 2373	徑 10.0cm	西京記	개성부근
	43	女眞文字鏡	덕수 287	徑 15.7cm	판독불가	불명
	44	湖州鏡	본관 298	徑 11.4cm	辰州建安縣本□	輯安수집
	45	靈樹圍垣紋鏡	덕수 1873	徑 25.6cm	官(花押)	개성부근
其他	46	素紋鏡	본관 5796	徑 13.4cm	平州□安縣□	개성부근
	47	素紋鏡	덕수 2875	徑 19.5cm	東京巡院匠	개성부근
	48	素紋鏡	덕수 5503	徑 18.5cm	平郭縣官記	개성부근

국내에는 고려시대에 유입된 것으로 보이는 금대 동경이 다수 있으며, 그 중 험기가 새겨진 경우도 있다. 험기가 있는 동경의 다수는 국립중앙박물관에 소장되어 있으며, 그 수량은 대략 48점이다. 방고경, 인물고사문, 동자문, 동·식물문, 문자문 등 다양한 문양의 동경에 험기가 있다. 당시 금에서 성행한 인물고사문과 동·식물문 동경이 많은 것으로 보아, 고려에 많은 종류의 동경이 유입되었을 것으로 생각된다. (表2)는 국립중앙박물관 소장 금대 동경을 문양별 분류하여 그 험기내용을 정리했다.

(表2)험기에 보이는 지역명은 北京路[북경, 임황], 西京路[서경, 금성][52], 東京路[동경, 개주], 上京路[신주], 中都路[보저, 고안, 평주], 咸平路[한주, 평곽, 청안, 영안], 河北東路[교하]가 있다(插圖1). 이 중 서경로와 중도로, 함평로에 속한 지역명이 다수이다. 중국 내 금대동경에 험기가 있는 예는 많은 편이나, 지역명을 정리한 자료는 거의 없다. 본 연구에서는 중국에서 발간된 주요 도록 중 험기가 있는 동경을 정리했으며 험기에 언급한 지명은 (附錄1)로 첨부했다.

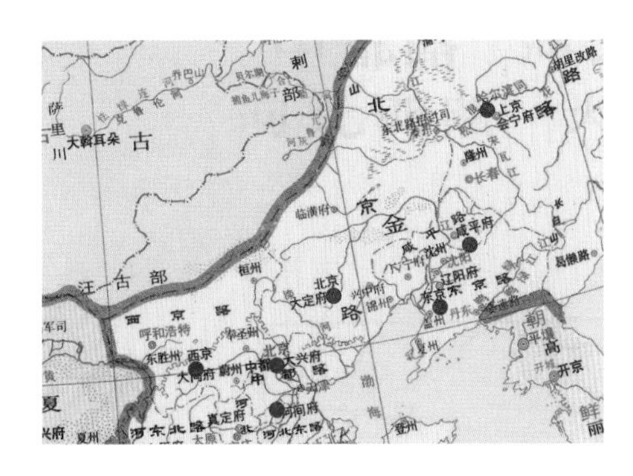

插圖 1. 金代 上京路, 咸平路, 北京路, 中都路, 西京路 位置

(表2)에서 고려로 유입된 금대 동경 중 서경로와 중도로의 지역명이 많으며, 중도로는 '都右院官'으로 표기된 험기를 통해 지역을 확인했다. 또한 함평로에서 검수한 동경은 4점으로 중국에 남아 있는 험기 중 '함평로'의 예가 많지 않아, 이러한 상황에 비교해볼 때 고려로 '함평로'가 새겨진 동경의 유입이 많았음을 알 수 있다. 따라서 험기를 통해 본 금과의 교역은 고려와 거리가 먼 서경로, 북경로에서

52 金城은 金代 西京路 德興府에 예속되어 있던 현으로 현재 山西 應縣에 위치한다. 험기에 등장하는 금성은 金城, 金城縣, 金城官, 金城記, 金城記官, 金城記造 6가지로 기표되어 있다. 동경에 많이 등장하는 금성은 동경 주조 및 검수의 중심지였던 것으로 추정된다. 또한 동북 3성(흑룡강성, 길림성, 요녕성) 주변에서 많이 출토되어 금대 금성의 위치가 서경로가 아닌 상경로로 보는 의견이 있다. 이는 해릉왕 시기인 정원 원년(1153) 상경의 호칭을 사용하지 못하게 함에 따라 이를 대신해 상경을 금성으로 칭했으며, 이에 이 지역에서 검수한 동경은 '금성'으로 표기했다는 것이다. 하지만 험기에 등장하는 상경로는 '上京路巡院官' 혹은 '上京路□□縣'으로 표기되어 있다. 반면 금성은 위에 언급한 6가지로 표기되어 있으며, 이중 '금성기조'는 동경을 제작했음을 의미한다. 따라서 단순 검수만 했던 것으로 판단되는 상경과 제작까지 이루어진 금성은 다른 지역임을 알 수 있다. 즉, 금대 서경로 금성은 동경을 제작하던 공방과 이를 검수하던 기관이 있던 곳으로 볼 수 있다. 田華 · 邱玉春, 앞의 논문, p.100 ; 史策, 「金代銅鏡紋飾研究—以上京地區爲中心」(哈爾濱師範大學 碩士學位論文, 2017), pp.8~9.

검수한 동경의 유입이 많다. 하지만 이 곳에서 검수한 동경의 양이 다른 지역에 비해 월등이 많았던 점을 감안하면 고려로 전해진 수량은 많지 않으며, 오히려 중국 내에서 검수량이 적은 함평로의 동경이 국내에 많다는 점은 근접한 지역에서 동경의 전래가 많았음을 추정할 수 있다.

(3) 日本과의 關係와 交易

『高麗史』를 통해 본 고려와 일본과의 관계는 간성현, 연평도, 삼척현 등 다양한 곳에서 침략한 일본(倭)의 기록을 쉽게 찾을 수 있으며, 잦은 침입으로 인해 일본에 직접 사신을 보내 해적 단속을 요구하기도 했다.[53] 그 외에는 일본 상인들이 물품을 바치거나, 흥왕사에 시주를 하는 등의 기록을 통해 거래를 위해 고려로 들어온 것을 알 수 있다.[54] 기록상 고려가 일본과 국교를 맺어 국가적 차원의 교류가 있었다는 내용이 없어, 고려와 일본은 국가적 교류보다는 사적인 상인들을 중심으로 교류가 일어졌음을 짐작할 수 있다.

表3.『高麗史』의 日本 地域別 交流 內容

지명	내용
九州	신해 일본의 關西九州節度使 源了俊이 周能 등을 보내와서 토산물을 바쳤다.[52]
	日本九州節度使 源了浚이 사신을 보내어 來朝하며 토산물을 바치고, 포로로 잡힌 우리 남녀 68인을 돌려보냈다. 시중(侍中)에게 글을 올려 이르기를, "제가 貴國을 향해 진심으로 잘 사귀고자 한 지가 이제 40년이 되었습니다. 지난 기사년(1389) 10월 사이에 적을 금하게 하라는 명령을 공경히 받들어 여러 섬의 賊黨을 금하였습니다. 작년 10월에 승려 周能이 글을 가지고 오기를, '해적이 아직도 끊이질 않고 있으니, 만약 엄격하게 금지시키지 않는다면, 피차가 손상될 일이 있을까 두렵다.'라고 하니, 제가 도리어 부끄럽기도 하고 약간 분한 마음도 있어 여러 도에 사신을 보내어 해적을 붙잡아 왔습니다. 엎드려 바라건대 귀국의 여러 제상들이 제 마음을 살피셔서 길이 화평하게 해주십시오."라고 하였다.[53]
	갑자 判宗簿寺事 宋文中을 보내어 日本九州節度使 源了浚에 報聘하게 하였다.[54]
	日本國 源了浚이 사신을 보내 와서 方物을 바쳤다.[55]

53 『高麗史』卷22「世家」卷第22 高宗14年12月 '是歲, 遣及第朴寅, 聘于日本. 時, 倭賊侵掠州縣, 國家患之, 遣寅賫牒, 諭以歷世和好, 不宜來侵. 日本, 推檢賊倭, 誅之, 侵掠稍息。'

54 『高麗史』卷9「世家」卷第9 文宗29年 閏4月 ;『高麗史』卷9「世家」卷第9 文宗33年 11月

對馬島	병술 日本國 對馬島에서 사신을 보내 方物을 바쳤다.[59]
	정축 對馬島 勾當官이 사신을 보내 柑橘을 바쳤다.[60]
	경오 東南道都部署에서 아뢰기를, "日本國 對馬島의 元平 등 40인이 와서 眞珠, 水銀, 寶刀, 牛馬 등을 바쳤습니다."라고 하였다.[61]
	기묘 對馬島의 萬戶가 사신을 보내 土物을 바쳤다.[62]
	講究使 李夏生을 對馬島에 보내었다.[63]
	11월 병오 對馬島의 萬戶 崇宗慶이 사신을 보내 來朝하니, 숭종경에게 쌀 1,000石을 하사하였다.[64]
壹岐島	東南海都部署에서 아뢰기를, "日本國 사람 王則貞 · 松永年 등 42인이 와서 요청하기를 螺鈿 · 鞍橋 · 刀 · 鏡匣 · 硯箱 · 빗[櫛] · 書案 · 畵 · 향로 · 활과 화살[弓箭] · 수은 · 螺甲 등 물품을 진상하려고 합니다. 壹岐島 勾當官이 藤井安國 등 33인을 보내 또한 요청하기를 동궁과 여러 대신에게 토산물을 바치려고 합니다."라고 하자, 왕이 制書를 내려 이르기를, "바닷길을 경유하여 개경에 이르기를 허락하라."라고 하였다.[65]
筑前州	무자 日本國 筑前州의 商客 信通 등이 水銀 250근을 바쳤다.[66]

55 『高麗史』卷45「世家」卷第45 恭讓王2年5月 '辛亥 日本關西九州節度使源了俊, 遣周能等來, 獻土物.'

56 『高麗史』卷46「世家」卷第46 恭讓王3年8月 '日本九州節度使源了浚, 遣使來朝, 獻方物, 歸我被擄男女六十八人。上侍中書曰, "予向貴國 盡心交好, 今四十年矣。越己巳十月間, 敬奉禁賊之命, 以禁諸島賊黨。於前年十月, 周能僧, 陪來書曰, '海賊今猶未絶, 若不堅禁, 彼此恐有損傷之事.' 予反爲慚愧, 稍有憤志, 遣使諸島, 捕捉海賊。伏冀貴國大相各位, 俯鑑愚衷, 永爲和好。"'

57 『高麗史』卷46「世家」卷第46 恭讓王3年10月 '甲子 遣判宗簿寺事宋文中, 報聘于日本九州節度使源了浚.'

58 『高麗史』卷46「世家」卷第46 恭讓王3年11月 '日本國源了浚遣使來, 獻方物.'

59 『高麗史』卷9「世家」卷第9 文宗36年11月 '丙戌 日本國對馬島遣使, 獻方物.'

60 『高麗史』卷10「世家」卷第10 宣宗2年2月 '丁丑 對馬島勾當官遣使, 進柑橘.'

61 『高麗史』卷10「世家」卷第10 宣宗4年7月 '庚午 東南道都部署奏, "日本國對馬島元平等四十人來獻眞珠 · 水銀 · 寶刀 · 牛馬。"'

62 『高麗史』卷41「世家」卷第41 恭愍王 17年7月 '己卯 對馬島萬戶遣使來, 土物.'

63 『高麗史』卷41「世家」卷第41 恭愍王 17年 閏7月 '遣講究使 李夏生于對馬島.'

64 『高麗史』卷41「世家」卷第41 恭愍王 17年11月 '十一月 丙午 對馬島萬戶崇宗慶遣使, 來朝, 賜宗慶米一千石.'

65 『高麗史』卷9「世家」卷第9 文宗27年7月 '東南海都部署奏, "日本國人王則貞松永年等四十二人來, 請進螺鈿 · 鞍橋 · 刀 · 鏡匣 · 硯箱 · 櫛書案 · 畵屛 · 香爐 · 弓箭 · 水銀 · 螺甲等物。壹岐島勾當官, 遣藤井安國等三十三人, 亦請獻方物東宮及諸令公府。", 制, "許由海道, 至京。"'

66 『高麗史』卷10「世家」卷第9 宣宗元年6月 '戊子 日本國筑前州商客信通等獻水銀二百五十斤.'

(表3)은 고려가 일본 중 일부 지역과 교류한 내용이다. 『高麗史』에는 일본의 九州, 對馬島, 壹岐島, 築前州에서 사신이 와서 토산물을 바치거나, 다양한 물품을 왕에게 진상했다. 이는 국가적 차원이기보다는 국가와 일본의 각 島主간의 왕래였다. 이 지역에서도 고려에 우호적이던 도주에 의해 관계가 유지되었던 것으로 보인다.

구주는 1390~1391년 關西九州節度使 源了俊에 의해 고려와의 교류가 원만했다. 토산물을 보내거나, 고려로 침입하는 해적을 붙잡는 등 적극적으로 우호관계 형성을 위해 노력했다. 이에 고려는 判宗簿寺事 宋文中를 구주로 보내 구주절도사에게 報聘하게 했다. 이에 구주절도사도 사신을 보냈다.

대마도는 11, 14세기에 고려와의 우호적 관계를 맺기 위해 사신을 보낸 기록이 있다. 11세기인 文宗과 宣宗代에 일본 대마도에서는 사신을 보내 토산물과 감귤을 바쳤다는 기록이 있으며, 14세기인 恭愍王 때에는 대마도의 만호가 사신을 보내 토산물을 바치자, 講究使 李夏生을 對馬島에 사신으로 보냈다. 그리고 11월에 만호 崇宗慶이 사신을 고려에 보내자 숭종경에게 쌀 1000석을 하사하는 등 조공과 사신을 통한 교류를 지속했음을 알 수 있다.

일기도는 1073년 기록 뿐이나, 많은 물품을 고려에 진상하고자 하니 허락을 요청하자, 이에 왕이 制書를 내려 바닷길을 경유하여 개경에 오는 것을 허락하는 내용이 있다. 이때 진상하려는 물품은 나전, 칼, 경갑, 향로, 수은 등 다양하고, 귀한 물품을 가져오고자 했음을 알 수 있다.

축전주 역시 일본 상인이 수은 250근을 바쳤다는 내용이기에 일기도와 축전주는 상인에 의해 고려에 물품을 진상하고, 이를 토대로 사무역을 행했던 것으로 생각된다.

이같이 고려는 일본의 일부 지역과의 교류를 통해 관계를 유지했으며, 그 시기도 고려와 우호적 관계를 원하는 도주에 의해 시도된 것으로 보인다. 그 외에 일본상인들이 고려 국왕에게 물품을 진상하고, 고려에서 교역했던 것으로 보여, 일본과의 관계는 사무역 중심으로 이루어졌다.

고려와 일본의 무역형식은 앞서 설명했듯이 일본상인 또는 사절이 고려에 와서 국왕에 진상하면, 왕은 그에 대해 하사를 했고, 상인들은 이때 가져온 물품들의 교역을 허락받아 고려 및 다른 나라 상인들과 거래했을 것으로 추정된다.

고려와 일본 간 무역품의 구체적인 내용은 일본인이 고려 국왕에게 바친 것과 고려 국왕이 일본인에게 회사한 것을 통해 확인할 수 있다. 가장 많이 볼 수 있는 것은 方物과 土物이었으며, 일본의 특산물을 포괄하는 표현이었다. 그리고 일기도에서 보낸 물품은 국왕에게 진상하는 것으로 그 종류는 수공업 제품, 해산물, 과일류, 보물류, 옷감류, 병기구류, 가축류 등이 있었다.

일본인들이 고려에 헌상한 것에 대한 회사의 형식으로 金銀酒器, 人蔘·席子, 虎皮, 豹皮 등을 주었다. 또한 麝香, 紅花 등의 약재와 綿紬, 綿布, 華綿, 大陵, 中陵 등의 옷감과 더불어 쌀과 콩 등도 회사품에 포함되었다. 그 가운데 화면, 대릉, 중릉은 송상이 가져온 것을 일본에 준 것이었다. 일본이 고려에 와서 가장 원했던 것의 하나가 불경이었으므로 사절이 와서 직접 佛法, 藏經 등을 청하기도 하였다.[67]

3) 中世 동아시아 속 高麗의 位置

중세는 古代와 近世를 이어주는 교량적 역할을 하며, 우리나라에서는 고대인 통일신라와 근세의 조선을 이어주는 고려가 중세에 해당한다. 고려는 10세기 초 분열되어 있던 후삼국을 통일했고, 이후 475년 동안 존속했다. 고려사회는 중세적 성격 외에도 문벌사회,[68] 외래문화에 대한 개방적 성격, 실리적 외교 등을 그

---

67 이진한, 앞의 책, p.244.

68 고려사회를 귀족사회 혹은 관료제 사회로 보는 견해가 많이 논의 되었으나, 귀족사회로 볼 수 있는 실증적 · 이론적 면을 찾아보기 어렵다고 보아, '문벌사회'라고 부를 것을 제안한 의견이 있다. 하지만 이 의견에 대해 재반박하여 귀족사회로 주장하기도 했다. 본 논문에서는 고려사회는 귀족사회

특징으로 삼을 수 있다. 고려의 다양한 성격은 동아시아라는 무대에서 급변하는 정세에 맞춰 고려가 적응할 수 있는 토대가 되었다.

고려는 건국 초 지방 호족세력을 기반으로 등장했고, 이 호족세력을 중심으로 정치, 사회, 문화적 발전이 이루어졌으며, 이들은 고려 문벌귀족사회를 형성했다. 고려 전기 문벌사회는 성종대 이르러 문벌귀족들의 의사를 존중하고, 사회적 특권을 보장하는 귀족사회로써 기틀을 잡아가기 시작했다.[69] 그리고 문종대 사학의 발달을 통해 문벌귀족의 자제들이 과거에 응시함에 따라 관직 진출 빈도가 증가함으로써 문벌사회는 더욱 공고화되었다. 하지만 고려 중기에 이르러 이자겸과 같이 딸과 왕을 혼인시킴으로써 권력을 얻고자 하는 외척세력들이 등장하면서 문벌사회는 변질되기 시작했으며, 그 결과는 문벌사회의 쇠락을 불러왔다. 하지만 이들에 의해 형성된 귀족문화는 외국의 선진문물에 대한 욕구와 다양한 공예품을 소유하고자 했던 취향 등으로 인해 고려시대 청자, 나전칠기, 다양한 기법으로 제작된 공예품 등이 제작되는 원동력으로 작용했다. 그리고 이들이 향유한 문화는 고려 내에만 국한되지 않고, 중국, 일본으로 전래되어 수준 높은 고려문화를 알리는 계기가 되었다.

다양한 문화에 대한 개방적 성격은 당시 무역활동이나 인적 교류를 통해 엿볼 수 있다. 고려 개경 부근 벽란도(북한 황해북도 예성강 하류)는 중국 登州와 함께 동아시아의 국제무역 중심지로 유명했다. 중국을 비롯해, 일본, 요, 동남아국가 나아가 大食國 등 중동국가 상인들까지 벽란도에서 무역활동을 했다.[70] 또한 중국의

와 관료제 사회의 양면을 갖고 있다고 판단하여, 문벌귀족사회로 지칭하고자 한다. 유승원, 「특별연구 : 고려 귀족사회론에 대한 본적격 비판 고려사회를 귀족사회로 보아야 할것인가」, 『역사비평』 38호(역사비평사, 1997) ; 박용운, 「고려는 귀족사회임을 다시 논함-上 · 下」, 『한국학보』93 · 94(일지사, 1998 · 1999)

69 李興鍾, 「高麗의 門閥貴族과 武臣政權」, 『典農史論』vol.7(서울시립대학교 국사학과, 2001), p.90.

70 조현식, 「고려(高麗) 공예문화(工藝文化)의 한중교류」, 『동방학』29卷(한서대학교 동양고전연구소, 2013), p.238.

송 · 요 등으로 과거 응시를 위해 중국으로 건너간 이들이나 불법을 얻기 위해 중국으로 간 승려들에 의해 다양한 문화적 요소가 중국과 고려로 전래 되었던 점도 당시 고려사회의 특징이다.

중국 내 나라들이 존멸하는 동안에도 고려는 10세기에서 14세기까지 정부로서의 조직과 독자적인 권력을 유지한 유일한 왕조였다는 점에서 주목할 수 있다.[71] 이는 고려가 동아시아 패권을 쥐고 있던 여러 왕조들 사이에서 국제정세에 맞춰 유동적이고, 적절한 외교적 대응을 시도함으로써 가능했다.

고려는 동아시아에 공존했던 중국의 송, 요, 금, 원 또는 일본과의 관계를 국제정세에 따라 각 나라와의 외교적 관계를 끊임없이 변화시키고자 했다. 이는 중세 동아시아 나라들이 공존했던 11~12세기에 절정을 이루었으며, 고려는 이러한 정세 속에서 이들과의 관계를 유지하거나 중단하는 등 고려의 실정에 맞는 움직임을 보였다. 또한 중국의 송, 요, 금은 자신들의 세력 확장을 공고히 하기 위한 장치로 고려와의 국교수립에 적극적이었다는 점에서 고려는 중국 각 왕조가 자신들의 세력을 보여줄 수 있는 角逐場이었다. 이에 각 시기별 고려의 상황과 동아시아 국가들과의 관계 속에서 고려의 위치에 대해 생각해보고자 한다.

고려의 내적 상황은 외교적으로 유동적이고, 적극적 대처를 했던 것에 비해 혼란한 시기가 잦았으며, 이자겸의 난 이후 무신집권기, 원 간섭기를 거치면서 고려 내부 사정은 혼란의 연속이었다. 이러한 상황 속에서도 고려는 중국의 여러 나라의 상황을 예의주시하며 그들과의 관계 변화에 민감하게 반응했다. 그 예로 요와의 사대관계 중단과 금의 세력 확대로 인해 예종대 이후 금과의 외교관계를 받아들이게 되는 일련의 과정을 통해 알 수 있다.

또한 1120년 송이 요에 빼겼던 연운 16주를 회복하기 위해 금에 협공을 제안했고, 송과 금은 요를 협공했지만, 송은 요의 군대에 연패를 당하고, 금이 연경을 얻

---

71 이미지, 앞의 논문, p.1.

게 되었다. 이로 인해 송의 군사력이 금에 비해 약했음을 드러내는 계기가 되었다. 이러한 상황에서 고려는 仁宗 3년(1125)에 금으로 사신을 파견하여 국서를 보내 금과의 외교관계를 적극적으로 맺기 위해 노력했다.[72]

고려는 중세 동아시아의 혼란기 속에서도 자신들만의 사회를 형성해 발전했으며, 당시 중국의 송, 요, 금, 원이 고려와의 관계에 집중하던 시기에도 각 나라의 사정을 파악하고 대처함으로써 중국 각 왕조가 멸망하는 가운데에서도 고려는 존재할 수 있었다. 이러한 특징으로 볼 때, 고려는 동아시아에서 당시 중심인 중국의 각 왕조의 특성을 모두 파악하여 외교를 통해 해결하고자 했다. 이는 12세기 중국 송, 요, 금의 세력이 변화하는 양상을 고려와의 관계를 통해 파악할 수 있어 고려는 비록 세력은 강하지 못했지만, 중국 각 왕조가 긴밀한 관계를 유지해야 하는 주요 국가였음을 알 수 있다. 이로 인해 고려는 중국의 정치, 경제, 문화적 요인을 자신들의 실리에 맞게 수용할 수 있었던 것으로 생각된다. 또한 중국의 영향을 일방적으로 받기보다는 자신들이 형성한 문화적 요소를 동아시아 국가들은 물론 서역과의 교류를 통해 전파함으로써 고려라는 나라의 존재감을 드러내기 위해 노력했음을 알 수 있다. 따라서 고려는 여러 나라에 대한 개방성과 고려만의 독창적 문화, 동아시아 정세에 따른 외교적 노력 등을 통해 동아시아 문화의 集結地로써의 역할을 했다.

2. 銅鏡의 展開樣相

1) 中國

중국에서 동경 제작이 시작된 명확한 시기는 알 수 없으나, "黃帝에 의해 神鏡,

72 李貞薰,「고려시대 금과의 대외관계와 同文院」,『史學研究』vol.119(韓國史學會, 2015), p.208.

寶鏡 같은 거울 15점을 주조했다"[73]는 기록에서 중국에서 동경 제작이 古代부터 이루어졌음을 생각할 수 있다. 이 글귀에서 등장하는 '황제'는 중국 건국신화에 등장하는 인물로 당대에 이 전기가 완성되기 했으나, 중국인들에게 동경은 오래전부터 제작한 공예품이며, 황제와 연관할 수 있는 귀한 물품이었음을 알 수 있다. 투박하고, 간단한 문양을 표현하여 제작하던 중국 초기 동경은 漢代에 획기적인 발전을 이루었으며, 정치, 문화, 경제적으로 변화한 당대에 이르러 다시 한번 큰 변화를 보인다. 이후 당대 제작된 동경을 기반으로 송 · 요 · 금 · 원으로 이어지는 왕조에서는 각 나라의 문화와 사회적 배경을 반영한 동경 제작이 이루어진다. 이에 중세 중국 동경의 전개 양상을 살펴보기 전에 당대 동경의 특징에 대해 간략히 정리해보고자 한다.

중국 동경의 주제가 다양하게 발전하기 시작한 것은 당대이며,[74] 이 시기에는 활발한 경제활동과 외국과의 교류를 통해 다양한 문양들이 등장하면서 동경 문양의 폭이 확장하는 계기를 마련했다.

당대 동경 제작이 크게 발전할 수 있던 것은 크게 3가지로 나누어 볼 수 있다. 첫 번째, 瓷器의 발전으로 銅器를 대체하게 되고, 생활용기로 사용되던 동기제작보다는 금속공예기술 발전에 집중하게 되었다. 두 번째, 당대에 들어서면서 漢代의 전통문화 계승이 줄어들고, 외국에서 전래된 예술품이 유입되면서 당대 동경의 문양에도 이전과 다른 이색적인 문양이 등장한다. 또한 동경 표면에 螺鈿, 玳瑁 등 다양한 재료를 더해 제작하면서 당대 동경이 이전 시기보다 풍부한 장식성

---

73 『軒轅帝傳』'……帝因鑄鏡以像之, 為十五面神鏡, 寶鏡也。'

74 중국 동경의 문양변화가 획기적으로 이루어진 시기는 당대이다. 한경을 방제하던 동경 제작이 다양한 주제 속에서 문양을 구성하고 실생활에 이용하기 시작함으로써 동경의 생산이 증가했고, 이는 중국 동경이 다양하게 변화 · 발전하는 계기가 됐다. 그렇기에 당대 동경의 발전양상을 먼저 살펴보는 것은 당대 이루어진 동경의 큰 변화가 이후 송 · 요 · 금 · 원대 동경에 어떻게 영향을 주고, 발전했는지 기준이 될 것으로 판단된다.

과 화려함을 갖추게 된다. 세 번째, 사회적 분위기도 동경 제작에 영향을 끼쳤다. 당대에는 동경을 선물하는 풍조가 형성되면서 端午節에 동경을 제작해 선물하거나, 玄宗은 생일에 "春秋節"을 기념하는 동경을 제작하여 獻詞하는 등의 사회 분위기가 조성되면서 다양한 동경이 활발히 제작되었다.[75] 또한 동경 제작과 제작지의 변화가 눈에 띈다. 당대 동경은 주석과 은의 합금비율이 높아 동경의 색이 백색을 띠며, 표면이 밝은 것이 특징이다. 그리고 동경 제작지로 유명한 지역이 등장하는데, 揚州와 幷州가 대표적이다. 이 중 양주는 공물로 바치는 동경 제작으로 유명했으며, 이와 더불어 동경 판매 시장으로도 중요한 지역이었다.

당대는 동제 공예품과 장식품이 활발히 제작되어 금속공예의 全盛期에 해당한다. 이러한 경향은 동경의 제작에도 영향을 끼쳐 다양한 형태와 문양이 등장하는 계기로 작용했다. 이전 시기 圓形 혹은 方形으로 한정적이던 동경의 형태는 당대에 들어 菱花形, 葵花形, 亞字形 등이 새롭게 등장했다. 그리고 주요 동경 문양은 四神生肖紋, 瑞獸紋, 葡萄紋, 瑞獸鳳凰紋, 瑞花紋, 神仙人物故事紋, 盤龍紋, 八卦紋, 卍字紋 등이 있다. 이 문양들은 자연과 관련된 주제, 길상적 주제, 종교적 주제 등 그 의미도 다양해져 당시 사람들의 취향과 사용 목적에 따른 동경이 제작되었음을 알 수 있다.

(插圖2)은 당대 대표적 문양을 주제로 표현한 동경들로 四神生肖紋鏡, 瑞獸紋鏡과 같이 古式 形態를 갖춘 동경이 제작되면서도 瑞獸葡萄紋鏡, 盤龍紋鏡, 狩獵紋鏡과 같은 형식의 동경이 새롭게 나타난다. 또한 이전 시기 용문양이 작고 부수적 문양으로 동경에 등장했다면, 당대에는 '용'이 하나의 단독 주제로 동경 문양에 표현된다. 이같이 다양한 형태와 주제의 당대 동경은 오대, 송대, 요대 초기 동경에 큰 영향을 주어, 중국 중세 동경의 기틀이 되었다.

75 李天一, 「唐代銅鏡盛行略考」, 『美術大觀』(2015년 5期), p.68참고.

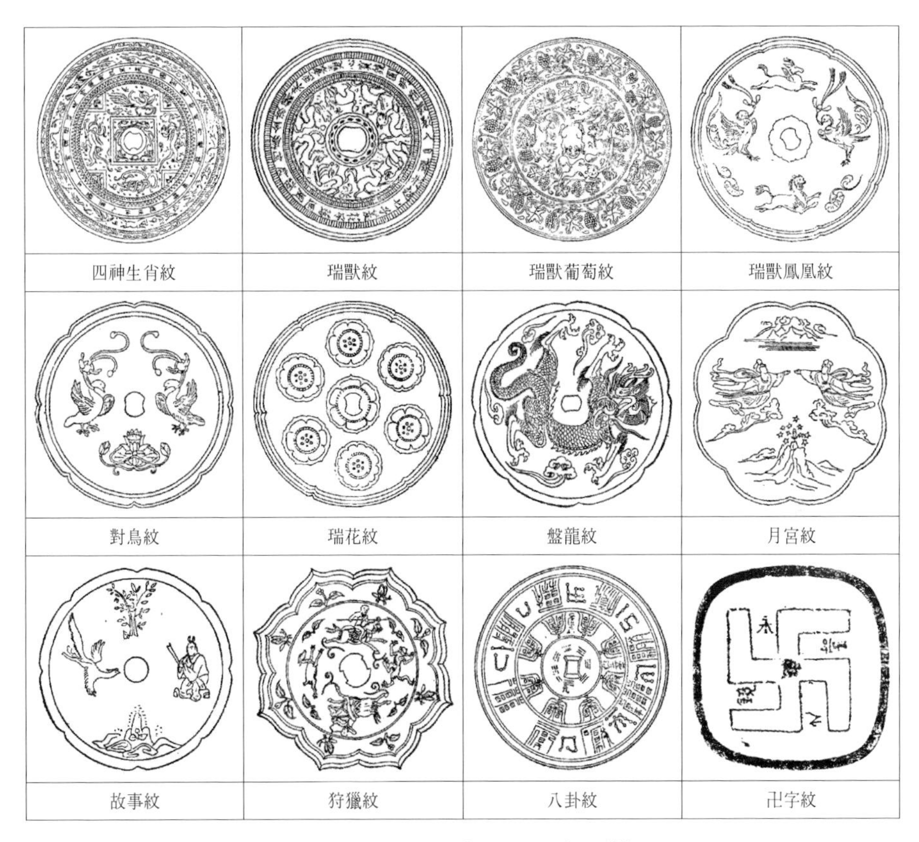

插圖 2. 唐代 銅鏡의 主要 主題(文樣)[76]

(1) 五代十國

五代十國時期는 당 哀帝 天祐 4년(907) 음3월에 四鎭節度使 朱全忠이 당을 멸하고 後梁(907~923)을 세웠으며, 이를 시작으로 後唐(923~236), 後晉(936~947), 後漢(947~950), 後周(951~960)와 같은 정통왕조의 계열인 오대가 등장했다. 또한 십

76 徐殿魁,「唐鏡分期的考古學探討」,『考古學報』(1994년 3期), pp.301~325 ; 孔祥星 · 劉一曼,『中國銅鏡圖典』(北京: 文物出版社, 1997), p.666 도판 인용.

국은 華南과 주변 각 지방의 정권으로 吳越國, 南唐, 閩國, 荊南, 楚, 南漢, 前蜀, 後蜀, 北漢, 吳을 일컫는다. 이 시기는 당 말 세력을 장악한 절도사들에 의해 분열되었고, 여러 나라에 의해 割據의 절정을 이루었다.

이 시대는 오대왕조가 중심이 되나, 경제적인 풍요로움을 기반으로 독립정권을 유지하는 십국과 더불어 세력다툼을 벌이게 된다. 오대시대는 끊임없는 정치적 혼란, 軍閥爭霸期였으며, 중국사에서 정치, 경제, 군사, 문화 등 모든 방면에서 시대적 변혁을 가져온 시기이다. 기존의 長安, 洛陽의 두 도시 중심에 편재하여 발전한 중국문화가 지방이 중심이었던 군벌이 지배하면서 경제개발이 수반되어 지방에 침투된 것도 자연스러운 추세였고 지방의 절도사 출신이 대부분이었던 오대 군주들에 의해 전통이 파괴되면서 새로운 세대가 그려지기 시작한다.[77]

이 시기 동경은 당대 동경의 특징에서 크게 벗어나지 못했으며, 동경의 재료인 동의 사용이 제한되었기에 동경 제작에도 제약이 따랐을 것으로 생각된다. 그 예로 강남 지방은 동전을 만들기 위한 동 생산지가 많았지만, 동전의 유출로 인해 동을 녹여 사용하는 것을 단속했다.[78] 그리고 동을 수급하기 위해 후주는 고려에 비단 수천 필을 가지고 와 동으로 바꿔 가는 등 노력을 통해 동의 수급이 가능했다.[79] 또한 종교적으로는 왕권을 유지하고, 서민들을 통제하기 위해 후량의 末帝와 후당의 明宗은 불교를 통제했으며, 후주 세종대에는 廢佛令이 시행됨에 따라 불교는 위축되었다.[80]

반면 십국 중 하나인 오월국은 불교를 적극적으로 수용하면서 많은 불탑과 불교 관련 서적, 회화, 공예품 등을 제작했다. 이는 오대의 나라들이 불교를 통제함

---

77 장미란, 「後周 世宗의 고민과 폐불령」, 『불교연구』 제45집(한국불교연구원, 2016), p.129.

78 장미란, 위의 논문, p.134.

79 『高麗史』卷2「世家」卷第2 光宗9年 5月 '是歲, 周遣尙書水部員外郎韓彦卿, 尙輦奉御金彦英, 賫帛數千匹來市銅.'

80 전중배, 「중국 五代의 불교정책과 그 성격」, 『동국사학』 제37권(동국역사문화연구소, 2002), pp.614~638.

으로써 국가를 정비하고자 했으나, 오월국은 오히려 불교를 적극 장려함으로써 불교를 통해 나라를 보호하고자 했다.

오월국에서 세운 불탑에는 많은 사리장엄구가 매납되었으며, 종류도 다양하다. 이 중 많은 양의 동경이 불탑에서 출토되었으며, 동경의 경면에는 불교적 도상들을 선각으로 표현한 예가 많은 것이 특징이다. 이는 이전 시기 보지 못한 동경의 새로운 면모로 일반적 동경에 선각으로 불교적 도상을 표현함에 따라 동경에 종교적 기능을 부여한 것이다. 이에 오대십국 중 오월국 불탑 출토 동경을 중심으로 오대십국 동경의 일면을 살펴보고자 한다.

오대십국 중 하나인 오월국은 錢鏐에 의해 건국된 나라로 전류는 당 乾寧3년(896)에 鎭海, 鎭東 양군의 節度使로 임명되었으며, 浙西, 浙東을 점거했다. 後梁 開平元年(907)에 오월왕으로 책봉되어 龍德3년(923)에 오월 국왕으로 정식 건국했다. 당시 공존했던 후량과 후주가 불교를 금지하고, 滅佛을 지지하는 상황에서 오직 오월국만이 불교를 적극 후원했으며, '東南佛國'으로 불렸다.[81]

오월국의 왕들 가운데 불교를 가장 숭앙했던 인물은 錢弘俶이다. 전홍숙은 인도 阿育王을 따라 팔만사천 금탑을 두 차례 걸쳐 축조했으며, 그 안에 『寶篋印陀羅尼經』을 넣어 전국 각지에 공양했다. 현재 당시 제작된 아육왕탑이 출토되고 있으며, 대부분 탑의 地宮에서 발견된다.

아육왕탑에는 2가지 명문이 보이는데, '吳越國王錢敬造寶塔八萬四千永存供養時乙丑歲記'와 '吳越國王錢敬造寶塔八萬四千永存供养養乙卯歲記' 그 외 별도로 '保', '安', '人', '民'의 명문이 있다. 이 명문에 대해 전홍숙 통치기 동안 아육왕탑을 공양함으로써 국경의 安寧과 국민의 安康을 바라는 것으로 보는 의견이 있다.[82]

오월국은 전홍숙 통치기 동안 많은 사찰과 불탑을 세우고, 불상을 제작했다. 또

---

81 黎毓馨, 「瑞相重明—雷峰塔文物陳列」, 『藝術品』(2016年 2期), p.31.

82 張霄霄, 「吳越王室佛教信仰硏究—以錢弘俶阿育王塔爲例」(中國美術學院碩士學位論文, 2017), p.21.

한 高僧을 예우하고 일본, 고려에서 佛籍을 찾아 천태종을 부흥시켰다. 불교를 융성시킨 이러한 노력은 현재 많은 유물과 유적으로 존재하고 있어, 오월국의 적극적인 불교숭앙정책의 일면을 볼 수 있다.[83]

오월국의 杭州 雷峰塔, 金華 萬佛塔[84], 東陽 中興寺塔, 蘇州 雲岩寺塔 등에서 많은 유물이 발견되었으며, 그중 阿育王塔이 다수 출토되었다. 이와 함께 동경도 지궁에 매납되어 있어, 오월국 불답 사리장임구로 사용된 동경을 통해 당시 사용된 동경을 알 수 있다. 이에 오월국의 대표적 탑인 항주 뇌봉탑과 소주 운암사탑, 동양시 중흥사탑에서 출토된 동경을 살펴보고자 한다.

항주 뇌봉탑(圖1)은 『咸淳臨安志』, 『淳佑臨安志輯逸』 등의 기록을 보면, 오월국 전홍숙 시기에서 송 태조 開寶年間(968~976)에 세워진 탑으로 1924년 무너진 탑의 藏經塼에서 알게 된 바에 따르면, 이 탑은 건축중에는 '西關塼塔'으로 불리다 완성 후 '皇妃塔'으로 명명되었다. 뇌봉탑은 크게 2차례 파손되었는데, 宋 徽宗 宣和3年(1121)에 戰火로 인해 탑원과 탑신의 처마와 회랑 등이 파괴되었으며, 남송이 항주로 도읍을 정한 후, 전면보수가 이루어졌다. 이후 명대 말, 일어난 큰 화재로 인해 벽돌로 쌓은 탑 심만 남은 채 파괴되어 보존되었다.[85]

뇌봉탑 地宮에서는 다양한 유물 51건이 발견되었으며, 이 유물들은 지궁 가운데 위치한 鐵函에 있었다. 철함 밑바닥에는 대량의 동전이 있었으며, 철함 내에는 珍珠, 玉錢, 玉龜, 銅鏡, 瑪瑙裝飾, 腕釧 등 '七寶'류 유물이 포함되어 있었다.[86] 이중 동경은 日光鏡, '光流素月'銘鏡, 海獸葡萄紋鏡, 雙鸞葵花鏡, '都省銅坊'鏡, 方形

83 黎毓馨, 앞의 논문, p.33.

84 금화 만불사탑에서는 동경이 모두 51점이 출토되었으며, 대부분 소문경이다. 발견된 동경 중 대표적인 예는 飛禽花枝紋鏡, 飛天紋鏡, 六花枝紋鏡, 千秋萬歲雙鳳紋鏡, 禽獸葡萄紋鏡, 素紋鏡 등이 있다. 王牧, 「五代吳越國的銅鏡類型及紋飾特点 (上)-兼儀五代時期的銅鏡及相關問題」, 『收藏家』(2018年 6期), p.39.

85 浙江省文物考古研究所, 「杭州雷峰塔五代地宮發掘簡報」, 『文物』(2002年 5記), p.4.

86 ________________, 『雷峰塔遺址』, (文物出版社, 2005), p.119.

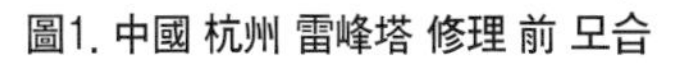

圖1. 中國 杭州 雷峰塔 修理 前 모습

圖2. 中國 蘇州 雲岩寺塔, 宋, 中國 蘇州

圓角素紋鏡, 圓角素紋鏡 등 10점이 발견됐다. 이 동경 중 대표적인 예는 '광류소월'명경으로 이 동경의 뒷면에는 선각문경이 새겨져 있다.[87] '광류소월'명경은 당대~오대시기 유행하던 동경으로 탑에서 출토되는 사례가 있다. 뇌봉탑 출토 '광류소월'명경은 경면에 선각으로 인물들이 새겨져 있는 것이 특징으로 선각문에 대해 도교와 불교가 습합된 영향으로 제작된 도안으로 보기도 하며, 선각경의 악기문양을 통해 묘사된 내용이 극락정토를 보여주는 淨土變으로 보기도 한다.[88]

소주 운암사탑(圖2)은 '호구탑'으로도 불리며, 南朝 陳代에 이미 탑이 있었다는

87 선각문경에 대해서는 문양분석에서 후술하고자 한다.

88 揚之水,「雷峰塔地宮出土"光流素月"鏡線刻畵考」,『東方博物』(2006年 4期), pp.9~10.

내용과 隋代 仁壽元年(610)에 산에 또 다시 탑을 지었다는 문헌기록이 있다. 1956년 탑 수리시 經箱, 銅鏡, 塔磚 등이 발견되었으며, 건탑시기를 알 수 있는 유물이 있어 이 탑은 後周 顯德6年 즉, 吳越 錢弘俶 13年(959)에서 北宋 建隆2年(961)에 세워진 것을 알 수 있다.[89]

圖3. 光素鏡, 宋, 徑33.6cm, 中國 虎丘 雲岩寺塔 發見

이 탑에서도 아육왕탑, 불 · 보살상, 직물, 동경 등이 출토되었다. 동경은 총 3점이 출토되었으며, 그 중 묵서가 있는 동경(圖3)이 있다. 묵서는 '女弟子陸七娘敬舍大鏡一面入武丘山塔上……建隆二年三月□日題' 등 49자가 적혀 있다. 내용은 건륭2년 3월 큰 거울 1점을 무구산 탑에 봉안했다는 것으로 이는 탑이 완공되어 동경을 공양한 것을 알 수 있다. 또한 이 탑에도 선각경이 있다. 뇌봉탑에서도 출토된 선각경은 절강일대 탑에서 보이는 공통된 특징으로 이 시기 주조된 동경에 선각으로 불교관련 도상을 그려 넣는 것이 성행했던 것으로 판단된다. 이 탑의 선각경은 소문경의 경면에 새겨져 있는데, 연화좌 위에 앉은 여래상을 중심으로 양측에 보살과 공양자가 상, 하로 앉아 있다. 선각 수법이 뛰어나지는 않으나, 옷마다 문양을 넣고 도상마다 다른 자세와 표정을 표현해 선각으로 세밀하게 묘사하여 경면 가득 새긴 것이 특징이다.

동양 중홍사탑은 『東陽隆慶續志』에 의하면 중홍사의 옛 이름은 法華로 後梁 天監6年(507)에 창건하였다. 이 탑은 1963년 완전히 무너져 이를 정비하는 가운데 塔心과 塔壁에서 金屬器, 陶瓷器, 漆器, 經卷 등 다양한 유물이 출토되었다. 이중 많은 수량의 동경이 발견되었으며, 이중 연호가 새겨진 동경을 통해 이 동경들이 오월국 시기 제작된 것으로 추정된다.[90]

89 蘇州博物館 編, 『虎丘雲岩寺塔瑞光寺塔文物』(文物出版社, 2006), p.23.
90 王牧, 앞의 논문, p.40.

중홍사 탑에서는 18점의 동경이 출토되었으며, 대부분 당대 유행한 종류의 동경이 많은 편이다. 四瑞獸紋鏡, 素紋鏡, 開元通寶素紋鏡, 五岳眞形紋鏡, 海獸葡萄紋鏡 등이 대표적이다. 이 동경들에는 선각으로 명문이 새겨져 있는 것이 특징이며, 명문 내용은 다음 (表4)와 같다.

表 4. 東陽 中興寺塔 出土 銅鏡의 銘文 內容

명칭	수량	크기(cm)	명문
海獸葡萄鏡	2	a : 9.4 b : 13.4	a. 鏡背線刻文字：辛酉年五月廿五日弟子杜京, 舍入中興寺□年□地。 b. 一破爲二, 鏡緣处刻有線刻文字：婺州東場縣松山鄕仕奉化保居仕清信弟子童仕鐸舍入中興寺寶塔内保荷家養永充供養。
素面線刻文字鏡	1	29.0	近鏡緣及鏡紐两連線刻有一圈文字：婺州東場縣太平鄕郭内宣鎭保弟子金景暉爲亡妻李氏九娘舍入中興寺寶塔内永充供養辛酉建隆二年九月廿五日記。
線刻小圓鏡	1	8.0	鏡背上線刻：建隆年舍入中興寺寶塔供養。
素面墨書銅鏡	1	8.5	鏡背墨書, 可辨"眞身舍利……供養 比丘尼"等

중홍사탑 출토 동경 중 명문이 있는 것은 5점으로 해수포도문경 2점, 線刻文字鏡 1점, 線刻紋鏡 1점, 墨書銅鏡 1점이 있다. 해수포도문경은 각각 거울 뒷면과 연부에 명문이 선각되어 있으며, 두 동경 모두 공양을 위해 탑에 봉안했음을 알 수 있다. 그리고 선각문이 있는 2점의 동경에도 乾隆2年(961)과 건륭년에 탑 내 공양했다는 내용이 있다. 그 외, 묵서동경에는 진신사리, 공양, 비구니라는 단어가 남아 있어, 이 역시 공양을 목적으로 탑 내 봉안되었음을 알 수 있다.

전홍숙 통치기에 건립된 탑들은 모두 다양한 사리장엄구가 지궁에 있었으며, 그 중 동경도 상당수를 차지한다. 금화 만불사탑과 같이 51점이 출토된 점은 당시 탑의 완공과 더불어 공양구로 동경의 사용이 많았음을 알 수 있으나, 그 종류는 다양하지 않은 편이다. 그리고 이 시기 봉안된 동경 중에는 선각이 새겨진 예가 많으며, 그 종류는 불 · 보살을 새긴 것부터 사천왕까지 다양한 도상을 표현했다. 탑 봉안 동경 중 이렇게 선각으로 동경에 새긴 것에 대한 이유는 첫째, 기존의 동경에 자신이 원하는 도상을 넣어 발원하고자 했으며, 둘째, 직접적으로 자신의 冀願을 적고 이를 공양구로 사용했음을 알 수 있다. 즉, 오월국 탑 내 봉안 동경은 이를 넣은 사람의 소원, 희망 등을 담은 매개체로 부처의 무덤인 지궁에 원하는 바를 직접 전달하기 위한 방법으로 동경에 불교 관련 내용을 새기거나 개인 발원 묵서 등을 남겼던 것으로 추정된다.

(2) 宋代

① 北宋代 銅鏡의 普遍化

북송 건국 초기에는 당대 문화의 영향이 여전히 남아 있어, 동경도 당대 동경을 여전히 사용하거나, 당대 동경의 특징을 답습한 종류의 동경이 많았다. 하지만 당대는 귀족 중심의 동경제작으로 金·銀背鏡, 螺鈿鏡, 平脫鏡과 같이 고가의 재료를 이용한 동경제작이 빈번했다. 이는 정제되고 단아한 문양으로 封建社會의 위엄을 전달하기 위한 목적이었으며, 동경 사용계층이 황실과 귀족층에 국한되어 동경은 신분, 지위를 보여주는 상징으로도 작용했다. 그렇기에 동경은 민간에서 일상적으로 사용할 수 있는 물건이 아니었으며, 이러한 점은 사용층의 요구를 반영한다는 것에서 상위계층의 미적 요소가 문양으로 표현되었다.

반면, 송대에는 동경 사용의 일반화가 진행되면서 일상생활용구로 자리잡게 되고 이로 인해 고가의 재료로 만드는 예술적 동경보다는 기능적, 보편적 동경이 제작되기 시작한다. 이는 송대 사회가 경제적 성장에 따라 신흥계층이 등장하고, 문화예술의 저변이 확대됨에 따라 일상생활에 대한 관심이 높아졌기 때문이다. 이로 인해 일상에 대한 관심과 동경의 민간보급은 동경의 사용계층 변화로 신흥 시민층이 원하는 요구가 반영되었고, 문양변화로 나타난다.

문양구성에서 변화는 高價의 재료에서 오는 화려함보다 문양을 통한 아름다움을 추구해 실용성을 강조했다. 그 대표적인 예로 花卉紋과 花鳥紋은 북송 초기 성행한다. 이중 북송시기 가장 많이 제작되고 많은 변화가 있는 문양은 화훼문경이다. 동경의 문양 소재로 가장 많이 사용된 것으로 모란, 부용, 국화 등을 주문양으로 하여 곤충인 나비, 벌과 함께 조화롭게 구성하여 제작하기도 한다. 이 동경들은 대개 옅은 부조로 문양을 표현한 경우가 많으며, 얇은 가지들이 서로 얽혀 복잡하게 이어지는 문양들이 특징이다.[91]

당대 동경과 같이 고부조로 문양의 형태를 강조하는 것에서 벗어나 얕은 부조형식이지만 문양의 세세한 묘사에 중점을 두어 꽃술, 꽃잎, 덩굴 등의 형태를 서로 다르게 표현했으며, 잎맥 등을 사실적으로 묘사하고자 했다. 또한 북송시기 발전한 회화기법적 요소도 동경문양표현에 적용되어 사실적 표현을 위해 구도, 배치를 고려하고, 원근, 비례, 크기 등에 중점을 두어 각 문양이 조화를 이루도록 구성했다.

또한 당대 원형, 방형, 팔릉형의 동경이 주된 형태였다면, 송대 접어들면서 형태의 변화도 이루어져 長方形, 鐘形, 柄形, 桃形 등 독특한 형태의 동경들이 출현하게 된다. 이중 병형은 손쉽게 거울을 사용할 수 있는 방법 중 하나이다.

동경의 뉴에 끈을 묶어 이를 잡고 사용하던 동경은 쉽게 사용할 수 있는 방법은 아니었으며, 당시 회화 속에 등장하는 거울 사용모습은 시종이 거울을 들어주고 있거나, 鏡架에 올려놓고 사용하는 형태가 대부분이다. 이런 점에서 손잡이를 이용해 동경을 사용한다는 것은 실용적 측면이 강조된 것으로 이후 병경의 제작은 청대까지 꾸준히 이어지게 된다.

동경 사용이 일상생활에까지 확대되면서 문양 소재도 앞서 실용적으로 변화했음을 언급했다. 이와 더불어 일상생활 묘사도 동경의 문양으로 등장해 민간고사, 놀이장면 등을 표현했다. 中國 湖南歷史博物館 소장 蹴鞠紋銅鏡(圖4)은 축국을 하는 사람들의 모습을 담은 동경으로 당시 귀족층에서 민간층까지 축국을 즐겨 했으며, 이러한 사실적 모습을 동경의 문양으로 나타냈다는 점은 당시 동경 사용의 보편화를 보여주는 대표적 예이다.

---

91 趙曉红,「宋金時期銅鏡淺析」,『東方收藏』(2015年 9期), p.46.

圖4. 蹴鞠紋鏡, 宋, 徑 11.0cm, 中國 湖南博物館

북송시기 일련의 사회발전과 경제성장은 도시화와 상공업의 발달, 시민계층의 성장 등으로 사람들의 문화적 방면에 대한 관심이 높아졌다. 당대까지 동경은 일상용품으로 인식되기보다는 신분을 상징하는 물품이었다면, 송대에는 경제성장과 더불어 일반생활용품으로 사용이 확대됨에 따라 동경에는 당시 사회생활과 문화, 심미의식이 집중 반영되어 세속화가 진행되었다.[92] 그 결과 이전과 다른 자연스럽고 세밀한 묘사를 토대로 화훼문경, 화조문경 등이 발전했으며, 이와 더불어 당시 성행한 이야기를 표현한 고사문경, 실제 놀이를 표현한 축국문경 등 다양한 주제가 동경에 표현되어 동경은 일상생활의 자연스러움을 담게 되었다.

② 宋代 倣古銅器에 대한 關心

북송 이래 방고동기 관심과 성행은 당시 문화의 주요 현상으로 그 시작은 儒家에서 이상적 사회로 생각하는 夏 · 商 · 周를 이어받아 '再現三代'를 실현하고자 함이었다. 또한 당시 종종 발견되던 古銅器는 삼대의 禮器로 신성시되던 기물이었으며, 이에 대한 관심은 황실과 사대부들의 지적 호기심을 자극했다. 이들은 삼대시기 제작된 고동기를 개인적으로 수집하고, 연구하는 등 적극적으로 삼대사회를 이해하고자 했으며, 이러한 노력은 금석학 분야의 서적편찬이라는 결과를 낳았다.

金石圖譜[93]는 古器物에 대한 분석을 그림과 함께 설명한 금석학 서적류이다. 金石圖譜는 주로 2가지 측면의 기능을 갖고 있는데, 사람들에게 古風의 기물에 대

92 李静, 「宋代銅鏡的世俗化特徵研究」, 『裝飾』(2015年 3期), p.137.

93 금석도보는 금석학적 이론과 함께 그림으로 이를 설명하고자 한 서적류이다. 금석도보에 속하는 연구내용은 古幣, 碑刻, 墓誌, 碣石, 表裝 등등 글자가 새겨진 경우나 서책의 명문을 분석한 것과 고기물에 관한 그림과 명문해석으로 크게 나눌 수 있다.

한 만족감과 옛것을 좋아하고 탐구할 수 있는 기능이 있으며, 또 하나는 禮樂制度의 필요성을 충족시켜주는 것이다. 시간이 지남에 따라 금석학은 金石圖譜 발전에 좋은 계기가 되었으며, 이는 금석도보가 체계적으로 발전하고 자리 잡는데 발판이 되었다.[94]

金石圖譜의 제작은 북송 초기인 건륭3년(962) 이 시기 유명한 禮學家인 聶崇義『三禮圖』의 편찬이 시초이다. 이 서적에는 그림을 통해 삼례인『周禮』,『儀禮』,『禮記』의 내용을 도식화하여 그림으로 나타냈으며, 그 내용은 御駕, 義莊, 服裝, 祭器 등이다. 다만,『三禮圖』는 수록된 기물들이 고기물이라기 보다는 이전에 사용된 예도를 바탕으로 제작했고, 이중 주관적 측면이 반영된 기물도 있어, 그 출처가 불분명하다.

金石圖譜가 체계적인 단계에 들어선 것은 劉敞과 歐陽脩에 이르러서이다. 송 仁宗代인 嘉祐7년(1062)에 유창의『先秦古器記』와 구양수의『集古錄』편찬이 완료되었으며, 이 시기를 기점으로 金石圖譜의 연구가 왕성해진다. 구양수는 開山鼻祖로 그의 금석학 연구는 기본적 탁본을 통한 금석명문 해석을 통해 이루어졌다. 탁본 역시 금석도보의 범주에 속한다는 점에서 구양수의 연구 성과도 金石圖譜의 형태이며, 그 결과물이『集古錄』이다.

이후 북송 呂大臨은 개인적으로 수집한 청동기를 서적으로 편찬했으며, 이 책이『考古圖』이다. 이 책은 총 10권으로 銅器 224점, 玉器 13점, 石器 1점이 수록되어 있다.『考古圖』는 수집한 문물을 중심으로 기형을 그린 도판과 명문, 어구를 併置하는 방식으로 구성했다. 이는 북송대 최초의 기물을 실증적으로 접근한 것으로 이러한 연구의 기반은 古器物學 연구와 金石圖譜의 발전에 있다.

『宣和博古圖』는 송대 금석학 서적으로 통칭『博古圖』라고도 한다. 송 휘종이 王黼에 명하여 呂大臨의『考古圖』를 참고하여 제작했으며, 大觀元年(1107)에 처음 편찬되

94 史正浩,「宋代金石圖譜的興起、演进與藝術影响」(南京藝術學院 博士學位論文, 2013), p.6.

었고, 宣和5年(1123)에 중수했다. 이 책에는 송대 황실과 宣和殿에 수장되어있는 상대부터 당대에 이르는 청동기 839점이 수록되어 있다. 책의 내용은 고동기의 종류에 따라 尊, 罍, 彝, 舟, 卣, 瓶, 壺, 爵, 斝, 觶, 敦, 簠, 毀, 鬲, 鍑 및 盘, 匜, 鍾磬 및 錞于, 雜器, 鏡鑑 등으로 시대순서에 따라 분류했으며, 각 종류별 설명을 첨부했다. 각 기물들에 대해 명문, 크기, 중량 등을 설명했으며, 그림으로 그 형상도 함께 제시했다.

옛사람들은 평평한 거울 뒷면에 문양을 넣어 審美的 藝術品으로써 거울을 제작했다. 이는 시대의 흐름에 따라 변화했으며, 각 시대 예술적 특징을 알 수 있는 중요한 요소로 생각했다. 특히 북송대에는 조정과 민간 모두 古文物을 중요하게 여겼고, 이를 古器物 서적편찬 풍조를 형성했다. 宋 徽宗은 이러한 시대적 경향에 충실했던 인물로 궁중 소장 고동기를 정리하고 이중 한 · 당대 동경 112점을『宣和博古圖』에 편입시킴으로써 동경이 古器로 들어설 수 있는 嚆矢를 마련했다.

宣和5年에 중수된『重修宣和博古圖』「鑑總說」에는 한 · 당대 동경의 종류를 분류하고, 동경에 있는 명문의 글자수를 표기했다.「鏡總設」을 살펴보면, 동경이 고동기로 인식하게 된 것이 휘종의 영향이 컸던 것으로 이는 도교와 밀접한 관련이 있다.[95]『重修宣和博古圖』에 실려 있는 동경 중 한경은 神仙, 天象, 節氣, 四方 및 子孫繁衍을 표현했으며, 당경에는 용봉과 같은 瑞獸와 五岳, 八卦, 十二辰, 星象 등을 묘사한 거울로 이를 종합하면 모두 도교 관련 제재이다. 이는 휘종이 도교의「道」와 유교사상을 함께 연계시키고자『박고도』에 동경을 의도적으로 三代의 彝器로 편입시켰을 가능성이 있다.[96]

95『重修宣和博古圖』「鑑總說」序文 "昔黄帝氏液金以作神物, 於是為鑑, 凡十有五。採陰陽之精, 以取乾坤五五之數, 故能與日月合其明, 與鬼神通其意, 以防魑魅, 人整疾苦, 曆萬斯年而獨常存。今也去古既遠, 不可盡攷, 世有得其一者, 載其制度, 則以四靈位四方, 以八卦定八極, 十有二辰以環其外, 二十四氣以布其中, 而妙萬物, 運至神者, 盖託於形數之表。故其為器, 雖囿於有形而不隨形盡, 雖拘於有數而不與數終。且能變化不測, 與造物者為友也。…"

96 吳曉筠,「乾隆皇帝的鏡子-關於鑑賞, 典藏與使用的選擇」,『皇帝的鏡子』(臺灣國立故宮博物院, 2015), pp. 291~292.

이러한 관념 하에서 『博古圖』에 수록된 동경은 크게 八門으로 구분되어 있다. 天道運行의 「乾象門」, 「水浮門」, 예스러운 글귀가 있는 「詩辭門」, 길상어의 「善頌門」, 도를 가르치고 수양하는 「枚乳門」, 동경에 장식위주인 「龍鳳門」, 질박한 無紋으로 된 「素質門」, 그리고 다른 재질인 鐵鏡을 언급한 「鐵鑑門」 순으로 동경목록을 구성했다. 황제가 소장한 동경에 대한 서적편찬은 明 · 淸代까지 이어지며, 대표적으로 淸代 『西淸續鑑』이 있다.

③ 南宋代 銅鏡의 地域生產과 商品化

중국 북송 만기에 시작하여 남송대 성행한 지역명경은 경배면에 동경에 대한 '제작지+장인성씨(이름)+광고 문구'가 있어 '牌記鏡'이라고도 칭한다. 명문은 뉴를 중심으로 方框式 명문대가 좌 · 우 혹은 상 · 하에 위치해 있으며, 2줄 혹은 3줄의 명문이 있는 것이 특징이다. 또한 지역명경은 대부분 素面과 명문으로 구성하나, 간혹 문양과 명문이 있는 경우도 있다. 이 동경의 명문은 호주, 소주, 항주 등과 같은 지역명을 기입하여 호주경, 소주경 등으로 지칭하기도 한다. 이중 호주경은 가장 많이 생산되었으며, 현존하는 양도 많아 지역명경을 대표한다.

송대 많은 양의 지역명경이 제작된 배경에는 당시 절강성의 지리적 조건이 크게 영향을 끼쳤다. 송대 발전한 상품경제는 다양한 상품시장을 형성하게 했으며, 무역이 용이한 위치에 있던 호주, 소주, 항주에서 상품경이 제작되는 계기로 작용했다. 또한 이 지역은 송대 이전부터 동경의 주재료를 구할 수 있던 지역이었기에 동경 생산의 중심지이기도 하다. 고대부터 축적되어 온 동경주조기술은 송대 경제발전에 힘입어 상품으로써 대량생산이 가능했으며, 이를 중국 내 뿐만 아니라, 한국, 일본 등 여러 나라에 수출하여 현존하는 수량이 많은 편이다.[97]

97 절강 일대는 후한 중엽 이후의 중요한 동경 주조 중심지였고, 절강성 會稽의 神獸鏡이나 畵像鏡, 江蘇省 揚州의 唐鏡이 가장 유명했다. 송대에 이르러 호주를 중심으로 주경 수공업이 다시 성행했다.

表 5. 中國 湖州鏡 形態 및 銘文[98]

경형	명문	출토지 및 출처	크기(徑)	제작시기
圓形	湖州眞石家念二叔照子	福建厦門發現宋代記年墓	29.6cm	寶祐元年(1253)
	湖州孫家貴□宝□	随州市何店鎭干堰洼宋明墓	8.3cm	北宋
	煉銅照子每兩一百二十文足湖州石十郎眞煉銅無比照子	福建三明市岩前村宋代壁画墓	15.4cm	南宋
	湖州南眞正承父王石家三叔煉銅照子	湖州市博物館藏		
	湖州石道人每兩八十足	湖州市博物館藏		
六瓣菱花形	湖州石念四郎眞煉銅照子	湖北巴東县銀盘墓	12.8cm	1078~1085
	湖州鑄鑑局乾道四年(1168)煉銅照子官(押)	国家博物館藏	14.5cm	乾道四年(1168)
八瓣菱花形	湖州孟七郎煉青銅無比照子	《福建出土宋代銅鏡賞析》	21.0cm	
六瓣葵花形	湖州眞石家六叔照子記	江西遂川县显謨閣學士郭知章墓	21.0cm	1116
	湖州石十郎眞煉銅無比照子	江西德興市乾道元年(1165)徐衎夫婦墓	17.2cm	1165
	湖州石家上色青銅照子	容县陶器廣出土, 現藏容县博物館	16.4cm	
八瓣葵花形	湖州石十三郎眞煉銅照子	四川蒲江淳熙九年(1182)宋德章妻何氏墓	18.0cm	1182
	胡州儀鳳橋相對石家	浙江諸暨嘉定元年(1208)董康嗣妻周氏墓	17.2cm	嘉定元年(1208)
	湖州石家青銅鈴子	安徽潛山彰法山宋墓出土	13.3cm	(1069-1077) 이후
	湖州儀鳳橋王名石磨青銅鏡	安徽省博物館藏	12.7cm	
亚字形	湖州儀鳳橋石家真正一色青銅鏡	福建绍武沿山	15.4cm	
	湖州儀鳳橋南石三郎青銅鏡	浙江諸暨县高湖大明大队壽家山	15.3cm	
鐘形	李道人匪鑑斯镜以妆爾容	旅順博物館藏		
正方形	湖州南廟前街西石家念二叔眞青銅照子記	浙江温州南宋趙叔儀夫婦墓	8.7cm	1159
	湖州楼相對石八郎照子	后漾乡出土	8.7cm	

상표로 명시된 호주, 소주, 항주 등지는 모두 당시의 대표적인 동경 제작지였다. 출토 자료와 문헌을 보더라도 호주경이 가장 많고, 광범위하게 유통되었던 것으로 보인다. 그러한 까닭으로 고려와 일본에서도 많이 발견된다. 안경숙, 「국립중앙박물관 소장 중국 제작지명 동경에 대한 고찰」, 『국립중앙박물관 소장 고려시대 동경 자료집』(국립중앙박물관, 2012), p.331.

98 楊夏薇, 「宋代湖州鏡的研究」(南京藝術學院 碩士學位論文, 2012), pp.12~22.

長方形	湖州石家清銅照子	江苏武进村前出土		1201~1204
桃形	湖州石家法煉青銅照子	桂林市揀选, 現藏桂林博物館	長10.9cm	
	每兩一佰文足	福建绍武出	長10.5cm	
	湖州石十郎眞煉銅無比照子長方形框雙行	江西婺源县出土		
柄形	湖州祖業眞石家煉銅鏡	四川温江南宋窖藏		1157
	湖州石念四郎眞煉白銅照子	中國歷代銅鏡	長20.0cm	

(表5)를 통해 호주경은 크게 圓形, 菱花形, 葵花形, 亞字形, 方形, 鐘形, 桃形, 柄形으로 형태를 분류할 수 있으며, 각 동경에 있는 명문을 통해 장인명, 상점위치 등 여러 가지 내용을 파악할 수 있다. 먼저, 장인명은 동경을 제작한 장인의 성씨를 남겼으며, '石家', '李家', '孟家', '韓家', '石道人' 등이 있다. 이중 '석가'경은 호주경 중에서도 많은 양이 제작되었으며, 집안 전체가 鑄鏡業에 종사했던 대표적 가문이었던 것으로 보인다.

'석가'경에 주출된 명문에 등장하는 이름으로는 '石家', '石二小哥', '石二郎', '石三', '二叔', '三叔', '七哥', '十二郎', '十郎', '十六', '十五', '十九', '二十郎', '念二叔', '念五叔', '十五郎', '念四郎', '念八叔', '念九叔', '三十郎', '六十郎' 등 이다. 이 중 '叔'과 '郎'은 송대 청년 남성을 칭하는 字号이며, 二, 三 등과 같은 숫자는 가문의 行列을 의미한다.[99]

圖5. 湖州鏡, 宋, 徑11.3cm, 『靑銅鑑鎔』

호주경 중 '湖州眞石家念二叔照子'이라는 명문이 있는 거울(圖5)이 가장 많이 있다. 대표적 예로 浙江 衢州市 清水公社 北宋 建中 靖國元年 蔡漢墓 出土(1101), 浙江 新昌 新溪 乾道五年 墓 出土(1169), 浙江 新昌 新溪 淳熙元年 墓 出土(1174), 四川 成都 淳熙九年 墓 出土(1182) 동경이 있다. '湖州眞石家念二叔照子'가 적힌 이 동경은 '석가'가문의 장인인 '念二叔'에

99 王士倫, 『浙江出土銅鏡(修訂本)』(文物出版社, 2006), p.33.

의해 제작된 것을 알 수 있으며, 그 수량이 가장 많다는 점은 이 장인집단에서 제작한 호주경의 수요가 많았음을 짐작할 수 있다. 이 명문이 주출된 동경이 보이기 시작하는 것은 북송만기 때부터이다. 하지만 동경의 대부분은 남송대 묘에서 발견되었고, 호주경이 보편적으로 제작된 것도 이 시기라는 점에서 이 호주경은 남송대 성행해서 제작된 대표적 동경임을 알 수 있다.[100]

명문에는 호주경을 판매한 상점의 위치를 알 수 있는 지역명이나 지역을 유추할 수 있는 단어가 있어 당시 동경 주조 장인들의 활동지를 파악하는데 중요한 자료이다. 대표적 예로 '胡州儀鳳橋相對石家'라는 명문의 '儀鳳橋'는 송대 호주에 있던 다리로 이에 대한 기록은 문헌기록을 통해 찾을 수 있다.

명문에는 가문명, 지리적 명칭 이외에도 '照子'라는 단어를 사용하여 판매하는 기물이 거울임을 알려준다. 다만, 중국에서는 거울을 '鏡子'라고 표기하는 것이 일반적이기에 호주경에 새겨진 '照子'는 호주경이 갖는 특징이다. 언어는 당시 사회적 상황에 크게 영향을 받는다는 점에서 당시 이 용어를 사용한 이유에 대해 생각해 볼 필요가 있다. '照子'는 宋 太祖의 父親名이 '趙敬'으로 '敬'의 발음과 거울 '鏡' 발음이 동일하여 예를 갖추기 위해 '경' 대신 '비추다'라는 뜻이 있는 '照'를 사용했다. 하지만 남송대에 들어서 이러한 의식이 줄어들었고, 원래 거울이라는 의미의 '鏡子'로 표기한 동경이 등장해 동경의 명문도 시대상황을 반영함을 짐작할 수 있다.

호주경은 점차 생산량이 증가하고, 많은 공방이 등장하자 판매를 위한 경쟁이 치열해졌다. 이는 자신들이 제작한 동경이 질좋은 제품임을 홍보하기 위한 문구를 동경에 넣게 되는 계기가 되었다. 하지만 경쟁적 판매 이면에는 당시 동부족으로 인한 요인도 홍보문구가 등장하는 원인이기도 했다. '每兩一佰文足'이라는 문구의 명문은 송대 '銅荒'과 '錢荒'이 발생한 것과 관련 있다. 송대에는 동의 부족으로 동전을 녹여 동기를 제작하는 등의 일이 발생하자, 이를 금지시키는 법이 생겨

100 王士倫, 앞의 책, p.34.

났다. 그 결과, 동경에 사용되는 동의 양에도 영향을 끼치게 되었고, 각 동경 상점은 본인들이 제작한 동경의 동함량이 높음을 강조하기 위한 문구를 넣었으며, 자신들의 동경이 더 좋은 질을 갖추고 있음을 표시한 것이다.

송대 지역명경의 등장은 당대 왕과 귀족층에서 향유하던 동경문화가 민간에 까지 확대되는 계기가 되었으며, 나아가 외국과의 교역에 수출까지 이루어진 중국을 대표하는 상품경으로 자리 잡았다. 이는 송대 동경을 부장품으로 매장하는 풍습 역시 보편화되면서 동경의 수요가 확대되는 결과를 낳았고, 쉽게 구매할 수 있던 지역명경의 시대적 경향을 반영하여 생산이 확대 혹은 축소되기도 했다.

(4) 遼代 · 金代

요 · 금대 동경에 대한 연구는 2000년대 이후 중국 내 뿐만 아니라, 한국에서도 관심을 갖기 시작했으며, 꾸준히 그 연구결과가 나오고 있다. 요와 금은 많은 동경을 제작 · 사용했음에도 불구하고, 그 연구가 단편적이었던 것은 당시 송에 의해 중원문화의 영향을 받은 것으로 치부해, 북방민족 문화에 대한 인식이 부족한 것에 기인한다. 하지만 많은 요 · 금시기 제작된 동경이 출토되었고, 특히 요대 발달된 금속공예품들이 발견됨에 따라 새로운 시각에서 요 · 금대 동경에 대해 분석하고자 했다. 그리고 요 · 금대에 이어 등장한 원나라 역시 북방민족으로 중국을 통일하는 위업을 달성한 大國이었으나, 그들이 사용한 금속공예품에 대한 연구는 아직도 미흡한 실정이다. 특히 동경은 몇 가지 대표되는 동경을 위주로 분석한 연구만 이루어져 원대 동경의 특징을 파악할 수 있는 지표 마련이 필요하다.

요대 동경은 앞선 시기인 당과 오대의 동경의 영향을 받았고, 같은 시기 공존한 송, 금의 동경을 수용함으로써 요나라만의 독자적인 동경문화를 형성했다. 또한 고대인 서 · 동한 동경을 방제함으로써 다양한 동경을 적극적으로 제작하기도 했다. 요대 동경의 형태는 기본적으로 원형이 다수이며, 그 외 菱花形, 亞子形 등 형태로 제작했다.

금대 동경은 송 이전 동경 구도, 조형성에서 벗어나, 그들만의 새롭고 다양한 동경 제재를 창조했다. 대부분 동경은 일상생활과 관련된 내용이 많았으며, 인물과 관련된 이야기 즉, 인물고사문경이 성행하여 제작된다. 금대 제작된 동경 중 성행한 주제는 雙魚紋, 童子紋, 人物故事紋, 任女紋 등이 있다. 이 중 금대 민족성과 관련된 문양은 쌍어문으로 금속공예 뿐 아니라, 다양한 공예품의 주된 문양으로 등장한다. 또한 동자문은 금대에 등장한 주제로 자손번영의 길상적 의미를 갖고 있으며, 제재와 형식이 다양한 편이다.

① 遼代 銅鏡의 多樣化

요대에는 당 · 송대 동경의 발전된 동경문화와 요대 금속공예기술이 결합하여 기존 문양을 답습한 동경 뿐만 아니라, 거란만의 독특함을 갖춘 동경을 제작한다. 또한 금대에도 이전 시기 제작된 동경을 바탕으로 中原文化와 금 문화가 조화를 이루어 동경제작에 영향을 끼쳤다. 요와 금은 북방민족으로 자신들의 고유문화를 유지하면서도 한족문화를 적극적으로 받아들이고 수용함으로써 절충적 문화가 형성되고 성행했다. 이런 문화적 배경은 동경제작에도 영향을 끼쳤으며, 일상생활이나 소설 등과 결합하여 보편적이고 다양한 동경제작의 근원이 되었다.

요대에 다른 문화의 동경을 수용하여 독창적 동경을 만들고자 한 까닭은 사회 · 문화적 배경과도 밀접한 관련이 있다. 첫 번째는 황실에서 불교를 적극적으로 받아들여 국가적 차원에서 발전시켰다는 점과 두 번째는 당시 요나라의 독특한 부장 풍습이다. 이 두 배경은 요대 동경만의 독창성을 갖게 한 동인으로 작용했다. 요는 이전 시기인 당대보다 더욱 불교를 숭앙하면서 많은 탑과 사찰을 조성했고, 이곳에 동경을 안치하거나, 매달아 法器로써 기능을 부여했다. 이러한 경향은 동경문양에도 영향을 끼쳐 다양한 불교제재의 동경을 제작했다. 불교 제재의 동경을 제작한 사례로는 중국 북경 서남부에 위치한 사찰인 房山 雲居寺에서 발견된 동경이 있다. 이 사찰에는 요대 탑이 5기가 있으며, 그중 요 天慶8年(1118)에 건립된 속칭 '八稜碑', '壓經塔'이라고 불리는 '續秘藏石經塔'에서 거울이 발견되었다. 이 탑에서 발견된 동경 2점에는 선각으로 백의관음과 준제관음, 연화문이 새겨져 있다. 두 동경에 공통적으로 준제관음이 새겨져 있어, 요대 성행한 준제신앙을 바탕으로 거울이 제작되었음을 짐작할 수 있다. 또한 백의관음 역시 황실에서 家神으로 여겨 상을 만들어 모시는 등 그 상징성이 컸다. 즉, 이 두 도상은 요대 불교문화에서 갖는 의미가 컸으며, 신앙화됨에 따라 거울 속 문양으로 새겨지게 된 것이다.[101]

요대 동경은 분묘에서 출토되는 동경은 매장 당시 유행한 종류가 매납되어 있는 경우가 많다. 이는 요대 무덤 내에 동경을 부장하는 것이 요대 초기부터 행해졌으며, 다양한 문양의 동경이 출토되었다. 초기에는 요대 동경의 특징이 드러나지 않아 한경, 당경 등을 방제한 동경이 많이 출토되는 편이었다. 錦州 張扛村 遼墓 1호에서는 '光流素月'銘鏡이 발견되었으며, 3호에서는 한대 草叶紋鏡과 당대 雙鸞銜花鏡이 출토되었다. 중기 이후에는 요대 동경의 특징이 보이기 시작하면서 迦陵頻伽紋鏡, 松樹紋鏡, 魚龍鶴雁紋鏡 등 다양한 제재의 동경들이 제작되었다. 특히 荷叶紋鏡은 기존에 볼 수 없던 화문으로 초기에는 뉴를 중심으로 작게 표현되었으나, 후기에 들어서는 단독문양으로 동경 배면 전체를 장식했다. 이 문양은 요대만의 독특한 미의식을 확인할 수 있는 동경인 만큼 당시 당 · 송과는 다른 다양한 문양으로 동경을 제작하고자 했음을 짐작할 수 있다.

② 金代 銅鏡의 倣古鏡 製作과 驗記制度

금대에는 새로운 문양을 창안하여 동경을 제작하거나 과거 제작된 동경의 문양을 답습하여 만들었다. 이는 사회적 상황에 의한 것으로 동 부족으로 인해 국가에서 엄격히 동사용을 규제하게 됨에 따라 동경 제작에도 영향을 끼쳤다. 새로 동경을 제작하는 것에 제약이 따르자, 이전 시기 제작된 동경의 형대를 차용하여 만들어 마치 과거에 제작된 거울로 인식하도록 했다.

101 최주연, 「高麗時代 線刻佛像文鏡의 傳來와 製作要因」, 『文化史學』 第53號(韓國文化史學會, 2020), p.26.

동금정책은 금대 동경 제작에 영향을 주었으며, 주요 특징은 2가지로 나누어 볼 수 있다. 첫째, 새로운 경향의 동경제작보다는 이전 동경을 답습하는 방고경 제작이 성행했다는 점이다. 둘째, 금대 동경의 緣部, 背面 등에 새겨진 험기와 주조시 명문을 넣는 등 동경과 관련된 사항을 기록했다. 또한 험기 내용은 당시 지리, 역사, 관제, 정치 · 경제적 상황을 반영했다는 점에서 자료로서 가치가 높다. 이와 같은 금대 동경의 특징은 다른 시기의 동경과 금대 동경을 구분 지을 수 있는 중요한 지표이다.

금대 방고경이 제작된 배경에는 동의 부족과 국가의 엄격한 규제로 인해서 비롯되었다. 이러한 상황을 구체적으로 알 수 있는 기록은『金史』「食貨」3에서 볼 수 있다.[102] 이 기록에서는 국가에서 구리 사용을 제한하고 있으나, 이를 어기고 腰帶나 동경을 사적으로 주조했고, 더욱이 예전 것이라고 한다는 내용은 동경의 형태가 古鏡을 따라 했음을 알 수 있다.

금대 방고경은 漢代, 唐代, 宋代 동경을 모방했으며, 문양이 명확하고 고부조로 입체적인 종류의 동경을 위주로 제작했다. 또한 한대, 당대의 주제는 동일하나 문양의 변화가 다양한 동경류를 모방했다. 방고경으로 제작된 한경은 家常富貴鏡, 昭明鏡, 日光鏡, 四神規格鏡, 龍虎鏡과 당대의 瑞獸紋鏡, 瑞獸葡萄紋鏡, 唐草寶相花紋鏡 등이 있다. 仿宋鏡은 花鳥紋이 많으며, 비교적 얕은 문양으로 평면적이면서 가늘고 섬세한 선으로 묘사한 것이 특징이다.[103] 이중 가장 많이 방고경으로 제작된 한 · 당대 동경인 龍虎鏡과 해수포도문경을 중심으로 금대 방고경을 특징을 알아보고자 한다.

용호경은 주로 東漢晩期에 유행했던 동경으로 원형 뉴와 高浮彫의 용과 호랑이가 표현되어 있는 동경이다. 대부분 문양구성이 외구와 내구로 나뉘는데, 외구에는 명문대, 齒紋, 波水紋 등이 표현되어 있으며, 내구에는 주요문양인 호랑이와 용이 있다.

---

102 『金史』卷48 志29「食貨」3 大定26年 11月, 上諭宰臣曰 : "國家銅禁久矣, 尚聞民私造腰帶及鏡, 托為舊物, 公然市之, 宜加禁約。"

103 張英,『吉林出土銅鏡』(文物出版社, 1988), p.3.

당대에는 서수와 포도, 새가 어우러진 해수포도문경의 제작이 유행했으며, 같은 주제라도 문양구성을 달리하여 다양한 해수포도문경의 제작이 이루어졌다. 금대 주로 모방한 동경은 盛唐代 제작한 해수포도문경으로 내, 외구로 구분되며, 내구에는 4~6마리의 서수가 뉴를 에워싸고 있고, 포도와 포도잎이 어우러져 있다. 외구에는 풀, 인동당초, 포도가지와 새, 서수 등이 화려하게 장식되어 있어 비교적 복잡하며, 다양하게 구성된다.

금대 주조된 방고경들은 고부조 동경들을 이용해 문양을 입체적으로 찍어내고자 했으나, 실제 주조된 동경들 대부분은 문양이 흐릿하고, 심할 경우엔 구체적 형태를 구별하기 어려운 경우도 있다. 이는 당대 서수포도문경이 정교하고 고부조로 주조된 상태와 비교해보면 확연한 차이를 볼 수 있다.

금대 방고경의 또 다른 특징은 당대 경형인 규화형, 방형경에 한대 동경의 문양을 사용하여 새로운 구성의 방고경을 제작했다. 가령 규화형으로 된 四夔鏡 등이 있으며, 이러한 구성은 송대 방고경에서 찾아 볼 수 있으나, 금대 방고경과는 다른 양상이다.[104] 금대 방고경은 경형과 문양의 조합을 시도했으나, 금대 동경에서 드러나는 특색이 금대 방고경에는 표현되지 않아, 원경을 그대로 모방하고자 했음을 알 수 있다.

금대 방고경의 특징은 크게 3가지로 요약할 수 있다. 첫째, 동질로 거울색은 황색, 적색, 갈색 등을 띄고 있으며, 광택이 없다. 둘째, 문양과 명문으로 금대에는 서한의 명문경 위에 명문을 배치하는 방법을 도입했다. 하지만 답반주조로 인해 원경보다 문양이 얕고 평면적이다. 또한 동한경을 방제한 경우 역시 문양 식별이 어렵고, 문양표현에서 유려함을 엿볼 수 없다. 이는 문양과 명문이 한 곳에 유착되어 흐릿하게 주조되는 등 질적 하락을 보이는 것이 특징이다.[105]

104 蔡航, 「金代仿古銅鏡硏究」(陝西師範大學校 碩士學位論文, 2013), p.57.

105 蔡航, 위의 논문, p.41.

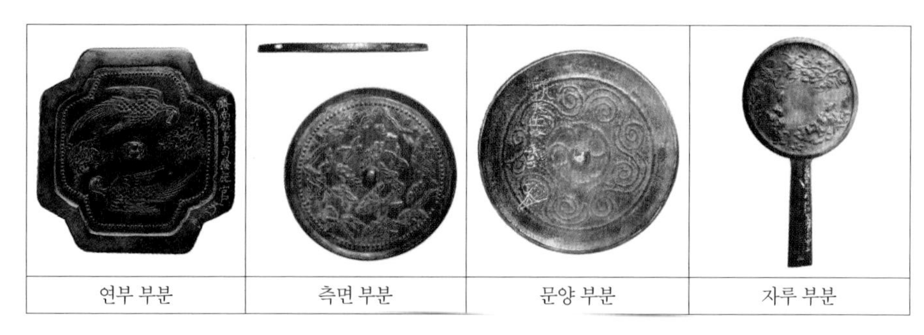

插圖 3. 驗記가 새겨진 다양한 部分

금대 동경의 또 다른 특징이자 금대 동경임을 확연히 드러내는 것은 동경에 새겨진 험기이다. 험기는 동경을 검수한 내용을 동경의 緣部 혹은 배면 문양이나 빈 공간, 병경의 자루부분에 문자로 기록한 것이다(插圖3). 험기의 등장은 당시 시행된 동금정책과 관련 있다. 금나라는 부족한 동을 확보하기 위해 국가 주도로 동사용을 엄격히 제한하고자 했으며, 이는『金史』에서 동금정책과 관련된 내용을 통해 알 수 있다.

表 6.『金史』에 기록된 '銅과 銅禁政策' 관련 內容[106]

권	내용
卷14 本紀第14 宣宗上	세조의 묘실에 임시로 숙종의 신주를 부제하고, 시조 이하에 신주는 각자의 묘실에 모셨으며, 제사용기는 동을 질그릇으로 대체하고, 헌관은 공복을 입고서 일을 거행하였으며, 공급하는 물품이나 물건의 진열 등은 모두 간약함을 따랐다.[107]
卷46 志第7 食貨1	…동전 · 교초의 폐단은 대부분 심함이 더하였다. 처음에 요나라와 송나라의 옛 전을 사용하였으며 설령 유예가 주조했던 것도 예가 폐위되었음에도 역시 같이 사용하였다. 正隆 이후에 처음으로 전폐를 주조하는 문제를 의논하였는데 민간의 구리를 금하는 것이 엄중하였고 구리를 사용하기에 부족하지 않았기 때문에 점차로 가마에서 제련하는 것이 흥했다. 무릇 구리가 나오는 地脈에는 관리를 파견하여 경내를 하나도 남김없이 살피도록 하였으며 또한 경외에 도달하였는데 민간에서 날마다 사용하는 구리 그릇들이 부족해서는 안 되기에 모두 관가에서 제조하여 팔기로 하였다. 얼마 안 있다가 관가에서는 번거로움을 견뎌내지 못하고 민간에서는 괴로움을 견디지 못하자 민간에서 구리를 제련하여 그릇을 만드는 것을 허락하고 관가에서 그 값을 정하여 팔았으니 이것이 銅法의 변화이다.[104]

106 이성규 등,『國譯 金史』2(단국대학교출판부, 2016), pp.437~442.

107『金史』卷14 本紀第14 宣宗上 權祔肅宗神主於世祖室, 奉始祖以下神主於隨室, 祭器以瓦代銅, 獻官以公服行事, 供張等物並從簡約。

卷48 志第29 食貨3	대정 8년에 백성들 중에 구리에 대한 금령을 어기는 자들이 있자 황제가 말하기를, "전을 녹여서 구리를 만드는 것에 대해 이전에도 [이를] 금하는 법령이 있었지만 민간에서 도리어 구리거울을 주조하여 가지고 있으니 [이는] 전을 녹인 것이 아니고서야 어찌 하였겠느냐?라고 하며 모두 금지토록 하였다.[109]
	11년 2월에 사삿사람이 구리거울을 주조하는 것을 금지하고 예전부터 있던 구리로 된 기구들은 관원에 보내 가져오도록 하였으며 그 값어치를 반값을 주었다. 오로지 神佛像, 鐘, 磬, 鈸, 鈷, 腰束帶, 魚袋에 속하는 것들은 그대로 두었다.[110]
	12년 정월에 구리가 모자라자 상서성에 명하여 신하들을 각로에 파견하여 銅貨의 규모를 파악하고 구리를 주조하거나 구리를 얻을 수 있는 곳을 파악하면 상을 주었다.[111]
	16년 3월에 사신들을 각 로에 나누어서 보내어 구리 광산의 광맥을 살피도록 하였다.[112]
	…대정 26년 11월 황제가 재신들에게 말하기를 "나라에서 구리로 [사사로이 물건을 주조하는 것을] 금한지 오래되었으나 들리는 바에 의하면 백성들이 사사로이 요대나 거울을 만들고는 거짓으로 예전 것이라고 하며 공공연히 매도한다고 한다. 마땅히 금지하는 조약을 강화하라고"고 하였다.[113]
	27년 2월에 曲陽縣에 전을 주조하는 한 곳의 감을 별도로 두어 利通이라 불렀으며 副監과 監丞을 두고 역마를 주어 편의에 따라 사용하여 오가며 구리에 관한 일을 다스리도록 하였다.[114]
	…"또한 대장간에 소속된 공장들은 날마다 순수한 구리 4냥을 준비해야 하였는데 대부분 수량에 미치지 못하였으며 이에 다시 구리로 된 기구들과 옛 동전을 녹여서 관에 보내야 수량을 채울 수 있었다고 합니다. 지금 阜通과 利通의 두 곳의 감에서도 해마다 주조하는 전이 14만여관이지만 한 해에 소비되는 양은 80여만 관 정도를 넘어설 뿐이니 백성들은 병들고 비용은 많아 아직도 이익이나 편리를 보고 있지 못합니다."[115]

108 『金史』卷46 志第27「食貨」1 '至於銅錢、交鈔之弊, 蓋有甚者。初用遼, 宋舊錢, 雖劉豫所鑄, 豫廢, 亦兼用之。正隆而降, 始議鼓鑄, 民間銅禁甚至, 銅不給用, 漸興窯冶。凡產銅地脈, 遣吏境內訪察無遺, 且及外界, 而民用銅器不可闕者, 皆造於官而鬻之。旣而官不勝煩, 民不勝病, 乃聽民冶銅造器, 而官為立價以售, 此銅法之變也。'

109 『金史』卷48 志第29 食貨3 '大定8年(1168, 民有犯銅禁者, 上曰：銷錢作銅, 舊有禁令。然民間猶有鑄鏡者, 非銷錢而何遂並禁之。'

110 『金史』卷48 志第29 食貨3 '大定11年2月, 禁私鑄銅鏡。舊有銅器悉送官,給其直之半。惟神佛像, 鐘, 磬, 鈸, 鈷, 腰束帶, 魚袋之屬, 則存之。'

111 『金史』卷48 志第29 食貨3 '十二年正月, 以銅少, 命尚書省遣使諸路規措銅貨。能指坑冶得實者, 賞。'

112 『金史』卷48 志第29 食貨3 '十六年三月, 遣使分路訪察銅礦苗脈。'

113 『金史』卷48 志第29 食貨3 '大定26年 11月, 上諭宰臣曰：國家銅禁久矣, 尚聞民私造腰帶及鏡, 托為舊物, 公然市之, 宜加禁約。'

114 『金史』卷48 志第29 食貨3 '二十七年二月, 曲陽縣鑄錢別為一監, 以利通為名, 設副監, 監丞, 給驛更出經營銅事。'

115 『金史』卷48 志第29 食貨3 又隨冶夫匠, 日辦淨銅四兩, 多不及數, 復銷銅器及舊錢, 送官以足之。今阜通, 利通兩監, 歲鑄錢十四萬餘貫, 而歲所費乃至八十餘萬貫, 病民而多費, 未見其利便也。宰臣以聞, 遂罷代州, 曲陽二監。

<table>
<tr><td rowspan="3">卷48
志第29
食貨3</td><td>처음 대정연간에 제도를 정할 때 민간에서 응당 구리로 된 기물들을 보유할 수 있도록 허락하였는데 만약 관청에서 매입하려고 하면 매 斤마다 200문을 주었다. 그러나 사사로이 두려고 하면 기물을 금지하였으니 먼저 [자진하여] 바치는 자에게는 매 근마다 100문을 주었으며 기물이 아닌 동화라면 150문을 주었고, 한근이 되지 않으면 양을 계산하여 주었다. 도성에 있는 官과 局 및 外路에서 제조하여 파는 동기의 값어치에 대하여 運司의 佐貳官이 검사하여 결정하도록 령을 내렸는데 거울은 매 근마다 314문, 도금을 한 御仙花腰帶는 17관 671문, 五子荔支腰帶는 17관 971문, 抬鈒羅文束帶는 8관 560문, 鱼袋는 2관 309문으로 하였으며, 鈸鈷鐃磬은 근마다 1관 902문으로 하였고, 鈴杵坐銅은 2관 769문으로 하였으며, 鍮石은 3관 646문으로 하였다. 명창 2년 10월에 칙서를 내려 거울을 파는 가격을 낮추어 사사로이 전을 녹여서 거울을 만드는 일을 막고자 하였다.[116]</td></tr>
<tr><td>"민간에서 전을 얻기 어려워하는데 이는 관리와 호족의 집안에서 너무나 많이 쌓아놓아서입니다. 당나라 元和연간에는 일찍이 매우 부유한 집에서 전이 5000관 넘게 있다가 죽으면 왕공들은 貶斥의 증벌을 주고 돈은 모두 관부에 몰수하였으며 그 돈의 1/5은 고발한 사람에게 상으로 주었다고 합니다." 라고 하였다. 황제가 이를 참고하여 정책을 세우라고 령을 내리니 품계와 자산에 따라 관청과 민가에서 지닐 수 있는 현전의 양을 한정하도록 명을 내려 많아도 2만 관을 넘지 못하도록 하였고…[117]</td></tr>
<tr><td>4년에 전을 더 주조하고자 하여 백관들에게 명을 내려 구리를 넉넉히 할 수 있는 방법을 의논하도록 하였다. 中丞 孟鑄가 말하기를 "전을 녹여서 구리를 만드는 것과 아울러 도용하여 국경을 넘는 것을 막기 위해서는 마땅히 그 소속의 관리들과 이웃들을 처벌해야할 것입니다."라고 하였다. 太府監 梁瓌 등이 말하기를 "전을 만드는데 비용이 많이 드니 십전의 비용을 들여서 일전을 얻습니다. 식자들은 비용이 많이 들더라도 일전을 얻어야한다며 구리를 채굴하고 동기들을 거두어 녹여서 전으로 만듭니다."라고 하였다. 재신들이 말하기를, "주조를 하는 일은 서둘러 진행할 수 없으니 민간에서 동을 제련하도록 준허하시고 관에서 이를 사도록 하십시오. 10인이 채 안되는 사찰과 도관(寺觀)이 법기를 모으는 것을 허락하지 마십시오. 민간의 동기들을 두 달이라는 기한을 정하여 관부에 보내면 돈을 주어 사들이고 숨긴다면 사법에 의거하여 처벌하며 한정된 액수 이외의 것을 가진 자들을 고발하더라도 그 지역 관리들을 연좌시켜 처벌하지 않도록 하십시오. 사관에 대해 어린 행자들이 고발을 한다면 상을 주십시오. 구리가 많아지는 시기가 되면 별도로 황제께 자세히 알리도록 하십시오."라고 하였다.[118]</td></tr>
</table>

116『金史』卷48 志第29 食貨3 '初, 大定間定制, 民間應許存留銅鍮器物, 若申賣入官, 每斤給錢二百文。其藏應禁器物, 首納者每斤給錢百文, 非器物銅貨一百五十文, 不及斤者計給之。在都官局及外路造賣銅器價,令運司佐貳檢校, 鏡每斤三百十四文鍍金御仙花腰帶十七貫六百七十一文, 五子荔支腰帶十七貫九百七十一文, 抬鈒羅文束帶八貫五百六十文, 鱼袋二貫三百九文, 鈸鈷鐃磬每斤一貫九百二文, 鈴杵坐銅者二貫七百六十九文, 鍮石者三貫六百四十六文。明昌二年十月, 敕減賣鏡价, 防私鑄銷錢也。'

117『金史』卷48 志第29 食貨3 '民間錢所以艱得, 以官豪家多積故也。在唐元和間, 嘗限富家錢過五千貫者死, 王公重貶沒入, 以五之一賞告者。」上令參酌定制, 令官民之家以品從物力限見錢, 多不過二萬貫…'

118『金史』卷48 志第29 食貨3 '四年, 欲增鑄錢, 命百官議所以足銅之術。中丞孟鑄謂：銷錢作銅, 及盜用出境者不止, 宜罪其官及鄰。太府監梁瓌等言：鑄錢甚費, 率費十錢可得一錢。識者謂費雖多猶增一錢也, 乞採銅、拘器以鑄。宰臣謂：「鼓鑄未可速行, 其銅冶聽民煎煉, 官為買之。凡寺觀不及十人, 不許畜法器。民間鍮銅器期以兩月送官給價, 匿者以私法坐, 限外人告者, 以知而不糾坐其官。寺觀許童行告者賞。俟銅多, 別具以聞。'

(表6)은 금대 동과 관련한 동금정책에 대한『金史』기록이다. 금나라 건국 초기에는 동이 부족하지 않았던 것으로 보인다. 이는 卷46 志第7 食貨1의 기록을 보면, 민간에서의 동사용은 엄격히 금지했으나, 동이 부족하지 않았기에 가마에서 제련하는 것이 성행했다고 하며, 민가에서 사용하는 동 그릇이 부족하지 않게 관가에서 제조하여 팔기도 했다. 이는 동금정책이 엄격히 시행되는 시기와 비교해 보면, 국가와 민간 사이에 동 사용을 융통성 있게 진행했음을 알 수 있다. 그러나 민간에서 동전을 녹여 거울을 만드는 일이 빈번히 발생하자, 민간에서 구리거울을 주조하는 것을 금지하고 예전에 있던 銅器들은 관원에 보내게 했다.

금나라는 동을 주조하거나 얻을 수 있는 곳을 파악하면 상을 주었으며, 관리들을 파견하여 동 광맥을 살피도록 하는 등 동 부족을 해결하기 위해 노력했다. 또한 大定26년(1186) 11월 황제는 구리로 사사로이 물건을 주조하는 것을 금했으나, 腰帶나 거울을 만들고 예전 것이라 속여 매도하는 것에 대해 조약을 강화하라 했다. 또한 明昌2년(1191)에는 칙서를 내려 거울을 파는 가격을 낮추어 사적으로 동전을 녹여 거울을 만드는 것을 막고자 했다.

금대 동의 유통이 어려워졌던 이유 중 하나는 제작된 동전이 유통되지 않아, 계속 주조해야 했던 점이다. 이는 금대 관리나 호족이 집에 동전을 쌓아놓고 사용하지 않은 데서 기인한 것으로 민간에서는 동전을 구하기 어려울 지경에 이르러 황제가 품계와 자산에 따라 지닐 수 있는 현전의 양을 한정시키도록 명했다. 하지만 이러한 현상은 크게 변하지 않았으며, 금대 말 동전의 사용보다는 지폐를 사용하도록 권장했으나 민간에서는 오히려 동전을 더욱 귀하게 여겼다. 이유는 종이로 된 저폐는 쉽게 훼손되어 오래 보관하기 힘들어 찢어질까 걱정하여 폐기하기에 이르렀으며, 동전은 더욱 귀해지는 결과를 낳아 금대 동 부족 현상은 쉽게 해결되지 않았음을 알 수 있다.

동금정책은 동 부족 상황에서 동사용의 효율성을 높이고자 한 것이며, 이를 국가에서 통제하고자 했다. 그리고 당시 많이 제작된 동경에 험기를 남김으로써 국가의 허가 아래 제작된 동경임을 검증했고, 사적인 주조를 막고자 노력했다.

험기는 기존에 사용한 동경뿐만 아니라, 금대 제작한 동경에도 새겼다. 험기 있는 동경은 중국 각지에서 발견되고 있으며, 이에 대한 내용은 동경 관련 논문 및 도록을 통해 확인할 수 있다.[119] (表7)은 중국 동경 관련 도록 및 논문에 수록된 동경과 험기내용을 정리한 것으로 내용은 다음과 같다.

表 7. 中國 金代 銅鏡에 표시된 驗記[120]

	명칭	크기	험기내용	출토지
1	單龍紋鏡	徑 24.4cm	云內州錄事司驗記官	吉林 長春 出土
2	單龍紋鏡	徑 12.0cm	肇州司候司	琿春春化金墓
3	單龍紋鏡	徑 24.4cm	云內州錄事司驗記官(花押)	長春市郭小城子古城
4	單龍紋鏡	徑 14.6cm	寶鶴縣官(押)	
5	單龍紋鏡	徑 24.5cm	上京都僧錄司(花押)	
6	雙龍紋鏡	徑 18.8cm	懿州驗記官(花押)	
7	雙龍紋鏡	徑 13.8cm	濟州錄事完顏通	

119 금대 험기에 관한 주요논문은 다음과 같다. 董學增 · 高素心,「吉林榫甸出土金代刻款銅鏡」,『文物』(1988年 7期) ; 孔祥星 · 李雪梅,「關于金代銅鏡上的檢驗刻記」,『考古』(中國社會科學院考古研究所, 1992年 2期) ; 田華,「金代銅鏡的刻款及相關問題」,『北方文物』(北方文物雜誌社, 1995年 3期) ; 田華 · 邱玉春,「再論金代銅鏡刻款及相关問題」,『求是學刊』(黑龍江大學, 1996年 6期) ; 許明網,「遼寧大蓮出土官府驗記銅鏡」,『黑龍江史志』(2013年 3期) ; 박진경,「金系 高麗鏡의 제작과 유통」,『美術史學研究』279 · 280호(한국미술사학회, 2013) ; 陳瑞清,「"上京巡院"銅鏡」,『黑龍江史志』(2015年 2期) ; 楊麗敏 · 長劍,「近年遼北發現的金代刻銘銅鏡」,『蘭台世界』(遼寧省檔案學會, 2015年 36期); 최주연,「金代 '犀牛望月'紋 銅鏡의 多様性과 地域性」,『고문화』87(한국대학박물관협회, 2016).

120 현재 중국 내 출간된 주요 동경 도록에 기재된 험기를 정리 · 보완하여 표로 구성했다. 孔祥星 · 劉一曼,『中國銅鏡圖典』(文物出版社, 1997) ; 河北省文物研究所編,『歷代銅鏡紋飾』(河北省美術出版社, 1996) ; 張英, 앞의 책 ; 旅順博物館,『旅順博物館藏銅鏡』(文物出版社, 1997) ; 故宮博物院編,『故宮收藏 妳應該知道的200件銅鏡』(紫禁城出版社, 2007) ; 安徽省文物考古研究所,『六安出土銅鏡』(六安市文物局出版社, 2008) ; 王禹浪,『金上京百面銅鏡圖錄』(哈爾濱出版社, 1994) ; 栗濱,『北方草原古銅鏡圖錄』(遠方出版社, 2008) ; 上海博物館,『練形神治瑩質良工』(2005) ; 王綱懷,『三鬼堂藏鏡』(文物出版社, 2004) ; 遼寧省博物館編,『淨月澄華-遼寧省博物館藏古代銅鏡』(遼寧大學出版社, 2014) ; 浙江省博物館 編,『古鏡今照』(文物出版社, 2012) ; 沙元章,『遼金銅鏡』(黑龍江美術出版社, 2007) ; 董彥明 · 徐英章 · 趙洪山,『金代刻款銅鏡』(遼寧省博物館, 1996)

8	雙龍紋鏡	徑 22.0cm	咸平府釉黑千戶	
9	雙龍紋鏡	徑 21.6cm	同昌驗記官(押)	
10	雙龍紋鏡	徑 18.1cm	和衆縣(押)	
11	雙龍紋鏡	徑 17.6cm	廣閭陽官(押)	
12	雙龍紋鏡	徑 11.1cm	廣寧鐘秀公	
13	雙龍紋鏡	徑 19.6cm	長泰縣	
14	雙龍紋鏡	徑 12.0cm	廣府山東(花押)	河北省 平泉縣 出土
15	盤龍紋鏡	徑 10.2cm	北京驗記官(花押)	
16	雙龍紋鏡	徑 19.5cm	冀縣驗記官(花押)	
17	雙龍紋鏡	徑 13.5cm	南宮縣驗記官(花押)	
18	雙龍紋鏡	徑 16.8cm	大興縣官(花押)	河北省 隆化縣八達營農場 出土
19	雙龍紋鏡	徑 19.6cm	長春縣(花押)	前郭他虎古城
20	雙龍紋鏡	徑 22.0cm	咸平府釉黑千戶(花押)	梨樹偏檢古城
21	雙龍紋鏡	徑 18.0cm	拿里虎千戶(花押)	扶余佰都訥古城
22	雙龍紋鏡	徑 18.7cm	壽山福海長命富貴(花押)	通化葫蘆套金墓
23	雙龍紋鏡	徑 12.1cm	懿州驗記官(花押)	農安廣元店金代遺址
24	雙龍紋鏡	徑 18.7cm	錄事司劉什秤□	新華鄕 出土
25	雙龍紋鏡	徑 14.6cm	平涼縣官(花押)	
26	雙龍紋鏡	徑 28.2cm	咸平府錄事司(花押)	
27	雙龍紋鏡	徑 22.2cm	都右院官(花押)	
28	雙龍紋鏡	徑 16.5cm	高平縣驗記官(花押)	
29	蛟龍紋鏡	徑 24.9cm	韓州司判趙(花押)	
30	雙魚紋鏡	徑 19.4cm	平州錄事司官(花押)	
31	雙魚紋鏡	徑 14.1cm	銅院官(花押)	
32	魚龍紋鏡	徑 9.4cm	西京大同縣官(花押)	
33	雙魚紋鏡	徑 20.1cm	上京巡院(花押)金城縣(花押)	吉林 永吉 出土
34	雙魚紋鏡	徑 13.2cm	山東東路鑄鏡所	
35	雙魚紋鏡	徑 23.8cm	眞定錄事司官(花押)	
36	雙魚紋鏡	徑 12.2cm	平陰官(花押)	
37	雙魚紋鏡	徑 18.4cm	保州司(花押)	
38	雙魚紋鏡	徑 9.4cm	山東東路□□□□	
39	雙魚紋鏡	徑 19.3cm	上京宣春縣(花押)	農安靠山金代遺址
40	雙魚紋鏡	徑 20.2cm	河北東路轉運司委差官匠三斤	汪淸蛤螞塘金代遺址
41	雙魚紋鏡	徑 17.4cm	都右官(花押)	龍井東盛湧金墓

42	雙魚紋鏡	徑 11.9cm	鑄鏡所(花押)	長春市郊小城子古城
43	雙魚紋鏡	徑 11.0cm	肇州司候司官(花押)	前郭他虎古城
44	雙魚紋鏡	徑 10.8cm	金城記(花押)	
45	雙魚紋鏡	徑 19.7cm	三斤四兩 遼東路轉運司監造官咸平錄事不朮魯昭勇(花押)	
46	雙魚紋鏡	徑 20.0cm	三斤八兩 遼東路轉運司監造官咸平錄制□保義(花押)	
47	雙魚紋鏡	徑 8.0cm	金城記(花押)	
48	雙魚紋鏡	徑 16.1cm	壹斤山東東路運司□稅所(花押)	
49	雙魚紋鏡	徑 19.4cm	肇州司候王	阿什河鄉東环村出土
50	雙魚紋鏡	徑 10.8cm	金成記	料甸鄉海溝村出土
51	雙魚紋鏡	徑 10.8cm	金成記(花押)	
52	雙魚紋鏡	徑 12.0cm	新□鎭官(花押)	
53	雙魚紋鏡	徑 12.0cm	鏡子局官(花押)	
54	雙魚紋鏡	徑 13.8cm	上京警巡院	金上京城北城出土
55	雙魚紋鏡	徑 13.3cm	監潢縣	金上京城北城出土
56	雙魚華龍鏡	徑 7.8cm	金城縣	金上京城北城出土
57	雙摩竭魚紋鏡	徑 23.7cm	陝西西路監造使	甘肅臨洮出土
58	雙鳳纏枝花紋鏡	徑 11.5cm	濟州縣令賣	吉林義安出土
59	魚龍紋鏡	徑 10.3cm	束鹿縣官(花押)	河北省清苑縣出土
60	文字柄鏡	徑 9.1cm	肇州司候司官	琿春西崴子金代遺址
61	雙馬紋鏡	徑 15.2cm	河東南路轉運司委差官(花押)	
62	雙鳳紋鏡	徑 21.6cm	平陰官(花押)	
63	雙鳳紋鏡	徑 12.6cm	須城縣官(花押)	
64	雙鳳紋鏡	徑 14.1cm	聊城官(花押)	
65	雙鳳紋鏡	徑 12.8cm	館陶縣官(花押)	
66	雙鳳紋鏡	徑 12.2cm	建州官(花押)	
67	雙鳳紋鏡	徑 12.2cm	三韓縣驗記官(花押)	
68	雙鳳紋鏡	徑 14.3cm	平州官(花押)	
69	雙孔雀紋鏡	徑 15.5cm	博平縣官(花押)	
70	雙鳳八卦紋鏡	徑 13.3cm	碁山官(花押)	
71	鸞鳥銜花枝紋鏡	徑 10.5cm	虎山記, 克官(花押)	
72	鴛鴦花卉紋鏡	徑 13.6cm	共城官	
73	雙鳳太極圖紋鏡	徑 8.7cm	信都官(花押)	
74	四鳳紋鏡	徑 10.4cm	東道口毛克(花押)	

75	四鳳紋鏡	徑 15.5cm	利州驗記官(花押)	
76	四鳳紋鏡	徑 13.1cm	易縣官(花押)	
77	四鳳紋鏡	徑 10.3cm	沙州驗記官(押)	
78	四蜻蜓紋鏡	徑 13.0cm	保州縣(花押)	
79	鸞鳳雲鶴紋鏡	徑 20.7cm	遂州司候司官(花押)	
80	鸞鳳紋鏡	徑 26.7cm	金原縣記官(花押)	
81	雙鸞花卉紋鏡	徑 15.3cm	濟南綠事司驗記官(花押)	
82	蜂蝶花鳥紋鏡	徑 10.4cm	弘州官(花押)	河北省崇禮縣高家營鄉水晶屯村金代石函墓 出土
83	亞形蝴蝶紋鏡	徑 15.0cm	亳州官造(花押)	科左中旗公河來金墓
84	花鳥魚紋鏡	徑 15.3cm	定州永平官(花押)	
85	神獸紋鏡	徑 9.1cm	上京會寧縣(花押)	延吉城子山古城
86	神獸紋鏡	徑 10.7cm	濟州錄事完顏通	農安好來保屯金代遺址
87	神獸紋鏡	徑 10.2cm	司候司官	梨樹偏驗古城
88	內外區鸞獸鏡	徑 19.3cm	上京警巡院	金上京北城出土
89	靈鼉紋鏡	徑 8.9cm	三河縣官	鎮賚郭家金代遺址
90	靈鼉紋鏡	徑 11.0cm	濟州錄事完顏通(청개명경)	樺甸常山金代遺址
91	靈鼉紋鏡	徑 8.9cm	金城記官	梨樹偏驗古城
92	靈鼉紋鏡	徑 9.0cm	長春縣□□	前郭他虎古城
93	鸞鳥海獸葡萄紋鏡	徑 20.0cm	銅院(花押)	敦化牡丹屯金代遺址
94	鸞鳥海獸葡萄紋鏡	徑 13.7cm	金城(花押)	乾安道字井古城
95	鸞鳥海獸葡萄紋鏡	徑 17.0cm	信州武昌縣大正十四年正月(花押)	懷德泰家屯古城
96	鸞鳥海獸葡萄紋鏡	徑 16.5cm	金城記造(花押)	九台上河灣金代遺址
97	鸞鳥海獸葡萄紋鏡	徑 19.8cm	西京巡院官	農安上台子古城
98	鸞鳳花卉紋鏡	徑 11.9cm	濟州縣令賣(花押)	農安趙家屯金代遺址
99	海獸葡萄紋鏡	徑 14.6cm	上京警巡院	金上京北城出土
100	海獸葡萄紋鏡	徑 11.5cm	臨溟縣(花押)	
101	八鸞鳳鳥紋鏡	徑 14.1cm	托毛克官(花押)	汪清百草溝金墓
102	飛鳥鏡	徑 14.0cm	柳河縣官記	金上京城北城出土
103	雙孔雀紋鏡	徑 12.9cm	濟州錄事完顏通	金上京城南城出土
104	四孔雀紋鏡	徑 11.5cm	肇州始興縣高, 上京宜春縣直	金上京城南城出土
105	四鶴紋鏡	徑 13.6cm	玉田縣官(花押)	
106	素紋鏡	徑 16.6cm	茌平□□□□	山東 茌平 出土
107	素紋鏡	徑 22.1cm	圖海(車)烏主千戶(花押)	
108	素紋鏡	徑 27.8cm	濟州縣令賣(花押)	

109	素紋鏡	徑 9.0cm	武州驗記官(花押)	河北省 宣化 출토
110	素紋鏡	徑 15.5cm	懿州驗記官(花押)	集安泉眼金代遺址
111	素紋鏡	徑 23.1cm	都右院官(花押)	農安江東王鄉金墓
112	素紋鏡	徑 27.8cm	濟州縣令賣(花押)	九台陽春古城
113	素紋鏡	徑 10.0cm	泰州錄司(花押)	前郭八郎金墓
114	素紋鏡	徑 9.0cm	泰州主薄記(花押)	洮南城四家子古城
115	素紋鏡	徑 14.3cm	上京曲江縣	阿什河鄉東环村出土
116	菊花紋鏡	徑 11.6cm	竝州官□(花押)	
117	菊花紋鏡	徑 16.8cm	撫州司候司官(花押)	河北省 康保縣出土
118	卍字菊花紋鏡	徑 11.6cm	上京宜春縣(花押)	金上京城北城出土
119	童子玩蓮紋鏡	徑 8.9cm	云中縣官	
120	童子蜓遶花紋鏡	徑 8.6cm	單州驗記官(花押)	
121	童子攀花枝紋鏡	徑 14.1cm	北京驗記官(花押)	
122	蓮荷花枝紋鏡	徑 15.8cm	高唐記(花押)	
123	二花枝紋鏡	徑 12.8cm	雄州錄事司驗記官(花押)	徐水縣縣城金墓出土
124	二花枝紋鏡	徑 11.1cm	保州司(花押)	
125	三花枝紋鏡	徑 20.8cm	東京巡院(花押)	河北省 唐縣出土
126	纏枝四花鏡	徑 12.7cm	渭州官(花押)	
127	纏枝牡丹鏡	徑 10.8cm	革州司候司驗記官(花押)	
128	纏枝花紋鏡	徑 12.1cm	定州永平官(花押)	
129	纏枝花紋鏡	徑 13.5cm	定州唐縣官(花押)	
130	纏枝花紋鏡	徑 20.5cm	大興縣官(花押)	
131	折枝花紋鏡	徑 12.2cm	東平保謀克□驗官(花押)	河北省 冀縣出土
132	折枝花紋鏡	徑 10.7cm	常安縣記官(花押)	
133	折枝花紋鏡	徑 18.0cm	泰和五年錄事官(花押), 徐州錄事司驗記官(花押)	
134	折枝花紋菱花鏡	徑 12.2cm	韓, 武城縣官(花押)	
135	纏枝花紋鏡	徑 22.8cm	沁州官(花押)	
136	四花紋鏡	徑 12.2cm	山東東路鑄鏡所(花押)	
137	四花紋鏡	徑 12.2cm	南東縣(花押)	河北省 懷安縣出土
138	四花枝紋鏡	徑 13.0cm	武安縣官(花押)	
139	四花鏡	徑 12.8cm	平晉王鑒記官(花押)	
140	四花紋鏡	徑 10.0cm	驗鏡官	
141	花卉紋鏡	徑 14.0cm	密州諸城縣驗記官(花押)	

142	轉輪菊花紋鏡	徑 10.3cm	富庶縣驗記官(花押)	
143	三花鏡	徑 16.2cm	貴德州□(花押)	
144	草梅花果紋鏡	徑 10.7cm	西京官	
145	盆景花枝紋鏡	徑 13.8cm	懷仁縣官(花押)	河北省 曲陽縣出土
146	錦紋地纏枝牡丹紋鏡	徑 12.5cm	定州唐縣官(花押)	河北省 唐縣出土
147	牡丹花紋鏡	徑 21.3cm	韓州司判趙(花押)	梨樹偏驗古城
148	蓮珠牡丹花紋鏡	徑 13.5cm	泰州主	洮南城四家子古城
149	漚魯抹鏡	徑 14.0cm	漚魯抹官(花押)	汪清羅子溝古城
150	亞形花卉蝴蝶紋鏡	徑 15.6cm	合懶烏主	雙陽孤家子金墓
151	亞子形花草紋鏡	徑 13.7cm	肇州司候王	半拉城遺址出土
152	雀繞花枝紋鏡	徑 14.5cm	金成記	金上京城北城出土
153	蓮花紋鏡	徑 8.2cm	金成縣	阿城市料甸鄉出土
154	菱花紋鏡	徑 11.8cm	淸豊官(花押)	
155	八乳荷花附耳鏡	徑 6.1cm	上京會寧縣	阿什河鄉雙城村出土
156	寶相花紋鏡	徑 21.9cm	湯池縣	吉林市郊哨口金墓
157	寶相花紋鏡	徑 16.0cm	東安縣驗記官(花押)	
158	仿昭明鏡	徑 15.0cm	濟州錄事完顔通	洮南城四家子古城
159	十二生肖地支紋鏡	徑 13.0cm	金城記(花押)	
160	人物故事紋鏡	徑 11.7cm	臨流縣賣(花押)	
161	人物故事紋鏡	徑 21.9cm	平陽府驗記(花押)	
162	人物故事紋鏡	徑 15.2cm	松山記(花押)	
163	人物故事紋鏡	徑 16.2cm	唵吉千戸(花押)	
164	人物故事紋鏡	徑 7.0cm	南京路鏡子局官口	
165	人物紋柄鏡	徑 8.2cm	山東官	梨樹偏驗古城
166	人物紋鏡	徑 12.9cm	臨潢縣	延吉城子山古城
167	許由巢父紋鏡	徑 14.3cm	保州司(花押)	
168	許由巢父紋鏡	徑 13.9cm	□平錄事官	
169	仙人龜鶴紋柄鏡	長 18.0cm	西京巡院官(花押)	
170	龜鶴仙人紋鏡	徑 8.3cm	銅院(花押)	
171	仙人龜鶴齊壽鏡	徑 9.0cm	驗記官	阿什河鄉東环村出土
172	龜鶴仙人紋鏡	徑 11.5cm	單州司候司官	金上京城南城出土
173	仙人龜鶴柄鏡	徑 9.2cm	南京路鏡子局官鑄	
174	仙人飛鶴紋鏡	徑 21.0cm	神山千戸毛克官門(花押)	
175	山水人物紋鏡	徑 7.0cm	金城縣(花押)	河北省 蔚縣 出土

176	神人故事紋鏡	徑 10.0cm	泰和四年十一月日汾州錄事司官	
177	仙人鶴鹿龜紋鏡	徑 9.8cm	南京路鏡子局官	
178	松鹿紋柄鏡	徑 11.4cm	金城記官(花押)	
179	福鹿紋鏡	徑 10.1cm	定州唐縣驗記官(花押)	
180	煌丕昌天銘鏡	徑 17.7cm	上京警巡院	金上京城北城 出土
181	煌丕昌天銘鏡	徑 16.6cm	臨洮府錄事司驗記官	
182	犀牛望月紋鏡	徑 17.4cm	陝西西路監造使	甘肅省博物館 所藏
183	犀牛望月紋鏡	徑 12.4cm	陝西東路鑄鏡所官(花押)	
184	犀牛望月紋鏡	徑 21.5cm	金城記(花押)	河北省 康保縣 出土
185	犀牛望月紋鏡	徑 11.0cm	金城記	農安黃魚圈金代遺址
186	犀牛望月紋鏡	徑 15.0cm	金城記(花押)	吉林 江北金代遺址
187	犀牛望月紋鏡	徑 17.7cm	大正十四年正月日信州司候司記官(花押)	
188	犀牛望月紋鏡	徑 21.2cm	茂州(花押)	大蓮普蘭店市元台后元台大隊出土
189	犀牛望月紋鏡	徑 11.2cm	金成記(花押)	
190	犀牛望月紋鏡	徑 17.3cm	金成縣(花押)	
191	杯渡禪師紋鏡	徑 15.7cm	都右院官(花押)	
192	杯渡禪師紋鏡	徑 7.0cm	南京路賣鏡子局(花押)	
193	杯渡禪師紋鏡	徑 12.2cm	美原官(花押)	
194	月宮人物故事紋鏡	徑 17.5cm	平州錄事司	
195	人物殿閣紋鏡	徑 17.2cm	昌平縣驗記官(花押)	
196	四亭人物撫琴紋鏡	徑 16.1cm	良鄉官(花押)	
197	四亭人物撫琴紋鏡	徑 13.5cm	安新縣官(花押)	
198	牛郎織女紋鏡	徑 8.9cm	金城記	舍利鄉太平村出土
199	人物鳥獸紋鏡	徑 7.2cm	廣府僧司	
200	八仙渡海紋鏡	徑 21.1cm	東平府錄事司十四号官, 官記(花押)	
201	王質觀奕紋鏡	徑 15.6cm	新興縣記	
202	撫琴鏡	徑 13.0cm	洛陽縣官記驗押	
203	三童戲書紋鏡	徑 12.3cm	盤溝左字王家造	前郭他虎古城
204	四童攀花枝紋鏡	徑 12.6cm	廣寧鐘秀	
205	四童攀花枝紋鏡	徑 17.3cm	韓州主簿驗記官高□	
206	四童戲花紋鏡	徑 11.5cm	北京驗記官(花押)	榆樹向陽金遺址
207	童子纏枝鏡	徑 14.1cm	上京警巡院	金上京城北城出土
208	童戲紋鏡	徑 13.1cm	遼陽縣記(花押)	

209	寧戚飯牛紋鏡	徑 12.3cm	金城縣(花押)	農安縣鎭古城
210	雙飛仙紋鏡	徑 13.8cm	臨潢縣押	
211	伯牙撫琴紋鏡	徑 13.0cm	德州官(花押)	
212	王家三童嬉花紋鏡	徑 12.4cm	盤溝左子王家造	吉林前郭均有出土
213	四童攀花紋鏡	徑 13.0cm	女眞字	
214	亞字形錢紋鏡	徑 8.4cm	絳州僧正司驗記官(花押)	
215	文字柄鏡	徑 9.1cm	肇州司候司官	琿春西崴子金代遺址
216	契丹紋鏡	徑 26.0cm	濟州錄事完顔通	大安永合村金代遺址
217	天慶記年鏡	徑 17.9cm	朔州馬邑縣驗記官(花押) 天慶十年五月記高匠	遼源梨樹小城子古城
218	龜谷寨驗志款鏡	徑 19.9cm	弄瓦, 龜谷寨驗志官	
219	忠孝之家紋鏡	徑 11.6cm	錄事司ㅁ東阿官(花押)	河北省 高碑店出土
220	王質觀棋故事紋鏡	徑 11.6cm	高唐訖(花押)	河北省 安國縣出土
221	泰樂器紋鏡	徑 11.0cm	天成縣官(花押)	楡樹大坡古城
222	放風箏紋鏡	徑 19.0cm	西京官造(花押)	懷德栄園子金代遺址
223	長命富貴銘鏡	徑 15.5cm	東平縣	集安丸都山金代遺址
224	"家常富貴"銘鏡	徑 10.9cm	上京春縣	阿城市繼電器厂附近出土
225	八卦紋鏡	徑 13.5cm	銅院官(花押)	
226	'卍'子紋鏡	徑 16.5cm	廣山官(花押)	
227	福壽延長銘柄鏡	徑 14.1cm	金成記(花押)	舍利鄕繁榮村出土
228	福壽家安銘鏡	徑 13.5cm	固安押記	
229	四亭紋鏡	徑 15.5cm	濟州錄事完顔通	
230	青蓋鏡	徑 9.0cm	金成記(花押)	阿什河鄕雙城村出土
231	青蓋鏡	徑 9.0cm	西京	阿城鎭胜利街出土
232	倣漢雙圈名文鏡	徑 13.8cm	鎭戎司使司驗記花押, 鎭戎使司驗記官(花押), 鎭戎軍驗記官(花押)	
233	仿漢日光鏡	徑 8.0cm	金城記(花押)	
234	仿漢昭明鏡	徑 10.0cm	西京驗記官(花押)	
235	仿三國龍虎鏡	徑 9.5cm	金城縣(花押)	
236	仿唐瑞獸葡萄紋鏡	徑 13.0cm	大正十年四正月日信州武昌縣官記(花押)	
237	菱花形湖州鏡	徑 13.8cm	泰州主薄記	料甸鄕出土
238	湖州鏡	徑 15.8cm	亳[121]錄事司驗記官(花押)	前郭三家子金墓出土

121 亳州 : 안휘성에 있는 지명.

동경의 험기는 그 특징에 대해 글자의 위치, 내용을 통해 알 수 있으며, 내용은 '地域名+官職名+官名(花押)'으로 보통 구성된다. 험기 내용은 '陝西西路監造使', '泰和四年十一月日汾州錄事司官', '金成記', '泰州錄判', '咸平府錄事司(花押)', '上京警巡院', '懿州驗記官(花押)', '信州武昌縣大正十四年正月(花押)', '河東南路轉運司委差官(花押)', '三斤四兩 遼東路轉運司監造官咸平錄事不朮魯昭勇(花押)', '托毛克官(花押)' 등과 같이 지역명과 관직명 또는 관리자의 성씨 등을 기재했다. 이를 지역명, 관직명, 관청명, 기타(성씨, 화압, 상형문자 등) 순으로 나누어 그 특징에 대해 살펴보고자 한다.

우선, 지역명은 ○○路, ○○府, ○○州, ○○縣으로 구성되어 있으며, 각 행정구역에 맞는 관직자가 동경을 제작, 검수했다. 지역명은 명확히 기재하였으며, 상위 단위인 '로'의 경우는 지역명만 표기한 예가 있다. 많은 수량이 남아 있는 '현'의 경우는 관직명, 관청명, 관직자의 성씨 등 다양한 내용을 기재했다. 상위행정구역인 '로'의 경우 대부분 간략히 표기하는 반면, 하위행정구역인 '현'에서는 구체적으로 관리자의 성씨도 표기하는 것으로 보아, 하위 행정지역에서는 검수자에 대한 책임도가 더욱 컸던 것으로 생각된다.

금나라의 행정구역은 요의 제도를 그대로 차용하여 오경을 중심으로 19로를 설치했으며, 그 안에 군, 현 등 하위행정구역을 구분했다.[122] 이후 금나라 실정에 맞는 행정구역으로 지속적인 정비를 진행했으며, 같은 이름의 지역명이 혼용되지 않도록 변경하는 등 기존 제도를 유지하면서 자체적인 행정제도를 마련하고자 했

---

122 금나라는 요나라의 제도를 답습하여 오경을 세우고 14총관부를 설치하였는데 이것이 19로이다. 그 안에는 산부 9곳, 절도사군진 36곳, 방어사군 24곳, 자사군 73곳, 군 16곳, 현 6백 32개가 있다. 이후에는 군을 승격하여 주로 삼기도 하였고, 때로는 성 · 보 · 채 · 진을 승격하여 현으로 삼기도 하였으므로 이로써 금나라의 경 · 부 · 주는 179개이고 현은 예전보다 51개 증가하였고, 성 · 채 · 보 · 관은 122개이며, 진은 488개이다. 이성규 · 박원길 · 윤승준 · 류병재, 『한역 금사』(단국대학교출판부, 2016), pp.658~659.

다. 또한 송의 몰락으로 송의 지배영역까지 금나라에 복속됨에 따라 금의 행정적 영향범위도 넓어졌다.

험기에 보이는 지역명은『金史』「地理志」를 통해 확인할 수 있으며, 이는 동경을 검수한 주된 지역의 특징과 위치를 파악할 수 있는 중요한 자료이다. 앞서 설명한 것과 같이 금대 행정구역은 로를 중심으로 주, 군, 현의 하위지역으로 나뉜다. 동경에 새겨진 험기는 로뿐만 아니라 현에서도 이루어졌으며, 전 지역에 걸쳐 동경 검수가 실행되었다. 이 중 상경로와 북경로, 서경로, 중도로의 하위행정지역에서 많은 동경이 검수되었다. 이들 지역은 금대 수도이거나, 주요 거점지였다는 점에서 수도를 중심으로 주변 지역에서 많은 양의 동경 검수가 이루어졌고, 이는 직접적으로 국가(황제)의 영향을 받는 지역에서 동경 관리가 철저히 시행되었음을 방증한다.

험기에 등장하는 지역명은 19로 중 17로의 지명이 기록되어 있어, 금대 대부분 지역에서 동경에 대한 검사가 이루어졌음을 알 수 있다. 그 중 上京, 北京, 金城, 雲內州, 濟州에서 검수한 동경의 수량이 많은 편이다. 이 중 당시 지역명이 동일할 경우 지역명 사용시기와 비교하여 동경의 검수가 이루어진 지역이 어디인지 파악할 수 있다. 또한 송대 혹은 요대 지역명을 그대로 사용하는 지역은 각 시기 정사의「地理志」기록을 통해 확인할 수 있다. 금나라는 요와 송을 복속하고, 지역을 통치하기 위해 관청을 설치했으며, 지역명 역시 금나라의 실정에 맞게 개칭했다. 하지만 험기에 남아 있는 지역명 중에서 송과 요대 때 지역명이 그대로 새겨진 것으로 보아, 개칭에도 불구하고, 기존 지역명을 그대로 사용하고 있음을 알 수 있다.

동일한 지역명으로 인해 확인이 필요한 대표적인 예는 북경과 제주가 있다. 금대 각각 다른 로에 같은 지역명으로 표기되어 있는 두 지역은 금대 많은 양의 동경을 검수했던 곳이며, 험기를 새긴 시기는 동금정책이 시행된 大定年間에서 泰和年間이기에 지역명이 사용된 시기와의 비교를 통해 검수가 이루어진 지역을 알 수 있다. (表8)은 『金史』에서 보이는 북경과 제주에 관한 내용으로 본지역명 그대로인 경우와 개칭된 경우로 나눌 수 있으며, 내용은 다음과 같다.

表 8. 『金史』「地理志」志 第5~7에 보이는 北京과 濟州 內容

지역명		내용
北京	北京路 大定府	중등의 부이고 北京留守司를 두었다. 요나라의 中京이었다. 統和25年(1006)에 중경을 세웠는데 금나라 초기에는 이 이름을 사용하였다. 海陵 貞元 元年(1153)에 북경으로 이름을 바꾸고 留守司 · 都轉運司 · 警巡院을 두었다. 大定府, 中, 北京留守司。遼中京。統和二十五年建為中京, 國初因稱之。海陵貞元元年更為北京, 置留守司、都轉運司、警巡院。
	東京路 臨潢府	하등의 부이고, 총관부를 두었다. 西樓라고 불렀는데 요나라에서 上京을 두었고, 금나라 건국 초에 그대로 부르다가 天眷元年(1138)에 北京으로 고쳤다. 天德2年(1150)에 북경을 臨潢府路 변경하였고, 北京路 都轉運使를 임황부로 轉運使로 삼았으나 天德 3年(1151)에 폐지하였다. 貞元元年(1153)에 大定府를 북경으로 삼은 후에 다만 北京臨潢路提刑司를 설치하였다. 대정 이후에 路를 폐지하고 大定府路로 하였다. 貞祐 2年(1214) 4월에 일찍이 平州에 僑置하였다. 臨潢府, 下, 總管府。地名西樓, 遼為上京, 國初因稱之, 天眷元年改為北京。天德二年改北京為臨潢府路, 以北京路都轉運司為臨潢府路轉運司, 天德三年罷。貞元元年以大定府為北京後, 但置北京臨潢路提刑司。大定後罷路, 併入大定府路。貞祐二年四月嘗僑置于平州。
濟州	上京路 隆州	隆州는 하등의 주이고 利涉軍節度使를 두었다. 옛 부여의 땅으로 요나라 태조 때 황룡이 출현하여 황룡부라 명명하였다. 천권3년(1140)에 제주로 개명하였고, 태조가 성을 공격할 때 대군이 물을 건너고자 하였으나 배를 이용할 수 없게 되는 길조가 있었는데 이에 이섭군을 설치하였다. 천덕 3년(1151)에 상경로 도전운사를 두었다가 4년에 濟州路轉運司로 고쳤다. 대정 29년(1189)에 산동로 제주와 이름이 같은 것을 싫어하여 지금의 이름으로 바꾸었다. 정우 초기에 융안부로 승격되었다. 호수는 1만 1백 80호였다. 隆州, 下, 利涉軍節度使。古扶餘之地, 遼太祖時, 有黃龍見, 遂名黃龍府。天眷三年, 改為濟州, 以太祖來攻城時大軍徑涉, 不假舟楫之祥也, 置利涉軍。天德三年置上京路都轉運司, 四年, 改為濟州路轉運司。大定二十九年嫌與山東路濟州同, 更今名。貞祐初, 陞為隆安府。
	山東西路 濟州	중등의 주이고 자사를 두었다. 송나라에서는 濟陽郡이었다. 예전에 州署가 鉅野에 있었는데 천덕 2년(1150)에 任城縣으로 옮기고 거야의 民戶를 나누어서 嘉祥 · 鄆城 · 金鄉 3개 현에 예속시켰다. 濟州, 中, 刺史。宋濟陽郡, 舊治鉅野, 天德二年徙治任城縣, 分鉅野之民隸嘉祥, 鄆城, 金鄉三縣。

북경은 북경로 대정부, 동경로 임황부에서 '북경'이라는 지명이 사용되었음을 알 수 있다. 『金史』「地理志」에 北京路 大定府로 명시되어 있으며, 금나라 초기까지 중경으로 칭했다. 이후 해릉 정원 원년(1153) 북경으로 개칭했다. 또 다른 북경은 東京路 臨潢府이며, 요나라 때 상경을 두었고, 금나라 초까지 그대로 부르다 1138년 북경으로 바꾸었다. 다시 천덕 2년(1150)에 임황부로 변경했다. 전

자는 1153년 이후 북경으로 불렸으며, 후자는 1138~1150년까지 북경으로 명칭했다. 동금정책은 금 세종대~금 장종대에 걸쳐 시행되었으며, 그 시기는 대략 1161~1208년 사이의 시기이다. 따라서 '北京驗記'는 기록을 통해 유추해보면, 이 시기에 북경인 곳은 북경로 대정부일 것으로 판단된다.

제주 역시 『金史』기록을 통해 유추할 수 있다. 上京路 隆州, 山東西路 濟州는 금대 '제주'로 칭해지던 지역으로 상경로 융주는 원래 黃龍府였으나, 天眷 3년(1140)에 제주로 개칭했으며, 대정 29년(1189) 산동서로의 제주와 명칭이 같은 것을 싫어해 융주로 변경했다. 반면, 산동서로 제주는 송대 濟陽郡이었으며, 금대에 제주로 칭해진 것으로 보인다. 이 두 지역은 명칭이 사용된 시기가 비슷해 이를 통해서는 검수지역을 확인하기 힘들다. 다만, (表7) 82번 동경에 새겨진 '濟州錄事完顏通' 험기에서 관직명을 통해 지역을 유추할 수 있다. 상경로 제주는 節鎭(절도사가 있던 진영)으로 錄事司가 설치되어 있다. 반면 산동서로 제주는 刺史郡으로 錄事司제도가 없다. 이로 인해 험기가 새겨진 동경은 상경로 제주에서 검수했음을 알 수 있다.[123]

또한 『宋史』「地理」에서만 보이는 지명이 험기로 새겨진 경우도 있다. (表7)의 31번 동경의 眞定은 하북로에 위치한 부로 옛지명은 正定으로 진정과 북경, 保定을 합쳐 '北方三雄鎭'으로 칭한다. 『宋史』권86 志39「地理」2[124]에 그와 관련된 기록이 있어, 이 지역은 송대 행정지역 중 하나임을 알 수 있다. 『金史』에는 진정부에 대한 기록이 없으나, 금대 동경 관리 정책이었던 험기를 새기는 방식이 이 지역명으로도 새겨진 것으로 보아, 송나라 지역을 복속한 이후 금의 제도가 송나라 지역까

---

123 孔祥星 · 李雪梅, 앞의 논문, p.173.

124 『宋史』卷86 志39「地理」2 "真定府, 次府, 常山郡, 唐成德軍節度。本鎮州, 漢以趙州之元氏, 欒城二縣來屬。開寶六年, 廢九門, 石邑二縣。端拱初, 以鼓城隸祁州。淳化元年, 以束鹿隸深州。慶曆八年, 初置真定府路安撫使, 統真定府, 磁相邢趙洺六州。崇寧戶九萬二千三百五十三, 口一十六萬三千一百九十七。貢羅。縣九

지 시행되었음을 알 수 있다.

험기내용 중 관직명이 있으며, 警巡院, 綠事司, 伺候司 등의 관직명이 표기되어 있다. 이 외에도 謀克, 轉運司, 滬魯抹 등이 있다. 경순원, 사후, 녹사는 행정구역에 따라 구별되는 관직명으로 경순원은 로, 사후사는 주, 녹사는 현의 관리직 중 하나이다. 이 관직들에 대한 기록은 『金史』「百官」에는 각 관직에 대한 서술이 있으며, 내용은 다음 (表9)와 같다.

表 9. 驗記에 표시된 官職名과 『金史』「百官志」의 內容

관직명	내용
轉運司	使는 정3품이다. 稅賦의 錢穀, 창고의 출납, 權衡度量의 제도를 관장하였다.
謀克	猛安[모극이 여기에 예속되어 있다.] 여러 謀克은 종5품이다. 軍戶를 안무하고, 무예를 훈련하는 일을 관장하였다. 다만 常平倉을 관리하지 않았고, 기타 직책은 현령과 동일하였다.[女眞司吏가 1인이고, 譯人이 1인이며 撻馬이다.]
警巡院	京警巡院 使 1인은 정6품이다. 獄訟을 공평하게 심리하고, 별부를 경찰하는 일을 관장하였으며 원의 사무를 총판하였다.
綠事	符節鎭錄事司 1인은 정8품이다. 판관 1인은 정8품이다. 판관 1인은 정9품이다. 관장하는 것은 경순사와 동일하였다.[사리는 1만호 이상인 지방에 60인을 설치하고, 이하는 비율에 의해서 점차 줄였다. 무릇 부진이 2천호 이상이면 이 방법에 의하여 설치하고, 2천 호 이하이면 단지 녹사 1인을 설치하였으며, 1백 호에 미치지 못하는 것은 일제히 생략하였다.]
伺候司	防刺州司候司 사후 1인은 정9품이다.
主簿	1인은 정9품이고 관장하는 것인 縣丞과 동일하였다.

금대 동경을 관리한 관리는 종3품~정9품까지 관급을 갖고 있으며, 동경 검수 외 주요업무가 있다. 전운사는 전곡 · 창고의 출납, 도량형 제도 관장하며, 모극은 군호 · 무예를 관리, 경순원은 소송을 심리하고, 경찰일을 관장하는 등의 업무를 맡았다. 또한 동경에 가장 많이 등장하는 관직인 녹사는 정8품으로 경순사와 동일한 업무를 관장하고 있으며, 동시에 금대 동경검수를 하는 대표적 관직이다.

그 외, 관직명으로 滬魯抹가 있다. (表7) 147번 동경에 새겨진 '滬魯抹'(押) 험기

는 1979년 길림성 汪淸具羅子溝古城 출토 忍冬菊花紋鏡 배면에서도 확인할 수 있다.[125]

'…변방의 백성들을 鎭撫하는 官이 있어 禿里라고 일컬었고, 烏魯骨의 아래에 掃穩脫朶가 있고, 詳穩의 아래에 麼忽 · 習尼昆이 있었으며 이들은 관제에 갖추어져서 폐지되지 아니하였으니 모두 요나라의 관명을 이어받았다.…'[126]

'漚魯抹'의 漚자는 '漚=烏'로 통용되기도 해, '烏魯'로도 금대에 기록했으며, 이는 『金史』「百官」에서 '烏魯'가 들어간 기록이 보여, 이는 관직명임을 알 수 있다.

이 외 (表7)의 험기에는 僧院, 鏡院 등이 표기되어 있다. 이는 동경을 관리하던 집단이나 장소로 승원은 사찰에서 동경을 검수했으며, 경원은 동경을 주조하거나, 관리하던 곳으로 보인다. 따라서 금대 전지역에서 이루어진 동경 검수는 어느 정도 체계적으로 이루어졌으며, 이를 검수하던 지역, 관청, 관직자 등을 표기하여 엄격히 동관리가 이루어지도록 했음을 알 수 있다.

금대 험기는 경테에 새기는 것 외에 주조시 명문으로 넣은 경우가 있다. 승안연간 동경은 주조할 때 명문을 주출해내는 방식으로 제작했다. 문양은 쌍어문, 서수문, 서우망월문을 동경에 표현했다. 승안, 명창연간에 제작된 일부 동경에서 이러한 경우가 보이며, 이 명문 동경은 형태나 명문구성이 거의 유사하다. 대부분 명문이 외권에 일주하는 유형으로 표현되어 있으며, 명문은 제작시기, 지역, 관부, 관직 등이 표기되어 있다. (表10)은 승안 · 명창연간 동경(이하 승안연간 동경)과 그 명문 내용이다.

---

125 文工, 「漚魯抹銅鏡」, 『文物』第6期(文物出版社, 1982), p.19.

126 『金史』卷56 志第36「百官」1 "其後惟鎭撫邊民之官曰禿里, 烏魯骨之下有掃穩脫朶, 詳穩之下有麼忽, 習尼昆, 此則具於官制而不廢, 皆踵遼官名也。"

表 10. 承安 · 明昌年間 銅鏡의 銘文 內容

번호	명칭	크기	명문내용	출토지
1	雙魚紋鏡	徑 11.3cm	承安二年鏡子局造	
2	雙魚紋鏡	徑 15.6cm	承安四年上元日陝西東路運司官局造作匠楊林監官錄事任(花押)提控所轉運使高(花押)	
3	四瑞獸紋鏡	徑 18.9cm	承安四年上元日陝西東運司官造監造錄事任(押)提控運使高(押)	
4	四瑞獸紋鏡	徑 9.0cm	承安三年上元日陝西東運司官造監造錄事任(花押)提控運使高(花押)	
5	四瑞獸紋鏡	徑 9.0cm	承安四年上元日陝西東運司官造監造錄事任(花押)提控運使高(花押)	
6	四獸紋鏡	徑 9.4cm	承安三年中秋日陝西東運司官造監造錄事任(花押)提控運使高(花押)	
7	承安3年四獸紋鏡	徑 8.5cm	承安三年上元日陝西東運司官造監造錄事任(花押)提控運使高(花押)	
8	承安4年瑞獸紋鏡	徑 8.7cm	承安四年上元日陝西東運司官造監造錄事任(花押)提控運使高(花押)	河北省 唐縣 出土
9	犀牛望月紋鏡	徑 12.3cm	承安三年上元日陝西東運司官局造監造錄事任(押)提控所轉運使高(押)	
10	犀牛望月紋鏡	徑 12.4cm	承安五年陝西東路監造官錄判王(花押)提控轉運副使趙(花押)	
11	犀牛望月紋鏡	徑 12.1cm	明昌七年陝西東路轉運司官局監造官錄事司馬(花押)提控所轉運使高	河北省 唐縣 出土

승안연간 동경의 명문은 대체로 '제작시기+명절명+지역명+관직명(장인명)+화압'의 순으로 기록되어 있다. 우선, 명절명은 上元日과 端午日, 中秋日이 있으며, 상원일은 음력 정월 15일 '정월대보름'이고, 단오일은 음력 5월 5일, 중추일은 음력 8월 15일이다. 대부분 동경은 상원일에 맞추어 제작되었다. 도교와의 관련이 있는 상원일은 이 날은 도교의 天官이 복을 내리는 날이라고 하여 點燈行事가 이루어졌으며, 당대부터 중요한 명절로 여겨져 상원일에 동경을 선물하기도 했다.

지역명은 '陝西東路'라고 기록되어 있다. 섬서동로는 송나라 때 지명으로 송대에는 京兆府로 칭했으며, 현재는 陝西省 西安市이다. 『金史』「地理志」3에도 경조부로 기록되어 있으며, 다음과 같다.

'京兆府는 상등의 부이다. 송나라 때 京兆郡永興軍節度使를 두었다. 皇統통2년에 總管府를 두었고 天德 2년에 陝西路統軍司 · 陝西東路轉運司를 두었다…'[127]

섬서로는 황통 2년(1142) 섬서 6로를 병합하여 4로로 축소했으며, 이 중 한 곳이 경조부로이다. 금대 험기를 새기던 시기에는 이미 지명이 변경되어 있었지만, 동경을 통해 실생활에서는 '섬서동로'라는 지명을 여전히 사용하고 있음을 알 수 있다.

동경에 새겨진 험기는 한 줄의 단순한 내용의 기록으로 볼 수도 있다. 하지만 간략한 기록 속에는 당시 사회제도, 행정제도 등 사회 · 정치적 요소를 대략적으로 나마 알 수 있는 중요한 자료이다. 특히 이전, 이후 시기에도 볼 수 없는 '험기'라는 독특한 제도는 동경에 대한 제작 · 관리가 국가적 차원에서 이루어졌다는 점에서 금대 당시 동경 사용이 보편화 되고 그 수요가 컸음을 알 수 있다. 그렇기에 '험기'제도는 금대 동경을 파악할 때 가장 중요한 특징이라 할 수 있다.

(5) 元代

① 佛敎의 盛行과 准提觀音信仰

원대는 앞선 송, 요, 금보다 나라의 존속시기가 짧고, 현존하는 금속공예품의 수량이 비교적 적은 편이다. 이는 동경에도 해당하는 사항으로 동경 수량 역시 다른 시기에 비해 적은 편이며, 그 종류도 한정적이다. 동경의 형태는 대부분 원형이며, 앞선 시기 제작된 동경을 모방한 예가 많다. 동경의 제재는 종교적 색채를 띠는 경우와 식물문, 인물고사문 등이 있으나, 종류가 다양하지 않다.

금대까지 활발한 동경제작이 이루어졌던 것을 생각해보면, 원대 동경 제작이 감소한 것은 나라의 존속시기가 짧은 것도 한 이유이겠지만, 다른 한편으로는 앞

127 『金史』 卷26 志第七「地理」下 "京兆府, 上。宋京兆郡永興軍節度使。皇統二年置總管府, 天德二年置陝西路統軍司, 陝西東路轉運司。"

선 시기 제작된 동경의 수량이 많았던 점과 이 동경들이 유통되었을 가능성도 간과하기 힘들다. 또한 잦은 전쟁으로 동의 사용은 무기류를 제작하는데 이용되었다는 점도 일상생활용품인 동경 제작을 감소시킨 요인으로 작용했다. 이렇게 동경제작의 쇠퇴하던 중에도 종교제재인 준제보살과 관련된 새로운 소재의 동경 제작이 성행했다는 점은 원대 동경의 큰 특징으로 꼽을 수 있다.

원대는 국교를 라마교로 정하여 신봉했던 만큼 불교가 흥성했으며, 다양한 종파가 공존했던 시기였다. 원의 국교인 라마교는 티베트 불교로 원나라 세조 쿠빌라이 때 유입되었다. 세조는 라마교에 대해 아낌없는 지원을 했고, 당시 라마교의 수장인 파스파에 대한 예우가 극진해 원대 라마교는 다양한 불교 종파 중에서도 각별한 위치에 있었다.

새롭게 중국에 들어온 라마교는 국가의 수도인 대도시를 거점으로 하여 원나라에서 절대적인 권력을 보증 받아 기존의 불교에 대해 특별히 강경한 태도를 취하지 않았다. 그 덕분에 중국의 불교 종파는 라마교의 사상적 영향을 받지 않고, 송 · 요 · 금대의 불교를 그대로 계승할 수 있었다.[128]

송 · 요대 불교를 계승한 준제신앙은 준제법이 점차 알려지고 전해지자 원대에는 그 밀교적 내용과 수행법이 민간에까지 널리 유행했다. 준제보살은 6관음의 하나로 儀軌와 眞言을 통해 수행하면 원하는 바를 이룰 수 있도록 도와주는 보살이다. 당대 승려들에 의해 漢譯된 준제보살 관련 경전들은 요대 道[厄*殳]이『顯密圓通成佛心要集』을 통해 체계적으로 정리함으로써 원대 이후 중국에서 성행하게 된다. 더욱이 鏡壇을 이용하여 수행하는 내용이 경전을 통해 전해지며, 이러한 수행을 뒷받침하는 동경 역시 현존한다. 준제보살경은 준제주가 문양으로 있는 漢梵准提咒文佛字紋鏡이 있으며, 준제보살 도상과 주문이 앞뒤로 표현된 准提咒梵文鏡도 있다.

---

128 계환,『중국불교』(민족사, 2014), p.310.

준제보살경은 동경에 주문이 있는 만큼 그 사용에 목적이 있으며, 불교의례와 관련된 의궤가 존재한다는 점에서 관련 소의경전에 바탕을 두고 제작했을 것으로 판단된다. 준제보살에 관한 경전은 6세기경에 인도로부터 중국에 전래되었으며, 北周 闍那崛多(523~600)에 의해 최초로 한역된 『種種雜咒經』에 「七俱胝佛神咒」가 수록되었다. 그리고 현장(602~664) 『咒五首』「七俱胝佛咒」에도 준제주가 있으며, 현장의 圓寂 이후 당 고종대 중국으로 도래한 地婆訶羅가 『佛說七俱胝佛母心大准提陀羅尼經』을 한역했다.[129] 이후 開元三大士로 불리는 善無畏(637~735), 金剛智(669~741), 不空(705~774)에 의해 준제관련경전에 한역된다. 선무외 譯『七俱胝佛母心大准提陀羅尼法』와 금강지 譯『佛設七俱胝佛母准提大明陀羅尼經』, 不空 譯『七俱胝佛母所設准提陀羅尼經』에 준제진언의 수행법이 구체적으로 전해진다.

준제진언은 현세이익적인 발원뿐 아니라 불보살을 만나 완전한 깨달음을 얻기 위한 수행의 과정이기도 하다. 진언을 지송하는 횟수만큼 얻을 수 있는 공덕이 달랐으며, 전생과 현생의 죄인이라 할지라도 열심히 지송하면 청정해질 수 있고, 소원성취할 수 있었다. 때로는 어떤 일에 대해 좋고 나쁨을 알고 싶거나 불보살을 만나는 공덕을 원할 때 거울을 사용하기도 했다.[130]이에 대한 내용은 불공의「七俱胝佛母所設准提陀羅尼經」에서 엿볼 수 있다.

> "…하나의 밝은 거울을 취하여 단 가운데에 놓고 먼저 진언을 외어 꽃에 백여덟 번을 가지하고 난 다음에 또 진언을 외되, 한번 외면서 하나를 거울에 던지면 거울 위에 곧 문자가 나타나서 좋고 나쁜 일을 알려준다.…"[131]

---

129 劉國威,「院藏元明時期所造準提咒梵文鏡」,『故宮文物』vol.385(故宮博物院, 2015)

130 박진경,「准提 修行儀軌와 意識具로 제작된 銅鏡」,『불교미술사학』vol.24(불교미술사학회, 2017), p.149.

131 『大藏經』卷20「七俱胝佛母所說准提陀羅尼經」又法取一明鏡置於壇中。先誦真言加持花一百八遍

거울을 이용할 때 우선 단을 마련하여 그 위에 거울을 놓고 진언을 외우면서 108번 꽃을 가지하고 진언을 다시 외우며 가지한 꽃을 거울에 던지면 좋고 나쁜 일을 알려준다는 내용이다. 내용대로라면 준제진언을 외워 공덕을 원할 때 사용되는 의식구는 거울이며, 이를 가지고 진언을 외우고 의식을 행하면 원하는 바를 얻을 수 있음을 보여준다. 또한 경단을 마련해 준제진언을 지송하고 이를 통한 수행법을 인급한 다른 경전이 있다. 준세보살 경전 중「七俱胝佛母大准提陀羅尼法」과「七俱胝獨部法」에서 거울 사용 수행법을 자세히 설명하고 있다.

"부처가 성취를 구하려면 먼저 여러 部의 壇法을 마련하여 공양하고 수행해야 한다고 말했다. 제 1단법은 땅을 파내어 作壇을 만들고 진흙으로 세운 후, 사용하지 않은 거울 1개를 매월 15일 밤 불상 앞에 두고 향을 피우며, 淨水를 놓고 공양에 힘써야 한다. 먼저 마음을 가라앉히고(靜心) 아무생각을 하지 않는다(無思惟). 그 후 結印하고 거울 앞에서 준제주를 108번 송한다. 이후 주머니에 거울을 담고 항상 소지하며, 진언을 암송하고자 하면 가지고 있던 거울을 꺼내 앞에 두고 결인한 후 주문을 암송한다. 거울로 인해 단이 되니 즉 성취할 것이다."[132]

已。然後又誦真言。一遍一擲打鏡面。於鏡面上即有文字現。說善惡事。(T1076_.20.0179b12~b14) ; 不空 譯 · 김영덕 옮김,「七俱胝佛母所說准提陀羅尼經 外」,『한글대장경』265 밀교부19(동국역경원, 1999), p.3.

132 『大藏經』卷20「七佛俱胝佛母心大准提陀羅尼法」 佛言若求成就先依壇法。不同諸部廣修供養。堀地香泥塗之所建立。以一面淨鏡未曾用者。於佛像前月十五日夜。隨力供養。燒安悉香及清淨水。先當靜心無所思惟。然後結印誦呪。呪鏡一百八遍。以囊匣盛鏡。常得將隨身。後欲念誦但以此鏡。置於面前結印誦呪。依鏡為壇即得成就。(T1078_.20.0186b23~c01) ; 『大藏經』卷20「七俱胝獨部法」第一壇法 佛言若求成就先作壇法不同諸部廣修供養。掘地作壇香泥塗之所建立。但以一新淨境未曾用者。於佛像前月十五日夜。隨力供養。燒安悉香及清淨水。先當靜心無所思惟。然後結印誦呪。呪鏡一百八遍。以囊匣盛鏡常持相隨。欲誦但將此鏡。置於面前結印誦呪。依鏡為壇即得成就。(T1079_.20.0187b04~b10)

제 1단법에서는 준제주를 외울 때, 불상 앞에 거울을 두고 결인 후, 108번 持誦해야 함을 언급한다. 이 내용과 현존하는 준제보살경을 비교해보면, 문양으로 '佛'자가 들어간 동경이 있어 주목된다. 불상과 거울을 경단에 놓아야 한다는 점에서 거울에 부처를 의미하는 '佛'을 넣음으로써 불상을 대신했을 것으로 생각된다. 즉, 단법을 언제든 행할 수 있도록 부처와 진언을 문양으로 구성함으로써 거울이 공양과 수행에 중요 도구였음을 알 수 있다.

② 准提觀音鏡의 製作

중국 주요박물관에는 준제보살과 관련된 동경이 소장되어 있으며, 대부분 연부를 따라 원형으로 咒文이 위치해 있다. 주문은 범자만 있는 경우와 한자와 범자를 혼용한 경우로 나눌 수 있다. 또한 주문과 함께 준제보살 도상이 있는 동경도 있어 같은 주제일지라도 다양하게 제작하고자 했음을 알 수 있다.

준제진언은 준제법의 중요한 부분이지만 경전 표기는 산스크리트어를 한자로 변환하는 과정에서 차이가 있다. 하지만 그 내용이나 발음에 있어 큰 차이가 없어 초기 들어온 준제진언이 요대까지 전해졌다. (表11)은 시기별 준제진언이 실려 있는 경전과 그 진언내용이다.

臺灣 故宮博物院 所藏 銅鏡(圖6)은 '漢梵兩體准提呪鏡'이라는 명칭을 갖고 있다. 원형으로 연부를 따라 둥글게 26자의 범자가 있으며, 내구에는 사각형 테두리가 있고, 이를 따라 한자가 배치되어 있으며, 가운데 佛자가 있다. 또한 中國 遼寧省博物館 소장 准提咒梵文鏡(圖7)에도 범자문이 원형을 따라 외구와 내구에 주출되어 있다. 이

圖6. 漢梵兩體准提呪鏡, 元, 徑8.9cm, 臺灣故宮博物院

圖7. 准提咒梵文鏡, 元, 徑 9.2cm, 中國 遼寧省博物館

동경은 원형의 뉴에도 범자가 있어, 동경 전체에 범자문을 채웠다. 뉴는 凸형으로 뉴 윗부분이 편평하며, 여기에 '옴'자가 있다. 외권에는 20자, 내권에는 16자의 범자로 구성되어 있으며, 글자진행은 시계방향으로 이루어진다.

表 11. 經典에 나타나는 准提眞言[133]

시기	경전명/역주	준제진어
北周	『七俱胝佛神咒』闍那崛多 譯	納莫颯多喃 三藐三佛陀 俱胝南 怛侄他 折麗 主麗 准递莎訶
唐	『咒五首』卷1「七俱佛咒」玄裝 譯	纳莫颯多南(去)三藐三勃陀 俱胝南(去) 怛侄他 折麗 主麗 准第 莎訶
	『佛設七俱胝佛母心大准提陀羅尼經』地婆訶羅 譯	南謨颯南(一)三藐三勃陀俱胝南(二)怛姪他(三)唵折戾(四)主戾(五)准締(六)娑婆訶(七)
	『七俱胝佛母心大准提陀羅尼法』善無畏 譯	那麼颯哆喃(去聲)三藐三勃佗俱胝喃(去聲)怛姪也(二合)他 唵折戾准提莎嚩(二合)訶
	『佛設七俱胝佛母准提大明陀羅尼經』金剛智 譯	娜麼颯哆南(去音下同一)三藐三勃陀(去音)俱(去音)胝(上音)南(二)怛姪(停也反)也(三)唵(四)折隸(五)主隸(六)准提(七)莎嚩(二合)訶(八)
	『念誦儀軌』「七俱胝佛母所設准提陀羅尼經」不空 譯	娜莫颯多南(引)三藐三没馱(引)俱(引)胝南(引)怛儞也(二合)他(引)唵者禮主禮准泥娑嚩(二合引)賀(引)
夏	『密咒圓因往生集』「七俱胝佛母心大准提咒」金剛幢 譯	捺麻薩不怛(二合)喃(引)薩灭三莫[口*捺]光(引)低(引)喃(引)怛涅達 唵 拶令 足令尊寧莎(引)訶(引)
宋	『佛設大乘莊嚴寶王經』天息災 譯	曩莫(入)颯鉢哆(二合引)喃(引二)三藐(訖)三(二合)沒馱(三)句(引)致喃(引四)怛儞也(二合反)他(去五)唵(引)左肆(引)祖隸(引)噂(上)稱(引六)婆嚩(二合引)賀(引)
	『佛設瑜伽大教王經真言變化品』法賢 譯	那莫颯鉢多(二合引)曩(引一)三藐訖三(二合)沒馱(引)酤(引)致(引)曩(引二)怛[寧*也](切身)他(引三)唵(引)左隸(引)祖隸(引)尊稱(引)莎嚩(二合引)賀(引四)
遼	『顯密圓通成佛心要集』「佛母心大准提陀羅尼眞言」道[厄*殳]集	南無颯哆喃三藐三菩馱俱胝喃怛儞也(二合)他唵折隸主隸准提娑婆(二合)訶部林(二合)

두 동경에 있는 범자는 (表11)에서 확인한 준제진언이다. 준제진언은 26자이며, 南(na)無(maḥ)颯(sa)哆(ptā)喃(nāṃ)三(sa)藐(mya)三(ksaṃ)菩(bu)馱(ddhā)俱(ku)胝(ṭī)南(nāṃ)怛(ta)儞也(dya)他(thā)唵(

133 關靜瀟, 「准提佛母及其信仰研究」(陝西師範大學校 석사학위논문, 2011), pp.11~12에서 언급한 경전을 중심으로 준제보살 관련 경전내용을 정리했다.

oṃ)折(ca)隸(le)主(cu)隸(le)准(cuṃ)提(de)娑婆(svā)訶(hā)部林(bhrūṃ)의 범자로 구성된다. 두 동경은 동일하게 이 내용을 담고 있으며, 이는 (表8)의『顯密圓通成佛心要集』의 준제진언과 동일한 구성이다. 이를 통해 이 동경을 제작하던 시기인 원대 동경제작에 있어 주 경전으로『顯密圓通成佛心要集』을 참고했음을 알 수 있다.

두 동경은 준제진언을 담고 있다는 공통점이 있으나, 세부적 표현 차이가 있다. 먼저, 대만 고궁박물원 소장 동경은 '불자'를 중심으로 사각의 내권이 있으며, 권을 따라 시계방향으로 '南無颯哆喃三藐三菩馱俱胝南怛儞也他唵折隸主隸准提娑婆訶部林'의 한자로 된 준제진언이 있다.

淨法界眞言	唵(oṃ)囕(ram)
護身眞言	唵(oṃ)齒噒(cchrīṃ)
六字大明眞言	唵(oṃ)麼(ma)抳(ṇi)鉢(pa)叭咪(二合)(dme)吽(hūṃ)

中國 遼寧省博物館 소장 동경은 외권 20자와 내권 6자의 준제진언이 있고, 나머지 10자의 범자가 있으며, 내권에서 반시계방향으로 진행된다. '唵囕', '唵齒噒', '唵麼抳鉢叭咪吽'으로 읽히는 이 범자는「淨法界眞言」,「護身眞言」,「六字大明眞言」로 준제진언과 함께 지송한다. 이러한 경향 역시『顯密圓通成佛心要集』을 따른 것으로 당시 준제보살 신앙은 이 경전을 토대로 성행했음을 확인할 수 있다.

원~명대 제작된 것으로 추정되는 준제보살도상이 표현되어 있는 동경이 있다. 中國 주요 박물관 소장되어 있는 이 동경은 연화좌 위에 앉은 준제보살의 앞모습 혹은 뒷모습을 표현했으며, 경면에는 연부를 따라 범자를 새겼다. 동경에 새겨진 준제보살은 그 형상에 대해 准提菩薩 畵像法을 통해 확인할 수 있으며, (表12)는 준제관음 화상법이 수록되어 있는 경전별로 형상 및 지물을 중심으로 정리했다.

表 12. 准提觀音 畫像法 內容

准提菩薩 畫像法				
경전	『佛說七俱胝佛母准提大明陀羅尼經』金剛智 譯		『七俱胝佛母所說准提陀羅尼經』不空 譯	
형상	其像作黃白色. 種種莊嚴其身. 腰下著白衣. 衣上有花又. 身著輕羅綽袖天衣. 以綬帶繫腰. 朝霞絡身. 其手腕以白螺為釧. 其臂上釧七寶莊嚴. 一一手上著指環. 都十八臂面有三目.		身黃白色結跏趺坐. 坐蓮花上. 身佩圓光著輕縠. 如十波羅蜜菩薩衣. 上下皆作白色. 復有天衣角絡瓔珞頭冠. 臂環皆著螺釧. 檀慧著寶環. 其像面有三目. 十八臂.	
수인 및 지물	右手	左手	右手	左手
1	說法相		說法相	
2	施無畏	如意寶幢	施無畏	如意寶幢
3	劍	蓮花	劍	紅蓮花
4	數珠	澡灌	寶鬘	軍持
5	微若布羅迦果	索	俱緣菓	羂索
6	越斧	輪	鉞斧	輪
7	鉤	螺	鉤	商佉
8	跋折羅	賢瓶	金剛杵	賢瓶
9	寶鬘	般若波羅蜜經夾	念珠	般若梵夾
臺座 下壇 表現				
용왕	難陀龍王, 拔難陀龍王		難陀龍王, 塢波難陀龍王	
공양자	香爐를 든 行者		邊畫를 든 誦者, 香爐를 우러러 보는聖者	
	二淨居天			

(表12)는 『佛說七俱胝佛母准提大明陀羅尼經』, 『七俱胝佛母所說准提陀羅尼經』에 수록되어 있는 畫像法으로 준제관음의 형상과 수인, 지물이 기록되어 있다. 먼저, 두 경전의 형상을 보면, 신체는 황금색으로 종종 장엄한다고 하며, 연화 위에 결가부좌를 취하고 있다고 한다. 무릎 아래에 백의를 입고 있으며, 여기에 화문이 있으며, 그 옷은 十波羅密菩薩의 옷과 같다. 천의 위에는 瓔珞裝飾이 있으며, 머리에는 보관을 쓰고 있다. 팔에는 칠보로 된 腕釧을 차고 있으며, 18개의 팔과 3개의 눈을 가지고 있다고 설명하고 있다. 두 경전 상 동일한 내용도 있지만, 옷의 설명이나, 장식요소에 대한 묘사는 차이가 있다. 하지만 신체의 색, 팔과 눈의 수와 같이 신체에 대한 내용을 거의 동일한 편이다.

18개의 팔은 양쪽으로 9개씩 각각의 지물을 들고 있는 것이 특징이다. 두 경전에 등장하는 지물은 대부분 동일하나, 위치가 다르거나, 아예 다른 지물을 들고 있는 경우도 있다.

원대 제작된 것으로 추정되는 中國 遼寧省博物館 소장 준제관음문경(圖8)과 中國 個人所藏 준제관음경(圖9)이 있다. 요녕성박물관 소장 준제관음경은 계권을 중심으로 외구에는 준제주의 명문이 있으며, 내구에는 뒷모습으로 연화좌 위에 앉아 있는 준제관음이 표현되어 있다. 팔은 양쪽에 각각 8개가 있으며, 손에 각각의 지물을 쥐고 있다. 중국 개인소장 준제관음경 역시 계권을 중심으로 외구에 준제주가 있으며, 내구에는 앞모습을 보이는 준제관음이 연화좌 위에 앉아 있다. 이 준제관음 역시 양쪽에 8개이며, 손에 지물을 쥐고 있다. 두 동경의 뒷면에는 가운데가 볼록하게 둥근 형태이며, 연부를 따라 범자가 일주한다.

圖8. 准提觀音紋鏡, 元, 徑 9.2cm, 中國 遼寧省博物館

圖9. 准提觀音紋鏡, 元, 徑 10.0cm, 中國 個人所藏

插圖 4. 銅鏡의 准提觀音 形象과 持物

두 동경(插圖4) 모두 지물부분은 마모되어 정확한 형태를 구분하기 힘들지만, 가슴 앞에 說法相을 취하고 있는 것으로 추정되며, 施無畏를 취하고, 如意寶幢을 든 팔은 동일하게 확인된다. 하지만 9개의 팔이 있다는 경전기록과 달리 동경에는 8개 팔만 표현되어 있어 차이가 있다. 이는 9번째 양팔을 생략한 것으로 보이며, 경전에 기술된 순서대로 지물을 쥐고 있음을 알 수 있다. 이 동경들은 뉴가 없으며, 오목하거나 평편한 형태로 제작되어 앞서 살펴본 경단을 마련해 法器로써 불교수행 혹은 작법을 행했던 것이다.

2) 日本

(1) 平安時代

당대 문화를 적극적으로 수용했던 일본은 奈良時代에 당경이 성행했으며, 이를 토대로 唐風 경향이 짙은 모방경들을 제작했다. 이러한 경향은 헤이안시대(平安時代) 초기까지 이어졌다. 이 시기 동경은 완전한 일본풍 和鏡과는 거리가 있어 화경으로 발전하는 이전단계로 당경과 화경의 중간단계에 속한다. 이 시기 대표적 동경은 瑞花蝶鳥紋鏡(圖10)이다. 이 동경은 당대 瑞花雙鸞紋鏡을 기본으로 제작한 것으로 당경의 팔릉형을 토대로 서화를 배치하고, 쌍봉이나 원앙 등의 새문양을 대칭형으로 배치했다.[134]

圖10. 瑞花蝶鳥紋鏡, 平安(正暦年間), 日本 三重縣 蓮台寺址 出土

10세기말경 일본에서는 불교가 말법의 시대에 접어 들어간다는 사상이 생겨나 佛法滅書를 벗어나기 위해 경전을 지하에 묻어 미륵보살의 출현을 기다리는 풍

134 青木 豊,『和鏡の文化史』(刀水書房, 1992), p.27.

조가 유행한다. 이때 불경을 담는 經筒에 동경을 넣는 경우가 있었으며, 여기에서 발견된 예들이 종종 있다. 또한 山形東田川郡羽黒山 出羽神社의 남쪽 연못에서 다량의 동경이 출토되었다. 헤이안시대 말기에서 에도시대(江戶時代)에 이르는 시간 동안 많은 동경이 물 속에 던져졌으며, 오랜시간 물 속에 있던 동경들은 암흑색으로 색이 변하여 '羽黒鏡'이라 부르기도 한다.[135]

9세기 일본 조정에서 가장 중요한 정치적 발전은 藤原氏의 등장이다. 후지와라씨의 조상은 다이카 개신(大化改新)을 기획한 주모급 인사 가운데 하나였는데, 이들 일족은 황실과의 혼인관계를 통해 蘇我氏보다도 오랜기간 황실을 지배하게 되었다. 후지와라씨는 왕실에 접근해 858년에 이르러 황실의 攝政職을 장악했으며, 한 세기 내로 조정에서 절대권력을 휘두르게 되었다.[136]

황실의 권력을 잡기 시작하면서 후지와라씨는 쇠락하는 당에 遣唐使 파견을 중지하여 중국과의 관계를 단절했다. 이러한 조치는 일본이 당에 의존했던 사회 전반적 풍조에서 벗어나 일본의 독자적 문화가 형성될 수 있던 기틀을 마련할 수 있었다. 그리하여 國風文化를 확립하게 됨에 따라 문화적으로 커다란 변화를 이루었다.

이 시기 제작된 동경은 당경의 형식에서 벗어나 일본 특유의 문양구성을 갖추기 시작했고, 화장도구로써 귀족들에 의해 사용되었다. 이러한 동경류를 후지와라경(藤原鏡)이라 칭하며, 후지와라 귀족의 취향에 맞추어 제작되었다. 후지와라경에 표현된 문양은 종래 당경의 서화쌍봉문경, 당초쌍봉문경과 같이 관념적인 문양에서 탈피해 자연의 정취를 사실적으로 묘사한 일본적인 문양표현으로 바뀐다. 후지와라경에 등장하는 문양은 소나무, 매화, 산악표현과 국화, 초화, 학, 원앙 등이 있으며, 이는 당시 畵帖인 〈源氏物語〉의 소재와 공통적 요소를 보인다.[137]

---

135 이난영, 앞의 책(2003), p.352.

136 폴발리 지음 · 박규태 옮김, 『일본문화사』(경당, 2011), p.102.

137 青木 豊, 앞의 책, p.29.

圖11. 瑞花雙鳥紋鏡, 平安, 日本 三重 · 多度神社

圖12. 萩鳥紋鏡, 平安, 日本 東京國立博物館

대표적인 예로 多度神社의 裏山에서 출토된 瑞花雙鳥紋鏡(圖11)과 保元2年(1157)銘 經筒에서 나온 長野県坂城町經塚出土 萩鳥紋鏡(圖12)이 있다.[138] 두 동경은 당대 서화쌍조문경의 구성과 문양배치는 유사하나, 서화 대신 풀과 작은 새를 동경의 문양으로 사용했다. 서화쌍조문경은 가운데 가는 잎이 좌우로 뻗어 있는 꽃을 중심으로 양측에 나비와 새가 표현되어 있다. 당대 동경에서 보이는 화려한 문양구성에서 벗어나 작고 섬세한 문양표현이 눈에 띈다. 특히 새는 대칭적 구도에서 벗어나 자연스러운 자세로 중앙의 화초를 바라보고 있는 모습은 당대 동경의 대칭적 구도에서 벗어나고자 한 면모를 엿볼 수 있다. 또한 추조문경은 가운데 뉴좌가 화문으로 당대 서화쌍조문경의 뉴좌의 영향이 아직 남아 있는 모습이다. 하지만 화문을 중심으로 사방으로 뻗어 있는 풀은 대칭표현에서 벗어났으며, 그 사이로 작은 새가 날개를 펴고 날고 있다. 두 동경에서 보이는 문양구성은 당대 동경의 대칭성에서 탈피해 자연스러운 장면을 표현하고자 했으며, 이러한 노력은 동경에서 서정적인 장면으로 나타나게 되었다.

또한 산수표현이 뛰어난 동경 역시 제작되어 가을바람에 흔들리는 수풀 아래 노는 쌍조를 표현한 동경은 후지와라경의 섬세한 감각을 보여준다. 그리고 水邊蘆雁鏡(圖13)에는 강의 물결 흐름이 일부 묘사되어 있으며, 우측에는 산악표현이 있어, 이 동경은 수변풍경, 산수풍경을 문양으로 구성했음을 알 수 있다.[139]

138 中野政樹, 『和鏡』(日本の美術 第42号, 至文堂, 1969), p.36.

139 中野政樹, 위의 책, p.37.

후지와라경은 이전시기 당대 동경을 답습하던 일본경의 경향에서 벗어나 동경제작에 있어 새로운 시도가 이루어진 시기이다. 일본인들이 추구하던 섬세한 표현과 서정적 묘사 등이 등장하면서 이전 시기 동경과 확연한 차이를 보이며, 이후 전개되는 화경의 다양한 변화의 토대가 되었다.

圖13. 水邊蘆雁鏡, 平安, 日本 東京國立博物館

(2) 鎌倉時代

헤이안시대는 초기 당경의 영향을 받으며 동경의 변화를 추구했으나, 이후 송경의 유입과 후지와라 귀족들에 의한 심미적 표현이 강한 동경 제작으로 인해 당경 양식에서 완전히 탈피했다. 이로써 이 시기는 화경의 독자적 요소가 발현되기 시작했으며, 이후 전개되는 화경의 초석이 되었다.

가마쿠라시대(鎌倉時代) 초기 동경은 헤이안 후기 동경의 영향으로 비슷한 문양구성이 많다. 전대의 동경을 답습해 제작하려는 경향이 강했으나, 동경의 장식성이 높고, 입체적이며, 기교적인 문양구성이 등장한다.[140]

가마쿠라시대 동경은 이전 시기에 비해 두께가 두껍고, 큰 편으로 형태적 변화가 크다. 하지만 문양은 헤이안시대 동경의 도안을 답습한 경우가 많은 편이다. 식물문은 소나무, 버드나무 등이 문양으로 등장하며, 기러기, 참새 등이 보인다.

이 시기 대표적인 동경 종류는 菊花紋鏡(圖14), 蓬萊紋鏡(圖15)이 있다. 이중 봉래문경은 봉래산을 표현한 길상문양의 대표적 예로 중국 고대 사상에 의한 상상의 三神山 중 하나이다. 이 봉래산은 동방의 해상 위에 떠 있어, 선인들이 살고, 그곳의 나무 열매는 불로장생의 약이 있으며, 황금으로 된 궁전에서 영위한다는 이상향이다. 또한 여기에는 큰 거북이가 있으며, 멀리서 보면 구름처럼 보이고, 가

140 久保智康,『中世・近世の鏡』(日本の美術 第394号, 至文堂, 1999), p.33.

圖14. 籬菊雙雀鏡, 鎌倉, 徑 21.1cm, 日本 都万神社

圖15. 蓬萊紋鏡, 鎌倉, 徑 19.5cm, 日本 大戶神社

까이에 가면 바다 밑에 있어 인간은 절대 갈 수 없는 곳으로 알려져 있다. 일본에는 이러한 사상이 헤이안시대에 들어왔으며, 거울 도안으로써도 헤이안시대에 나타난다. 이후 모모야마시대(桃山時代)에서 에도시대 전기에는 일시적으로 쇠퇴 경향이 보이나, 에도후기에 이르러서는 다시 성행해 제작된다. 문양은 학, 거북이, 소나무, 대나무, 매화 등이 표현되어 있다.[141]

圖16. 山水飛鳥鏡, 鎌倉, 徑 10.3cm, 日本 東京國立博物館

圖17. 山水飛雁鏡, 鎌倉, 徑 9.5cm, 日本 東京國立博物館

이와 같은 봉래문경은 헤이안 후기 羽黒山御洗池 出土 山水飛鳥鏡(圖16)과 仁平4年(1154) 經卷에서 발견된 山水飛雁鏡(圖17)에서 발전한 것으로 생각된다. 문양에서 산악표현, 流水표현, 물새들이 배치되어 있다. 기러기와 쌍조는 쌍학으로 바뀌었고, 산악표현 하단에는 거북이가 쌍학과 대칭되게 위치했다. 이로써 봉래문경에는 산악표현, 학과 거북이, 소나무 등이 제재로 구성되었으며, 이는 가마쿠라시대 이후 봉래문경의 대표적 문양구성으로 완성되었다.[142]

141 青木 豊, 앞의 책, pp.279~281.

142 中野政樹, 앞의 책, p.48.

Ⅲ. 高麗銅鏡의 製作背景과 技法

1. 高麗銅鏡의 製作背景

고려시대에는 많은 청동 공예품을 제작해 사용했고, 이로 인해 많은 수량의 금속공예품이 현존한다. 그 종류로는 불교용품인 梵鐘, 香爐, 金鼓, 經匣 등이 있으며, 일상생활용품으로는 동경, 匙箸, 盒, 注子 등이 있다. 이중 동경은 현존하는 수량이 많고, 그 사용 목적 또한 앞서 살펴보았듯이 다양해 고려시대 금속공예에서도 중요한 위치를 차지한다고 볼 수 있다.

고려동경은 자체 제작한 경우보다 중국 혹은 일본을 통해 유입된 경우가 많은 편이며, 특히 당시 중국에 존재한 국가에 따라 유입된 동경 종류도 다르다. 또한 고려에서 제작한 동경은 그 종류가 많지는 않지만 중국동경의 문양을 차용 혹은 새로운 도안을 창안하여 만들었다는 점에서 금속공예 제작기술이 발달한 고려 공예의 한 단면을 볼 수 있다. 따라서 본 장에서는 고려동경을 제작할 수 있던 動因으로 작용한 고려시대 사회적 · 종교적 배경과 제작기법에 대해 살펴보고자 한다.

1) 社會的 背景

고려시대 동을 이용해 만든 공예품 중 동경에 대한 기록은 찾기 힘들며, 이와 관련된 장인에 대한 기록 역시 마찬가지이다. (表13)은 『高麗史』에서 보이는 鏡匠에 관련한 기록이다.

表 13.『高麗史』의 鏡匠 관련 記錄

권	내용
志 卷第31 百官 二	掌冶署. 금속을 녹여 물건을 만드는 일을 담당하였다. 文宗 때에 [관제를] 정하였는데, 令 2인은 관품이 종7품이며, 丞 2인은 정8품이었다. 忠烈王 34년(1308)에 忠宣王이 장야서를 없애고 營造局을 두었는데, 使는 종5품, 副使는 종6품, 直長은 종7품으로 하였다. 충선왕 2년(1309)에 영조국을 없애고 다시 장야서를 두었는데, 영은 종7품, 승은 종8품으로 하였다. 恭讓王 3년(1391)에 工曹에다 병합시켰다. 吏屬은 문종 때에 史 4인, 記官 2인, 算士 1인을 두었다.[143]
志 卷第34 食貨 三	미(米) 10석[銀匠 指論殿前 1명, 和匠 指論內殿前 1명]. 7석[銀匠 行首校尉 2명, 和匠 行首校尉 2명]. 6석[白銅匠 行首副尉 1명, 赤銅匠 副尉 1명, 鏡匠 行首校尉 1명, 皮帶匠 行首校尉 2명]. 도(稻) 12석[金箔匠 行首校尉 1명, 金箔匠 行首大匠 1명, 生鐵匠 左右行首大匠 각 1명][144]
列傳 卷第47 禑王 6年 11月	우왕이 거울 주조하는 법을 배우고자 하여, 鏡匠을 불렀다.[145]

志卷31 百官2는 掌冶署에 대한 내용이다. 장야서는 금속을 녹여 물건을 만드는 장인들을 담당했던 곳으로 경장 역시 이 장야서 소속이다. 장야서는 문종 때 관제가 정해졌으나, 충선왕이 장야서를 없애고 營造局으로 변경했으나, 忠宣王2년(1310) 다시 장야서로 바꾸었다. 이는 동경을 제작하는 장인 중 국가기관에 소속된 이들이 있어, 왕실이나 국가에 필요한 동경을 제작했음을 알 수 있다. 또한 食貨3에 경장은 行首校尉의 직책으로 쌀 7석을 받았다는 기록으로 당시 경장의 지위에 대해 알 수 있으며, 국가의 녹을 받고 일을 하는 만큼 숙련된 기술자였음을 짐작할 수 있다. 그리고 禑王6년(1380)에는 우왕이 직접 거울 주조하는 것을 배우고 싶어 경장을 불렀다는 기록을 통해 고려말기 왕실에서는 자체적으로 동경을 생산하는 장인을 두었음을 알 수 있어, 외국의 동경을 그대로 모방하기보다 자체

143『高麗史』志 卷第31「百官」2 '掌冶署掌鎔冶之事。文宗定, 令二人秩從七品, 丞二人正八品。忠烈王三十四年, 忠宣罷掌冶署, 置營造局, 使從五品, 副使從六品, 直長從七品。忠宣王二年, 罷營造局, 復置掌冶署, 令從七品, 丞從八品。恭讓王三年, 倂於工曹. 吏屬, 文宗置史四人, 記官二人, 算士一人.'

144『高麗史』志 卷第34 食貨3 '米十石。[銀匠指論殿前一, 和匠指論內殿前一] 七石。[銀匠行首校尉二, 和匠行首校尉二] 六石。[白銅匠行首副尉一, 赤銅匠副尉一, 鏡匠行首校尉一, 皮帶匠行首校尉二] 稻十二石.[金箔匠行首校尉一, 行首大匠一, 生鐵匠左右行首大匠各一]'

145『高麗史』列傳 卷第47 '禑王 6年 11月禑欲學鑄鏡, 召鏡匠。'

적 도안을 통해 새로운 동경을 제작했을 것으로 판단된다. 하지만 왕실의 경우에 국한된 사항이라는 점에서 고려 전체 사항을 아우르기에는 부족하다. 이에 고려시대 동경의 재료인 동의 사용에 대해 살펴보고자 한다.

고려시대는 통일신라시대 금속공예기법을 바탕으로 자신들만의 금속공예기술을 발전시켰으며, 화려한 것부터 소박한 공예품까지 다양한 종류가 제작되었다. 공예품의 제작이 활발하게 이루어질 수 있었던 것은 고려사회가 갖는 귀족적인 성향이 크게 영향을 끼쳤으며, 이는 사회 전반적 경향이었던 것으로 보인다. 이와 더불어 금속공예품을 제작하기 위한 장인의 역량도 필요하지만, 기본적인 재료 수급의 문제가 중요하다. 중국의 경우, 송과 금은 금속공예품의 주된 재료인 동의 부족으로 인해 많은 정책이 생기고, 송은 고려로 동전을 보내는 것을 금지시키는 등의 조치를 취해 당시 중국의 동부족이 심각했음을 알 수 있다.

고려는 당시 비교적 동의 생산이 충분했던 것으로 보이며, 이로 인해 고려시대에는 다양한 銅製 공예품이 제작될 수 있던 배경으로 작용했다. 고려 동에 대한 기록은『高麗史』,『宣和奉使高麗圖經』등과 같은 문헌기록을 통해서 볼 수 있다.

> 겨울 후주(後周)에 사신(使臣)을 보내 구리 50,000근과 자수정(紫水晶)·백수정(白水晶) 각 2,000개를 바쳤다. 후주의 시어(侍御) 쌍철(雙哲)이 오자 좌승(左丞)에 임명하였다.[146]

광종10년(959) 기록에는 후주에 구리 5만근을 주었다는 기록이다. 이 기록은 광종9년(958) 後周가 비단 수천 필을 가져와 고려에 동을 요청했고, 이에 대해 광종 10년에 동을 수출했다. 이때 수출한 동의 양을 통해 고려에 많은 양의 동이 생산되었다고 보기엔 무리가 있으나, 중국과 같이 국내에서 동을 제한하는 엄격한 법

146『高麗史』卷2「世家」卷2 光宗 10年 '冬 遣使如周, 獻銅五萬斤, 紫白水精各二千顆。周侍御雙哲來, 拜爲佐丞。'

이 고려 초기에는 없었다.[147]

고려 사절에 대한 『宋史』의 기록과 1123년 고려에 온 송 사절 서긍의 『宣和奉使高麗圖經』에서도 고려의 동사용에 대한 일면을 살펴볼 수 있다.

㉠ '郭元이 스스로 아뢰길 "본국의 도성에는 垣墻이 없습니다. 부는 개성으로써 6현을 관할하고 주민은 3·5천호를 내려가지 않습니다.…시장은 한낮에 열며, 돈은 사용하지 않고 베나 쌀로만 교역합니다.…승려는 있어도 도사는 없습니다. 민가의 그릇들은 모두 구리로 만듭니다.…"[148]

㉡ 고려 땅에는 金銀은 적으나 銅은 많다. 그릇에 漆하는 일은 그다지 잘하지 못하지만 螺鈿의 工는 세밀하여 귀하다고 할 만하다.[149]

『宋史』는 고려 사절 郭元이 고려에 대해 설명한 내용으로 인구 수, 병사력, 화폐 등에 대해 이야기하면서 민가의 그릇이 모두 구리로 만든 것이라고 한 부분이 있다. 또한 『宣和奉使高麗圖經』은 고려의 토산물에 대해 언급한 이 내용은 고려에는 금은이 적으나 동이 많다고 간단한 설명을 했다. 이러한 상황은 고려 전기와 중기에 해당되는 사항으로 고려후기에는 동의 생산과 체제가 변화하게 된다.

고려 후기에는 나라의 기강이 해이해진 만큼 공물을 생산해 내는 특수구역인

147 후주에 수출한 동의 양에 대해 이정신은 동 5만근을 생산하기 위해서는 1800t의 동광석을 채굴해야 하며, 이것으로 보아 고려는 5만근이나 되는 구리를 수출할 정도의 물량을 보유하지는 못했던 것으로 판단했다. 이는 당시 광종의 정치적 목적에 의해 무리하게 후주에 동을 수출했으며, 이는 국내 동 부족을 야기시켰고, 이로 인해 고려전기에는 철불, 철전과 같은 철로 주조한 사례가 등장한 원인이 되었다고 보았다. 이정신, 『고려시대의 특수행정구역 所 연구』(혜안, 2013), p.334.

148 『宋史』卷487 「列傳」第246 外國3 '本國城無垣牆, 府曰開城, 管六縣, 民不下三五千。…方午為市, 不用錢, 第以布米貿易。…有僧, 無道士。民家器皿, 悉銅為之。'

149 『宣和奉使高麗圖經』卷23 「風俗」2 '地少金銀, 而多銅。器用漆作不甚工, 而螺鈿之工, 細密可貴。'

소에 과다한 수취를 요구했고, 이를 견디다 못한 소민들은 유망하게 됨에 따라 특수구역인 소 체제가 무너지게 되었다. 예종대에는 이러한 유망을 줄이고 해결하기 위해 소민들에게 부과되는 공부액을 다시 책정하도록 명했다.

'睿宗 3년(1108) 2월 判하기를, "京畿의 州縣에는 常貢 이외에도 徭役이 번거롭고 무거워 百姓들이 이를 괴롭게 여겨 날로 점차 도망치고 유망하고 있다. 주관하는 관청에서는 界首官에 그 貢役의 많고 적음을 물어 참작하여 정하여 시행하도록 하라. 銅所 · 鐵所 · 瓷器所 · 紙所 · 墨所 등의 여러 所에서 別貢으로 바치는 물건들을 너무 과중하게 징수하여 匠人들이 괴로워하고 고통스러워하여 도피하고 있으니, 담당 관청으로 하여금 각 소에서 별공과 상공으로 바치는 공물의 많고 적음을 참작하여 다시 정하여 아뢰어 재가를 받도록 하라." 라고 하였다.'[150]

내용은 경기 주현의 요역이 많고 무거워 백성들이 유망하고 있으니 주관 관청에서는 공역의 많고 적음을 파악해 참작하여 시행하도록 명했다. 특히 동소, 철소 등과 같이 바치는 물건이 너무 과중하게 징수되어 장인들이 괴로워한다는 부분이 있어 고려시대 동을 확보하기 위해 동소의 소민들이 엄청난 공역에 시달렸음을 간접적으로 알 수 있다. 이는 왕실 공예품에서 민간 실용품까지 동으로 제작했던 고려의 실생활을 반영해본다면, 동의 수요가 엄청났을 것으로 짐작되며, 이는 모두 동을 채굴하는 소민들의 부담으로 작용했음을 알 수 있다. 이러한 동 사용이 힘들어진 고려 말에는 금속공예품 사용에도 제한이 있었을 것으로 생각된다. 이 중 동경은 11~12세기 양질의 동경 제작이 이루어지던 것과 달리, 13~14세기에는

---

150 『高麗史』 志 卷第32 「食貨」1 '睿宗三年二月 判, 京畿州縣, 常貢外, 徭役煩重, 百姓苦之, 日漸逃流. 主管所司, 下問界首官, 其貢役多少, 酌定施行。銅 · 鐵 · 瓷器 · 紙墨雜所, 別貢物色, 徵求過極, 匠人艱苦, 而逃避, 仰所司, 以其各所別常貢物, 多少酌定, 奏裁。'

크기가 작고 두께가 매우 얇은 동경이 주로 제작되었으며, 문양도 단순해지고 그 종류도 현저히 감소했다. 이러한 현상은 동시 소민의 유망, 동 부족 등과 같은 사회현상과 연관성이 있었을 것이다.

2) 宗教的 背景

고려시대 동경이 많이 유입, 생산된 이유 중 하나가 종교적 목적을 위해 제작했으며, 이는 당시 성행한 불교, 도교와 관련된 주제를 동경의 문양으로 표현한 예가 많다는 점을 통해 알 수 있다. 특히 두 종교는 왕실의 비호를 받으며 영역을 확장해 고려시대 전반에 영향을 끼치는 종교로 성장했다.

불교는 실질적으로 國教의 위치에 있었으며, 고려인들의 삶과 정신세계에 큰 영향을 미쳤다. 태조 23년(940)에는 충남 연산 개태사 낙성식의 「華嚴法會疏」에서 위로는 부처의 힘에 의탁하고 하늘과 신령의 위엄에 기대어 후삼국을 통일할 수 있었다며 불교에 대한 고마움을 표출했다. 또한 태조의 遺訓인 훈요십조에서도 국가의 大業이 여러 부처가 돕고 지켜주신 힘에 의지했다고 하여, 고려 초기부터 불교에 대한 왕실의 숭앙이 이루어졌음을 알 수 있다.[151]

또한 왕실의 불교에 대한 생각을 엿볼 수 있는 부분이 『宋史』에 기록되어 있다. 이 기록에는 '불교를 숭상하여 비록 임금의 자제일지라도 한사람은 승려가 되었다.'는 부분이 있다.[152] 이는 왕실에서 불교의 승려로 출가할 정도로 불교에 대한 두터운 신앙심이 있었으며, 한편으로는 불교를 통해 국가를 관리하고 통제하고자 한 것으로도 볼 수 있다. 고려시대는 신라시대보다 사원과 승려의 수가 증가했고, 통일신라시대부터 이어져온 숭불정책으로 인해 안정적으로 발전을 이루었다. 그리고

151 허형욱, 「불교, 중세문화의 중심」, 『대고려 그 찬란한 도전』(국립중앙박물관, 2018), p.120.

152 『宋史』 卷第487 列傳246 '崇尚釋教, 雖王子弟亦常一人為僧. 信鬼, 拘陰陽, 病不相視, 斂不撫棺。貧者死, 則露置中野. 歲以建子月祭天。'

이러한 불교는 고려 왕실에서 종교적으로 융성했던 측면 외에도 나라에서 종교를 통제하기 위한 수단으로도 이용했다. 이러한 면에서 볼 때, 왕실에서 승려를 배출해내는 것은 불교계에 좀 더 쉽게 접근할 수 있는 방법이었을 것으로 생각된다.

또한 고려의 불교는 호국불교적 성격을 갖고 있어, 불교의식을 통해 국가의 안위를 도모하고 수많은 외침을 막고자 했다. 고려시대 護國道場法會인 仁王道場은 顯宗 때 4차에 걸쳐 『仁王經』을 강경한 이래 百座道場, 百坐仁王經道場, 百高座仁王道場, 仁王道場으로 불리며, 恭愍王대까지 총 120회가 설행되었다. 또한 고려 定宗 7년(1041) 『金剛明經』道場이 최초로 개설된 후 문종 28년(1074)에 文豆婁道場이 경주 四天王寺에서 개최되는 등 불교의식을 통해 나라를 지키고자 했다.[153]

고려 불교는 국가를 통치하고, 나라를 지키는 종교로 더욱 성장했으며, 많은 사찰이 세워지게 되면서 불교 관련 미술도 발전하게 된다. 특히 사찰에서 사용하는 불교공예품들은 신앙과 직접 관련 있는 도구로 중요시 되었으며, 그 제작수준도 상당히 높았다. 그 중 밀교의식에 사용되었을 것으로 추정되는 선각불상문경은 거울 중 불교주제를 갖고 있는 용구이다. 鏡像이라고도 부르는 이 거울은 동판의 앞 뒷면에 선각으로 문양을 새긴 것으로 불 · 보살상, 사천왕상, 보탑 등을 주로 새겼다. 동판에는 걸 수 있는 작은 구멍이 있어, 이를 의식이나 예배에 사용한 것으로 생각되며, 동판에 새겨진 도상 중 준제관음이 있어, 준제법을 통한 의식을 위한 거울로 보인다.

그리고 고려시대 성행한 또 다른 종교인 도교가 있다. 도교는 중국 종교로 당대 크게 성행한 후 송대, 요대, 금대에도 꾸준히 민족종교로 숭앙되었다. 한반도에 도교가 유입된 것은 삼국시대로 알려져 있으며, 통일신라시대를 거쳐 고려시대까지 도교가 이어졌다. 고려시대 도교는 앞선 시대보다 종교적 기반을 공고히 하여

153 김복순, 「신라와 고려의 사상적 연속성과 독자성-불교를 중심으로」, 『한국고대사연구』vol. 54(한국고대사학회, 2009), p.375.

고려 때 종교적 정점에 이르게 됨에 따라 사회적으로도 많은 영향을 끼쳤다.

고려 성종 때 최승로는 '우리나라 종묘 · 사직의 제사는 아직도 법답게 하지 못함이 많은데 그 산악의 제사와 星宿의 醮는 번독스러움이 도를 넘습니다.'[154]라고 빈번한 도교 의례를 지적했다. 이렇게 하여 도교 의례인 초례는 국가 의례의 하나로 거행되었으며, 이를 위한 도교기관도 존재했다. 도교 기관은 예종대 道觀인 福源宮이 건립되어 고려 도교 융성을 상징적으로 보여준다.[155]

또한『宣和奉使高麗圖經』에 고려 도교에 대한 내용이 수록되어 있다. 내용에는 '고려는 동해를 끼고 있어, 도산 · 선도와 멀지 않아, 고려 백성들이 도교의 가르침을 승모할 줄 모르는 것이 아니었다. 고구려에서는 사신을 보내 요청하길 도사를 파견하여『道德經』을 강독시켜 심오한 뜻을 깨우쳐 달라고 했다. 당 고조는 그 요청을 기특하게 여겨 받아들였으며, 비로소 도교를 숭상하였다. 고려의 예종은 신앙이 독실하여 북송의 정화연간에 복원관을 처음으로 건립하고 덕이 높은 도사 10명을 받들었다. 또한 예종은 항상 도가의 책을 전수하여 불교를 대체하려고 했다……'[156] 이 내용을 통해 고구려 때부터 유입된 도교는 고려 예종대에 크게 발전하였으며, 도관인 복원관이 설치되었음을 알 수 있다. 그리고 예종은 도교를 불교와 대체하려고 했다는 점에서 예종의 도교에 대한 지대한 관심을 알 수 있다. 이로 인해 도교는 예종대에 제대로 된 모습을 갖추게 되었으며, 고려에서 종교로 한 단계 발전하게 된다.

도교에서는 법기로 검과 동경을 사용했으며, 도사가 지닌 동경은 神明을 통하는 도구로 쓰였다. 중국은 한대 이래 도교에서 법기로 쓰고 있으며, 전문적으로 제작된 道鏡은 唐代에 이르기까지 계속 만들어졌다. 법사 의식에 쓰인 도교경은

154『高麗史』卷93「列傳」卷第6 諸臣 '…… 我朝宗廟 · 社稷之祀, 尙多未如法者, 其山嶽之祭, 星宿之醮, 煩瀆過度,我朝宗廟 · 社稷之祀, 尙多未如法者, 其山嶽之祭, 星宿之醮, 煩瀆過度,……'

155 김철웅,「고려 道敎의 殿 · 色 · 所」,『史學硏究』vol.108(한국사학회, 2012), pp.74~75.

156『宣和奉使高麗圖經』卷18 道敎

때로 동경 뒷면에 도가의 용어를 새겨 주조했으나 그 수량은 적은 편이다. 다만, 도교신앙과 관련된 八卦紋鏡은 일반적으로 문양이 간결하고 일반인들이 지니기도 보편적이었던 것으로 보여, 그 수량이 많은 편이다.[157]

고려에도 도교의 법기로 검과 동경이 사용되었으며, 그 중 동경은 중국과 문양이 유사해 도교의 전래와 함께 도교경도 유입된 것으로 보인다. 그 중 가장 보편적인 동경은 팔괘문경으로 지방 분묘에서도 출토되었다는 점에서 팔괘문경은 도교의 도사가 사용하기도 하지만, 민간용 동경으로도 유통된 것으로 생각된다. 이는 도교의 저변 확대를 생각해볼 수 있는 것으로 고려사회의 다방면에 도교가 자리잡고 있음을 알 수 있다.

고려의 도교는 크게 성행하면서 체계적으로 발전했고, 이는 왕실의 보호 아래 가능했다. 예종은 도교를 숭앙하면서 도교기관을 건립하면서 도교발전의 기초를 확립했다. 그리고 의종 역시 국왕 개인을 위한 도교기관을 설립하는 등 고려는 왕들이 도교에 심취하면서 적극적으로 수용함에 따라 사회 전반적으로 유행하게 되었다. 이러한 경향은 고려 말까지 이어졌으며, 고려가 멸망하고 건국된 조선 초기까지 도교에 대한 관심은 컸다는 점에서 고려시대 도교는 불교와 더불어 국가의 근간이 되는 종교였음을 알 수 있다.

2. 高麗銅鏡의 成分比較와 製作技法

동경은 石材 혹은 흙 등으로 제작한 鏡范[158]에 금속을 녹여 부어 鑄造하는 것이

---

157 齊東方 · 徐潤慶(譯), 「거울과 환영 : 唐代 銅鏡을 중심으로」, 『美術史論壇』vol.24, (한국미술연구소, 2007), p.54.

158 청동기를 제작할 때 이용하는 틀에 대한 명칭은 다양한 용어로 사용하고 있다. 일본, 중국, 한국 등 한자문화권에서는 학자마다 명칭을 달리 사용하고 있는 실정이다. 일본에서는 鑄型과 鎔范을

기본적 제작기법이다. 동경 제작에 사용한 경범은 중국에서 가장 많이 발견되었으며, 한국에서도 青銅器時代 거울 제작에 사용한 경범이 출토되어 동경 제작의 일면을 엿볼 수 있다.

동경 제작 관련 연구는 경범을 토대로 한 제작기법과 제작에 사용된 금속성분에 관한 연구가 주된 주제이다. 제작기법은 韓 · 中 · 日에서 비슷한 양상으로 발전했으니, 주석, 동, 납과 같은 동경제작의 주재료 합금비율은 시대와 국가에 따라 달라 시대와 국가를 구별할 수 있는 요소이다. 따라서 먼저, 동경 제작기법의 종류와 특징을 통해 동아시아에서 이루어진 제작기법을 살펴봄으로써 3국에서 이루어진 동경제작기술의 발전양상을 파악할 수 있을 것으로 판단된다. 그리고 기존에 이루어진 동경 금속성분에 관한 연구내용을 분석하여 금속성분을 통해 고려동경 제작의 독창성을 검토해보고자 한다.

1) 동아시아 銅鏡 鑄造技法과 性分의 特徵

한 · 중 · 일 3국의 동경제작기법이 큰 차이가 없다는 점은 중국에서 유입된 동경을 바탕으로 동경제작기술이 발전한 것에 기인한다. 하지만 비슷한 양상으로 발전한 3국의 동경 제작은 중국에서 동경을 유입하고, 이를 토대로 자국에 맞는 동경으로 제작함에 따라 국가별, 시대별 차이가 나타난다. 따라서 본 장에서는 3

많이 사용하고 있고, 중국은 鑄范과 范, 鎔范이라 칭한다. 한국은 '거푸집'이라는 순수 한글말이 있으며, 鎔范, 鑄范, 鑄範, 틀 등으로 부른다. 이에 대해 이건무 선생은 거푸집을 의미하는 '型'이나 '范', '笵', '範'은 의미상 큰 차이가 없지만, 이 중 '型'과 같이 본보기, 거푸집을 의미하는 '範'의 사용이 적절하다 설명한다. 본고에서는 청동기류의 하나인 동경의 거푸집에 대한 용어로 '鏡范'을 사용하고자 한다. '용범'은 그 사용범위가 청동기 거푸집 전체를 지칭하는 용어로 판단했으며, 이는 동경 제작에 사용한 거푸집으로 한정하여 부르기엔 포괄적이다. 또한 제작기법을 연구하는 중국, 일본 학자들 역시 동경 제작에 사용하는 거푸집에 대해 '경범'이라 표기하기도 한다. 따라서 동경 제작에 사용한 거푸집에 대해서는 '경범'이라는 용어가 적절하다. 李健茂, 「韓國 先史時代 青銅器 製作과 거푸집」, 『한국의 청동기 제작과 용범』(숭실대학교 한국기독교박물관, 2005), pp.1~2참고.

국 동경 제작에 영향을 끼친 중국의 동경주조와 관련된 일련의 내용을 살펴보고자 한다.

중국은 고대부터 섬세한 문양이 있는 동경을 제작했고, 이로 인해 제작과 관련한 연구가 꾸준히 진행되고 있다. 동경제작에 관해 鏡范製作, 鑄造, 鏡面 處理의 일련의 공정과정이 이루어지고, 연구 역시 이와 연관한 내용 중심이며, 이는 주조기법 연구에서 중요한 위치를 차지한다. 동경 제작 관련 대표적 학자는 何堂坤[159]으로 『中國古代銅鏡的技術研究』에서 동경제작과정, 구성성분 등 주조에 대한 전반적 내용을 정리했다.[160] 이중 고려와 존립시기가 비슷했던 송 · 금 · 명대 동경 합금에 관해서도 연구하여 중국과 한국의 10~14세기 동경 합금 경향을 비교할 수 있는 기초적 자료를 마련했다.[161] 또한 동아시아 고대동경 주조기술에 관해 분석한 연구가 이루어짐에 따라 중국 내 동경제작에 대한 관심이 확대됨을 알 수 있다.[162]

중국은 동경제작과 관련한 문헌기록이 어느 정도 남아 있는 편이다. 각종 기물제작 관련 서적이나 소설 등에서 거울의 제작, 사용을 유추할 수 있는 句文이 있으며, 이는 명 · 청대까지 동경 제작에 영향을 끼쳤기에 이와 관련된 대표적 기록을 살펴보고자 한다.

---

159 중국에서는 국내에서보다 활발한 동경 제작에 사용한 금속성분, 제작기법 등에 관한 연구가 활발히 이루어지고 있으며, 대표적 학자는 何堂坤이다. 동경뿐만 아니라, 금속으로 제작한 기물의 제작기법에 대한 연구가 있다. 동경과 관련한 대표적 연구성과는 다음과 같다. 何堂坤, 「關於我國古代銅鏡鑄造技術的幾个問題」, 『自然科學史研究』(中國科學院自然科學史研究所, 1983年 4期) ; 何堂坤, 「我國古代銅鏡淬火技術的初步研究」, 『自然科學史研究』(中國科學院自然科學史研究所, 1986年 2期) ; 何堂坤, 「關於古鏡熱處理的幾個問題 」, 『中國歷史博物館館刊』(中國國家博物館, 1996年 2期) ; 何堂坤 · 孔祥星, 「關於古鏡的常見缺陷缺損及其修補技術」, 『中國歷史博物館館刊』(中國國家博物館, 1998年 2期).

160 何堂坤, 『中國古代銅鏡的技術研究』(紫禁城出版社, 1999).

161 ______, 「宋鏡合金成分分析」, 『四川文物』(四川省文物局, 1990年 3期) ; 何堂坤, 「幾件金代銅鏡的科學分析」, 『北方文物』(北方文物雜誌社, 1990年 3期) ; 何堂坤, 「明代銅鏡科學考察」, 『文物保護與考古科學』(上海博物馆, 1994年 1期).

162 白云翔, 「試論東亞古代銅鏡鑄造技術的两介傳統」, 『考古』(中國社会科學院考古研究所, 2010年 2期).

『周禮』「冬官考工記」에는 쇠를 다스리는 장인을 설명한 '攻金之工' 내용 중에 "金錫半, 謂之鑒燧之齊"라는 구절로 "동과 주석을 반씩 섞는 방법을 鑒燧齊라고 한다"는 내용이다.[163] 이는 동경 합금 배합에 대한 가장 이른 시기의 기록이다. 여기서 '金錫半'은 비율을 말하며, 이 비율에 대해서는 주석의 양이 동의 절반이라는 설과 주석과 동을 각각 절반을 합금했다는 설로 나뉜다.

동경제작은 制范, 澆注, 表面加工의 순으로 이루어진다. 특히 동경의 형태와 문양 등은 鏡范을 제작할 때, 사용하는 재료에 따라 문양의 섬세함, 복잡함 등이 좌우된다.

(1) 鑄造技法 및 過程

① 鏡范制作

경범제작에는 흙, 돌과 같은 소재가 사용되며, 이를 泥范(陶范)과 石范으로 나눌 수 있다. 이 틀에 동경문양 표현방법은 線條法, 平雕法, 浮雕法, 透雕法이 있으며, 동경문양을 배치하는 방식으로는 對稱式, 環繞式, 四分式이 있다. 선조법은 주로 초기 동경제작에서 보이는 방식으로 春秋戰國時代 四叶鏡, 한대 草叶紋鏡, 당대 八卦紋鏡, 송대 纏枝花草紋鏡이 대표적이며, 사용기간이 가장 길다. 평조법은 문양이 저부조로 표현되는 방식이다. 주요 유행시기는 東漢시기이며, 獸首鏡, 四叶八鳳紋鏡 등이 있다. 부조식은 문양이 돌출되어 보이는 방식으로 생동감을 주는 장점이 있다. 대체로 동한 중후기에 유행하여, 明代까지 꾸준히 이어진다. 대표적으로 동한시기 용호문경, 人物畵像紋鏡, 당대 해수포도문경, 금대 쌍어문경, 명대 洪武雲龍紋鏡 등이 이 방식으로 제작된 예이다.[164] 투조식은 문양을 중심

163 중국 고대 黃金, 青銅, 紅銅(적동) 등 모두를 '金'으로 칭했다. 그렇기에 이 기록에서 보이는 '金'은 청동 혹은 홍동을 의미하는 것으로 최근에는 비교적 홍동으로 해석하는 것이 타당하는 의견이 있다. 聞人軍, 『考工記』(中國國際廣播出版社, 2011), p.22.

164 何堂坤, 앞의 책(1999), pp.109~110참고.

으로 뚫려 있는 것으로 주로 춘추전국시대에 제작했다. 동경에 층을 두어 경면 뒷면에 문양이 투조된 부분을 감입하여 제작했다.

경범은 앞서 언급한 것과 같이 흙을 사용해 모본을 만드는 방법과 돌을 이용해 모본을 만드는 방법이 있다. 흙을 사용하여 제작한 경범은 재사용이 불가능하지만 기물형태가 복잡하고, 문양이 화려한 경우 제작하기 용이하다. 반면, 돌로 만든 경우는 재사용이 가능하지만 간단한 형태 제작만 가능하다는 한계가 있다.

중국과 일본은 한국에 비해 많은 양의 경범이 현존한다. 특히 한국에는 아직까지 발견된 적 없는 흙으로 만든 경범이 중국과 일본에서는 발견되었다. 이는 고대 동아시아가 긴밀한 관계 속에서 영향받았다는 점과 꾸준한 교류가 이루어졌다는 점을 통해 한국에서도 흙으로 제작된 경범이 존재했을 가능성이 높음을 생각할 수 있다.

흙으로 만든 경범에 대해 泥范 혹은 陶范, 沙范 등 다양한 명칭을 사용하고 있으며, 중국에서는 '陶鏡范'으로 칭하기도 한다.[165] 도경범은 틀은 흙에 동경문양을 틀에 새긴 후 건조, 소성하는 단계를 거친다. 도경범에 문양을 표현하는 방법은 2가지로 나뉘는데, '模制法'과 '刻制法'이다. '모제법'은 직접적으로 模板 전체에 경범을 복제하여 사용하는 방법이며, '각제법'은 먼저 도경범 일부분을 복제한 후, 손으로 여백 부분에 화문 등을 새기는 방법이다. 이렇게 문양 가공을 한 이후, 소성한다.

다음은 돌로 만든 경범이다. 石鏡范은 돌에 문양을 새긴 후 직접 거울 제작 틀로 사용한다. 경범으로 사용하는 돌은 문양을 새길 수 있을 정도로 무르면서 열에 견딜 수 있는 종류로 보통 石英, 長石, 斑巖 등이다.

석경범은 동아시아 3국에서 모두 발견되었으며, 특히 중국의 東北地域과 일본의 九州地域에서 주로 출토된 예가 많아 석경범 제작에 있어 지역성이 있었음을

165 중국학자 白云翔은 흙으로 만든 경범은 흙을 구워 제작한다는 점에서 '陶鏡范'이라고 명칭한다. 본 논문에서도 흙으로 만든 후 소성하여 그 틀을 합쳐 동경제작에 이용한다는 점에서 재료보다는 틀로써 사용 가능한 상태를 명칭으로 사용하는 것이 적합하다 생각한다. 따라서 본 연구에서는 이 경범에 대해 '도경범'이라는 용어로 사용하고자 한다. 白云翔, 앞의 논문, pp.63~64.

알 수 있다. 석경범은 일정한 경도, 밀도, 내화도가 요구사항이며, 이러한 점은 제작에 제한적 요소로 작용한다. 이는 '각제법'이 발전한 이유이기도 하다. 재료의 제한은 대규모 제작이 힘들었을 것이며, 이로 인해 주조 시 몇 개의 편을 만들어 문양을 만들거나 했다. 하지만 정밀하고, 복잡한 문양의 동경 제작은 어려웠다. 그럼에도 불구하고 석경범을 이용한 것은 제작과정이 비교적 간단하고, 주조과정에서쉽게 손상되지 않기 때문이다.[166]

② 金屬 鑄入(鑄造法)

동경제작에 사용되는 청동은 구리와 더불어 다른 금속을 섞어 제작하며, 이를 합금이라고 한다. 동경에 사용하는 주요 재질은 동, 주석, 납으로 각 금속은 녹는점이 다르다. 동은 대략 1084.5℃, 주석은 232℃, 납의 녹는점은 327℃이다. 주조 시 순동에 15%의 주석을 함유하면 녹는점이 약 960℃로 내려가며, 25%를 함유할 경우 800℃이다.

또한 동경에 함유된 아연은 녹는점이 419.5℃로 동과의 녹는점 온도 차가 커 아연을 섞으면 주조물이 잘 부식되지 않고 유동성이 좋아 청동기에 소량의 납과 아연을 함유하여 제작한다. 납은 동과의 합금에서 적당량을 사용하면 녹는점을 낮출 수 있어 금속의 유동성과 전조성 개선에 유용하다. 하지만 납의 함량이 많아지면 偏析(합금원소나 불순물이 편중되어 분포하는 상태)이 심해지는 단점이 있다.[167]

동경은 青銅이 주재료이며, 그 원재료는 구리와 주석의 합금이다. 중국은 시대별 합금 배합 비율이 명료한 차이를 보인다. 齊家文化에서 西周 晩期까지는 구리, 주석 합금의 양의 균형적인 비율로 배합되지 못해 주조기술 상 주석의 함량이 적었다. 반면, 戰國時代에서 唐 · 五代까지는 기본적으로 납이 함유되

166 白云翔, 앞의 논문, pp.66~70.

167 盧敬淑, 「銅鏡의 製作技法과 保存處理 연구」(경기대학교대학원 석사학위논문, 2004), pp.13~14.

고, 이전과 달리 주석의 함량이 증가해 동경 제작시 성분 변동이 적어, 대략 동 66~72%, 주석 20~26%, 납 4~8%의 비율을 이룬다. 이러한 비율의 동경은 안정된 비율로 인해 문양이 뚜렷한 것이 특징이다. 현대 주조기술에 견주어 볼 때, 전국, 한, 당대 동경의 합금은 최적의 주조비율임을 알 수 있다. 遼·宋代 이후에는 동경 주조의 합금성분에서 새로운 변화를 시도하고자 했고 이로 인해 송에서 明代 동경은 대다수 새로운 주조 합금 경향이 나타난다. 합납과 함께 아연 함량이 이전보다 높고 주석의 함량이 뚜렷하게 줄어든 거울을 제작했다. 이런 종류의 동경은 可塑性이 좋아 쉽게 만들 수 있으며, 표면처리 후, 良質의 照影效果를 얻을 수 있다.[168]

주석합금은 성형에 유리하여, 동경 배면 문양을 비교적 뚜렷하게 표현할 수 있는 이점이 있다. 이는 한·당대 동경의 도안이 세밀하고 정밀하여 가는 실과 같은 선 표현이 가능했던 이유이다.

表 14. 中國 古代 銅鏡 合金成分[169]

성분 / 시대	銅(%)		錫(%)		鉛(%)	
	집중범위 성분	평균성분	집중범위 성분	평균성분	집중범위 성분	평균성분
古代~秦	66~72	66.41	20~22	21.56	6~8	5.68
兩漢	68~71	68.08	23~26	24.42	4~7	5.05
漢末~六朝	66~72	68.37	22~24	23.12	4~8	6.0
隨·唐	68~70	68.85	23~24 27~28	24.12	5~7	5.29
宋·金	(66~68)	67.21	(6~13)	9.76	(7~24)	18.9
明·淸		70.95	(5~6)	5.1	(7~12)	8.57

168 梅叢笑, 앞의 책, p.29.

169 何堂坤의 논문에 수록된 (표1)의 내용을 일부 수정하여 (표14)로 정리했다. 何堂坤, 앞의 논문 (1983年 4期), p.361.

(表14)은 중국 고대 동경 합금성분에 대한 것으로 시기별 금속성분의 함유량이 약간씩 변화함을 알 수 있다. 구리의 경우 주요성분으로 그 변화가 크지 않은 반면, 주석과 납은 변화를 보이는데, 당대까지 주석의 함량이 24%대를 유지하던 것이 송대에는 평균치가 9%대로 감소하고 반면 납의 평균 함유량이 18%까지 증가함을 알 수 있다. 이러한 변화로 인해 당대까지 백색에 가깝던 동경표면이 어두워져 표면을 밝게 하기 위한 표면처리기술이 발달하게 되는 계기로 작용한다.

鑄型法(경범을 통해 제작하는 주조법)은 도경범이나 석경범에 만들고자 하는 형태나 문양을 직접 새겨서 거푸집으로 사용하는 방법으로 틀 2개를 맞붙여 그 사이에 금속액을 부어 넣어 주조하는 방법이다. 우리나라 거푸집은 그 주류가 滑石으로 제작한 석경범이지만, 중국은 대부분 도경범으로 제작했다.

만들어진 경범에 합금한 금속물을 첨가하여 동경을 만든다. 이러한 일련 과정이 주조이며, 중국고대 동경 주조법으로는 '范鑄法'과 '溶模法(밀랍주조)'이 있다.[170] '범주법'은 앞서 설명한 경범을 통한 주조법이며, '용모법'은 정밀한 문양을 위해 사용하는 기법으로 대표적으로 밀랍주조가 있다. 밀랍주조는 黃蠟과 牛油 혼합한 주조기법으로 出蠟法 혹은 失蠟法이라 한다.

③ 銅鏡 表面處理

주조 직후 동경은 표면이 매끄럽지 않고, 광택이 없어 거울로써 기능을 갖추지 못한다. 이에 거울 면의 造營性을 위해 표면처리를 위한 후가공이 필요하다. 중국에서는 초기에는 가공 후 표면만 다듬어 사용했던 것으로 판단되나, 이후 다른 성분의 물질을 이용한 가공처리를 행했는데, 일반적으로 '開鏡' 혹은 '磨鏡'이라 부르며, 이 가공처리에 사용되는 것이 수은 혹은 주석이다.

---

170 梅叢笑, 앞의 책, p.37.

『淮南子』「脩務」의 기록 중에 주석에 관련한 내용이 있으며, 다음과 같다.

'……맑은 거울도 처음 만들어졌을 때는 뿌옇게 흐려 사물의 형체를 비춰볼 수 없다. 그러나 검은 주석으로 뒷면을 칠하고 흰 천으로 문지르면 수염이나 눈썹과 같은 작은 털도 비춰볼 수 있다.……'[171]

이 내용은 純鈞과 魚腸 같은 보검도 숫돌을 거쳐야 예리해지고 거울도 뒷면에 주석을 입혀야 맑게 비출 수 있듯이 '배움'은 사람에게 이러한 역할을 한다는 의미이다. 여기서 동경에 주석을 입힌다는 부분이 눈에 띈다. 동경을 경범에서 떼어낸 후 표면이 어두워 얼굴을 비춰볼 수 없으니 여기에 주석을 발라 천으로 문질러 광택을 내고 나면, 얼굴의 세세한 부분을 볼 수 있음을 설명한다.

경면 마감처리에 대해서는 한대 이후 주석 아말감 혹은 납 아말감으로 마감한 것에 대한 기록이 보인다. 道敎 敎理 槪說書인『雲笈七籤』「秘秘要決法部四」에는 앞서 언급한 '마경'제작에 대해 언급하고 있다.[172] 그 내용을 대략적으로 정리해보면, 첫째, 4량의 주석을 가마에 넣고 센 불에 녹인다. 둘째, 호분 3량을 넣고 섞는다. 셋째, 真丹을 넣은 호분의 반죽을 치댄다. 이 진단은 납과 수은으로 구성된 것으로 일명 납 아말감이다. 넷째, 다시 주석 4량을 더하여 녹이며, 주석아말감을 얻을 수 있는데, 즉, 소량의 납이 함유된 주석 아말감이며, 이것이 마경이라는 기록이다.

---

171 '……明鏡之始下型, 矇然未見形容; 及其粉以玄錫, 摩以白旃, 鬢眉微毫可得而察。……' 劉安 · 李錫明 譯,『淮南子2』(소명출판, 2010), pp.532~533.

172『雲笈七籤』卷48「祕要訣法」摩照法……用錫四兩, 燒釜猛下火, 令釜正赤與火同色, 乃內錫末, 又胡粉三兩, 合內其中。以生白楊刻作人, 令長一尺, 廣二寸, 厚一寸, 其後柄長短在人耳。以此攪之, 手無消息, 盡此人七寸, 又復內真丹四兩, 胡粉一兩, 復攪之, 人餘二寸, 內摩照錫四兩, 攪令相得。欲用時, 末如胡豆, 以唾和之, 得膃脂為善。又以如米大者, 於前齒上噓之, 復以唾傳拂其上, 以自拂之, 即明如日月。欲作藥, 先齋戒七日, 乃為之作清靜密室, 勿令人見之也；其火欲猛。祕之, 勿妄傳非其人。

圖18. 작자미상, 〈磨鏡圖〉, 明代, 中國 首都博物館

또한 경면이 흐려지면 경면을 닦아주는 마경해주는 사람이 존재했다. 이에 대한 기록은 宋代 회화(圖18)에서 그 장면을 찾을 수 있다. 동경을 닦아주는 '技師'가 집마다 다니며 거울면이 잘 보이게끔 연마해주는 모습을 표현했으며, 이와 더불어 연마된 거울을 보는 여인들을 묘사한 그림도 있다.

일본에서도 거울면 처리를 했으며, 이에 대한 기록은 후대에 좀 더 명확하게 보인다. 室町時代인 1500년대 말 職人을 제재로 한 歌合인『七十一番職人歌合』에는 거울 표면을 닦는(鏡磨) 직인을 소재로 한 시가 있으며, 시 옆에 거울을 연마하는 모습이 그려져 있다. 그림에서 직인거울을 대 위에 놓고, 숫돌가루와 수은을 섞어 닦고 있으며, 그 옆에는 수은을 넣은 竹筒, 석류, 숫돌가루를 넣은 자루가 있다.[173] 그림에 있는 재료는 중국과 유사하게 수은을 이용하여 표면을 밝게 하였음을 알 수 있으며, 또한 이 당시 석류를 표면처리에 사용했다는 새로운 점을 엿볼 수 있다.

표면을 깨끗이 한 후 주석과 수은을 합하여, 바른 것으로 보이는데, 독성이 강한 수은은 다루기 힘들며, 뚜렷하게 상을 비추기 위해서는 수은이 경면에 잘 흡수되도록 처리해야 한다. 이와 관련해서 중국에서는 '水銀沁' 처리기법이 있다. 고대 동경의 표면을 은과 같이 밝게 하기 위해 고대 동경제작 장인이 사용한 '磨鏡葯'으로 처리한 후, 동경 표면에 두께는 몇백 나노(nm)로 얇지만 주석함량이 높고(富錫層), 산화막을 형성할 수 있는 '수은심'으로 표면처리를 했다.[174]

173 岩崎佳枝 校注,『七十一番職人歌合 · 新撰狂歌集 · 古今夷曲集』(岩波書店, 1993), p.69.

174 譚德睿 · 吴來明,「古銅鏡" 水銀沁" 表面形成机理的研究」,『文物保護與考古科學』(第 9 卷 第1期,

2) 中國銅鏡과 高麗銅鏡의 製作技法

우리나라에서 동경은 청동기시대 最初 사례를 볼 수 있다. 이 시기 제작된 다뉴세문경은 청동기 유물 중에서도 세밀한 기하학적 문양을 표현하여 당시 동경제작 기술이 상당히 발전했음을 알 수 있다.[175] 우리나라에서 발견된 경범은 대체로 돌이나 흙으로 제작되었던 것으로 추정되나, 흙으로 제작된 예는 아직 발견된 적이 없다. 다만, 다뉴세문경의 세밀한 문양표현은 돌보다는 고운 진흙과 같은 모래를 사용하였을 가능성이 높다. 하지만 밀랍주조에 대한 의견도 제기되고 있기에 고대 동경 제작에 있어 경범재료에 대한 분석이 필요한 실정이다.[176]

고려동경 제작기법은 중국에서 이루어진 동경제작과정과 크게 다르지 않다. 특히 경범은 고운 흙으로 제작하여 주조에 사용했음을 알 수 있다. 이 주조 방식은 고대와 같이 고운 흙을 암수에 해당하는 위 · 아래틀에 다져 넣고 원본에 해당하는 물체를 찍어 거푸집을 제작하고 그 빈 공간에 쇳물을 부어 주물을 만드는 방법이다.[177]

국내 현존하는 고려동경은 중국동경과의 성분분석 비교를 통해 제작지와 제작시기에 대한 추정이 어느 정도 가능하다. 즉, 동경의 금속 합금비율은 동경의 正體性을 밝혀주는 중요한 요소 중 하나이다.

국내에서는 동경 제작기법과 더불어 제작시 사용한 금속의 합금비율을 토대로 동경 제작에 사용한 금속성분을 파악하고자 하는 연구도 지속적으로 이루어지고

1997년 5월), pp.1~8.

175 우리나라에서 동경주조 관련한 연구는 중국, 일본과 마찬가지로 고대 동경의 용범을 토대로 제작기법을 연구했다. 이러한 경향은 두 나라와 같이 용범이 발견시기가 고대이며, 고려시대 제작에 사용한 용범은 아직까지 발견되지 않아, 고대 동경제작기술을 통해 유추하는 편이다.

176 박학수, 「국보 제141호 다뉴세문경의 제작기술」, 『한국기독교박물관 소장 국보 제141호 다뉴세문경 종합조사연구』(숭실대학교 한국기독교박물관, 2009), pp.60~74.

177 『고려동경 거울에 담긴 고려 사람들의 삶』(국립중앙박물관, 2010), p.59.

있다.[178] 특히 국립중앙박물관은 국내에서 가장 많은 동경을 소장하고 있기에 동경의 성분분석을 통해 국적문제에 접근하고자 하였다.[179] 이 연구에서는 고려 자체 제작 가능성이 높은 '고려국조'명경과 한국에 개체수가 많은 '황비창천'명경의 성분을 분석했다. 이와 더불어 비교 대상인 중국경도 함께 분석함으로써 제작지 문제에 접근하고자 했다.

(表15)는 '고려국조'명경과 '황비창천'명경의 성분분석에 관한 결과를 정리한 것이다. 고려 자체 제작했을 것으로 보는 '고려국조'경은 원재료의 성분파악이 명확한 소지 면에서 구리가 68~71%, 주석 14~16%, 납 11~13%이다. 그리고 '황비창천'명경은 3점을 분석했다. 3점 중 신수 1358-41 동경 소지면 성분은 구리 71%, 주석 13%, 납 14%로 '고려국조'명경과 유사한 비율임을 알 수 있다. 반면, 나머지 2점은 주석의 비율이 높고, 납의 비율이 상대적으로 낮다. 이러한 비율은 (表14)의 중국 수 · 당대 동경의 성분비율과 비슷하며, 송 · 금대 동경의 성분비율은 '고려국조'명경과 유사하나 주석 비율에서 차이가 있다. 또한 국립부여박물관 소장 '가상부귀'명경의 성분비율은 구리68%, 주석7%, 납24%으로 송 · 금대 동경의 성분비율과

---

178 이양수, 「다뉴조문경의 제작기술」, 『호남고고학보』22(호남고고학회, 2005) ; 조진선, 「세형동검 용범에 대한 제작기술-주형의 설계 및 새김기법을 중심으로-」, 『한국고고학보』60(한국고고학회, 2006) ; 윤용현, 「석기와 다뉴세문경의 복원제작기술」, 『문화재복원제작기술연구(문화재 복원제작 기술 교재개발 워크숍)』(한국전통문화학교 한국문화예술교육진흥원, 2007) ; 윤용현 · 정광용, 「청동 잔무늬거울의 복원제작기술 연구」, 『한국문화재보존과학회 춘계학술대회 자료집』(한국문화재보존과학회, 2008) ; 숭실대학교 한국기독교박물관, 『한국기독교박물관 소장 국보 제141호 다뉴세문경 연구』(제5회 매산기념강좌, 2008) ; 이승우, 「多鈕細文鏡 製作技法研究」(동국대학교대학원 석사학위논문, 2008) ; 허일권, 조남철, 강형태, 「익산 미륵사지 출토 동경의 금속학적 연구 및 산지 추정」, 『보존과학회지』 Vol.20(한국문화재보존과학회, 2007) ; 노경숙, 위의 논문 ; 김우현, 「중부내륙지역 출토 동경 · 동제병의 금속학적 연구」(한서대학교대학원 석사학위논문, 2008) ; 전익환 · 박장식 · 이재성 · 백지혜, 「한반도 출토 청동거울의 표면처리 기법에 관한 연구」, 『보존과학지』Vol.22(한국문화재보존과학회, 2008).

179 유혜선 · 윤은영, 「고려동경의 성분 조성-문자가 새겨진 거울을 중심으로」, 『고려동경-거울에 담긴 고려 사람들의 삶』(국립중앙박물관, 2010)

유사해 중국에서 제작되었을 가능성에 대해 생각해볼 수 있다.

表 15. '高麗國造'銘鏡과 '煌丕昌天'銘鏡 成分分析[180]

'고려국조'명경										
	금속 / 번호	Cu	Sn	Pb	Zn	Fe	Ni	Sb	Hg	기타
소지	본관 2579	68.91	16.54	11.41	0.28	0.03	0.27	0.56	1<	-
	덕수 89	71.28	14.10	13.86	0.18	0.04	0.12	0.41	<1	-
도금	본관 2579	60.02	16.77	14.08	0.18	0.05	0.24	0.91	7.52	수은도금
	덕수 89	24.28	32.06	31.70	0.04	0.02	0.06	1.18	10.92	수은 주석도금
'황비창천'명경										
소지	구입 2198	73.29	21.18	4.92	0.32	0.12	0.00	0.17	1<	중국제 추정
	신수 1358-41	71.37	13.48	14.26	0.29	0.03	0.25	0.32	1<	고려 자체생산 추정
	덕수 4927	67.95	31.33	0.55	0	0.03	0.15	0	1<	Cu-Sn 2원계 합금
도금	구입 2198	44.98	37.12	10.05	0.18	0.05	0.09	0.32	8.16	수은 주석도금
	신수 1358-41	55.50	14.37	19.78	0.09	0.02	0.10	0.45	9.58	수은도금

表 16. 國立中央博物館 所藏 '湖州'銘鏡 그룹별 成分比率[181]

그룹	Cu	Sn	Pb	Zn	합계
A	58~76%	28~29%	5.2~11.9%		3
B	64~75%	18~27%	5~12%		12
C	64~80%	12~17%	4~12%		15
D	66~75%	9~12%	15~23%		6
E	64%	15.7%	19.3%		1
F	68~70%	23~28%		24~28%	2

180 「고려동경의 성분 조성-문자가 새겨진 거울을 중심으로」에 수록되어 있는 성분분석표(2, 4)를 재구성하였다. 유혜선 · 윤은영, 앞의 논문, pp.77~79.

181 윤은영 · 강형태, 「국립중앙박물관 소장 제작지명 동경의 과학적 분석-항주명, 소주명, 호주명 동경-」, 『국립중앙박물관 소장 고려동경 자료집-호주명, 항주명, 소주명 동경』(국립중앙박물관, 2012), p.316.

중국에서 성행해 제작한 '地域'名鏡에 대해 분석한 연구가 이루어졌다. 특히 '지역'명경의 성분분석은 중국경과 고려경을 구분하는데 기초적 자료로써 가치가 있다.[182] 이 연구에서는 국립중앙박물관 소장품 중 湖州名, 航州名, 蘇州名이 새겨진 동경 75점을 대상으로 성분분석을 실시했다. 이중 가장 많은 수량을 차지하는 '호주'명경의 성분분석을 보면, 크게 6그룹으로 나뉜다.

중국 한대~당대까지는 합금이 일정한 비율을 유지하여 구리 68%, 주석 23~24%, 납 5~6%로 나타난다. 이러한 수치는 (表16)에서 B그룹의 성분비율과 유사한 것을 알 수 있으며, 항주명, 소주명경 역시 B그룹과 비슷한 합금비율로 제작되었기에 지역명경의 합금비율이 대개 일정했음을 알 수 있다. 또한 C그룹 성분비율은 '고려국조'명경과 비슷하여, 이 그룹에 속한 동경은 중국 동경을 본뜬 고려제작경일 가능성이 높다. 이와 같은 결과를 통해 보면, 수 · 당대까지 일정한 비율을 유지하던 합금비율은 송대 이후 거울의 상품화와 다양한 공방에서의 제작으로 인해 합금비율에서도 차이가 나타난 것으로 생각된다. 즉, 성분비율을 통해 볼 때, 동경제작에 있어 합금비율은 시기별, 국가별 혹은 장인집단에 따른 차이를 알 수 있는 요소로 앞으로 이에 관한 다각적 자료 분석이 필요하다.

고려동경의 마감처리 역시 중국의 마감처리과정과 크게 차이 나지 않는다. 동경을 경범에서 떼어낸 직후엔 표면이 거칠고 깔끔하지 않아 표면을 매끈하게 하기 위한 공정을 거친다. 우선, 기물의 안팎을 깨끗이 깍고 다듬는 과정인 가질작업을 한 후, 겉면에 광을 내는 공정을 한다. 쇠기름에 빻은 기와가루를 혼합하여 걸레에 묻혀 경면을 다듬거나 가질틀에 대고 돌려 다듬어 마무리한다. 이 과정들 가운데 광을 내는 과정은 표면처리를 일컫는다.[183]

182 국립중앙박물관 고고역사부 편, 『국립중앙박물관 소장 고려동경 자료집-호주명, 항주명, 소주명 동경』(국립중앙박물관, 2012)

183 안경숙, 앞의 논문(2012), p.239.

주석은 녹는점이 232℃부근으로 낮고, 청동합금의 주 구성요소로써 표면에 이의 함량을 높여줄 경우 강하고 단단한 피막을 형성함으로써 이를 연마할 경우 양질의 반사면을 얻을 수 있어 경면처리용으로 가장 적절한 물질이다. 주석을 도금하는 방법에는 鎔融상태의 주석을 도포하는 주석칠도금법(Wipe-tinning)과 주석과 수은을 혼합하여 아말감상태로 만든 다음 이를 도포하는 주석아말감도금법(Amalgam-tinning)이 있다. 칠도금은 주석의 녹는점이 낮아 적용하기 용이하지만 선각된 면과 좁은 함몰부분을 얇고 균일하게 도금하기 어렵다. 아말감도금은 칠도금에 비하여 더 높은 온도와 오랜 시간을 필요로 하나 이를 적용할 경우 청동에 전체적으로 은백색 표면을 쉽게 만들 수 있다. 이외 수은피막법은 경면에 수은을 입힌 후 열을 가하여 피막을 입히는 방법으로 수은에 의하여 일시적으로 경면의 반사효율을 높일 수 있으나 수은이 쉽게 증발될 수 있음으로 지속적인 효과를 얻기는 어렵다.[184]

184 전익환 · 이재성 · 백지혜 · 박장식, 「한반도 출토 청동거울의 표면처리 기법에 관한 연구」, 『보존과학회지』Vol.22(한국문화재보존과학회, 2008), p.88.

Ⅳ. 高麗銅鏡의 機能

1. 信仰的 機能

1) 鎭壇具의 機能

진단구란 건물 축조 시에 건물의 안전과 영속을 위해 지신에게 발원하는 의식에 사용되는 물품을 의미한다. 우리나라에서는 토착신앙과 도교의 지신개념 위에 불교적인 의례 행위가 수용되기 시작하면서 이루어진 개념으로 皇龍寺 九層 木塔의 축조 시기에 처음 등장한다.[185]

진단구로 동경에 발견된 예를 많지 않지만, 慶州 皇龍寺 구층 목탑지 기단부 중층에서 동경 3점이 은제고리, 청동완, 철제가위, 청동팔찌, 마노구슬 등 많은 유물과 함께 진단구로 발견되었다. 이 동경은 素紋鏡, 鋸齒紋鏡, 四神紋鏡으로 5.4~16.5cm 크기로 중국 隋代 동경으로 추정한다.

插圖 5. 榮州 金剛寺址 遺蹟 線刻鏡 出土狀態

185 崔恩娥, 「경주지역 건물지의 鎭壇具에 관한 고찰 : 매납방법과 봉납물을 중심으로」, 『문물연구』제11호(동아시아문물연구학술재단, 2007), p.37.

寺址에서 출토된 동경 중 건물지에서 발견된 동경이 진단구로 추정되는 예도 있다. 영주 다목적댐 건설사업 구역(금광리Ⅱ) 내 榮州 金光里 遺蹟에서는 동경2점과 선각불상문경1점이 출토되었다(插圖5). 이중 동경이 출토된 위치는 축대 3호 및 배수로 2호 쪽으로 A2Ⅱ구간 구릉 말단부이다. 축대 3호와 그 전면에 설치된 배수로에서는 도기류, 자기류 및 각종 기와류, 금속류 등이 출토되었다.[186]

表 17. A2Ⅱ區間 築臺3號 및 排水路2號 出土遺物目錄(기와류 제외)

위치	종류	출토유물
A2Ⅱ구간 축대3호 및 배수로2호	도기류	개, 도기 매병저부, 도기 시루편, 청자발, 청자접시, 청자잔 구연부, 청자소호 구연부, 청자정병 구연부, 청자병, 청자병 동체부, 청자개, 청자향완, 청자장고
	금속류	불상대좌, 서화쌍조문경, 칠보문경, 물부리형 청동제, 솥편, 불명철기, 철정, 걸쇠

(表17)은 동경이 출토된 위치에서 발견된 공반유물로 도기류와 기와류, 금속류가 출토되었다. 이중 수량이 많은 기와류를 제외했으며, 도기류와 금속류를 정리했다. 도기류는 청자발, 청자접시, 청자정병, 청자향완, 청자장고 등 청자로 제작된 도기가 많이 출토되었으며, 금속류는 불상대좌, 동경2점과 철기류가 출토되었다.

또한 선각불상문경은 A2Ⅱ구간 고려시대 제2단 건물지 5호에서 출토되었다. 이 선각불상문경은 건물지의 기단부 조성시 진단구로써 磬子[187]와 함께 매납된 것

186 한국문물연구원, 『영주 다목적댐 건설사업 구역(금광리Ⅱ) 내 榮州 金光里 遺蹟』제5권(2018), p.268.

187 경자는 불경이나 게송을 읽을 때와 범패를 행할 때 주로 사용되는 의식법구로써 일본에서는 금자 또는 농자라 하여 선종 사찰에서 많은 수가 제작되고 널리 사용되었다. 법당에 매달아 두거나 법상 위에 올려놓고 당목을 쳐서 소리내었는데, 그 두드리는 부위에 따라 소리의 높낮이와 공명이 다르며 대체로 가장 두터운 부위인 구연을 두드려 소리내었다. 지금까지 알려진 경자로는 통도사에 조선시대 작품이 2점 남아 있고, 경남 진주에서 발견된 '대정20년 장홍사명 경자' 등 우리나라에서는 그 예가 극히 드문 편이다. 최응천, 「思惱寺 유물의 성격과 의의」, 『청주 思惱寺 금속공예 Ⅰ』(국립청주박물관, 2014) p.54.

으로 보고 있다. 이는 고려시대 제작된 선각불상문경의 사용목적이 의식을 행하기 위한 의식구로만 보았으나, 건물지에서 발견됨으로써 진단구로써의 목적을 갖고 사용되었음을 확인할 수 있다. 이 건물지에서 발견된 금속류 역시 경자와 선각불상문경만이 있다는 점도 이러한 목적성을 방증한다.

사찰 건물지 기단부에서 발견된 선각불상문경(圖19)은 원형으로 중앙 상단에 구멍을 뚫어 걸어서 사용할 수 있게 제작되었으며, 두광과 신광을 갖춘 보살이 瑞雲이 낀 연화좌 위에 가부좌로 앉아 있다. 이 거울은 16.4cm이며, 원래 제작 때 만든 구멍 외에도 보살 양 옆에 구멍이 하나씩 있어 제작 후 필요에 의해 구멍을 만든 것으로 보인다. 화려한 영락장식과 보관을 착용한 보살은 아미타수인을 취하고 있으며, 한 손에는 버들가지를 들고 있어, 이 도상이 楊柳觀音임을 알 수 있다. 높은 보관에는 고려시대 보살장신구 형태와 유사한 장식물이 표현되어 있으며, 연화좌에 표현된 화문도 고려불화, 선각불상문경 등에 보이는 표현과 유사하다. 고려시대에 양류관음이 보살상으로 제작된 예가 현재 없으나, 고려불화, 선각불상문경 등에 등장하기에 고려시대 양류관음이 신앙화 되었음을 알 수 있다.

圖19. 佛教線刻紋鏡, 高麗, 徑16.0cm, 한국문물연구원

진단의식은 토착신앙과 관련성 있어 불교적 의례는 아니다. 하지만 나쁜 것을 막고 좋은 기운을 얻기 위한 '벽사'라는 개념으로 접근하면서 불교에서도 탑을 짓거나, 건물을 지을 때 진단의식을 행한 것으로 생각된다. 그리고 이러한 진단의식을 행할 때 넣은 물품 역시 종교적 성격을 띠는 경우도 있지만, 동경, 귀걸이, 청동완 등 일상생활용품, 장신구 등 비종교적 용품도 있이 물품의 성격보다는 의식을 행할 수 있는 다양한 유물을 진단구로 사용했음을 알 수 있다.

2) 舍利莊嚴具의 機能

고려시대 건립된 수많은 석탑에도 사리장엄구가 안치되었으나, 이에 대한 문헌 기록은 많지 않다. 이중 조선시대 시문집인『東文選』에는 고려시대 사리에 대한 내용이 있으며, 다음과 같다.

> "洪武 12년 기미 가을 8월 24일에 南山宗 通度寺 주지 圓通無礙辯智大師 沙門 신 月松이 그 절에서 역대로 간수해 오던 慈藏을 가지고 중국에 들어가 釋迦如來의 頂骨 1개, 舍利 4개, 毗羅金點袈裟 1개, 보리수 잎 몇 개를 얻어 가지고 서울에 와서, 門下評理 李得芬을 찾아보고 말하기를, "月松이 을묘년 이후로 上恩을 입어 이 절에 와 있더니 丁巳年 4월에 이르러 왜적이 와서 그들은 사리를 얻으려고 땅을 깊이 파므로, 나는 그들이 정말 이것을 파낼까 두려워하여, 짊어지고 달아났었습니다. 금년 윤5월 15일에 왜적이 또 오므로 나는 또 이것을 지고 절 뒤 언덕으로 올라가 나무와 풀로 가리고 있으며 들으니, 적들이 말하기를, '주지는 어디 있으며, 사리는 어디 있느냐.' 하고, 절의 종을 잡아서 몹시 급히 물었으나, 마침 그때 날이 저물고 또 비가 그치지 않아서 좇아오는 자가 없었습니다. … 이공은 궁중으로 들어가 이 사실을 아뢰니 마침 이때는 張氏가 병으로 일어나지 못한지 한 달이라, 찬성사 신 睦仁吉이 신 洪永通과 상의하여 임금 앞에 아뢰니, 태후 謹妃가 모두 공경함을 이루고 예를 다하며, 태후는 또 은대접과 寶珠를 주어 內侍衆官 朴乙生에게 명하여 이를 松林寺에 봉안하도록 했으니, 이는 이공이 이 절을 중수해서 落成會를 베풀기 때문이었다. 국중에서 시주하는 사람들이 귀한 이나 천한 이, 슬기로운 이나 어리석은 이를 따질 것 없이, 물결처럼 몰려들어 사리의 分身을 얻기를 빌어서, 李公이 3개를 얻고 永昌君 瑜가 3개를 얻었으며, 尹侍中 恒이 15개를 얻고 檜城君 黃裳의 부인 趙氏가 30개를 얻었으며, 天磨山의 여러 중들이 3개를 얻고 聖居山의 여러 중들이 4개를 얻었으며, 黃檜城이 친히 1개를 얻었으나 月松은 마침 밖에 나가서 시주를 받다가 와서 사리를 빌어 갔으니 이

사실을 월송은 다 알지 못하였다."[188]

洪武12년(1380) 通度寺 住持 圓通無礙辯智大師 師門 月松이 절에서 간직한 사리구를 왜적들이 찾자, 이를 갖고 서울로 와 이득분을 만났으며, 이를 궁에 알렸다. 이에 태후 謹妃가 예를 다하여 은대접과 보주를 주어 이를 송림사에 봉안하게 했다. 이때 사리의 분신을 얻기 위해 많은 사람들이 모였다는 내용이다. 이 내용을 통해 석탑에 매납했던 통도사 사리가 이 시기 나누어졌음을 알 수 있으며, 사리를 얻기 위해 사람들이 몰려들었다는 점은 당시 불교에서 사리가 갖는 중요성을 생각해볼 수 있다.[189]

국내 석탑에 사리장엄구가 언제부터 안치되었는지 정확히 알 수 없으나, 탑이 조성되기 시작한 삼국시대부터 시작되었을 것으로 보인다. 이중 동경이 사리장엄구로 봉안된 것은 삼국시대~조선시대까지 꾸준히 이어졌으나, 수량은 많은 편이 아니며, 대부분 소문경이거나 보존상태가 좋지 않다. 또는 동경을 탑지 주변에 진단구로 이용한 경우와 동경을 깨어 편만 석탑에 봉안한 경우도 있어 석탑 내 동경

188 『東文選』卷73「梁州通度寺釋迦如來舍利之記」'洪武十二年己未秋八月卄又四日。南山宗通度寺住持圓通無礙辯智大師沙門臣月松。奉其寺歷代所藏慈藏。入中國。所得釋迦如來頂骨一舍利四。毗羅金點袈裟一。菩提樹葉若干。至京。謁門下評理李得芬曰。月松自歲乙卯。蒙上恩住是寺。歲丁巳四月。倭賊來。其意欲得舍利也。窖之深。又恐其掘發也。負之而走。今年閏五月十五日。賊又來。又負之登寺之後岡。翳榛莽。聞賊語曰。住持安在。舍利安在。搒掠。寺奴鞠之急。會天黑。雨又不止。…將入白于內。會張氏之難作。不果者一月。贊成事臣睦仁吉。商議臣洪永通。啓于上前。太后謹妃。皆致敬瞻禮。而太后又施銀盂寶珠。命內侍參官朴乙生。奉安于松林寺。李公重修是寺。設落成會故也'

189 14세기 이전까지는 사리를 얻거나 이동할 때 그 경로가 분명하게 드러나는 경우가 있다. 예를 들어 송으로부터 사리를 받거나, 어느 사찰에서 사리가 이동했다는 부분이 명기되어 있다. 그러나 14세기가 되면 사리를 얻게 된 경로가 모호해지고, 기도를 통해 사리를 얻었다는 기록이 다수이다. 당시 사람들은 염불이나 기도를 통해 사리를 얼마든지 얻을 수 있다고 믿었으며, 이 개념의 연장선상에서 왕의 장수와 국가의 안녕 역시 기도를 통해 얻을 수 있다고 믿었다. 이러한 기록을 통해 고려 말 유행한 기복시간이 사리신앙에도 반영되었음을 알 수 있다. 表受我,「高麗時代 14世紀 舍利莊嚴具 硏究」(동국대학교대학원 석사학위논문, 2016), p.27.

을 매납하는 것에 일정한 목적이나 규칙은 없었던 것으로 판단된다. (表18)은 한국에서 동경이 사리장엄구로 매납되어 있던 석탑으로 발견 유물 중 동경이 1~4점 정도 발견되었다.

表 18. 銅鏡이 舍利莊嚴具로 奉安된 韓國 石塔

번호	석탑명	시대	발견유물	소재지
1	彌勒寺址 石塔	삼국		전북 익산
2	芬皇寺 石塔	삼국	銅鏡2占[190]	경북 경주
3	皇龍寺 石塔	646	靑銅製盒, 金銅製盒, 鋮筒, 裝身具, 刀, 銅鏡3占	
4	佛國寺 三層石塔[191]	景德 10년 (751)	金銅 四角形透彫舍利外盒, 銀製 舍利外盒, 銀製 舍利內盒(無蓋), 綠琉璃 舍利甁, 金銅 直四角形 塔紋舍利盒, 香木 舍利甁, 銀製 舍利小壺, 銀製 舍利小盒, 無垢淨光大陀羅尼經, 經典, 小木塔 12占, 金銅盒 4占, 管玉, 靑銅 飛天像, 曲玉, 銅鏡 2占, 香木片, 墨, 銅環, 水晶, 玉類 多數, 油香 3占	경북 경주
5	昌林寺址 三層石塔	文聖 7년 (855)	靑銅製 經筒, 圓筒形 舍利器, 無垢淨光大陀羅尼經, 銅版記(大中九年銘 國王膺造無垢淨塔願記), 銅製鏡片, 靑黃琉璃玉類 등	경북 경주
6	月精寺 九層石塔	고려	銀製鍍金如來立像, 銀製舍利內盒, 靑銅製舍利外盒, 金銅方形香匣, 水晶製舍利甁, 舍利14科, 全身舍利經, 銅鏡4占, 紫色香囊	강원 평창
7	中原 塔坪里 石塔	고려	琉璃製舍利甁, 銀製舍利甁, 漆盒, 銅鏡2占	충북 충주
8	桐華寺 石塔	고려		전남 순천
9	內溪里 五層石塔	고려	銅鏡2占[192]	전남 장성
10	光州 西五層 石塔	고려	塔形 舍利器, 銀製 舍利壺, 舍利62科, 銅版 菩薩像 4位, 玉類, 珍珠, 香木, 寫經, 銅鏡 등	전남 광주
11	修德寺 石塔	조선	銅製盒, 全身舍利經, 銅鏡, 玉石類, 貝類, 藥草類	충남 예산

190 복천박물관,『신의 거울 동경』(2009), p.149.

191 불국사 삼층석탑 출토 동경은 화려한 사리장엄구와 함께 발견되었다. 동경은 모두 소문경으로 1점은 완형으로 크기가 작고, 연부가 넓은 편이며, 1점은 1/4만 남아 있다. 연부가 좁고 편으로 남아 있지만 완형의 크기를 추정하면 대략 16cm로 큰 편에 속한다. 연부가 좁고 크기가 큰 동경은 대부분 요대 동경에서 볼 수 있는 특징이라는 점에서 불구사 삼층석탑 출토 동경은 조성 당시 매납했다기보다는 고려시대 중수 과정에서 석탑에 봉안한 것으로 추정된다.

192 이난영, 앞의 책(2006), pp.111~112.

석탑 조성 시기가 고려 이전인 미륵사지 석탑, 불국사 삼층석탑에서 동경이 발견되었으며, 고려시대에는 월정사 구층석탑, 광주 서오층석탑, 내계리 오층석탑에서 동경이 매납되어 있었다. 각 석탑에는 적게는 2점, 많게는 4점의 동경이 사리장엄구로 발견되었으며, 종류는 소문경이 많고, 월정사 구층석탑 발견 동경 4점과 같이 모두 다른 문양 동경으로 구성되어 있는 경우도 있다.

表 19. 月精寺 九層石塔 發見 銅鏡目錄

명칭	시기	형태	크기	안치 위치(동합기준)
雙龍紋鏡	고려	원형	19.4cm	底面
波紋鏡(花紋鏡)	고려	원형	11.4cm	西面
'光流素月'銘鏡	고려	원형	11.9cm	北面
素紋鏡	고려	원형	11.5cm	東面

고려시대 석탑에서 동경이 발견된 사례는 평창 월정사 구층석탑 발견 동경이 있다. 총 4점의 동경이 발견되었으며, 그 종류는 모두 다르다. (表19)는 월정사 구층석탑 발견 동경목록으로 '光流素月'銘鏡(圖20), 素紋鏡(圖21), 雙龍紋鏡(圖22), 波紋鏡(圖23)으로 구성되어 있음을 알 수 있으며, 크기는 지름이 19.4cm인 쌍룡문경을 제외하면 11cm내외로 비슷한 크기이다. 동경들은 사리함의 아래, 동, 서, 북면에

圖20. '光流素月'銘鏡, 高麗, 徑11.9cm, 월정사성보박물관

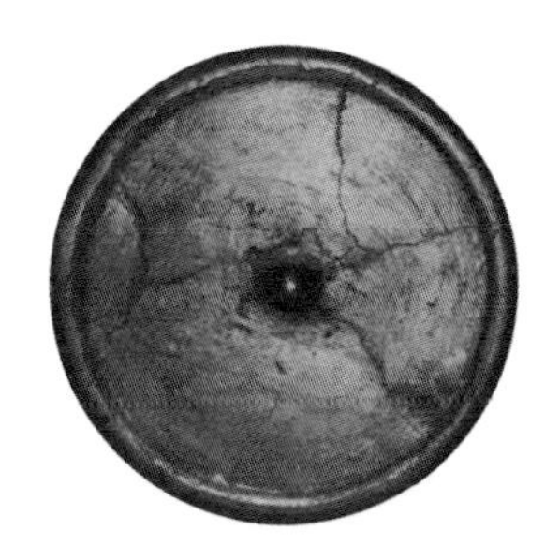

圖21. 素紋鏡, 高麗, 徑 11.5cm, 월정사성보박물관

圖22. 雙龍紋鏡, 高麗, 徑 19.4cm, 월정사성보박물관

圖23. 波紋鏡(花紋鏡), 高麗, 徑11.4cm, 월정사성보박물관

배치되어 있었다. 쌍룡문경은 중국과 고려에서도 보기 드문 문양구성으로 주조, 문양상태 모두 양호해 일상생활에서 사용한 것은 아닌 것으로 생각된다. 쌍룡문경은 두 마리의 용이 서로 마주 보는 형상으로 있으며, 연부를 따라 화문대가 있다. 고려시대 쌍룡문경은 대부분 요대 영향이 컸으며, 크기가 크고 태극뉴 보주표현과 연부를 따라 화문대가 있는 것이 특징이다.

그리고 명문이 외구 대를 형성하며 둘러져 있는 서수문경은 20자의 명문 앞 글자를 따라 '광류소월'명경이라고도 칭한다. 이 동경은 漢式鏡으로 굵은 계권으로 외 · 내구로 나뉘며, 외구에는 명문이 있고, 내구에는 4마리 서수가 둥근 뉴를 중심으로 둘러져 있다. 그리고 소문경은 둥근 연부와 문양이 없는 면 그리고 둥근 뉴로 이루어져 있다. 석탑 내에서는 문양이 있는 동경보다 소문경의 발견이 많아 월정사 석탑에서도 문양이 있는 3점과 함께 소문경을 넣어 이러한 경향을 따랐음을 알 수 있다.

4점의 동경 중 파문경(화문경)은 그 예가 적으며, 문양도 작은 점으로 된 가는 곡선이 반복적으로 표현되어 있다. 이 동경의 문양은 무엇을 표현한 것인지 명확히 알 수 없어 소장처마다 다양한 명칭을 사용하고 있는 실정이다.

월정사 석탑 출토 동경은 사리함을 둘러싸듯 배치되어 있어, 사리장엄구로써 동경의 배치방식을 알 수 있는 사례로 관심을 모았으며, 이에 대해 학자들의 의견이 개진되기도 했다.[193]

3) 占卜의 機能

卜을 치는 무속적 방법에서도 동경이 등장한다. 중국에서는 '鏡聽詞'를 통해 동경으

193 이송란, 앞의 논문, pp.88~97.

로 새해 점을 친다. 그리고 한국에서는 황해도 굿에서 거울을 사용했음을 알 수 있다.

고려시대 동경이 점을 치는 무속적 방법에 사용했다는 직접적 기록은 없다. 다만, 현존하는 무속신앙에서 그 사용 예가 있고, 이는 오랜 기간 한국에서 이어져 내려온 신앙형태라는 점에서 고려시대에도 무속신앙에서 동경의 사용이 있었음을 짐작할 수 있다.

중국의 鏡聽詞는 경청을 노래한 것으로 점치는 방법 가운데 하나이다. 섣달 그믐날이나 정월 초하루에 가슴에 거울을 품고 문밖으로 나가 사람들 말을 듣고서 길흉을 점치는 것으로 후대에는 이를 響卜이라고 했다. 이러한 경청을 소재로 한 시가 당대에 지어졌으며, 대표적으로 李廓『鏡聽詞』가 있다.

李廓『鏡聽詞』[194]

상자 속 거울 꺼내 조왕신께 아뢰고서	匣中取鏡辭竈王,
비단옷 속에 넣어 밝은 달빛 다 가렸네.	羅衣掩盡明月光。
이제까지 항상 드러내 안색을 비췄지만	昔時長著照容色,
오늘 밤은 장차 숨어서 소식을 들으리라.	今夜潛將聽消息。
칠흑 같은 문 앞에 찾는 이는 드물지만	門前地黑人來稀,
길을 잘못 든 사람 없다면 곧 오겠지요.	無人錯道朝夕歸。
깊은 밤 허약한 몸 쇠처럼 차가워도	更深弱體冷如鐵,
모란꽃 능화경[195]은 가슴속에 따뜻하네.	綉帶菱花懷裏熱。

194『御定全唐詩』卷479

195 원문은 '綉帶菱花'이다. 능화는 菱花鏡을 이르는데, 이 동경은 모란문이 새겨진 능화형 동경으로 보인다. 수대는 정확한 뜻을 파악하기 어려우나『東國李相國後集』제3권에 수록된「山呼亭牡丹」시에 화답해 보내온 것을 보고 차운하다「次韻李平章 仁植 和山呼亭牡丹見寄」라는 시에서 '綉帶는 모란 이름이다.'라고 한 것을 참고할 수 있다.

거울 거울마다 신령함 깃들어있다면	銅片銅片如有靈,
행인의 천리 밖 모습 비춰 보여주오.	願照得見行人千里形。

이곽의 경청사는 내용에서 경청의 방식을 대략적으로 알 수 있는데, 거울함에 보관해 놓았던 거울을 꺼내 조왕신께 알리고, 이를 가슴에 품고 밖에서 들리는 소리에 귀를 기울여 점을 친다. 이는 거울이 평소에는 얼굴을 비추는 생활용품이지만 새해에는 거울이 신령스러운 기물로써 점을 치는 도구로 사용했다.

한국에서 동경을 무속신앙에 사용한 경우로 엥경이 있다. 엥경은 굿을 연행하는 도중 특별한 거리에서 손에 들고 춤을 추면서 사용하는 동경이다. 황해도 만구대탁굿 말명거리에서 사용했으며, 옛날 큰 만신들이나 가지고 있었다고 한다.[196] 또한 황해도 지역의 무속의례에서는 '명두'라는 神鏡이 사용된다. 명두는 일반적으로 청동으로 만드는데, 거울의 면이 약간 둥글게 튀어나온 것이 오래된 형태이다. 뒷면에는 해와 달, 칠성 등이 그려져 있는 것도 있고, 일월성신과 같은 문자가 쓰여 있는 것도 있다.[197]

2. 副葬用 機能

1) 副葬目的

생활 중의 동경이 그대로 장례의식에 사용되기도 했으나, 어떤 때는 특별히 제

---

196 하정숙, 「韓 · 日 銅鏡文化의 샤머니즘적 성격에 관한 연구」(한양대학교대학원 박사학위논문, 2010), p.97.

197 박원모, 「민속 현장에서의 동경 : 황해도 무속의 경우」, 『한반도의 청동기제작기술과 동아시아의 고경』(국립경주박물관, 2007), p.216.

작되었다. 西安의 당대 李爽墓에서는 徑 4.1cm인 작은 동경 3매가 출토되었는데, 2매의 뒷면은 톱니형 화문이 장식되었고, 한 매는 무늬가 없다. 西安 출토 唐代 李鳳墓 작은 동경은 徑 3.5cm이다. 또한 서안 당대 李壽墓에서는 묘실 북쪽의 두 가장자리에 놓인 작은 동경이 각 한 매씩 발견되었다. 이러한 작은 동경은 생활 중의 용도로 적당치 않아 특별히 제작된 장례용 기물로 보인다. 서안 동교 당대 溫綽墓에서도 작은 동경 10매가 발견되었는데, 이 동경들은 출토 당시 목각용과 칠기 사이에 놓여졌으며, 동경 위에도 나무파편이나 붉은 칠의 흔적이 남아있어 목각용의 장식이나 칠기의 물품으로 쓰인 듯하다. 이 역시 액을 쫓는 기물로 짐작된다. 이러한 동경들은 형태만 동경일 뿐 생활에서 쓰이는 얼굴을 비추는 용도가 아니라 특수한 용도로 제작된 것이다. 또한 송대 문헌에 "거울을 관의 덮개에 걸어 죽은 이를 비춘다. 이로써 광명을 취하고 어둠을 물리친다."는 기록이 있어, 거울이 망자의 안위를 위해 부장품으로 사용되었음을 알 수 있다.[198]

또한 중국 요대에는 초기 귀족층의 무덤에 동경을 부장하기 시작해 중 · 후기가 되면 민간에까지 확대되어 동경을 무덤에 매장하는 것은 장례풍습의 한 부분으로 자리 잡았다. 요대 부장품으로 사용된 동경의 특징은 벽이나 천장에 거울을 걸어놓는 경우가 있다. 應力9年 赤峰大營子駙馬墓 出土 四蝶連球龜背紋鏡은 뉴에 쇠고리를 이용해 천장에 걸어두었다. 또한 중기 張家營子墓 중에는 6점의 동경이 출토되었으며, 그 중 5점은 묘실 벽 네 군데에 크기가 같은 連球龜背紋鏡을 네 벽에 걸었고, 한 점인 迦陵頻伽紋鏡은 거울 가운데 구멍을 뚫어 천장에 매달았다. 그리고 나머지 한 점은 牡丹花紋鏡은 死者의 신체 옆에 두었다.[199] 동경을 벽이나 천장에 걸어두는 것에 대해서는 불교적 '法鏡'으로 당시 요가 불교를 숭앙했던 사회적 분위기를 반영한 것으로 생각해볼 수 있으며, 이는 당시 건립된 답의 외벽과

---

198 齊東方, 앞의 논문, pp.52~53.

199 柳淑娟,『遼代銅鏡研究』(沈陽出版社, 1998), p.181.

내부 벽에 동경을 매달아놓은 현상과도 연관성이 있을 것으로 보인다. 또한 사자의 신체 혹은 주변에 동경을 놓는 것에 대해 벽사의 기능으로 송대 망자의 안위를 위해 거울을 넣은 것과 같은 맥락으로 보여, 요대 부장품으로써의 거울은 다양한 개념을 갖고 이용했을 것으로 판단된다.

시대적 차이는 있으나, 고려시대 거울을 부장품으로 사용했음을 알 수 있는 조선시대 기록이 있다. 『林下筆記』第33卷「華東玉糝編」'八角鏡'에서 고려시대 성행한 호주경을 부장품으로 사용했음을 알 수 있으며, 내용은 다음과 같다.

> 金尙古堂 金光遂의 손자 金魯鍾이 그 형 泰仁君 金萬鍾을 長湍의 산속에 장사 지내려고 묏자리를 파다가 옛날 사람의 순장물과 宋나라 錢을 발견하였다. 송나라 전이 수백 개인데, 모두 元豐通寶로서 곧 靑苗錢이었다. 팔각경 한 면에 '湖州眞正石念二叔照子鑑人面淸如明'이라는 銘이 새겨져 있었다. 참으로 기이한 물건이었다. 옛날 사람은 대부분 '如' 자를 '而' 자로 활용하였다.[200]

내용에서 보면, 김광수의 손자 김노종이 그 형 김만종의 묘를 마련하기 위해 묘자리를 파다가 고려시대 묘를 발견한 것으로 추정된다. 그 무덤의 부장품은 북송 원풍연간에 제작된 元豐通寶(1078~1085) 수백 개와 북송대 제작되기 시작했으나 남송대 성행하여 제작된 호주경이다. 특히 호주경에 새겨진 '湖州眞正石念二叔照子鑑人面淸如明'이라는 명문은 '湖州眞正石 念二叔照子'와 '鑑人面淸如明'으로 나누어 볼 수 있다. 첫 구절은 중국 호주에서 가장 큰 鏡匠집단인 '石家'에서 제작한 거울임을 표시하고 있으며, 두 번째 구절은 거울이 얼굴을 청명히 비춘다는 내용으로 거울의 성능이 뛰어남을 광고하는 문구이다. 이 묘의 부장품이 동경과 동전이라는 점은 송대 부장풍습과 유사해 이 역시 사자를 밝게 비추어주기 위한 목적

200 『林下筆記』第33卷「華東玉糝編」

으로 거울을 무덤에 넣은 것으로 보인다.

2) 副葬用 銅鏡의 種類

고려 동경 중 출토품은 개성부근 혹은 고려고적 출토로 알려진 경우 다양한 제재의 동경이 발굴되어 고려의 수도였던 개성에 유입되거나 제작된 동경의 수량이 압도적으로 많음을 알 수 있다. 반면, 현재 한국에서 출토된 고려 동경은 고려시대 분묘에서 발굴되는 경우가 다수이며, 사지에서 출토되는 예가 간혹 있다.[201] 현재 출토된 동경의 종류는 개성출토 동경에 비해 문양이 다양하지 않고, 동경의 질도 떨어져 정교함이 떨어진다.

지방 유적에서 발견된 고려동경의 종류는 銘文文에 속하는 家常富貴銘鏡과 호주명경, 범자문경 植物文의 국화문경, 당초문경, 초화문경, 보상화문경 動物文의 쌍룡문경, 쌍어문경, 쌍운학문경, 서화쌍조문경, 鳥雲紋鏡, 해수문경 人物 · 故事文의 동자유희문경, 황비창천명경 幾何學文의 連珠紋鏡, 칠보문경 기타의 소문경, 圓形懸鏡 등이다. 지방 분묘 출토 동경은 식물문과 동물문에 속하는 동경류가 다수를 차지하며, 고려시대 중국에서 많이 전래된 인물 · 고사문경은 그 예가 적은 편이다. 그리고 기하학문인 칠보문경은 한 가지 유형만이 유통된 것으로 확인된다.

식물문으로 보상화문, 국화문이 많은 편이나 주조 상태가 좋지 않아 문양의 정확한 확인이 어려운 경우가 많다. 보상화문이나 당초문은 덩굴이 이어지는 문양 속에 잎이나 꽃이 표현된 것으로 당대 성행하기 시작해 송대 많은 화문과 결합하여 제작되었다. 하지만 지방에서 출토된 보상화문경이나 당초문경은 꽃이 표현된

201 본 연구에서는 개성부근 출토 동경은 문양과 기형에서 당시 중국에서 제작된 대부분의 동경과 동일한 양상을 보인다. 이에 반해 현재 한국에서 출토된 동경은 개경이나 중국을 통해 유입된 동경이 보편화 된 양상을 보여 이를 중점으로 출토 동경의 종류를 정리해보고자 한다.

동경인 것을 인식할 수 있을 정도의 문양만 남아 있는 상태라는 점에서 자세한 확인이 어려운 실정이다. 이중 국화문경은 국화꽃이 겹겹이 화면 가득 채운 구성으로 동경을 장식했다. 계권을 중심으로 외구와 내구로 나뉘나 이와 상관없이 모두 국화문이 있다. 다만, 내구는 꽃들이 겹치게 표현되었으나, 외구는 일주하는 형식으로 꽃들이 있어 문양대를 형성한다.

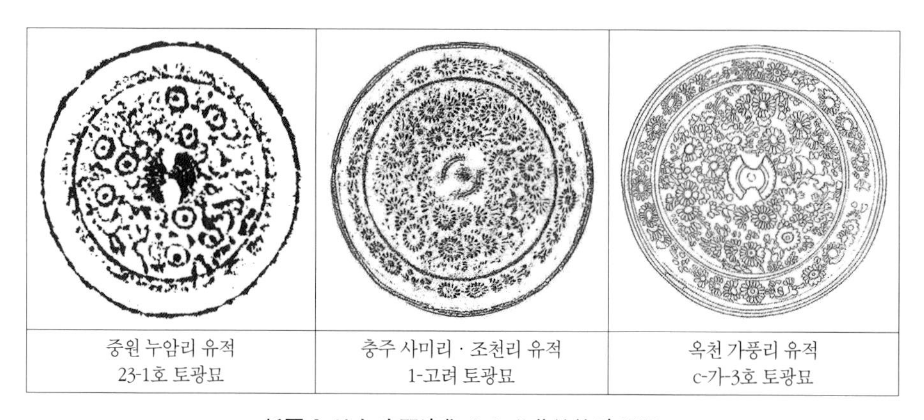

중원 누암리 유적 23-1호 토광묘	충주 사미리 · 조천리 유적 1-고려 토광묘	옥천 가풍리 유적 c-가-3호 토광묘

插圖 6. 地方 高麗墳墓 出土 菊花紋鏡의 種類

중원 누암리 유적과 충주 사미리 · 조천리 유적, 옥천 가풍리 유적에서 이와 같은 국화문경이 출토되었다(插圖6). 모두 원형으로 앞서 설명한 바와 같이 계권으로 외구와 내구로 나뉘며, 국화문으로 가득 채웠다

동물문으로는 서화쌍조문경이 다수이며, 이 동경은 고려시대 지방분묘 혹은 사지 등에서 출토되는 예가 많아 지방에서 성행했던 종류의 동경이다. 하지만 주조상태가 불량하고, 개성부근 출토 동경들이 0.5cm로 두터운 편인 반면, 이 동경들은 0.1cm으로 매우 얇아 부서지는 경우도 있다. 두 마리의 새가 뉴를 중심으로 대칭형으로 배치되어 있으며, 그 사이를 화려한 화문이 장식한 동경이다. 팔릉형과 오화형, 원형 등이 있으며, 팔릉형이 대부분이다.

쌍룡문경도 고려시대를 대표하는 동경인 만큼 지방에서 출토 예가 있다. 출토된 쌍룡문경은 고려시대 수량이 많은 동경류이다. 계권을 중심으로 외구와 내구로 나뉘어 내구에는 쌍룡과 태극문 보주가 있고, 외구에는 운문이 있는 동경이 있다. 그 예로 청도 대전리 유적 19호 토광묘와 청주 용암 유적Ⅱ 57호 토광묘 출토 동경이 있다. 그리고 연길 갈운리 유적 쌍룡문경은 용이 구불거리는 몸을 통해 형태는 확인 가능하나 세부표현은 파악하기 힘들다. 공주 정지산 유적 쌍룡문경은 편만 남아 있으나, 남은 부분에 뉴를 향해 앞발을 들고 목을 구부린 용이 확인된다.

춘천 삼천동 출토	충주 종민동 출토	청주 율량동 출토

插圖 7. 地方 出土 '煌丕昌天'銘鏡 種類

인물 · 고사문으로는 '황비창천'명경이 있다. 이 동경 역시 쌍룡문경과 함께 고려를 대표하는 동경으로 현존수량이 많아 고려에서 크게 성행했음을 알 수 있다. 이 동경은 팔릉형, 원형으로 제작되었으며, 대부분 팔릉형에 속한다. 지방 출토 '황비창천'명경은 춘천 삼천동 출토, 논산 취암동 출토, 충주 종민동 출토품이 있으며, 동전과 함께 출토된 경우도 있다(插圖7).

국립춘천박물관 소장 '황비창천'명경은 춘천 삼천동에서 출토된 동경으로 출토 당시 崇寧年間(1102~1106)에 주조된 宋錢이 함께 발견되었다. 숭녕통보는 初鑄年이 1102년이라는 점에서 이 동경이 상한을 설정할 수 있다.[202] 또한 청주 율양동

202 최주연, 앞의 논문(2016), p.110.

역대골 132호 토광묘 출토 '황비창천'명경은 팔릉형경의 문양을 원형으로 제작한 예로 원형경 중 이러한 예가 없으며, 이 동경 역시 동전과 함께 출토되었다. 출토된 동전은 天聖元寶(1023~1031), 熙寧元寶(1067~1085), 崇寧重寶(1102~1106)로 동전은 시기를 통해 이 동경이 12세기경에 제작 혹은 매납되었을 것으로 추정된다.

그 외, 쌍운학문경, 쌍어문경, 쌍룡문경 등은 지방에서 제작하기보다는 중앙인 개성에서 전래된 물품으로 생각되며, 서화쌍조문경, 칠보문경, '황비창천'명경 등과 같이 지방에서 출토 수량이 많고, 문양변화가 거의 없는 이러한 종류는 지방에서 사주로 대량생산, 유통했을 것으로 생각된다.

3) 副葬位置

중국 분묘에서는 동경이 피장자의 머리, 가슴 혹은 발 아래 등 다양한 위치에서 발견되어 이를 통해 매납 동경의 성격을 벽사의 기능으로 보기도 한다. 우리나라 지방 분묘에서도 발굴을 통해 동경의 부장위치를 파악하고자 했으며, 본 논문에서도 앞서 살펴본 유적 중 대표적으로 경주 물천리 유적, 청도 대전리 유적, 현곡리 유적의 출토 동경을 통해 부장위치를 살펴보고자 한다.

表 21. 慶州 勿川里 遺蹟 出土 銅鏡 副葬位置

동경종류	출토유구	부장위치	동경종류	출토유구	부장위치
瑞花雙鳥紋鏡	Ⅱ-15호	발부분 아래	七寶紋鏡	Ⅱ-40호	복부 좌측
七寶紋鏡	Ⅱ-21호	머리 아래	方形素紋鏡	Ⅲ-11호	머리 좌측
四乳方廓紋鏡	Ⅱ-34호	복부 우측	花紋鏡	Ⅲ-15호	머리 아래
銅鏡	Ⅲ-17호	복부 좌측			

(表21)은 경주 물천리 유적 출토 동경의 부장위치이다. 7점의 동경은 머리 아래,

좌측, 복부의 좌, 우측, 발 아래에서 발견되었으며, 머리와 복부 부분에서 출토된 예가 많다. 동경이 발견된 유구에서는 동곳, 동전, 청자, 도장 등이 함께 부장되어 있으며, 다른 유구에 비해 유물 양과 종류가 다양한 편이다.

表 22. 淸道 大田里 遺蹟 出土 銅鏡 副葬位置

동경종류	출토유구	부장위치	동경종류	출토유구	부장위치
瑞花雙鳥紋鏡	7호	서장벽 앞	童子遊戲紋鏡	21호	서장벽 앞
花紋鏡	14호	남단벽 앞	四乳瑞鳥紋鏡	29호	북단벽 앞
雙龍紋鏡	19호	북서 모서리	雙魚紋鏡	Ⅰ-99호	중상부 (목관 상부)

(表22)는 청도 대전리 유적 출토 동경의 부장위치이다. 7호 토광묘에서는 북단벽 앞 피장자의 머리맡 가운데에 청동발과 녹청자병은 서쪽, 청자접시는 동쪽에 각각 1점과 청동시저 한 벌은 청동발 하부에서 출토되었다. 또한 피장자 우측(서장벽 앞) 바닥에서 동경 1점과 청자유병 1점이 출토되었다. 그리고 14호 토광묘에서는 목관 하부에서 동경 1점이 출토되었다. 19호 토광묘에서는 동경이 북서쪽 모서리에서 장벽에 기대어 동면이 동쪽으로 향해 부장되어 있었다. 그 외 21호 토광묘에서는 묘광바닥 중앙에서 서쪽으로 약간 치우친 위치에서 발견되었으며, 29호 토광묘에서는 북단벽 앞에서 동경이 발견되었다.[203]

청도 대전리 유적은 고려시대와 조선시대 분묘가 함께 발굴된 유적이기에 시대별 분묘 양상을 비교하여 그 특징을 도출할 수 있다. 이 유적에서 고려시대 유구는 동경, 동곳 등이 출토된 반면 조선시대 유구에서는 동전, 족집게 등이 출토되었다.[204] 또한 벽사적 성격의 부장품으로 철편이 고려시대 토광묘에서만 확인된다. 이 철편은 동경과 함께 출토된 예가 많아 이 유물들은 동일한 성격으로 매납

203 성림문화재연구원,『淸道 大田里 高麗 · 朝鮮墓群 Ⅰ』(2008), pp. 52~91.
204 ______________, 위의 책, p.153.

되었을 가능성도 있다.

청도 대전리 유적에서 출토된 유물들은 머리맡, 피장자 우측과 좌측, 발치 주변, 감실 등에서 발견되었다. 고려시대 토광묘는 머리 중앙과 발치에서 출토된 유물이 많았다. 대표적으로 7호 토광묘 부장품 위치를 보면, 앞서 언급한 것과 같이 피장자의 머리 부근에서 발견되었다는 점과 동곳이 발견된 점 등은 고려시대 부장양상을 따르고 있음을 알 수 있는 특징이다(插圖8).

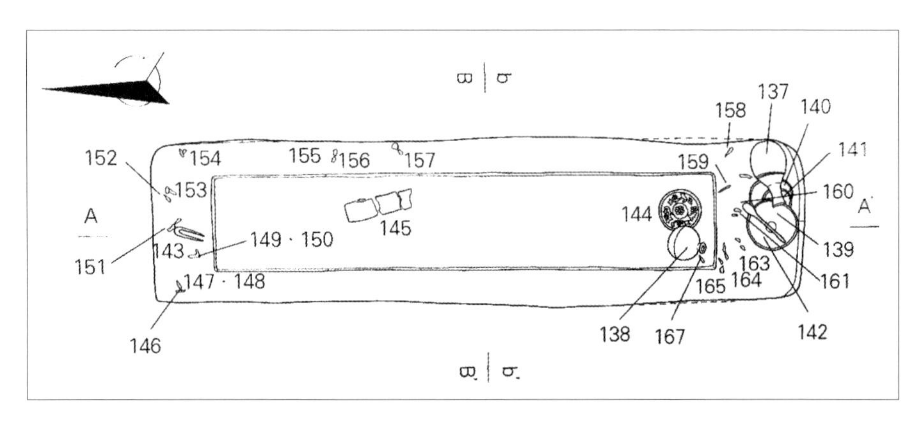

插圖 8. 清道 大田里 7號 土壙墓 副葬品 位置

단양 현곡리 유적의 동경은 24호 토광묘의 피장자 머리뼈 좌, 우측에 철제가위와 동경이 1점씩 있었으며, 27호 토광묘에서도 피장자 머리 아래 동경이 있고, 그 아래 청동손칼이 묻혀 있었다. 널무덤 3호에서는 발부분에 동경이 매납되어 있었으며, 동곳이 머리에 꽂혀 있는 상태로 발견되었다.[205] 현곡리 유적의 동경은 다른 유적과 같이 피장자의 머리 부분 혹은 발 부분에 동경이 매납되어 있으며, 철제가위, 동곳과 함께 발견되는 경우가 많다. 이는 피장자가 여성인 경우로 살았을 때 사용한 가위, 비녀 등을 함께 묻어준 것이다.

205 서울시립대박물관 · 한국도로공사,『丹陽 玄谷里 高麗古墳群』, pp.160~197.

살펴본 유적에서 출토된 동경의 부장위치는 머리 부분, 복부 부분, 발 부분의 좌, 우 혹은 밑면이며, 다양한 유물과 함께 부장되었다. 함께 부장된 유물은 보통 동곳, 철제가위, 청동숟가락 등으로 피장자가 사용했던 물건들을 한지 혹은 천으로 감싸서 매장한 경우가 있다. 동경의 부장위치는 각 유적마다 머리나 발 부분으로 위치가 갖는 의미가 없어 고려시대 부장품의 매납위치는 일정한 형식이 없었던 것으로 생각된다. 이러한 측면에서 보면 동경 역시 공반유물과 함께 일괄 같은 위치에 부장되었던 것으로 보인다. 다만, 분묘의 주인이 여성인 경우 머리맡에서 동경과 동곳 등이 출토되는 예는 두 도구 모두 머리부분을 치장하기 위해 사용되던 물품이기에 이와 관련하여 함께 매장한 것으로 생각된다. 또한 신체 밑, 복부 등에 동경을 넣은 것은 동경을 통해 벽사의 기능으로 사용했을 가능성도 있다. 동경은 나쁜 것을 비추고, 이를 막을 수 있는 기물로 여겨져 벽사의 의미를 갖고 있다. 이에 따라 피장자가 동경의 부장위치는 피장자의 머리 아래, 머리 좌측, 복부 좌측과 우측에서 출토되었으며, 발 부근에서도 출토되어 부장위치에 있어 정형성은 없었던 것으로 생각되나, 신체 근처에 두었다는 점은 부장자의 내세를 밝게 비추거나 나쁜 것을 막기 위한 용도였을 가능성이 있다.

V. 高麗 銅鏡의 形態와 文様

1. 高麗 銅鏡의 形態

동경의 기본 형태는 대부분 원형이지만, 당 · 송대 이후 다양한 형태의 동경이 제작됨에 따라 같은 주제라고 해도 외형이 다른 경우가 생겨났다. 이에 동경형태 역시 동경을 연구함에 있어 주요한 특징으로 자리 잡았다. 고려동경에서 보이는 형태를 정리해 그 특징을 살펴보고자 한다.[206]

(表23)은 고려동경에서 보이는 형태를 14가지로 분류했으며, 분류 속에서도 다양한 형태가 존재해 대표적 형태를 정리했다. 동경의 기본형은 원형으로 오랜시간 동안 많은 수량의 동경이 둥근 형태로 제작됐다. 당대 능형, 화형 등 다양한 형태가 나타나기 시작했고, 송대에는 도형, 종형, 팔각형, 정형 등 고동기를 모방한 형태의 동경이 제작되면서 형태는 더욱 다채롭게 변화했다.

206 동경의 기형분류는 기본적으로 원형, 화형, 능화형, 규화형, 방형, 병형, 도형, 아자형, 종형, 정형 등으로 나눌 수 있다. 이와 더불어 운형, 대좌형 등 특수한 형태도 있어 송대 이후 동경 제작기술의 발전과 함께 그 형태에도 많은 변화를 주고자 했음을 알 수 있다.

表 23. 高麗銅鏡 形態分類[207]

鏡形	形態
圓形	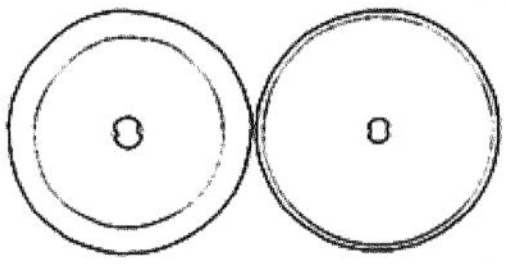
方形	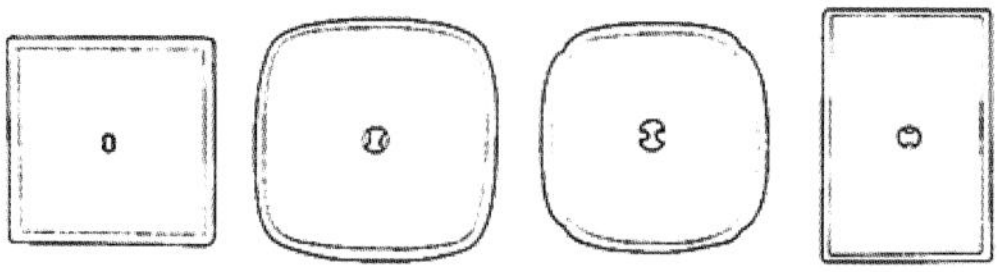
菱形	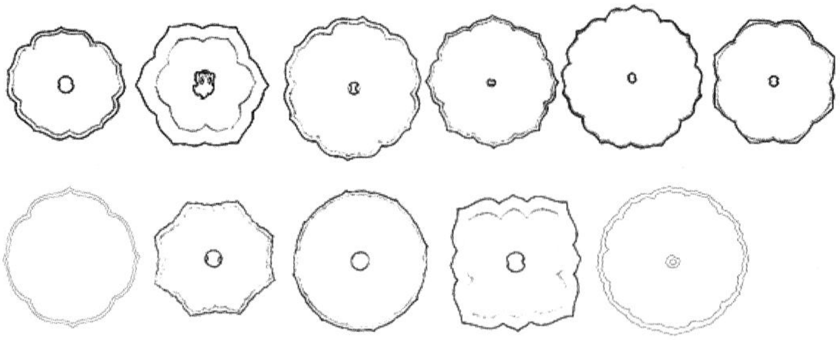
花形	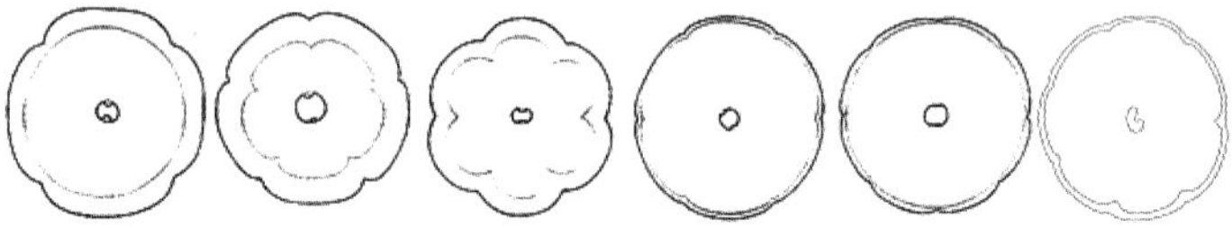
菱角形	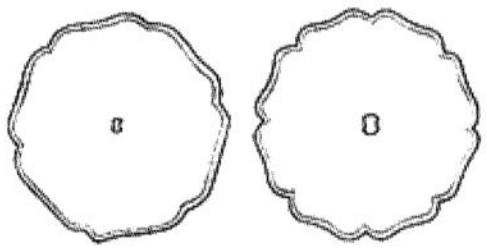
亞字形 (隅入方形)	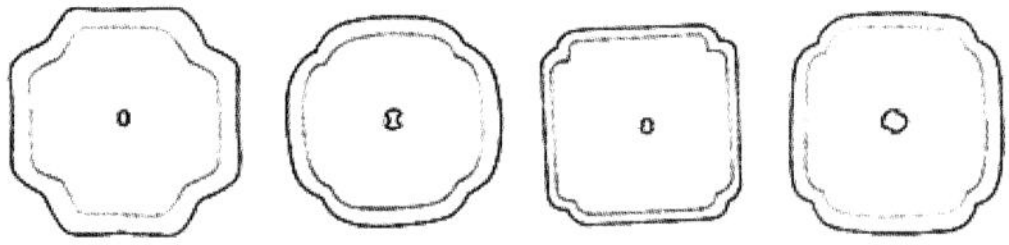

207 『國立歷史博物館藏 歷代銅鏡』에 수록된 (표2)의 동경형태 중 고려동경에서 볼 수 있는 형태정리와 더불어 『韓國의 銅鏡』, 『朝鮮古蹟圖譜』 수록 동경을 정리해 형태별로 재구성했다. 『國立歷史博物館藏 歷代銅鏡』(國立歷史博物館, 1996), pp.60~61 ; 이난영, 앞의 책(2006), p.199~205 ; 朝鮮總督府, 『朝鮮古蹟圖譜』卷9(靑雲堂, 1929), pp.1193~1206.

桃形	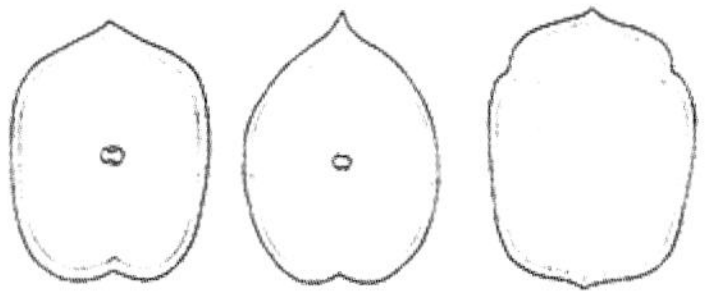
八邊形	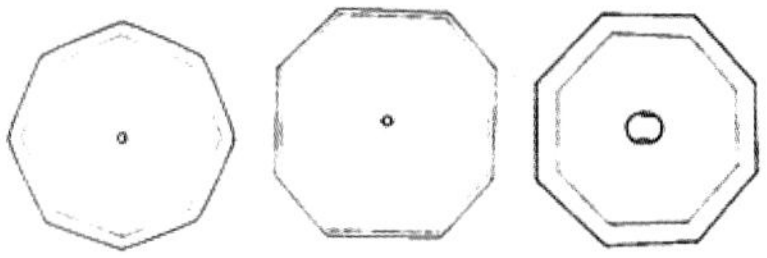
八角形	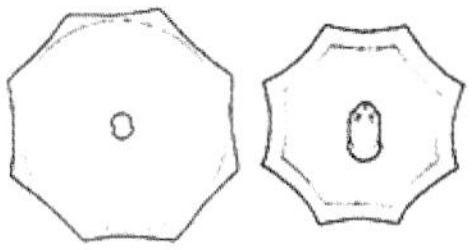
鐘形	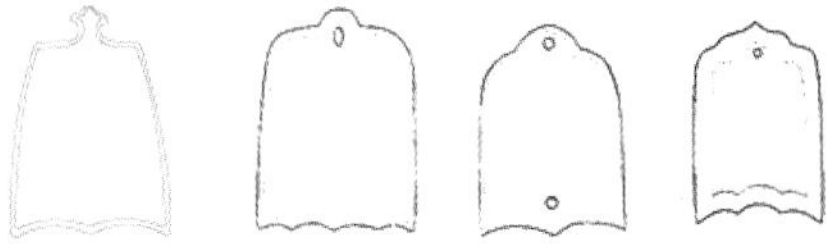
鼎形	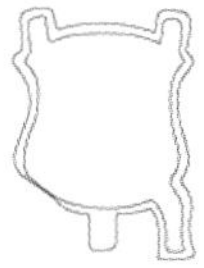
雲板形	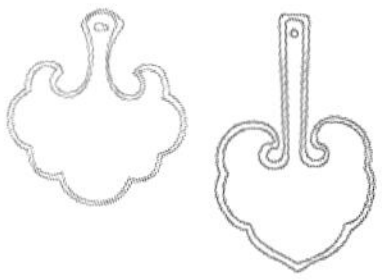
甁形	
懸形	

圖24. 十二菱素紋鏡, 高麗, 徑27.0cm, 국립중앙박물관 (덕수4789)

圖25. 蓮唐草紋鏡, 高麗, 徑 22.4cm, 국립중앙박물관 (덕수 879)

圖26. 雙雀鶴紋鏡, 高麗, 徑 7.6cm, 국립중앙박물관 (덕수2846)

고려동경에는 원형과 능형이 많은 편으로 원형은 연부와 뉴가 있는 기본형태인 경우가 많으며, 능형경은 팔릉형에 계권으로 외, 내구를 나눈 경우가 많다. 특히 고려동경 중 능형으로 十二菱形鏡이 있다. 국립중앙박물관 소장 십이릉형경(圖24)은 개성부근 출토 동경으로 문양이 없고, 작은 뉴가 달려 있는 22.4cm 큰 크기의 동경이다. 또한 국립중앙박물관 소장 蓮唐草紋鏡(圖25) 역시 십이릉형으로 연화문 뉴좌를 중심으로 4송이의 연화가 사방으로 당초와 함께 장식되어 있는 동경이다. 이와같이 릉이 많게 구성된 형태는 중국에서도 그 예를 보기 힘들어, 십이릉형은 고려에서 제작한 형태로 생각된다.

화형은 서화쌍조문경에 오화형이 있으며, 반룡경, 보상화문경, 소문경 등은 팔화형으로 제작된 예가 많다. 화형경 중 학과 참새가 대칭으로 표현된 동경이 있다. 국립중앙박물관 소장 雙鶴雀紋鏡(圖26)은 七花形으로 계권이 있고, 외구에 2마리씩 학과 참새가 표현되어 있다. 당대 유행한 두 종류의 새가 표현된 동경은 대부분 팔화형으로 구성되어 있는 게 특징이다. 이에 반해 이 동경은 칠화형이라는 흔하지 않은 형태를 갖고 있다는 점에서 이 역시 고려에서 형태변화를 준 동경으로 추정된다.

懸形은 원형 윗부분에 매달 수 있는 운판형의 걸이부분이 있어 끈으로 묶을 수 있도록 만든 懸鏡이 있다. 국내에는 다수 있으나, 중국에서는 그 예를 찾기 힘든 종류로 연부를 따라 蓮板紋, 回紋, 八卦紋 등이 장식되어 있다. 국립중앙박물관 소장 回紋懸鏡과 국립중앙박물관 소장 八卦紋懸鏡은 8~10cm 크기의 거울로 작으며, 거울 윗면에 걸이가 있어 휴대용으로 가지고 다녔거나, 의식용으로 매달기 위해 제작했을 것으로 생각된다. 걸이부분은 운판형이나 동경마다 형태가 제각기 달라 이 부분 역시 장인의 역량에 따라 표현된 것으로 보인다.

송대에는 정형, 종형, 병형 등의 형태를 갖춘 동경 제작이 활발해진다. 이는 당시 성행한 고동기 수집과 이를 연구하는 사회풍조를 반영한 것으로 생각되며, 이러한 동경이 고려에도 전래되었다. 하지만 중국에서 성행했던 것에 비해 고려에서는 크게 성행하지 않았던 것으로 생각된다. 고려는 불교를 중심으로 문화가 향유되던 시기였던 만큼 유교적 기물인 방고동기에 대한 관심은 약했으며, 이를 향유하는 계층 역시 한정적이었던 것으로 보인다.

고려동경의 형태는 원형과 능형을 기본으로 하여 많은 형태가 존재했으며, 대부분 중국 동경의 형태를 그대로 받아들여 사용했다. 대부분 중국 동경을 원경으로 삼아 제작했던 것을 감안하면 동경형태가 중국과 동일한 것은 당연한 결과이기도 하다. 하지만 고려동경 중에는 십이릉형이나 칠화형 등과 같이 기존에 보기 힘든 형태를 제작해 문양을 구성한 동경이 제작되었으며, 문양구성은 동일하나 형태만 바꾸는 식의 형태변화를 시도했다. 따라서 고려시대에는 문양구성의 변화뿐만 아니라 동경 형태 변화도 시도함에 따라 중국과는 구별되는 고려동경 제작을 추구했음을 알 수 있다.

2. 高麗 銅鏡의 主題

중국 송 · 요 · 금대에는 각 국가에서 선호했던 주제가 동경으로 제작되었으며, 서로 비슷한 주제를 선호하기도 하고, 각 국가의 특성을 보여주는 주제를 동경으로 제작하기도 했다. 동경의 주제는 크게 動物文, 植物文, 人物 · 故事文, 文字文, 道教 · 佛教文, 幾何學文으로 나눌 수 있으며, 세부적으로는 그 종류를 파악하기 힘들 정도로 많은 동경들이 제작되었다. 이중 송 · 요 · 금대 대표적 동경을 분류해 각 국가별 선호했던 주제에 대해 알아보고, 이를 토대로 고려에 유입된 동경들의 주제를 파악해보고자 한다.

表 24. 中(宋 · 遼 · 金) · 韓(高麗) 銅鏡 主題別 比較[208]

	類型	銅鏡名	宋	遼	金	高麗
動物文	瑞獸文	瑞獸紋鏡	○	○	○	
		瑞獸葡萄紋鏡	○	○	○	○
		雙獸雙鵲紋鏡	○			
		四神紋鏡	○		○	○
		盤龍紋鏡	○	○	○	○
		雙龍紋鏡	○	○	○	○
		爐形雙龍紋鏡	○			
		四龍紋鏡		○		○
		魚龍紋鏡	○	○	○	○
		摩竭魚紋鏡			○	○
	鳥文	鳳凰紋鏡	○	○	○	○
		瑞花雙鳥紋鏡			○	○
		孔雀紋鏡	○		○	○
		雙鵲花卉紋鏡	○			
		鸚鵡紋鏡	○	○		○
		鴛鴦紋鏡	○		○	○
		雲鶴紋鏡	○	○	○	○
		鳳雁雲鶴紋鏡		○	○	○
	魚文	雙魚紋鏡	○		○	○

208 孔祥星,「略論中國古代人物鏡」,『文物』第3期, 文物出版社, 1998, p.64. 표〈唐宋金元人物鏡類型比較〉,『中國銅鏡圖典』,『中國銅鏡文飾』,『遼代銅鏡研究』,『韓國의 銅鏡』,『高麗鏡 研究』를 참고해 표를 작성했다.

植物文	花文	寶相花紋鏡	○	○		○
		纏枝花紋鏡	○	○	○	○
		菊花紋鏡	○	○	○	○
		牡丹紋鏡	○	○		○
		蓮花紋鏡		○	○	○
人物·故事文	日常生活文	蹴鞠紋鏡	○			
		木偶戲紋鏡	○		○	
		氣功圖紋鏡	○			
		童子紋鏡	○		○	○
	日常生活文	仕女觀魚紋鏡	○		○	○
		撫琴紋鏡			○	○
		七夕乞巧紋鏡			○	
		放風箏紋鏡			○	
	神話·傳說文	犀牛望月紋鏡	○		○	○
		牛郎織女紋鏡	○		○	
		王質觀弈紋鏡	○		○	○
		柳毅傳書紋鏡			○	○
		煌丕昌天銘鏡	○			○
		軒轅耕牛紋鏡	○			○
		許油巢父紋鏡	○		○	○
	宗教文(人物)	月宮紋鏡	○		○	○
		飛仙紋鏡	○	○	○	○
		亭閣人物紋鏡		○	○	○
		仙人降龍紋鏡	○			
		仙人渡海紋鏡	○		○	
		仙人龜鶴紋鏡	○		○	○
		杯度禪師紋鏡	○		○	○
文字文	地域名文	湖州石家鏡	○			○
		湖州石念二叔鏡	○			○
		湖州儀鳳橋石家鏡	○			○
		杭州鏡	○			○
		蘇州鏡	○			○
		高麗國造鏡	○			○
	匠人名文	都省銅坊官紋鏡	○			
	固有文字文	契丹文鏡		○		○

文字文	佛教字文	卍字紋鏡		○	○	○
		梵字紋鏡				○
		護符鏡				○
	詩文	光流疏月銘鏡	○	○		○
道教·佛教文	道教文	八卦紋鏡	○	○	○	○
		四神八卦紋鏡	○			
		雙劍紋鏡	○			○
		日月星辰八卦紋鏡	○			
		十二支二十八宿鏡	○			○
	佛教題材文	菩提樹紋鏡		○		
		迦陵頻迦紋鏡		○		○
		如來紋鏡		○		○
		菩薩紋鏡	○		○	○
		神將紋鏡			○	○
		飛天雲紋鏡		○		○
幾何學文	七寶文	七寶紋鏡		○	○	○
		四蝶七寶紋鏡		○		
		七寶花卉紋鏡	○			
	連珠文	連珠紋鏡		○		○
		連珠花紋鏡		○		○
	龜背文	四蝶龜背紋鏡		○		○

(表24)는 중국과 한국 동경의 주제별 분류와 비교로 앞서 언급한 분류를 기준으로 유형을 세분화했으며, 다시 구체적 동경으로 나누어 비교하고자 했다. 동물문은 서수문과 조문, 어문으로 구분했고, 인물 · 고사문은 인물이 등장하는 동경을 중심으로 일상생활문, 신화 · 전설문, 종교문으로 나누었다. 또한 도교 · 불교문은 주제 중 인물을 제외한 문양을 중심으로 살펴보고자 했다. 주제는 6가지의 대분류, 17개의 중분류, 76개의 소분류로 이루어져 있다. 이중 동물문과 인물 · 고사문의 비중이 크며, 그 종류도 다양하다.

동물문은 서수문이 많은 편으로 당대부터 이어진 용, 봉황, 사신 등 문양이 이후에도 이어지면서 주제는 유사하나 세부문양구성이 변하고, 다양한 문양이 혼재하면서 동경종류가 증가했다. 서수문은 당대부터 제작된 해수포도문과 서수만 표현한 동경이 있으며, 이 동경들은 대체로 송·요·금대 모두 제작되었고 고려에도 유입되었다. 특히 해수포도문경은 당대 폭발적인 성행에 힘입어 이후에도 그 제작이 꾸준했으며, 그 결과 통일신라시대부터 유입된 해수포도문경은 고려로 이어지면서 많은 수량이 남아 있다.

용문은 황제의 상징이기도 해 그 사용이 제한적이었지만, 중국에서 용문이 새겨진 동경은 그 수량은 파악할 수 없을 정도로 많이 제작되었다. 또한 종류도 반룡, 쌍룡, 사룡 등 용의 숫자에 따른 구분과 함께 어룡과 같이 형태적 특징으로도 구분되어 단일 주제 중 그 종류가 많은 동경류이다. 반룡문경과 쌍룡문경은 당대부터 제작되기 시작한 만큼 송대~금대까지 꾸준히 제작되었으며, 이는 고려시대 유입된 용문경이 다양한 특징을 갖고 있다는 점을 통해서도 알 수 있다. 이중 송대 제작된 鼎形雙龍紋鏡은 문양을 차용해 팔릉형이나 원형으로 제작한 예가 있으나, 향로형으로 제작된 사례는 많지 않으며, 송대 이후엔 그 예가 많지 않아, 이는 송대 특징적 동경임을 알 수 있다.

조문은 봉황, 공작, 기러기, 원앙, 학 등이 주제로 등장하며, 특히 봉황은 숫자, 문양표현 등에서 가장 다채로운 변화를 보인다. 이는 봉황 역시 용과 마찬가지로 왕실을 상징하는 문양으로 사람들의 선호도가 높았으며, 이는 단독으로 봉황문을 나타내는 경우도 있지만, 대부분 쌍봉황문, 사봉황문이거나, 학, 기러기, 공작과 함께 複合文으로 장식되기도 한다. 이러한 경향은 요대 鳳雁雲鶴紋鏡(圖27)에서 보이며, 다양한 문양이 봉황문과 결합해 표현되었다.

圖27. 鳳雁雲鶴紋鏡, 遼, 徑 15.8cm, 中國 遼寧省博物館

어문은 송대 동경 문양에 보이나, 송대에는 龍泉窯에서 생산된 청자에서 쌍어문이 많이 보여, 동경보다는 도자에서 선호한 문양이었던 것으로 보인다. 반면 동경의 쌍어문은 금대에 크게 성행했다. 금대에는 쌍어가 다산과 풍요를 상징한다고 보았으며, 이를 금속공예품, 도자, 동경 등의 문양으로 표현했다.

화문은 천차만별인 꽃문양이 동경 배면을 가득 장식한 예가 많으나, 꽃종류를 알 수 있는 경우는 많지 않다. 국화나 모란, 연화 등과 같이 형태적 특징이 뚜렷한 문양이 아닌 경우엔 그 종류를 알기 힘들어 纏枝花紋으로 칭하는 경우가 많다. 전지화문과 같은 화려한 꽃문양은 송을 비롯, 요 · 금대 모두 성행해 제작되었으며, 고려에도 많은 수량이 남아 있다.

인물 · 고사문은 다양한 이야기를 동경에 함축적으로 표현해 다양한 주제 중 결정적 장면을 문양의 주제로 사용한 경우가 많다. 일상생활문에서는 蹴鞠紋鏡에서 축구장면을 찾아볼 수 있으며, 신화 · 전설문에서는 우랑과 직녀가 오작교에서 만나는 장면을 표현하거나 유의가 용녀에게서 편지를 전해 받는 장면, 허유와 소부가 냇가에서 만나 대화를 나누는 장면 등 고사에서 유명한 내용을 주제로 사용했다. 이와같은 인물 · 고사문경은 당대 시작되어 송대 문학, 소설의 발전으로 자리잡기 시작했으며, 이후 금대 다양한 희곡, 소설, 극 등이 성행하면서 인물 · 고사문경은 쌍어문과 함께 금대를 대표하는 주제로 자리 잡았다.

문자문은 송대 지역명경, 거란문자가 적힌 동경, 불교 관련 문자인 卍字紋, 梵字紋이 여기에 속한다. 또한 고려에서 제작된 '고려국조'명경도 문자문이다. 송대 지역명경은 동경을 제작하고 판매하기 위해 동경에 문자를 넣은 것으로 송대를 대표하는 동경류이다. 또한 거란문경은 한자를 응용해 만든 거란문자를 동경에 표현했다. 이 문자에 대해 여진문자로 보기도 하나, 여진문자가 거란문자를 토대로 제작했으며, 읽기 위해 표기했던 문자이다. 이에 중국에서는 이러한 동경에 표현된 문자를 거란문자로 해석한다.[209]

도교 · 불교문은 앞서 살펴본 인물 · 고사문의 중분류와 종교적 주제라는 점에

209 陳述, 「跋吉林大安出土契丹文銅鏡」, 『文物』(1973年 8期), pp.36~40.

서 겹치나, 도교 · 불교문은 인물을 제외한 종교적 주제를 문양으로 표현한 동경 종류이다. 이 분류에는 도교문과 불교주제문으로 나뉜다. 도교는 중국 고유 종교로 당대에는 국교로 황제의 보호 아래 성장했으며, 송대 역시 도교에 대한 숭앙은 황제들에 의해 이루어졌다. 불교가 국가의 중심 종교였던 요와 금에서도 도교에 대한 관심은 지대했다. 게다가 도교의 법기는 거울과 검이라는 점에서 동경에 도교 관련 주제가 표현되었으며, 대표적으로 팔괘문경이 있다. 팔괘문경은 기본적 주제인 팔괘를 토대로 화문, 서수문 등과 결합하거나, 도교적 색채가 강한 사신과 함께 문양화 되었다. 고려 역시 불교와 함께 도교에 대한 관심이 지대했으며, 국가적 차원에서 종교를 후원했던 점으로 볼 때, 팔괘문경과 같은 도교 관련 동경의 전래는 당연한 결과이다.

불교주제문은 가릉빈가, 여래문 등 불교적 도상을 문양으로 표현한 거울로 불교가 발전했던 요대에 많이 제작된 편이다. 요대에는 흔히 볼 수 없는 주제인 가릉빈가가 거울 뒷면을 가득 채운 동경을 제작했고, 탑을 장엄할 수 있는 동경들을 제작하기도 했다. 특히 동경의 경면에 선각으로 불 · 보살상을 새기는 등 불교제재를 동경에 표현하는데 적극적이었다.

기하학문은 칠보문경과 연주문경, 구배문경 등으로 구분할 수 있다. 칠보문경은 송대에 보이지만, 활발히 제작된 시기는 요대이다. 요대에는 초기~말기까지 칠보문경이 꾸준히 제작되었고, 이 동경들은 대부분 분묘에서 출토되기도 해 칠보문경이 부장품으로 인기 있었던 것으로 보인다. 연주문경과 구배문경 역시 요대 성행한 동경이다. 이 역시 송대에도 제작되었으나, 다양한 형태로 문양이 발전한 것은 요대에서 이루어졌다.

각 분류별 주제에 대해 살펴본 결과, (表24)에서 고려에 전래된 동경은 송 · 요 · 금을 통해 각 나라별 특징적 동경을 필두로 다양한 주제가 전해졌다. 또한 중국 내에서는 그 나라의 특성에 따라 제작이 적극적 혹은 소극적이던 주제들이 존재했다. 송대에는 동 · 식물문, 요대는 동물문과 기하학문, 금대에는 쌍어문경, 인물 · 고사문을 적극적으로 표현했다. 이에 반해 소극적인 예로 송은 불교제재문, 요는 인물 · 고사문, 금은 도교 · 불교문이 대표적이다.

고려는 각 나라별로 동경이 전해져 유형별 주제가 고른 분포를 보이며, 종류도 다양함을 알 수 있다. 이러한 양상은 이전 시기인 통일신라에 비해 폭발적으로 많은 종류의 거울이 고려동경으로 분류되는 원인이 되었으며, 고려동경은 송 · 요 · 금대 동경을 토대로 자신들이 선호한 동경의 제작에 주력했고, 이를 보완, 변형해 고려만의 동경을 제작하기 위해 노력했다.

3. 高麗 銅鏡 文樣의 特徵

1) 動物文

(1) 摩竭魚紋

"摩竭"은 印度神話에 나오는 상상의 동물로 긴 코와 날카로운 이, 물고기 몸과 꼬리인 형상이다. 인도신화에서 강물의 정령, 생명의 근본으로 여겨지며, 모든 번뇌를 삼키는 법력을 지녔다. 범어로 makara이며, 한자로 摩竭, 摩猲, 摩伽羅 등으로 칭한다.

인도에서 조성된 마갈어의 형상은 전신이 묘사된 경우와 머리만 묘사된 약식형으로 대별되며, 전신형의 경우에는 코끼리형 · 악어형 · 아래턱이 짧고 코가 위로 말려 올라간 유형 · 물고기형으로 나뉜다.[210] 이중 동경에 등장하는 마갈어는 물고기형과 용형으로 중국 회화나 금속공예품엔 물고기형이 많은 편이다.

---

210 이해주, 「불교 조형물에 구현된 동물화생도상 고찰」, 『동양학』제66호(단국대학교 동양학연구원, 2017), p.4.

마갈어는 불교와 더불어 중국에 전입되어, 중국화되면서 다양한 예술작품에 등장한다. 그 형태는 눈이 해와 같고, 이가 크며, 신체는 거대하다. 성격이 포악해 배를 파괴하고, 사람들에게 해를 끼쳐 부처만이 굴복시킬 수 있다는 기록이 있다. 이는 마갈어가 중국에 들어온 초기에 무섭고 부정적 존재로 인식한 것에서 비롯했다. 하지만 이는 부처의 교화를 강조하기 위한 장치로써 작용했으며, 이후 중국화가 진행되면서 길상적 존재로 변화한다.[212]

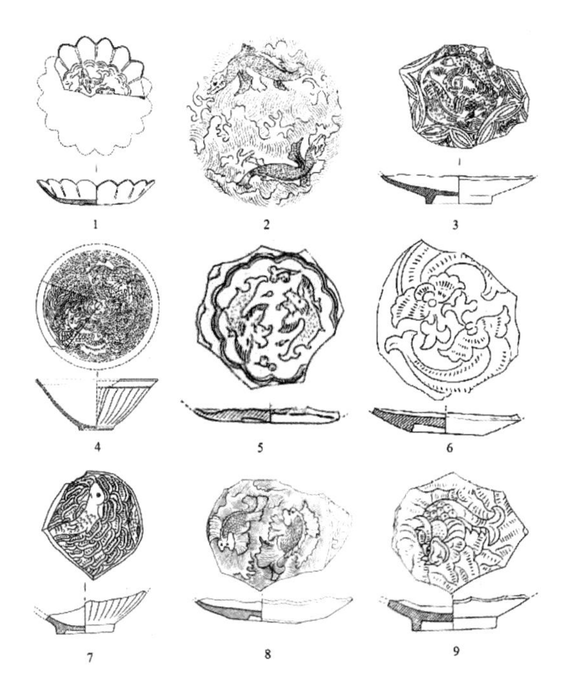

插圖 9. 宋代 耀州窑址 出土 摩羯魚紋 青瓷[211]

마갈어는 불교적 도상이라는 측면에서 불교가 성행한 당대에 金銀器, 도자 등 공예품의 장식으로 표현된다. 특히 당대 초기엔 그 예가 없다가 中, 晩期에 이르러 금은기 위에 마갈어가 중심 문양으로 배치된다. 당대 금은기에 표현된 마갈어는 西安

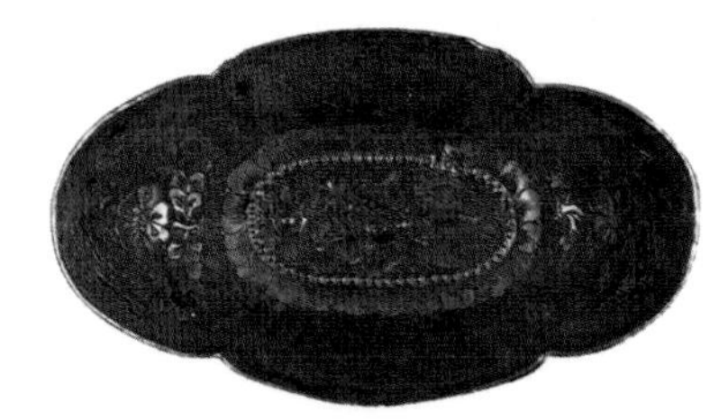
圖28. 摩竭魚紋金杯, 唐, 徑13.1cm, 中國 陝西歷史博物館, 西安市太乙路出土

211 「摩羯紋的發展及特征淺談」의 圖10 재인용. 羅曉艷, 「摩羯紋的發展及特征淺談」, 『文物鑑定與感賞』(2016年 9期), p.46.

212 徐英, 「摩竭造像的原型與流變」, 『內蒙古大學藝術學院學報』(2006年 2期), p.46.

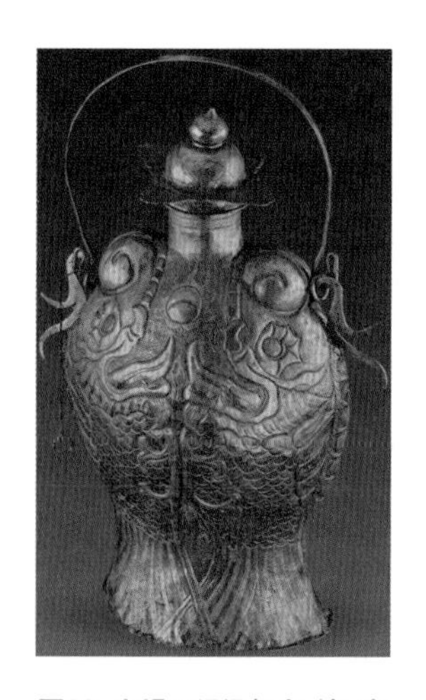

圖29. 摩竭形提梁銀壺, 遼, 高 33.0cm, 中國 內蒙古博物院

市 太乙路出土 金杯(圖28)가 있다.

송대 마갈어가 장식으로 표현된 공예품은 도자에서부터 출현했다. 波水紋, 蓮花紋 등과 조화롭게 등장하는 마갈어는 바다의 괴물이라는 이미지를 벗어나 당시 사람들이 즐겨 찾는 문양으로 거듭났다. 宋代 耀州窑址 出土 마갈어문은 盤, 碗, 碟 등 다양한 청자 低部의 문양으로 표현되었다(插圖9).

그리고 불교를 숭앙했던 요와 금대에는 마갈어를 주제로 한 다양한 공예품 제작이 성행했으며, 특히 요대에는 도자 중 삼채의 문양으로 마갈어가 자주 등장한다. 대표적 예로 三彩摩竭形壺가 있다. 또한 금속기 중 형태를 마갈어로 제작한 예도 있다(圖29).

마갈어는 인도에서 전래되어 중국 내에서 중국화 되는 과정을 통해 중국인들이 좋아하는 의미로 변화했으며, 이로 인해 다양한 공예품, 건축 등을 장식하는 문양으로 자리 잡았다. 그리고 마갈어를 문양으로 적극 사용한 요, 금대에는 일상생활에 사용하는 동경의 문양으로도 마갈어문을 표현했다.

동경의 마갈어는 크게 2가지로 나뉜다. 물고기형과 용형으로 물고기형은 코가 말려 있고, 날개형 지느러미가 특징이며, 용형은 용과 같이 긴 새부리 형태의 입과 물고기의 꼬리를 갖춘 형태이다. 동경의 보조문양으로 등장하는 마갈어는 대부분 물고기형으로 작은 크기로 문양을 배치하기 위해 물 속에 있는 물고기형태로 표현했다. 송대동경에서 보이는 요소로 대표적인 예는 '황비창천'명경의 마갈어문이 있다. 이 동경의 마갈어문은 코가 말린 물고기형으로 바다 속에 상반신만 수면 밖으로 내놓고 있다.

금대에는 마갈어문경 제작이 다수 이루어진 편이다. 中國 吉林省博物館 소장 마갈어문경(圖30)은 작례가 많지 않으나, 경면을 4부분으로 나누어 문양을 배치하는 형식으로 독특하다. 다양한 문양과 함께 마갈어를 넣어 제작한 이 동경은 요대 화면을 분할하여 문양을 표현하는 것과 동일한 양상이라는 점에서 요대 제작된 동경으로 추정된다.

圖30. 摩竭魚紋鏡, 遼 혹은 金, 徑19.0cm, 中國 吉林省博物館

용형은 금대 동경에서 마갈어가 중심주제로 표현되면서 등장한다. 中國 張家口市博物館 소장 마갈어문경(圖31)은 한 마리의 마갈어가 반룡문경의 용처럼 몸을 굽힌 자세로 표현되어 있다. 또한 두 마리가 쌍을 이루는 雙摩竭魚紋鏡도 제작되었다. 中國 甘肅省博物館 소장 쌍마갈어문경(圖32)은 금대 제작된 원형경으로 가운데 뉴를 중심으로 마갈어가 있으며, 배경은 파도문으로 이루어져 있다. 금은기, 도자 등의 문양에서는 쌍을 이룬 마갈어 표현이 많은 편이나, 동경으로 제작된 예는 많지 않으며, 한 마리가 있는 경우에도 어룡과 구분이 어려워 분류가 제각각이다.

圖31. 摩竭魚紋鏡, 金, 徑 9.5cm, 中國 張家口市博物館

국내 마갈어문경도 어룡문경과 혼동되는 경우가 많고, 그 수량이 많지 않아, 마갈어문경으로 명칭된 사례가 없다.[213] 국립중앙박물관 소장 마갈어문경 중 요, 금대 마갈어문경과 동일한 동경이 있으며, 그 수량은 많지 않아 고려로 전래된 중국 동경으로 판단된다. 요대 동경과 같은 마갈어문경(덕수4915)(圖33)은 연주문으로 4등분된 공간에 마갈어와 운기문이 각각

圖32. 雙摩竭紋銅鏡, 金代, 徑 23.7cm, 中國 甘肅省博物館

213 국립중앙박물관에 소장되어 있는 마갈어문경의 명칭은 銅製雙蜚魚文方形鏡, 舞鳳文鏡, 鼉龍文鏡, 虢雲文方形鏡 등이다. 이에 추후 마갈어문경에 대한 연구를 통해 명칭재고가 이루어져야할 것으로 판단된다.

圖33. 摩竭魚紋鏡, 高麗, 徑11.8cm, 국립중앙박물관 (덕수4915)

圖34. 摩竭魚紋鏡, 高麗, 徑 9.3cm, 국립중앙박물관 (덕수3299)

圖35. 摩竭魚紋鏡, 高麗, 徑 9.6cm, 국립중앙박물관 (덕수59)

표현되어 있다. 또한 마갈어문경(덕수3879)은 팔화형에 한 마리 마갈어가 뉴를 감싸듯이 몸을 굽히고 있으며, 용의 머리와 물고기의 몸을 갖춘 형태이다. 이 동경들은 금대 제작된 동경과 문양, 크기, 형태에서 큰 차이가 없으며, 이중 험기가 있는 동경(덕수3299)(圖34)도 있어, 금대 동경으로 보아도 무방하다.

마갈어문경이 중국에서 고려로 전래된 경우만 있는 것은 아니다. 고려로 유입된 마갈어문경을 토대로 고려에서 제작한 마갈어문경이 있다. 거울의 형태, 문양구성, 문양형태 등에서 중국과는 다른 양상을 보여 고려에서 독자적으로 생산해낸 것으로 생각된다. 국립중앙박물관 소장 마갈어문경(덕수59)(圖35)은 팔릉형에 한 마리의 마갈어가 표현되어 있다. 머리는 용의 형태이며, 몸은 물고기형으로 용형 마갈어의 특징을 갖추고 있다. 안면과 꼬리부분 사이 공간에는 운기문이 빈 공간을 메우듯이 표현되어 있다. 이러한 문양구성은 중국에서 그 예를 찾기 어려우며, 동경의 형태도 대부분 원형 혹은 팔화형이라는 점에서 이 동경은 새로운 경향의 마갈어문경이 제작되었음을 알 수 있는 중요한 자료이다.

국립중앙박물관에는 대칭형으로 마갈어 두 마리가 있으며, 그 사이 운문이 표현되어 있는 동경이 있다. 이 동경은 국립중앙박물관 3점(圖36), 국내 개인소장 1점, 미국 Metropolitan Museum 소장 1점 등 수량이 적은 편이며, 모두 동일한 형태이고 크기도 비슷하다. 또한 이러한 문양과 배치 등의 요소가 중국 동경에는 없어 이 동경은 고려 제작 동경이라 판단된다.

문양구성은 마갈어가 뉴를 중심으로 한 마리는 꼬리를 올리고 있으며, 다른 한 마리는 꼬리를 내리고 있어 다른 자세를 취하고 있다. 두 마갈어문 사이에는 운기문이 상 · 하로 배치되어 있다. 문양구성은 단순한 편이지만 마갈어의 세세한 묘사와 화면을 가득 채운 크기로 인해 구성이 조화롭다(插圖10). 이 동경의 문양구성에 대해 가운데 뉴를 여의주로 해석해 불교경전 『雜寶藏經』내용과 비교하기도 한다.[214] 이 동경의 뉴는 원형 혹은 평두형이고 뉴 자체에 특별히 문양을 장식한 것으로 보이지 않아, 고려시대 중국에서 전래된 마갈어를 토대로 제작된 동경으로 생각된다. 다만, 중국에서 전래된 마갈어문경들이 본연의 특성인 불교적 성격을 갖고 들어왔는지 다양한 이름과 같이 용의 변형으로 인식되어 고려에서 제작되었는지는 앞으로 풀어야할 과제이다.

圖36. 雙摩竭魚紋鏡, 高麗, 徑16.4×13.3cm, 국립중앙박물관(덕수5073)

插圖 10. 雙摩竭魚紋鏡의 細部 文樣

(2) 鳳凰紋

봉황문은 당대 동경에 등장하기 시작해 용과 함께 황실을 상징하는 문양으로

214 장석오, 「古代 佛典에 나타난 마카라 문양의 系統과 意味」, 『佛敎美術史學』 vol.16 (佛敎美術史學會, 2013), pp.46~47.

여겨졌으며, 송 · 요 · 금대에도 동경의 주요문양으로 꾸준히 제작되었다. 중국에서 봉황은 새와 관련한 토템신앙에서 형성된 것으로 보았으며, 이는 신석기시대부터 시작된 것으로 추정했다. 1977년 河姆渡 文化 遺蹟에서 '雙鳥朝陽紋象牙碟形器'가 출토되었고, 여기에는 두 마리의 새의 형상이 태양을 중심으로 마주 보고 있으며, 긴 꼬리가 있어 봉황으로 추정한다.[215]

表 25. '鳳凰' 관련 文獻記錄

문헌명	내용
『爾雅』 (戰國)	닭의 머리, 제비의 이마, 뱀의 목, 거북이의 등, 물고기의 꼬리를 하고 오채의 색을 지니며, 크기가 6척 정도이다.[216]
『山海經』 (BC. 4C)	「南次三經」 단혈산이라는 곳에……어떤 새가 사는데, 그 생김새가 닭과 비슷하고, 다섯 가지 빛깔에 무늬가 있으며, 이름은 봉황이라 한다. 머리의 무늬는 德을, 날개의 무늬는 義를, 등의 무늬는 禮를, 가슴의 무늬는 仁을, 배의 무늬는 信을 말해준다. 이 새는 먹고 마시는 것이 자연스럽고, 저절로 노래하고 저절로 춤추니 이 새가 나타나면 천하가 평안해진다.[217]
『白虎通』 (東漢)	帝炎帝는 곧 태양이다. 祝融이 뒤를 이으며, 그의 근원은 鸞이다.[218]
『說文解字』 (東漢)	봉황의 모습은 앞은 기린(麟)이며, 뒤는 사슴과 같다. 뱀의 머리에 물고기 꼬리를 하고 있으며, 용과 같은 거북이 등을 하고 있다. 제비턱에 닭의 부리를 하고 있으며, 오색을 모두 지니고 있다.[219]
『廣雅』 (227-232)	난조는 봉황의 한 종류이다.[220]
『小學紺珠』 (南宋)	봉의 형태는 5가지가 있다. 5색중 적색의 것은 봉이며, 황색의 것은 원추이다. 청은 난이며, 자색의 것은 악작 그리고 백색의 것은 홍곡이라 한다.[221]

215 張慧光, 「中國傳統鳳紋圖像形式結構的演繹」, 『赤峰學院學報』9(2011), p. 227.

216 『爾雅』'雞頭, 燕頷, 蛇頸, 龜背, 魚尾, 五彩色。高六尺許。'

217 『山海經』「南次三經」'又東五百里, 曰丹穴之山, 其上多金玉, 丹水出焉, 而南流注於渤海, 有鳥焉, 其狀如雞, 五采而文, 名曰鳳皇, 首文曰德, 翼文曰義, 背文曰禮, 膺文曰仁, 腹文曰信, 是鳥也, 飮食自然, 自歌自舞, 見則天下安寧。'

218 『白虎通』「五行」'其帝炎帝者, 太陽也。其神祝融。祝融者。屬續。其精為鳥, 離為鸞。'

219 『說文解字』'鳳之象也, 麟前鹿後, 蛇頭魚尾, 龍文龜背, 燕頷雞喙, 五色備舉。'

220 『廣雅』'鸞鳥, 鳳皇屬也。'

221 『小學紺珠』'鳳象者五, 五色而赤者鳳, 黃者鵷鶵青者鸞, 紫者鸑鷟白者鴻鵠。'

(表25)는 봉황의 형상에 대해 중국 문헌기록을 통해 정리한 것이다. 문헌기록에서는 봉황에 대한 형상, 종류 등에 대해 설명하고 있다. 『爾雅』, 『山海經』에서는 봉황의 생김새에 대해 닭과 같은 형상으로 오색을 가지고 있음을 설명하고 있으며, 『說文解字』에서는 봉황의 앞모습은 기린이며, 뒤는 사슴과 같다고 한다. 뱀의 머리에 물고기 꼬리, 거북이 등 모양이며, 닭의 부리를 하고 있어 앞선 닭의 형상과는 약간의 차이가 있으나, 오색을 지니고 있다는 부분은 동일하다.

또한 봉황의 종류에 대해 언급한 것은 『白虎通』, 『廣雅』, 『小學紺珠』에서 볼 수 있다. '난조는 봉황의 한 종류이다'라는 『廣雅』의 내용과 더불어 『小學紺珠』에서도 봉의 형태가 5가지이며, 이 중 청은 난이라고 해, 난새가 봉황의 한 종류임을 알 수 있다. 문헌기록을 통해 보면, 봉황의 형상과 종류는 동한시기 구체화되기 시작하면서 문양으로 표현되었고, 이는 현재 우리가 아는 봉황의 형태로 자리 잡음을 알 수 있다.

중국에서 현재와 같은 봉황의 형상을 갖춘 유물은 商王朝 河南省 殷墟婦好墓出土 玉鳳이 있으며, 전국시대에는 『爾雅』의 내용 중 '뱀의 목'과 '용의 비늘'무늬가 표현된 虎座鳳凰架鼓(圖37)가 있어 문헌기록과 같이 형상이 표현 예를 찾을 수 있다. 한대에는 이러한 봉황의 형태가 문헌기록의 형상표현을 더욱 구체화했으며, 이는 닭의 부리, 긴 목, 비늘이 있는 몸, 긴 꼬리의 봉황 형태가 정형화되어 후대에 이어진다.

圖37. 虎座鳳凰架鼓, 全國, 高149.5cm, 中國 荊州博物館, 荊州市天星觀2號墓出土

동경에서 봉황문은 당대 성행하면서 형태적으로 다양하면서 화려한 면모를 갖추고 있다. 당대 대칭구도로 문양을 배치하는 방식은 봉황문에도 적용되어 대부분 동경은 한 쌍의 봉황이 뉴를 중심으로 마주보는 대칭형으로 구

圖38. 瑞花雙鳳紋鏡, 唐, 經 25.7cm, 中國 西安博物館

성되어 있다. 대표적인 예는 中國 西安博物館 소장 쌍봉화문경(圖38)이다. 또한 송대에는 다양한 형태에 쌍봉문을 표현했으며, 명문만 표현한 지역명경인 호주경에도 쌍봉문을 문양으로 사용한 예가 있어, 당 · 송대 봉황문에 대한 관심도가 높았음을 알 수 있다(插圖11).

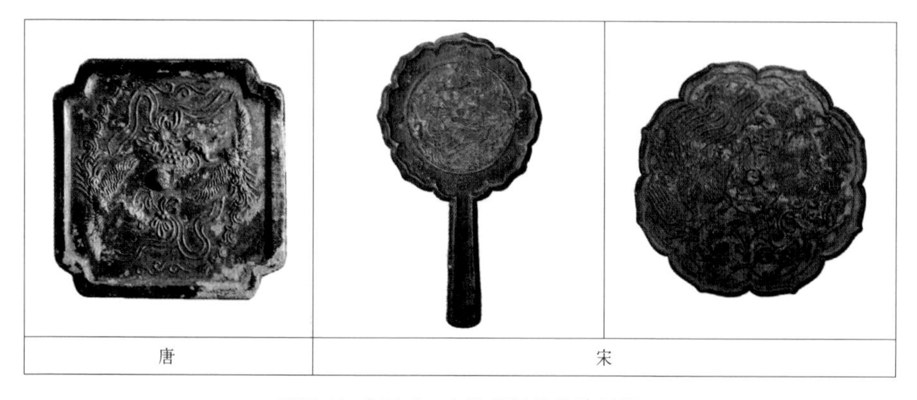

插圖 11. 中國 唐 · 宋代 雙鳳紋鏡의 種類

요대에는 동경보다 금속공예품에 봉황문이 단독으로 등장하는 예가 많은 편이다. 대표적으로 遼 陳國公主墓 出土 金高翅冠(圖39)와 鳳凰紋鞋가 있으며, 遼寧省 建平縣 張家棺子墓 出土 鳳凰紋鞍飾(圖40)과 內蒙古 赤峯市 耶律羽墓 出土 金雙鳳凰紋銀盤(圖41) 등이 있다. 진국공주묘 출토 금관은 은 투조로 만든 고관이며, 봉황문혜는 은으로 만든 신발로 금으로 문양을 장식했다. 두 유물에는 측면에 봉황문이 표현되어 있는데, 모두 나는 모습으로 긴 꼬리를 밑으로 내리고 있는 형태이다(插圖12).

圖39. 金高翅冠, 遼, 高26.0cm, 中國 內蒙古 文物考古研究所

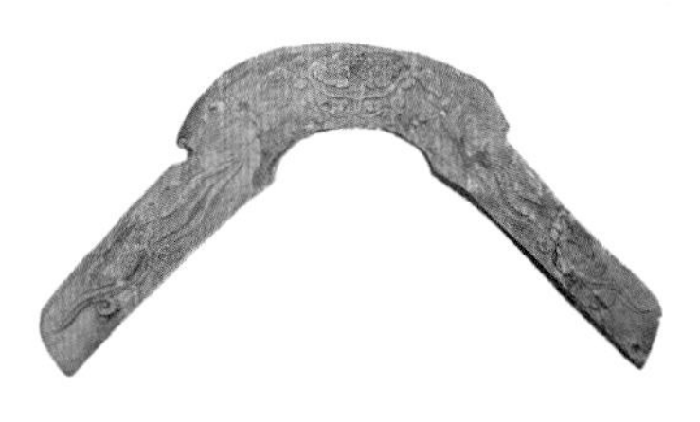

圖40. 凰紋鞍飾, 長39.0cm 遼, 中國 遼寧省博物館, 建平縣 張家棺子墓 出土

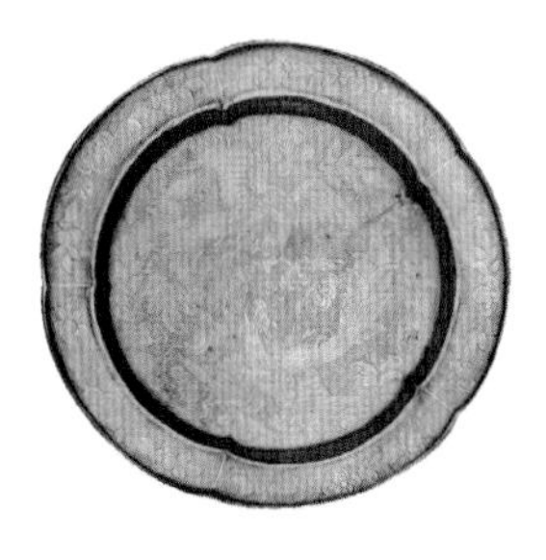

圖41. 金雙鳳凰紋銀盤, 遼, 徑15.9cm, 中國 內蒙古 文物考古研究所

그리고 遼寧省 建平縣 張家棺子墓 出土 봉황문 안식에는 옆으로 꼬리가 날리는 모습의 봉황이 표현되어 있으며, 같이 출토된 이식은 봉황의 형태로 제작되었다. 요대 금속기에 표현된 봉황은 닭 벼슬이 있는 모습으로 머리 뒤로 갈기가 날리는 모습이며, 목이 길고 몸에 비해 날개는 작고, 꼬리는 길고 3~4갈래로 나누어져 있다. 이러한 형태가 표현된 요대 동경은 없으나, 봉황문의 발전에는 영향을 끼쳤을 것으로 보인다.

銀鎏金高翅冠 봉황문 부분	鳳凰紋鞋 봉황문 부분

插圖 12. 遼 陳國公主 墓 出土 遺物의 鳳凰紋 表現

요대에도 봉황문경이 제작되었으나, 송대에 비해 그 종류는 적으며, 봉황문이 주문양으로 등장하기보다는 다른 문양들과 어우러져 표현한 예가 많다. 中國 遼寧省博物館 소장 三鳳三雁紋鏡(圖42)은 뉴를 중심으로 운문과 기러기 3마리, 봉황 3마리가 연부를 따라 돌아가는 형식으로 표현되어 있다. 이러한 형식의 문양구성에는 기러기, 학, 봉황이 함께 등장하기도 해

圖42. 三鳳三雁紋鏡, 遼, 徑13.5cm, 中國 遼寧省博物館

조문 중 요대 인기 있던 문양들을 모아 동경에 장식한 것으로 생각된다.

插圖 13. 高麗時代 工藝品의 鳳凰紋 表現

고려시대 공예품에도 봉황문이 있으며, 대표적으로 도자, 향로, 합, 접시, 장신구 등이 있다. 고려 공예품에 표현된 봉황문은 입에 가지를 물고 있는 형태도 있고, 원형으로 둘러진 여의두문에 맞춰 꼬리를 몸을 감싸듯이 둥글게 말고 있는 형태도 있다(插圖13).

插圖 14. 國立中央博物館 所藏 高麗時代 鳳凰紋鏡의 種類

봉황문들은 모두 날개를 펼치고 날고 있는 모습으로 도자에 표현된 봉황문을 제외하면 모두 화려한 곡선으로 표현된 꼬리가 특징이다. 이는 당, 송대 봉황문에서도 보인다는 점에서 고려 봉황문은 당, 송대 봉황문 계열의 영향을 받은 것으로 추정되며, 동경에서도 이러한 경향을 엿볼 수 있다.

圖43. 雙鳳凰紋鏡, 徑17.0cm, 국립중앙박물관(덕수3216)

圖44. 雙鳳凰紋鏡, 徑21.6cm, 국립중앙박물관(덕수2711)

봉황문이 표현된 고려 동경은 원형, 팔화형, 방형, 우입방형의 형태가 있으며, 대부분 쌍봉황문경이다. 문양구성은 당대 동경 계열인 뉴의 상하에 화문이 배치되고, 쌍봉황문은 뉴를 중심으로 마주보고 있는 구성이다. 대표적 예로 국립중앙박물관 소장 雙鳳凰紋鏡(덕수3216)(圖43)이 있으며, 뉴를 중심으로 머리방향이 반대인 봉황 한 쌍이 입에 리본끈을 물고 있는 雙鳳凰紋鏡(덕수2711)(圖44)도 있다.

또한 국립중앙박물관 소장 三鳳凰紋鏡(덕수1517)이 있다. 이 동경은 3마리의 봉황이 날개를 펼치고 운문 사이를 나는 듯한 모습으로 뉴를 애워싸고 있다. 긴꼬리가 가는 직선으로 여러 갈래로 표현되어 있어 봉황임을 알 수 있으나, 머리는 일반 새의 형태라는 점에서 도상이 모호한 편이다(插圖14).

국립중앙박물관 소장 쌍봉황문경(덕수811)은 요대 동경구성을 갖추고 있어 주목된다. 연부를 따라 계권이 있으며, 뉴좌를 둘러싼 테두리가 있어 문양은 3부분으로 나누어 표현했다. 이러한 구성은 요대 계열 쌍룡문경에서도 볼 수 있어 그 영향관계를 생각해볼 수 있다. 외구에는 화려한 당초화문을 장식했으며, 내구에는 입에 화문수식을 문 봉황 두 마리가 긴 꼬리를 서로 바라보며 있다. 특히 봉황의 긴꼬리 표현은 요대 봉황문과 유사하며, 연화모양의 뉴좌 표현 등 요대 동경의 형식이다. 하지만 요대에 이러한 봉황문경을 찾아보기 힘들다는 점에서 이 동경의 제작지에 대한 연구도 이루어져야할 것이다.

圖45. 雙鳳凰紋鏡, 徑24.6cm, 국립중앙박물관(본관2267)

국립중앙박물관 소장 쌍봉황문경(본관2755, 본관2267, 덕수2095)은 경형은 다르나 문양구성이 동일한 예도 있어, 문양만 차용해 제작했음을 알 수 있다. 쌍봉황문경(본관2755)과 쌍봉황문경(본관2267)(圖45)은 원형으로 크기가 24.6cm로 동일하며, 머리 방향은 서로의 꼬리를 향하고 있어 원형경의 형태에 맞춘 문양배치가 돋보인다. 또한 쌍봉황문 사이에 있는 운문표현 역시 동일해 두 동경은 동일한 문양을 모본으로 하여 제작된 것임을 알 수 있다.

쌍봉황문경(덕수2095)(圖46)의 봉황문은 앞서 살펴본 두 동경과 동일한 문양이다(插圖15). 하지만 팔화형의 이 동경은 크기가 21.0cm로 원형경보다 작은 편이며, 운문표현도 쌍봉황문 날개 밑에 표현된 2개의 구름만 표현되어 있어 이 동경은 원형경의 봉황문과 운문 일부를 차용해 변형하여 제작했음을 알 수 있다.

圖46. 雙鳳凰紋鏡, 徑21.0cm, 국립중앙박물관(덕수2095)

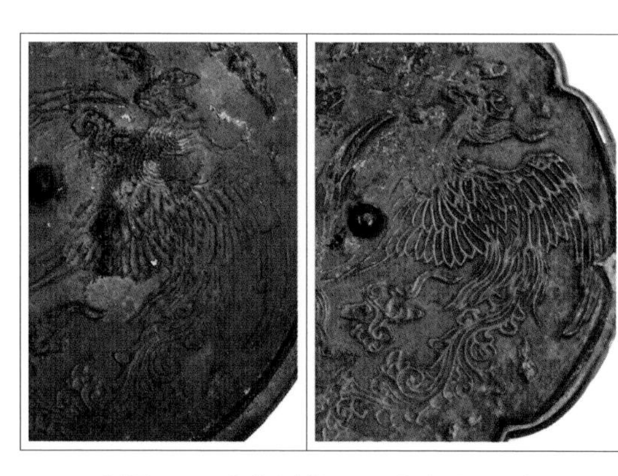

插圖 15. 國立中央博物館 所藏 雙鳳凰紋鏡 (본관2267, 덕수2095)의 문양비교

(3) 瑞花雙鳥紋

서화쌍조문경은 꽃과 새가 문양구성으로 어우러져 있는 동경이다. 이 동경은 고려 분묘에서 출토된 사례가 많은 편으로 고려시대 활발히 유통된 동경류 중 하나이다.

(表26)은 국내에서 출토 및 발견된 서화쌍조문경 현황으로 대략 46점이 발견되었다. 발견지역은 크게 경기도, 경상도, 충청도로 나뉘며, 이중 충청도에서 발견된 예가 많은 편이다. 또한 고려의 수도였던 개성부근에서 발견된 동경도 11점 정도 있어 서화쌍조문경이 고려시대 전역에 유통되었음을 알 수 있다. 동경과 같이 출토된 공반유물은 당시 분묘출토양상과 유사해 청자, 청동 숟가락, 철제가위, 동전, 관정 등이 나왔다. 크기는 8.4cm~17.0cm 사이의 크기이며, 대부분 10~11cm 이다. 두께는 0.1~0.5cm로 고려 분묘에서 출토 동경은 대부분 0.1cm 두께의 얇은 동경이 많은 편이다.

表 26. 瑞花雙鳥紋鏡의 出土現況(북한지역 제외)[222]

번호	출토지	유적명	크기(cm)	공반유물
1	경기	안성 공도 택지 개발 사업지구내 유적 3지점 토광묘 28호	13.0	청동완, 동전, 동곳, 백자편 등
2		여주 월송리 유적 10호		철제가위1점, 청동숟가락1점, 반지1쌍, 빗1점
3		용인 좌항리 고려고분 9호 석곽묘	10.2	토기병1점, 토기회유소병1점, 청자대접1점, 철자접시2점, 백자잔1점, 백자접시2점, 청동저편, 철제가위1점
4		평택 도일동 유적 토광묘 13호분	11.5	병1점, 동곳1점, 철제가위1점
5		화성 향남면 1점 석곽묘	12.0	청자병, 관정, 미상철기
6		화성 와우리	10.8	청자완, 청동숟가락, 백자발, 청자접시 등

222 충주박물관, 『忠州 虎岩洞遺蹟 發掘調査報告書』(1998) ; 한국문화재보호재단, 『淸州龍岩遺蹟(Ⅰ)-本文-』(2000) ; 경기도박물관, 『龍仁 麻北里 高麗 古蹟』(2001) ; 경상북도문화재연구원, 『慶州 檢丹里 遺蹟』(2007) ; 성림문화재연구원, 『慶州 勿川里 高麗墓群 遺蹟』(2007) ; 서울시립대박물관 · 한국도로공사, 『丹陽 玄谷里 高麗古墳群』(2008) ; 성림문화재연구원, 『淸道 大田里 高麗 · 朝鮮墓群 Ⅰ』(2008) ; 중앙문화재연구원, 『청주 율양2지구 택지개발지구 내 청주 율양동 유적 Ⅰ』(2011)

7	경기	화성 와우리	10.6	청동합 뚜껑, 청자접시편, 토기병, 백자발 등
8		강화읍 국화리	12.3	
9		여주 매룡리	12.8	
10	강원	삼척 이천군 이천면 천암리		
11		춘천 칠전동 유적	11.0	
12		춘천 석사동 산 10	11.0	
13	경북	금릉 송죽동 유적		
		경주 검단리 유적 고려시대 토광묘 18호분	13.6	회청자대접1점, 청동병1점, 은제곳1점, 목제빗1점, 철기
14		경주 검단리 유적 고려시대 토광묘 36호분	12.7	청동숟가락1점, 동곳1점, 청동완1점, 녹유병1점, 청자종지1점, 청자대접1점
15		경주 동산리 출토(3점)	11.2	해수포도문경편1점
			17.0	
			13.0	
16		경주 물천리 Ⅱ-15호 토광묘	13.0	병1점, 청자접시1점, 동전1점, 청동발1점, 은제동곳1점, 철편
17		상주 낙동면 성동리 지표	11.4	청동집게
		상주 조전면 봉정리	12.1	
18		청도 대전리 토광묘 7호분	11.3	청자병1점, 청자유병1점, 청자접시1점, 청동숟가락1점, 청동젓가락1점, 청동발1점
19		영주 금광리 유적(금강사지)	12.0	청동불상좌대1점, 공양상1점, 동경2점, 청자류, 도기류
20				
21	경남	마산 대평면 진북리 1-22호	12.3	도기병, 청자병, 청자접시, 철제가위, 관정 등
22	충북	단양 현곡리 유적 돌덧널 24호묘	12.8	청자발1점, 토기병1점, 동곳1점, 철제가위1점, 뼈제품, 관정46
23		옥천 옥각리 유적 102호분	13.4	토기병3점, 청동합2점, 청동접시1점, 청동숟가락1점, 청동젓가락1점, 철제가위1점
24		진천 회죽리 Ⅲ-4지점 6호 토광묘	12.7	연질토기대발편1점, 불명철기1점, 청동합1점, 청동숟가락1점, 동전3점
25		청주 용암 유적 금천Ⅱ-1 토광묘 62호	12.5	청동숟가락1점, 동곳1점, 동전9점, 관정7점
26		청주 용암 유적 금천Ⅱ-1 토광묘 96호	10.2	
27		청주 용암 유적 금천Ⅱ-1 토광묘 99호	12.1	동곳1점, 관정1점
28		청주 용암 유적 금천Ⅱ-1토광묘 130호	11.5	토기병1점, 관정2점
29		청주 용암 유적 금천Ⅱ-1 토광묘 207호	8.4	청자잔1점, 흑유유병1점, 청동발1점, 청동접시1점, 청동숟가락1점, 동곳1점, 동전5점, 철제가위1점
30		청주 율량동 유적 역대골 239호 토광묘	10.3	은곳1점, 철제가위1점

31	충북	청주 율량 주중동 46호 토광묘	11.0	
32		음성 양덕리 유적 7호 토광묘	12.8	동곳1점, 청동숟가락1점, 철제가위1점
33		충주 호암동 유적 1-24호	10.0	철제가위1점
34		충주 호암동 유적 2-59호	10.5	청자접시1점, 구슬3점
35		충주 호암동 유적 지표유물	11.8	
36		충주 호암동 유적 지표유물	11.0	
37		충주 안림동 발견	10.7	수키와편, 암키와편, 청자병 등
38		충주 호암동 2호	10.7	흑유병, 구슬, 청자병, 토기병 등
39	충남	서천 추동리Ⅲ 고려8호 토광묘	10.0	
40		부여 임천면 안림동	11.0	
41		서산군 동문리 191 유적	12.2	
42	전북	익산 마동리 발견		청동숟가락, 청동젓가락, 청동합, 청자병, 청자접시 등
43		익산 금마면 기양리	12.5	청자병, 청자편병 등
44	전남	노안면 영평리 87-1 발견	10.9	청자병, 청동기편 등

서화쌍조문경은 새문양에 대해 봉황, 원앙 등으로 보며, 새에 따라 이 동경의 명칭은 '瑞花雙鸚紋鏡', '瑞花雙鳳紋鏡', '瑞花雙鸞紋鏡' 등으로 칭한다. 동경은 쌍조와 초화문의 구성이라는 공통점이 있으나, 표현한 새는 다른 종류로 추정된다. 또한 일반적으로 중세 중국의 영향을 받아 고려에서 동경을 제작했던 경향과는 차이가 있어 이 동경의 제작지에 관한 다양한 의견이 개진되는 상황이다.

서화쌍조문경은 일본과 한국에 현존하는 양이 많은 편이며, 그 종류도 다양하다. 이로 인해 이 동경이 두 나라 중 어디의 영향으로 제작되었는가에 대해 통일신라의 영향설, 일본에서 한국으로의 전래설이 대표적이다. 이에 본 논문에서는 이러한 의견을 토대로 서화쌍조문경의 특징을 살펴보고자 한다.

이 동경의 原鏡에 대해 중국 당대 雙鸞紋鏡으로 보았으며, 이를 바탕으로 문양구성이 변화되어 고려시대 서화쌍조문경으로 발전했다고 추정하는 의견이 있다.[223] 이

223 이난영, 앞의 책(2010), pp.143~149.

圖47. 鳳花枝螺鈿紋鏡, 唐, 徑22.5cm, 中國 普祠博物館

의견에 대해 대부분 동의하나 서화쌍조문경의 문양구성에 직접적으로 영향을 준 유사한 동경을 찾기 힘들었다. 다만, 中國 普祠博物館 소장 雙鳳花枝螺鈿紋鏡(圖47)은 나전경이라는 특별한 재료로 제작해 보편적인 예라 볼 수 없으나, 당대 서화쌍조문경과 유사한 문양구성이 있었음을 추정할 수 있는 동경이다.[224] 대칭구도를 이루는 이 동경은 뉴를 중심으로 봉황이 양측에 있고, 그 상, 하단에 두 마리씩 새가 꽃 위에 앉아 있다. 그리고 그 주위를 화문으로 채워 넣었는데, 이러한 구성은 서화쌍조문경과 매우 유사한 형태라는 점에서 서화쌍조문경은 중국 당대 동경의 영향 하에 문양구성이 이루어진 것은 定設로 볼 수 있다.

서화쌍조문경의 제작지에 대해 앞서 말한 바와 같이 다양한 의견이 개진되었다. 우선, 일본 헤이안 시대부터 많은 수량이 제작되었으며, 양호한 상태의 동경이 많아 당대 동경이 일본에 수용된 이후 일본에서 문양변화를 주어 자체 제작한 것으로 보았다. 그리고 이 동경이 일본에서 고려로 전래되어 고려화 되었다는 견해이다.[225] 다른 의견은 서화쌍조문경이 통일신라시대 9~10세기부터 제작된 동경이며, 고려시대에 그대로 재주하거나 11세기 후반 이후 다양한 변화를 주어 고려후기까지 제작했다고도 추정한다.[226]

서화쌍조문경은 두 마리 새가 뉴를 중심으로 마주보고 있으며, 그 사이에 서화문을 화려하게 장식한 것이 특징이다. 팔릉형이 다수지만 오화형, 원형으로도 제작되었다. 고려시대 성행한 서화쌍조문경은 통일신라시대 유적에서 발견되어 이를 통일신라시대 동경으로 보기도 하나, 10세기 말~13세기 성행해 제작된 고려동

224 李娜, 「鑑于歲月—普祠博物館館藏歷代銅鏡賞析」, 『文物鑑定與鑑賞』(2018年 11期), pp.35~36.

225 久保智康, 「朝鮮半島における日本系銅鏡」, 『韓半島考古學{論叢』, すずさわ書店(東京), 2002, pp.577~605.

226 박진경, 「瑞花雙鳥文八稜鏡의 연원과 전개」, 『韓國古代史探究』10(한국고대사탐구학회, 2012)

경일 가능성이 높다.[227] 이에 대해 일본에서는 9세기~12세기에 걸쳐 형식변화가 이루어진 것으로 보았으며, 형식분류에서도 고려동경은 긴꼬리의 봉황의 형태가 모호해지는 단계의 동경으로 분류했다(插圖16). 이는 9세기 雙鳳紋 혹은 雙鸞紋을 표현한 일본의 서화쌍조문경이 고려로 전래되어 뒤늦게 출현했다는 의견이다.[228] 하지만 일본에서 출토된 동경이 자체 제작품인지에 대한 의문과 고려시대 일본경의 유입은 무로마치시대에 주로 이루어졌다는 점에서 서화쌍조문경만 이른 시기 고려로 유입되어 성행한 이유를 설명하기 어렵다. 그렇기에 먼저 이러한 문제점을 해결하고, 고려로 서화쌍조문경이 전래되었다는 의견제시가 이루어져야 할 것이다. 이에 본 연구에서는 일본의 서화쌍조문경과의 비교를 통해 양 국가의 서화쌍조문경의 선후관계를 밝힐 근거를 마련해보고자 한다.

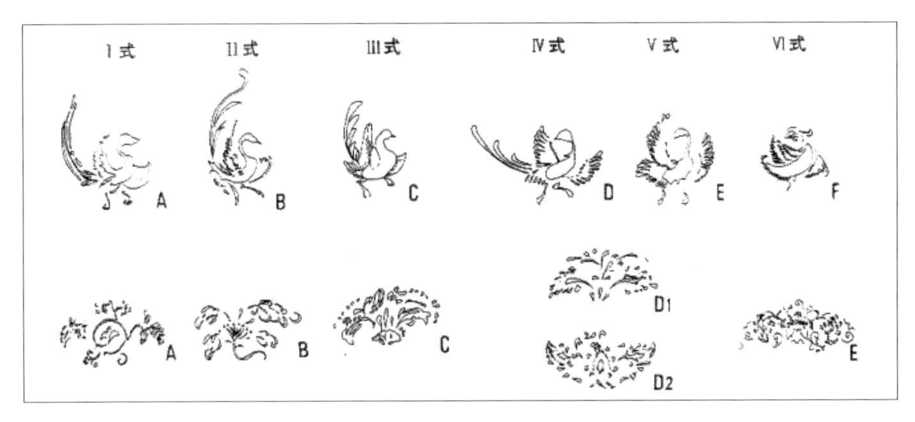

插圖 16. 日本 瑞花雙鳥紋鏡의 類型分類

---

227 통일신라시대 동경으로써 언급한 것은 경주 천북 동산리 출토 쌍조서화문경 2점에서 비롯되었다. 두 동경에 대한 발굴 기록은 없으나, 공반출토된 海獸葡萄紋鏡을 토대로 통일신라로 보는 의견이다. 하지만 고려시대에도 이전시기 제작되거나 고려시대에 제작된 해수포도문경이 다수라는 점에서 해수포도문경만으로 편년을 설정하는데 한계가 있다. 또한 광양 마로산성에서 발견된 해수포도문경 역시 통일신라 말 혹은 고려 초기로 시기구분이 나뉘기에 본 논문에서는 해수포도문경의 편년에서 제외하고자 한다.

228 久保智康, 앞의 논문, pp.580~581.

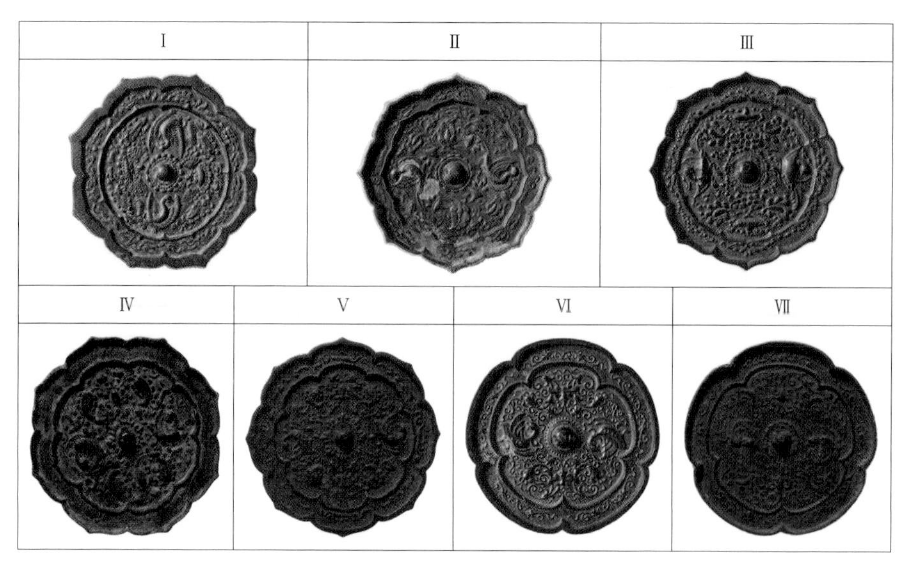

插圖 17. 韓國 瑞花雙鳥紋鏡의 種類

국내 소장 서화쌍조문경으로 새문양과 서화문 등을 비교하면 7가지 종류로 구분할 수 있다(插圖17). Ⅰ~Ⅴ형은 팔릉형으로 뉴를 중심으로 한쌍의 새가 대칭으로 배치되어 있고, 그 사이에 화려한 서화문이 표현되어 있다. 계권을 중심으로 외구에 넝쿨문이 있다. Ⅵ, Ⅶ형은 오화형으로 문양구성은 팔릉형과 유사하나 형태에서 차이가 있다.

Ⅰ~Ⅲ형은 긴꼬리의 두 마리 새가 있어, 이 새가 봉황임을 알 수 있으며, Ⅳ~Ⅶ형은 새의 머리 뒤에 말려 올라가는 깃털의 표현과 날개표현 등에서 원앙을 나타냈음을 알 수 있다. 서화쌍조문경의 발굴시기를 보면, 고려 초기에 해당하는 경주 천북 동산리 출토품은 Ⅰ, Ⅲ형에 속하며, 이는 봉황문이다. 이에 반해 Ⅴ~Ⅶ형은 고려 분묘에서 주로 출토되는 유형으로 이러한 점은 당시 제작된 서화쌍조문경이 시대의 흐름에 따라 봉황에서 원앙으로 변화가 이루어졌음을 알 수 있으며, 그 주변을 장식하는 서화문 역시 변화했다. 또한 서화쌍조문경의 제작초기에는 경테가 두껍고, 문양이 입체적 표현이 강해 당대 동경의 요소가 강하다. 하지만 고려 12

세기~13세기 분묘에서 출토된 동경은 그 두께가 얇고 문양이 흐려 대량으로 생산해낸 것으로 생각된다.

Ⅰ형은 고려 서화쌍조문경 중 가장 많은 수량이 현존하며, 분묘에서 출토된 예도 많은 편이다. 또한 통일신라 말~고려 초기 유적인 경주 천북 동산리 출토품 중에 Ⅰ형 동경이 있어 이 동경의 제작시기는 10세기 말~11세기 사이로 생각된다.

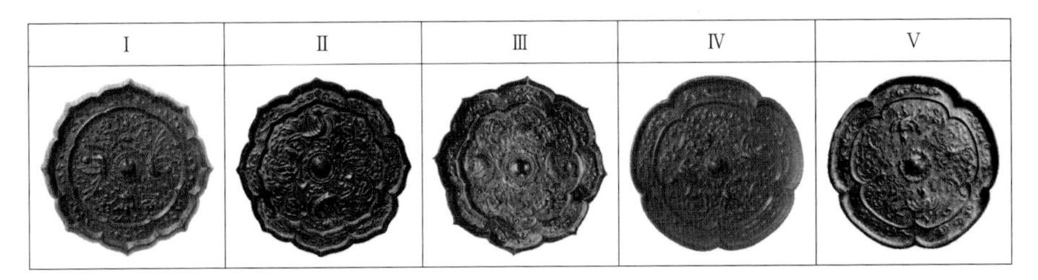

插圖 18. 日本 所藏 瑞花雙鳥紋鏡의 種類

일본에서 제작된 서화쌍조문경 역시 고려동경과 유사한 변화양상을 보인다. 초기에는 봉황형태의 새문양으로 제작되어 이후 원앙형태로 변화한다. 형태 역시 대부분 팔릉형이었으나, 오화형도 제작되어 일본과 고려 양국에서 서화쌍조문경은 상호영향을 끼치며 발전했음을 알 수 있다. 하지만 각국은 동일한 서화쌍조문이라는 주제라도 선호하던 문양이 각각 달랐다.

일본 소장 서화쌍조문경 종류는 긴 꼬리의 Ⅰ형부터 원앙형의 Ⅴ형까지 고려와 새문양의 변화양상은 동일하다(插圖18). 하지만 Ⅰ, Ⅲ, Ⅳ형은 고려 서화쌍조문경에서 볼 수 없는 유형이며, Ⅰ형은 9~10세기 제작된 초기 서화쌍조문경의 형태와 유사하지만, 꼬리부분이 짧아지고 머리와 날개부분도 Ⅱ유형과 흡사하여 이 유형은 서화쌍조문이 정형화되는 초기 작품으로 생각된다. 이후 원앙형태의 새문양이 등장하며, 이는 Ⅳ, Ⅴ유형에서 확인할 수 있다. 이중 Ⅱ, Ⅴ형은 고려 서화쌍조문경의 Ⅱ, Ⅶ형과 동일한 형태와 문양이다. 이러한 경향은 일본 永延2年銘鏡(988)이 고려 Ⅲ형과 표현이 동일한 점에서도 찾을 수 있다. 이 동경은 뉴에 꽃술

모양의 문양이 둘러져 있고, 상하에 서화문이 있으며, 좌우에 봉황문이 표현되어 있다. 이와 동일한 문양구성인 고려 Ⅲ형의 동경은 경기도 용인시 좌항리 무덤군에서 발견된 팔릉경이 대표적이다. 두 동경은 문양의 형태는 동일하나 새의 머리 방향, 서화문의 방향이 바뀌어 있어, 원본은 같으나 문양의 배열을 다르게 제작했다. 문양배치 상 일본경의 서화문의 위치가 자연스러워 원본은 일본경과 동일한 문양으로 생각된다. 다만, 일본경의 제작시기를 988년으로 상정해 고려에서 이를 따라 제작했다는 의견이 있다. 그 근거로 앞서 언급한 용인 좌항리 무덤군 출토 동경을 예로 들었다. 청자와 백자완 등이 함께 출토되어 무덤의 편년을 11세기 중엽으로 추정하여 일본에서 고려로 이 유형의 동경이 전해졌다는 것이다.[229] 하지만 석곽묘의 경우 통일신라 후기부터 이어져 온 묘제이며, 동경은 사용하던 제품을 부장품으로 매납한 경우가 많아, 이 동경의 제작시기는 무덤 조성시기보다 앞설 가능성이 높다.[230]

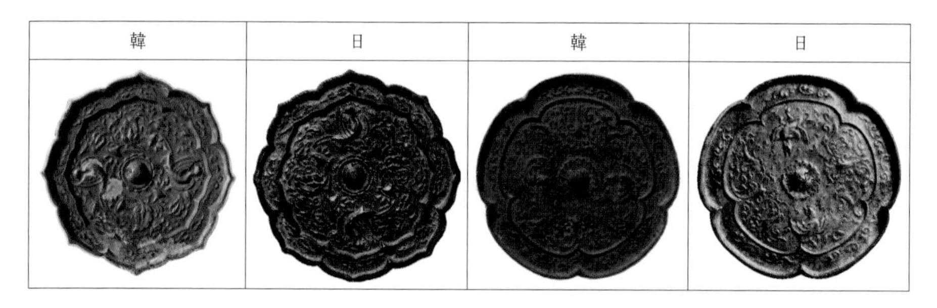

插圖 19. 韓 · 日 瑞花雙鳥紋鏡의 比較

한국과 일본 서화쌍조문경은 동일한 문양구성과 배치를 보이는 예로 크기도 비슷한 편이라 한국과 일본에서 동시기에 유통된 동경으로 생각된다(插圖19). 팔릉

229 久保智康, 앞의 논문, p.581.
230 박진경, 앞의 논문, p.193.

형경은 꼬리가 짧지만 봉황이 표현되어 있고, 양옆의 서화문과 외구의 화문 모두가 동일한 구성을 보인다. 오화형 역시 형태와 새모양, 서화문의 표현이 같다. 봉황의 꼬리가 단순화되고, 새의 형태도 이전보다 작아져 이 동경은 원앙문으로 넘어가기 직전의 새문양으로 보이며, 제작시기는 대략 11세기로 생각된다. 오화형은 고부조였던 초기 동경과 달리 저부조로 서화문이 크고 화려한 문양으로 표현했지만 새문양은 더욱 작아져 서화문의 일부로 보인다. 이 오화형 동경은 팔릉형 동경보다 시기가 늦어 고려 분묘에서 출토되는 예를 통해 보면 대략 12세기~13세기에 제작되었음을 알 수 있다.

고려시대 오화형경은 팔릉형경에 비해 늦은 시기에 제작되어 그 수량이 많은 편은 아니며, 문양도 2가지로 나뉜다. 일본 역시 오화형경이 제작되고 다양한 형태가 존재해 이 동경이 일본에서 고려로 전래된 것으로 보아도 무방하다는 의견이다. 하지만 오화형경의 일본에서의 전래설은 단순히 문양구성이 다양하다는 이유만으로 주장하기엔 다소 무리가 있다.

우선 오화형경이 제작되던 시기에는 이미 고려에서 서화쌍조문경이 보편화되어 전국에서 사용되었기에 일본의 서화쌍조문경을 따라서 제작할 이유가 없었다. 또한 일본 동경의 형태는 기본형인 원형에서 벗어나는 형태가 크게 없으며, 원형에 손잡이를 붙인 병경으로 변화하는 양상이 뚜렷하다. 특히 오화형과 같이 독특한 형태가 동경으로 많이 생산된다는 것은 일본 어느 시기에도 보기 힘든 특징이다. 그럼에도 불구하고 일본에서의 전래설이 나오는 이유는 고려에서 이 동경의 초기유형을 찾기 힘들기 때문이다. 이는 고려 이전 통일신라시대 동경의 현존 수량이 극히 적은 점에서 비롯된 문제로 생각된다. 다만, 기록상 통일신라시대 동경이 일본으로 전래된 경우가 많았고, 당시 선진문물이었던 당의 물품을 중개하던 역할을 신라가 맡았다는 점을 통해 이러한 서화쌍조문경이 통일신라시대 상품경으로 일본으로 전래되었을 가능성도 생각해 볼 수 있다. 그렇기에 이 동경류의 제작지 문제는 단순히 명문이나 출토시기를 통해 추론하기보다 당시 일본의 동경제작수준과 일본과 통일신라 · 고려와의 관계분석을 통해 이 동경의 제작과 전래 등을 생각해 보는 것이 우선적 과제라 판단된다.

(4) 雙魚紋

雙魚紋은 두 마리 물고기가 나란히 혹은 대칭형으로 배치된 문양이다. 중국에서 魚文은 고대부터 선호되던 문양으로 新石器 仰韶文化 彩色陶器부터 보여 긴 시기 동안 애용된 문양이다. 물고기는 물 속에서 가장 많이 볼 수 있는 동물로 인간에게 가장 보편적으로 숭배되던 水神이었다.[231] 중국 쌍어문은 도자기에서도 흔히 사용되는 문양으로 宋, 元代 도자기 저부에서 찾을 수 있다.

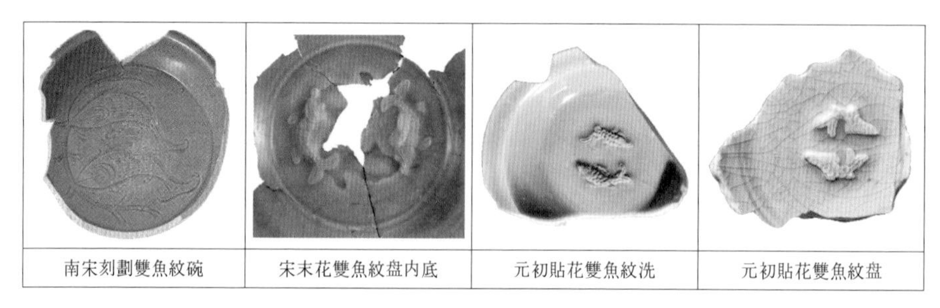

南宋刻劃雙魚紋碗	宋末花雙魚紋盘内底	元初貼花雙魚紋洗	元初貼花雙魚紋盘

插圖 20. 中國 陶瓷에 표현된 雙魚紋[232]

중국 송대에는 쌍어문의 유행이 시작됨에 따라 耀州窯, 定窯와 磁州窯 등에서 다양한 쌍어문이 도자의 문양으로 사용되었다(插圖20). 이중 대표적 窯址인 龍泉窯에서는 남송대에 쌍어문이 보이기 시작해 원을 거쳐 明代까지 집중적으로 제작되었다. 남송 말기 용천요 자기 내저에는 貼花雙魚紋裝飾이 출현하여 쌍어문이

231 陳紅波, 「客從遠方來, 遺我雙鯉魚—Z0916金雙魚紋銅鏡的文化內涵」, 『天水行政學院學報』(2017年1期), p.114.

232 張米, 「繁盛和諧 吉祥有魚 考古出土的龍泉窯雙魚紋」, 『大衆考古』12期(中國國家博物館, 2017), pp.52~53 삽도 재인용.

양각으로 표현되는데, 이는 송대 금은기의 영향으로 생각된다.[233]

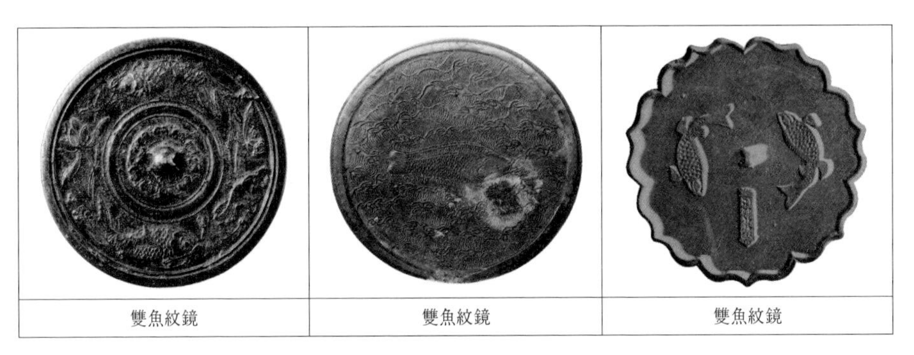

插圖 21. 中國 宋代 雙魚紋鏡 種類

중국 동경에 쌍어문경이 본격적으로 등장한 것은 송대부터이다. 그 종류는 많지 않지만 두 마리의 물고기가 대칭형으로 있거나, 혹은 나란히 있는 구성으로 동경의 문양으로 표현했다(插圖21). 이중 팔릉형 쌍어문경은 호주경으로 대부분 상품경에 문양이 없는 것이 특징이나 이 동경에는 쌍어문이 주조되어 있어, 금과 같이 쌍어문을 선호하는 지역에 판매하기 위해 제작된 거울로 추정된다.

금대에는 중국에서 가장 많은 쌍어문경이 제작된 시기이며, 중국 黑龍江省과 吉林省에서 출토된 수량이 비교적 많고 문양형태도 다양하다. 이러한 금대 쌍어문을 선호하는 성향은 왕실, 민간의 구분 없이 이루어졌으며, 다양한 의미를 갖게 되었다. 물고기에 대해 상서로움을 상징하는 존재로 보았으며, 多子多孫을 기원하는 표시이기도 했다. 또한 풍족한 생활을 의미하며, 물 속에 사는 존재이기에 비를 다스리는 능력이 있다고 보기도 했다. 그 외 남녀간의 情表, 出世의 상징으로 인식되면서 쌍어문에 대한 선호는 더욱 적극적이었다.[234] 이는 당시 금대인들

233 張米, 위의 논문, pp.52~53.

234 陳紅波, 앞의 논문, pp.115~116.

이 원하는 바를 쌍어문에 투영한 것이며, 이는 금대 사회의 문화적 특징을 보여주는 대표적 예이다.

금대 쌍어문경은 여러 의미를 내포하고 있듯 그 종류도 다양하며, 같은 어문이라도 배경표현을 달리하는 등 문양구성의 변화를 다채롭게 해 중국 동경 가운데 동일 주제로 가장 많은 종류가 있다. 그 중 대표적인 몇 가지 쌍어문경을 살펴보고자 한다.

插圖 22. 中國 金代 雙魚紋鏡 種類

금대 쌍어문경은 대표적으로 8가지 종류로 나눌 수 있으나, 세부적 표현에서 차이를 논하면 더 많은 종류의 쌍어문경이 현존한다. 그 중 쌍어의 표현이 크게 변화하는 점에 중점을 두어 분류했다(插圖22). 이 시기 쌍어문경은 대부분 원형으로 간혹 팔화형 등이 있으나, 그 수는 적은 편이다. 문양구성은 기본적으로 쌍어가 동경을 가득 채우고 있으며, 간혹 외구에 문양대가 둘러져 있다. 쌍어는 뉴를 중심으로 서로의 꼬리를 바라보는 형태이며, 그 사이에 물결문이 표현되어 있어, 물고기들이 물 속에서 헤어치는 듯한 장면을 연출했다. 또한 쌍어는 모두 몸을 한 번 비틀어 'V'형으로 몸을 굽힌 것이 특징이며, 이는 물고기의 역동적인 動勢를 보여주기 위한 요소로 생각된다. 이러한 점은 Ⅰ~Ⅳ형의 쌍어들이 자연스러운 자세와 고부조의 문양, 물고기의 방향에 맞춘 물결문 등의 표현은 사실적 묘사가 두드러진다. 특히 Ⅱ, Ⅲ형에 표현된 문양대의 식물문은 水草를 표현한 것으로 물 속 혹은 물가에 있는 풀을 물고기와 함께 표현함으로써 한정된 공간에 물고기가 사는 연못을 재현했다.

Ⅴ~Ⅷ 형의 쌍어문경은 앞서 설명한 쌍어문경보다 물고기의 크기가 커지고, 저부조로 변화한다. 특히 Ⅷ형은 쌍어문이 배면을 가득 채워 빈 공간이 거의 없다.

承安二年鏡子局造	承安二年鏡子局造	承安三年上元日陝西東路運司官局造作匠社虎監官鏡事任(花押)提控所轉運使高(花押)	承安四年上元日陝西東運司官局造作匠陽林監官錄事任(花押)提控所轉運使高(花押)

插圖 23. 承安年間 雙魚紋鏡의 文樣과 銘文內容 比較

또한 금대 동경의 특징 중 하나인 험기가 동경 자체에 주출되기도 하는데, 그 주제는 쌍어문, 서수문, 서우망월문 등으로 한정적이기에 금대 유행한 동경 주제 중 일부만 이러한 형식으로 제작한 것으로 보인다. 이중 쌍어문경은 章宗代인 承安2年(1197)~承安4年(1199)에 제작된 예가 있다(插圖23).

승안 2년 동경은 모두 팔화형으로 험기를 명문으로 주출하는 초기형식의 동경이다. 그로 인해 호주경과 같이 방형의 테두리 안에 8자의 명문을 넣어 물고기 사이에 배치했다. 반면 승안3년 쌍어문경과 승안4년 쌍어문경은 연부를 따라 명문대가 있으며, 초기에 비해 많은 내용을 담고 있다. 명문대에는 '연호+명절명+지역과 관직명+장인명+검수관직명' 등 순으로 표기되어 있다. 특히 동경을 제작한 장인명까지 표기한 것은 장인에게 책임감을 부여하는 장치로 추정된다. 이에 승안연간에 제작된 동경은 단순히 실용적 목적을 위해 제작되었다기보다 국가에서 목적을 갖고 제작한 동경이었던 만큼 명문을 통해 자세한 기록을 했던 것으로 판단되며, 이와 같은 동경의 문양으로 쌍어문이 사용되었다는 것은 금대 쌍어가 중요한 의미가 있음을 시사한다.

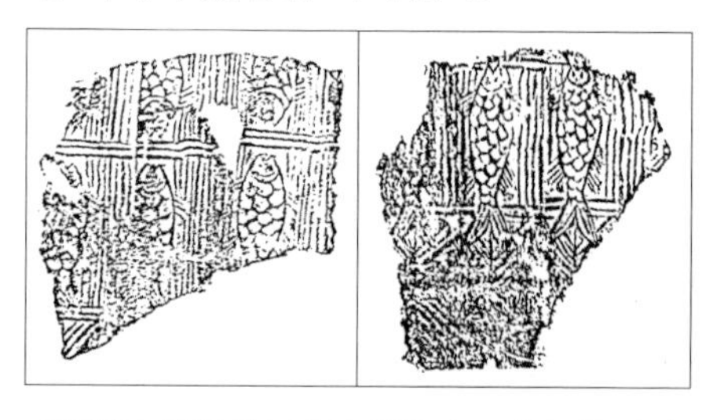

插圖 24. 襄陽 陳田寺址 遺蹟 出土 雙魚紋 기와

쌍어는 고려시대 이전에도 사찰, 석탑, 공예품 등에 장식적 요소로 표현되었던 것으로 보인다. 대표적 예로 백제 무령왕릉 출토 청동잔의 內底에 쌍어문이 표현되어 있으며, 襄陽 陳田寺址에서도 쌍어문 기와가 많이 출토되었다는 점에서 국내에서도 쌍어문이 길상적 문양으로 사용되었음을 짐작할 수 있다(插圖24).

국내 현존하는 쌍어문경은 송대 제작으로 추정되는 동경은 없으며, 고려 쌍어문경으로 분류한 동경은 금대 쌍어문경과 동일한 예가 많아 고려시대 쌍어문경은 금대 전래된 동경이다(插圖25).[235] 국내에 있는 쌍어문경은 원형으로 중국 쌍어문경과 유사한 형태와 문양구성이며, 고부조의 쌍어문에서 저부조의 쌍어문까지 다

235 쌍어문경은 병형으로도 제작이 많은 편이다. 하지만 손잡이가 달린 것을 제외하면 원형경의 문양을 그대로 찍어내어 제작했으며, 고려에 전래된 동경 역시 같은 양상이라는 점에서 병형경은 원형경의 문양구성을 중심으로 살펴보고자 한다.

양한 유형의 동경이 고려로 유입되었다.

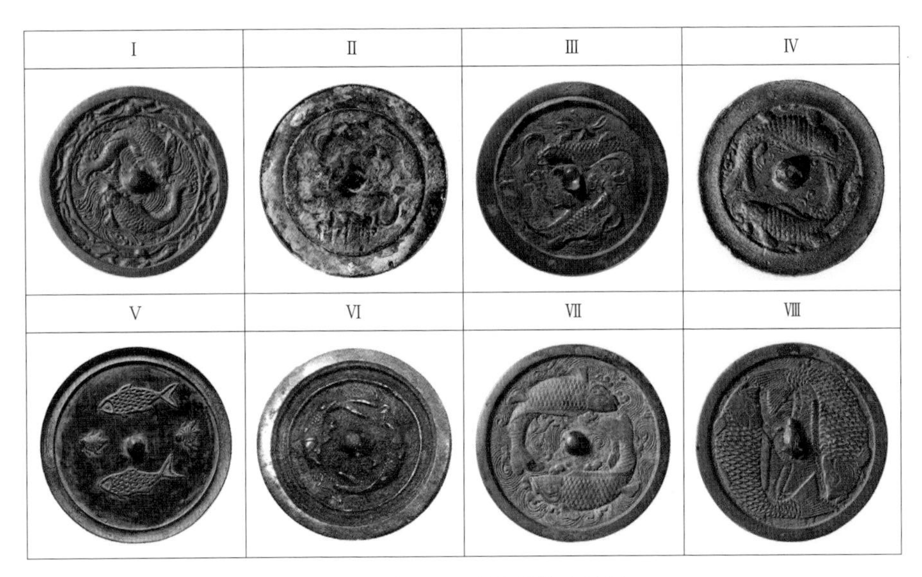

插圖 25. 高麗時代 雙魚紋鏡의 種類

고려시대 쌍어문경 중 충남 舒川 楸洞里 遺蹟에서 발견된 동경은 부장품으로 사용된 예이다. 부장품으로 매납되는 동경은 주로 칠보문경, 서화쌍조문경 등이며, 쌍어문경은 그 예를 찾아보기 힘들 정도로 드물기에 서천 추동리 유적 출토 쌍어문경의 발견은 쌍어문경 연구에 중요한 자료이다.

서천 추동리 유적의 쌍어문경(圖48)은 I 지구 F-6호 널무덤에서 출토되었다. 이 동경은 III형에 해당하는 동경으로 물고기와 화문의 조화가 돋보이는 동경이다. 출토된 동경은 뉴에 묶었던 끈이 그대로 있으며, 발견 당시 묵서가 있는 한지에 쌓인 채로 있었다. 한지에는 己亥와 趙延이라는 이름이 확인되었다. 기해년은 함께 출토된 녹청자, 청자잔, 崇寧重寶

圖48. 雙魚紋鏡, 高麗, 徑 10.6cm, 국립부여박물관

(1102~1106) 등을 참고할 때 1119년 혹은 1179년으로 추정한다.[236] 동경은 자체적으로 제작시기를 판단할 수 있는 자료가 거의 없어, 공반유물을 통해 동경의 제작시기 혹은 유통시기를 추정한다. 이러한 점에서 볼 때, 서천 추동리 유적 출토 쌍어문경은 간지가 적힌 묵서와 공반유물의 편년을 통해 이 동경이 12세기에 고려에서 이미 사용되고 있었음을 알 수 있다.

또한 금의 존속시기가 1115~1234년이라는 점에서 이 동경의 제작시기 혹은 성행시기를 추정할 수 있다. 서천 추동리 유적 출토 쌍어문경은 간지를 통해 1119년 혹은 1179년으로 편년기준을 잡았다. 이 시기를 기준으로 본다면, 금대 초기에는 금만의 독창적 동경을 제작하지 못하던 때이다. 이로 인해 당, 송대나 요대 동경을 유입하거나 모방하여 제작해 금대 동경이라 할만한 예가 전무하다. 이후 금 세종대(1161~1189)에 이르러 경제, 정치적으로 안정되고, 자신들만의 문화를 향유하기 시작하면서 금대 동경은 비약적 발전이 이루어진다. 이 같은 시대적 맥락에서 볼 때, 이 동경은 금이 건국되던 시기와 비슷한 1119년에 제작되었기보다는 금의 고유문화가 정립되고 동경제작이 활발해진 시기와 가까운 1179년 무렵 이 동경이 전래되어 사용된 것으로 생각된다.

(5) 龍紋

'龍'은 東 · 西洋 傳說 · 神話에 등장하는 상상 속 동물이다. 서양의 용은 공격적이고 부정적 의미로 대부분 표현되지만, 동양에서는 皇帝를 상징하거나, 상서로운 의미를 갖고 있어 긍정적 의미를 내포한다. 특히 中國에서는 上古時代부터 용을 황제의 상징, 물을 다스리는 神物로 여겨 다양한 형상을 만들어냈다. 용에 대한 개념이 자리 잡고, 이에 대한 표현이 적극적으로 이루어지면서 각종 기물에 용이 등장하기 시작했으며, 동경에도 용의 형상이 나타났다. 漢代에는 동경 제작 발

236 국립중앙박물관, 앞의 책, (2010), p.48.

전이 현격히 이루어짐에 따라 다양한 용문이 동경 배면에 장식되었다. 그리고 당대에 이르러 동경 제작의 절정기에 접어들면서 용이 단독 주제로 등장한다. 이러한 경향은 송대 이후에도 지속되었고, 중국과의 교역이 빈번했던 고려에도 영향을 끼쳐 다양한 용문경을 수용 · 제작할 수 있는 토대가 되었다.[237]

고대 동아시아는 중국문화에 큰 영향을 받았으며, 이는 '용'문화에서도 적용된다. 중국 先史時代부터 등장한 용은 다양한 형태로 변화하면서 한국과 일본 등에 영향을 주었다. 중국 용의 기원은 다양한 기원설[238]이 제기되지만, 가장 대표적인 것은 '뱀 기원설'과 '악어 기원설'이다.

뱀 기원설은 중국 용 기원설 중 가장 먼저 제기되어 일반화된 이론이다. 西漢시기 이미 뱀과 같은 형상의 용이 있었으며, 이를 학술적 견해로 이끌어낸 것은 중국학자 闻一多이다. 그는 고문학, 민속학, 언어학 연구방법을 차용하여 용의 기원에 대해 설명했다. 용은 큰뱀을 숭배하는 토템집단에 의해 형성되었으며, 이후 이 집단은 다른 동물을 숭배하는 집단을 흡수함에 따라 다양한 동물의 신체와 뱀을 결합하였고, 우리가 지금 알고 있는 용의 형태를 갖추게 되었다는 것이다.[239]

악어 기원설은 '용은 곧 악어이다.'라는 관점으로 중국 고대 악어는 크게 灣鰐과 揚子鰐으로 나뉜다. 이 악어 기원설은 지역적 영향을 받아 전파된 것으로 보는 견

237 최주연, 「高麗時代 '雙龍紋'鏡 流入과 獨自性」, 『文化財』Vol.52(국립문화재연구소, 2019), p.143.

238 용의 기원에 대해서는 다양한 설들이 제기되었으며, 그 형상은 공룡, 도마뱀, 뱀, 악어, 해마 등 다양하다. 다양한 형상은 그 특징에 따라 여러 종류의 용으로 분류되는데, 대표적으로 악어 형상을 한 타룡이 있다. 용의 모습은 시대에 따라 지속적으로 변화했으며, 특정한 모습으로 형상되기 시작한 것은 상대 이후이다. 이때는 악어 · 뱀 · 제비가 결합된 형태로 말아 올린 입과 뭉툭한 코, 벌리고 있는 입을 강조했다. 주대는 입을 벌리고 있는 용의 특징을 유지하면서 세 개의 발가락을 가진 용이 주로 나타난다. 서주 때는 코가 길게 말려진 상비룡이 등장하며, 진대 봉황, 악어, 도롱뇽, 뱀이 복합된 응룡이 보인다. 한대에 용의 형상이 어느 정도 갖추어졌으며, 이러한 형태가 보편적이고 구체적으로 고정된 것은 당대 이후이다. 국립대구박물관, 『한국의 문양 龍』(통천문화사, 2003), p.12.

239 (日)伊藤清司 著 · 張小元 譯, 「龍的起源論」, 『思想戰綫』(2003年 2期), p.108.

해가 있다.[240] 이는 악어를 믿는 남부지역 민족에 의해 형성되었고, 이후 中原地域으로 전파되었다는 것이다. 하지만 이러한 견해에 대해 부정적인 의견 역시 있다. 중국 동북지역의 遼寧省 서부와 內蒙古自治區 동남부 등지에서 발견된 유물 중 용의 초기 형태로 추정하는 의견이 제기됨에 따라 용은 紅山文明(B.C 6000)이 발생한 북부에서 비롯되었다는 것이다.[241] 이와 같이 대표적 기원설인 뱀과 악어기원설에 대해서도 다양한 의견이 제시되고 있으며, 그 외, 공룡 기원설, 별자리 기원설, 번개 기원설 등 동물과 자연현상을 결부하여 용의 기원설에 대해 설명하는 의견도 있다.[242] 용은 다양한 형태만큼 그 기원도 많은 가설이 제기되고 있는 실정이다.

한국에서 용에 대한 구체적 인식이 언제부터 이루어졌는지 알 수 없으나, 고려시대 「訓要十祖」 가운데 '여섯째, 내가 지극하게 바라는 것은 燃燈會와 八關會에 있으니, 연등회는 부처를 섬기는 까닭이고 팔관회는 하늘의 신령 및 五嶽 · 名山 · 大川 · 龍神을 섬기는 까닭이다.'[243]라는 내용을 통해 산과 강 등 자연물을 신앙화 했음을 알 수 있으며, 그 중 용신이 있어, 고려시대에 용신을 섬긴다는 기록이 있을 정도로 용신앙이 자리잡고 있음을 추정할 수 있다.

한국에서 용신앙은 삼국시대에 그 성격이 공고히 되었으며, 그 목적도 뚜렷해졌다. 삼국시대 용신앙이 확고한 자리를 잡은 이유는 첫째, 중국 기우제의 유입이고, 둘째, 용을 통한 왕권강화 셋째는 불교에서 전래된 용신앙이다.[244] 용은 물을 다룰 수 있는 존재로 기우제는 가뭄에 비를 부르는 의식이다. 이때 용 형상의 그림이나 토우를 이용해 의식을 행함으로써 용이 비를 부르기를 기원했다. 이러한

---

240 王明達, 「也談我國神話中龍形象的產生」, 『思想戰綫』(1981年 3期), pp.52~54.

241 孫守道 · 郭大順, 「論遼河流域的原始文明及龍的起源」, 『文物』(1984年 4期), p.17.

242 王大有 著 · 林東錫 譯, 『龍鳳文化原流』(동문선, 2002), pp.230~233.

243 『高麗史』卷2 「世家」 卷第2 太祖26年 "其六曰, 朕所至願, 在於燃燈八關, 燃燈所以事佛, 八關所以事天靈及五嶽名山大川龍神也。"

244 高福升, 「韓 · 中 龍傳承의 政治 · 宗教的比較 研究」(경희대학교대학원 박사학위논문, 2014), p.84.

의식은 고려로 이어져 가뭄 때마다 용 형상을 만들어 무당들이 비를 오도록 빌었으며, 『高麗史』에서 관련 기록을 살펴볼 수 있다.

表 27. 『高麗史』 龍 관련 祈雨祭 記錄

문헌명	주제	권명	내용
『高麗史』	祈雨祭	世家 卷第四 顯宗 12年 5月	5월 경진 南省의 마당에 土龍을 만들고, 巫覡을 모아 기우제[禱雨]를 지냈다.[245]
		志 卷第八 五行 二	선종6년(1089) 5월 을해 가뭄이 드니 有司에 명령하여 용을 그려 비를 내려달라고 기도하게 하고, 市場을 임시로 닫아 각 마을의 저잣거리에서 장을 열게 하였으며, 해골을 묻어주게 하였다.[246]
		世家 卷第十一 肅宗 6年 4月	을사 햇볕이 내리쬐므로 무당이 비를 빌었다. 여러 신하들이 아뢰기를, "송충이가 번식하여 온갖 제거 방법을 썼는데도 효과를 보지 못하였습니다. 신들이 삼가 살펴보니 경방(京房)이 지은 『易傳』의 飛候篇에서 말하기를, '祿을 먹는 자가 임금의 교화를 더하지 못하면 하늘이 虫災를 보인다.'라고 하였습니다. 신들이 아무런 공적도 없이 주상께 근심만을 끼치고 있으니, 원컨대 현명한 사람을 등용하고 不肖한 사람을 물리쳐서 하늘의 견책에 답하소서."라고 하였으나, 왕은 대답하지 않았다. 臨海院에서 龍王道場을 열고 비를 빌었다.[247]
		世家 卷第十五 仁宗 元年 5月	갑자 土龍을 만들어 놓고, 무당을 모아 비를 빌게 하였다.[248]
		世家 卷第十七 毅宗 5年 7月	임인 貞州 배 위에서 龍王道場을 열고 비를 내려달라고 7일간 기도하였다.[249]

(表27)는 『高麗史』에 기록된 기우제 내용으로 국가에서 왕에 의해 기우제가 실시되었으며, 이는 무속적, 불교적 방법으로 시행되었다. 기우제에 土龍을 만들어 무당이 기우제를 지냈다는 기록은 현종12년(1021) 5월 기록에서 찾을 수 있다. 또

245 『高麗史』卷4「世家」卷第4 顯宗 12年 5月 '五月 庚辰 造土龍於南省庭中, 集巫覡禱雨。'

246 『高麗史』卷54「志」卷第8 五行2 '五年四月丙申 以旱甚, 王備法駕, 率百僚, 如南郊, 再雩, 巷市, 禁人戴冒揮扇。'

247 『高麗史』卷11「世家」卷第11 肅宗6年 4月 '乙巳 曝巫祈雨. 群臣上言, "松虫蕃殖, 壓禳無效。臣等謹按, 京房易飛候云, 食祿不益聖化, 天示之虫。臣等無狀, 以貽上憂, 願進賢退不肖, 以答天譴。不報。設龍王道場于臨海院, 祈雨。'

248 『高麗史』卷15「世家」卷第15 仁宗元年 5月 '甲子 造土龍聚巫禱雨。'

249 『高麗史』卷17「世家」卷第17 毅宗 5年 7月 '壬寅 設龍王道場於貞州船上, 禱雨七日。'

한 선종6년(1089)에는 용을 그려 비를 내려달라 기도했다는 기록이 있으며, 이는 무당을 통해 국가에서 진행한 기우제였다. 毅宗5년(1151)에는 龍王道場을 열어 7일 동안 기도를 했다는 내용도 있다. 그리고 무속과 불교적 방법이 모두 시행된 때도 있었는데, 肅宗 6년(1101) 4월 극심한 가뭄으로 무당을 통해 기우제를 시행했으나, 효과가 없자, 숙종은 용왕도장을 설치해 기우제를 지냈다. 즉, 고려시대 용은 비를 부르는 존재로 가뭄은 국가적 재난이었던 만큼 왕실에서는 '용'과 관련된 다양한 의식을 행해 가뭄을 해결하고자 했다.

고려는 왕권강화와 왕실의 당위성을 '용'을 통해 정립하고자 했다. 고려 작제건 설화는 왕건의 할아버지인 작제건을 통해 왕건의 계보를 설명한다. 작제건은 아버지를 만나기 위해 바다를 건너다 용왕을 만나 그의 딸 용녀와 결혼함으로써 왕권의 신성함을 강조할 수 있는 '용'이라는 상징성을 얻게 되었으며, 이는 고려 태조 왕건대에서 용의 자손이라는 구성을 구체적으로 완성하면서 '용손의식'을 정립했다.[250] 또한 고려 건국 관련 설화 중에 '古鏡讖文'에서 왕건이 왕이 됨을 예언한 내용이 있다. 이 내용에는 唐 商人 王昌瑾이 시장에서 구입한 거울을 벽에 걸었더니 해가 비쳐 거울에 새겨진 글자가 보여 궁예에게 이 거울을 바쳤다. 궁예는 신하들에게 그 내용을 해석하라 했는데, 그 내용 중에 왕건이 왕이 된다는 것이 적혀 있어, 궁예에게 거짓으로 고했다. 거울의 내용 중 '용'이 등장하는데, 두 마리 용은 왕건과 관련된 요소를 암시하여, '용'은 고려 왕실을 상징하는 신성한 존재로 자리 잡게 되었다.

용문경은 기본형인 圓形을 비롯해 方形, 葵花形, 菱花形, 鼎形, 柄形 등 다양한 형태로 제작되며, 표현된 용도 자세에 따라 盤龍, 坐龍, 團龍 등이 있다. 중국에서는 용의 형상이 이른 시기부터 동경의 문양으로 애용되었으며, 당대에 이르러 정형적 용문으로 자리잡았다. 당대에는 한 마리 용이 보주를 향해 몸을 구부려 보주(뉴)를 입으로 물려는 자세가 기본인 동경의 제작이 특징이다. 또한 두 마리 용이

250 최주연, 앞의 논문(2019), p.146.

대칭형으로 배치되어 있는 예도 있는데, 中國 湖南省 博物館 소장 쌍룡문경(圖49)은 한쪽 앞발을 위로 든 용이 좌우대칭형으로 있으며, 그 사이 운기문이 장식되어 있다. 당대 뉴를 향해 입을 벌리는 구도가 일반적이라는 점에서 이 동경의 표현은 새로운 구성을 보여주며, 송대 이러한 구도의 동경이 출현할 수 있는 바탕이 된다. 중국의 용문경은 유구한 역사 동안 끊임없이 제작되고 변화했으며, 주변 인접 국가에도 전래되어 다양한 용문경이 생산될 수 있었다. 이에 동경에 표현된 용의 숫자로 나누어 고려시대 반룡문, 쌍룡문, 사룡문 동경을 고찰하고자 한다.

圖49. 雙龍紋鏡, 唐, 徑 12.3cm, 中國 湖南博物館

① 盤龍紋鏡

용을 신성시했던 중국은 용문을 민간에서 사용하는 것을 엄격히 금했으며, 당대에는 왕이 하사하는 동경의 문양으로 표현할 정도로 귀한 존재였다. 한 마리의 용이 뉴를 향해 몸을 틀어 입을 벌리고 있는 자세를 취한 문양으로 당대 대표적 동경이다. 당대 성행한 반룡문경은 요, 금대에도 그 영향이 남아 세부적 표현에는 차이가 있으나, 한 마리의 용이 몸을 틀고 있는 자세는 동일하다.

고려시대에는 통일신라시대 유입된 것으로 보이는 반룡문경과 고려시대 요나 금을 통해 유입된 반룡문경 등이 혼재해 있으나, 모두 당대 반룡경을 답반한 형태이다. 당대 반룡문경과 같은 용문이 표현되어 있는 국립중앙박물관 소장 반룡문경(덕수3704)(圖50)은 뉴를 등 뒤에 두고 이를 중심으로 등을 휘어 고개를 돌려 뉴를 바라보는 자세를 취하고 있으며, 왼쪽 앞발은 위로 들고 있고, 오른쪽 앞발은 내리고 있다. 당대 반룡경의 용문은 뒷다리를 꼬리가 감고 있으나, 이 동경의 용문은 긴 꼬리가 다리 뒤로 지나간다. 긴 뿔과 안면표현은 당대 반룡문경과 유사하며, 용문 주위에는 瑞雲紋이 빈공간을 메우고 있다. 국립중앙박물관 소장 반룡문경(본관2594)과

圖50. 盤龍紋鏡, 高麗,
徑15.0cm, 국립중앙박물관
(덕수3704)

圖51. 盤龍紋鏡, 高麗,
徑12.6cm, 국립중앙박물관
(덕수77)

圖52. 盤龍紋鏡, 高麗,
徑13.9cm, 국립중앙박물관
(덕수50)

반룡문경(덕수77)(圖51) 모두 동일한 구성이나, 두 동경은 계권을 중심으로 외구와 내구로 구분되며, 외구에는 팔화형 경형에 맞게 운문이 배치되어 있다.

반룡문경은 원형 혹은 팔화형의 경형이 많은 편인데, 국립중앙박물관 소장 반룡문경(덕수50)(圖52)은 우입방형으로 제작되었다. 용의 자세는 앞서 살펴본 동경과 차이는 없으나, 신체가 볼륨감 있고, 몸의 비늘이 섬세히 묘사되어 있는 것이 특징이다. 이 용문은 경형이 방형이기에 몸의 움직임도 경형에 맞추어 각진 편이며, 다리도 신체에 밀착되어 있다. 안면표현에서 갈기와 뿔의 표현은 금대 용문에서 볼 수 있는 표현과 유사해 이 동경이 당대 동경보다는 금대 용문경의 영향을 받아 제작되었을 가능성도 있다.

② 雙龍紋鏡

插圖 26. 中國 唐~元代 雙龍紋 種類

중국 10~14세기 쌍룡문경은 당대 쌍룡문경을 바탕으로 발전했고, 특히 요·금대에는 쌍룡문경의 제작이 성행하여 원대까지 그 경향이 이어진다(插圖26).

圖53. 雙龍紋鏡, 唐, 徑 20.7cm, 中國 西安博物館

당대 쌍룡문경(圖53)은 반룡경과 같이 뉴를 향해 입을 벌린 자세를 취한 두 마리 용이 동경에 표현되어 있다. 몸을 옆으로 비틀어 뉴를 바라보는 자세는 두 마리가 원형을 이룬다. 그리고 용의 몸 사이에는 운문을 표현함으로써 하늘에 용이 위치했음을 간접적으로 보여준다. 이러한 표현은 이후에도 이어져 용과 운문의 조합을 이룬 문양구성은 용문경의 기본구성으로 자리 잡는다.

圖54. 雙龍鼎形鏡, 宋, 徑 16.2cm, 臺灣 國立故宮博物院

송대에 이르면 쌍룡문경의 종류가 다양하지는 않지만, 대칭형 구도가 자리 잡는다. 두 마리 용이 동일한 자세로 마주 보는 형태로 송대에는 중앙 하단에 놓인 향로를 중심으로 두 마리 용이 배치되는 것이 기본구성이다. 또한 다양한 형태가 제작되던 시기였던 만큼 鼎形의 쌍룡경이 제작된다. 예로 臺灣 國立故宮博物院 소장 雙龍鼎形鏡(圖54)은 鼎의 평면적 형태를 한 동경에 뉴를 중심으로 머리는 앞으로 들고 있으나, 몸을 뒤로 젖혀 대칭형으로 바라보는 용이 표현되어 있다. 이와 같은 형태는 중국에서도 흔히 볼 수 있는 것은 아니기에 목적성을 갖고 제작된 것으로 판단된다. 또한 송대 倣古器에 대한 열풍은 황실 수집품에도 영향을 끼쳐 당대 동경이 古器에 속하게 되었으며, 이는 청대까지 이어졌다. 이 정형경은 고동기형으로 청대 황제의 수집품이었던 점을 생각해보면 당대 동경을 고동기로 편입시키고, 더불어 고동기형으로 제작하는 등 이러한 동경에 대한 관심이 얼마나 컸는지 생각해볼 수 있다.

요대에는 불교가 성행했고, 이 영향 하에 쌍룡문경이 제작된 것으로 보인다. 中

圖55. 雙龍紋鏡, 遼, 徑 24.5cm, 中國 遼寧省博物館

圖56. 雙龍紋鏡, 遼, 徑 22.7cm, 中國 個人所藏

圖57. 至元四年銘雙龍紋鏡, 元, 徑22.3cm, 中國 上海博物館

國 遼寧省博物館 소장 쌍룡문경(圖55)은 팔릉형으로 동경의 뉴좌로 연화문 표현되어 있다. 계권을 중심으로 내, 외구로 나뉘며, 내구에는 태극형 보주를 바라보는 두 마리 용이 있으며, 외구에는 팔릉형에 맞추어 운문이 있다. 이 동경의 문양구성은 요대 쌍룡문경의 기본형으로 대부분 원형경으로 제작되었다. 또한 이러한 문양구성의 동경은 고려에 유입되어 크게 성행해 요대 동경이 고려에 끼친 영향이 컸음을 생각해볼 수 있다.

금대 역시 이전 시기의 영향 아래에 쌍룡문경이 다양하게 제작되었다. 요대 쌍룡문경과 구성은 유사하나, 신체가 굵어지고, 꼬리를 다리에 감는 표현이 감소하면서 신체를 길게 늘어뜨린 자세로 표현된 경우가 많다. 中國 개인 소장 쌍룡문경(圖56)은 원형으로 연부를 따라 등간격으로 표현되던 운문이 띠를 이루고 있으며, 원형 뉴를 중심으로 신체는 굵고 다부진 용이 서로의 꼬리를 바라보는 자세로 있다. 금대 쌍룡문은 신체가 굵어지면서 그 길이도 짧아졌으며, 다리를 감고 있던 꼬리도 단순히 표현되어 요대 용문과 다른 양상을 보인다.

원대는 존속시기가 짧아 많은 동경이 제작되지는 않았으나, 쌍룡문경은 이전시기에도 성행했던 만큼 원대에도 제작되었다. 中國 上海博物館 소장 '至元4年銘'쌍룡문경(圖57)은 원대 대표적 쌍룡문경으로 뉴를 중심으로 방형 계권 안에 명문 4자가 있다. 외구에는 쌍룡이 명문 상하에 위치해 있고, 그 좌우에 수초문이 장식되어 있어 용이 있는 장소가 물 속이나 물가임을 알 수 있다. 이는 기존 쌍룡문경이 운문을 통해 하늘을 장소화했던 것에서 변화했다. 이 동경이 제작된 지원연간은 원대 두 번 연호가 사용되어 이 동경의 제작시기에 대해 명확히 알기 어렵다.[251] 다만, 세조대는 원 개국 이후 오래지 않은 시기였던 만큼 이전시기 쌍룡문경을 답습했을 것으로 생각되며, '지원4년명'쌍룡문경과 같이 문양구성의 큰 변화는 원 사회가 어느 정도 성숙한 문화를 형성했을 때 가능하다고 보여 이 동경은 혜종대 제작되었을 가능성이 높다.

중국 10~14세기 제작된 쌍룡문경은 각 국가와 교류를 했던 고려로 유입되면서 고려는 다양한 쌍룡문경이 공존하게 되었으며, 이를 토대로 고려 자체적으로 쌍룡문경을 제작했던 것으로 추정된다.

表 28. 國內 學者別 '雙龍紋'鏡 類型分類[252]

학자명	분류기준	유형
이난영	문양대	· 문양대가 있는 쌍용문경 · 외구는 소문 · 계권이 없는 쌍용문경
황정숙	형태, 문양(내,외)	· 圓形 : 내-쌍용, 외-운문 · 圓形 : 내-쌍용, 외-연당초 · 圓形 : 내-쌍용, 외-보화당초 · 圓形 : 내-쌍용(연주문대), 외-보화당초 · 圓形 : 내-쌍용, 외-소문 · 圓形 : 쌍용(구획없음) · 菱形 : 쌍용(구획없음) · 菱形 : 쌍용(구획없음) · 菱/圓形 : 쌍용+향로(구획없음) · 方形 : 쌍용(구획없음)
안경숙	문양	· 보주가 없는 형태 · 보주가 있는 형태 · 향로가 있는 형태

251 元 世祖代(1264~1294) 30년간 사용되었고, 元 惠宗代(1335~1341) 6년간 사용한 연호이다.
252 「고려시대 雙龍紋鏡 유입과 獨自性」의 (표4)재인용. 최주연, 앞의 논문(2019), p.153.

쌍룡문경은 용문경 중 가장 많은 비율을 차지하고 있으며, 국내 현존 수량이 많아 고려시대를 대표하는 동경 중 하나이다. 쌍룡문경은 많은 수량이 남아 있는 것에 비해 그 연구는 단편적이다. 단행본 혹은 학위논문에서 동경의 한 종류로 분류되어 언급되는 정도이며, 단독 연구는 현재 없다. 다만, 학자들은 쌍룡문경을 분석하기 위해 각자의 기준을 토대로 유형분류를 실시했으며, (表28)은 대표적 학자들의 '쌍룡문'경의 유형분류이다.

表 29. 雙龍紋鏡의 類型分類

유형	형태	문양		
I	圓形	a : 界圈+外區文樣	b : 雲紋, 香爐	c ; 雙龍

II	菱形	a : 雲紋, 香爐		b : 雙龍

III	其他			

각 학자들은 문양을 중심으로 쌍룡문경을 분류했다. 우선, 이난영은 계권과 문양대의 유무를 기준으로 나누었다. 이는 많은 수량의 쌍룡문경을 간단한 기준으로 분류할 수 있는 장점이 있으나, 다양한 문양의 쌍룡문경은 분류 기준이 없어 한계가 있다. 황정숙은 형태와 문양을 통해 구분했으며, 10유형으로 나뉘어 세부적 요소까지 반영했음을 알 수 있다. 이난영의 분류에서 나눌 수 없었던 세부문양까지 파악할 수 있는 장점이 있으나, 원형과 팔릉형을 중심으로 한 분류로 기타 기형에 대한 파악에 한계가 있다. 안경숙은 용문경의 문양 중 보주와 향로를 통해 구분했다. 이 분류 역시 이난영과 유사한 맥락이라는 점에서 학자들간의 분류를 분석해 이를 절충할 수 있는 유형분류를 제시하고 이를 통해 분석을 시도하고자 한다.

쌍룡문경은 크게 원형과 능형으로 형태구분할 수 있으나, 방형, 화형 등 형태로 제작된 예가 있기에 유형분류는 원형, 능형, 기타로 분류했으며, 이는 문양구성별로 세분화했다. (表29)는 이러한 기준으로 분류한 유형이다.

I 유형은 원형으로 쌍룡문경 중 가장 많은 수가 이 형태로 제작되었다. 그만큼 많은 문양의 변화가 있으며, 문양은 그 특징에 따라 a, b, c 3가지로 나누었다. a형은 계권이 있으며, 외구에 문양대가 있는 경우이며, b형은 계권이 없으며, 운문, 향로문이 표현된 동경이다. c형은 원형경에 용문만 있는 경우이다.

I -a유형은 동경 배면에 연주문 혹은 실선의 계권이 있으며, 이를 중심으로 외구와 내구로 구분된다. 외구에는 운문이나 당초문이 있으며, 내구에는 연화문 뉴좌와 쌍룡이 표현되어 있다. 대표적 예로 코리아나화장박물관 소장 쌍룡문경이 있다. 이 동경은 외구에 12개의 운문이 있으며, 내구에는 쌍룡과 태극문이 표현되어 있다. 이 동경은 앞서 살펴본 요대 쌍룡문경과 문양구성이 유사해 요대 계열의 동경임을 알 수 있다. 이 유형에 속하는 다른 예는 국립중앙박물관 소장 쌍룡문경(덕수2858)(圖58)

圖58. 雙龍紋鏡, 高麗, 徑18.5cm, 국립중앙박물관 (덕수2858)

이 있다. 이 동경은 외구에 문양을 더욱 적극적으로 표현하여 문양대에 당초문 등을 둘러 화려하게 장식했다. 또한 내구의 용도 자연스운 곡선과 대칭형 구도로 표현되어 있어, 앞서 살펴본 쌍룡문경보다 화려한 모습이다.

Ⅰ-b유형은 대칭으로 마주보는 쌍룡과 하단에 향로배치가 특징이다. 이와 동일한 문양구성은 남송대 팔릉형경에서 볼 수 있어, 이 동경은 형태를 바꿔 제작해 문양과 연부 사이 공간은 촘촘한 선을 그어 공간을 채웠다.

圖59. 雙龍紋鏡, 高麗, 徑11.5cm, 국립중앙박물관 (본관4325-48)

Ⅰ-c유형은 쌍룡만 문양으로 바탕을 채운 유형이다. 대표적으로 국립중앙박물관 소장 쌍룡문경(4325-48)(圖59)은 뱀처럼 가는 형태로 몸의 각 부분을 식별하기가 어렵다. 온몸에 표현된 비늘과 신체에 비해 큰 앞발이 눈에 띈다. 하지만 뿔과 머리 부분의 이목구비는 표현이 서툴며, 용문의 외곽은 주조 후 선을 그어 문양을 명확하게 한 것으로 보인다.

Ⅰ유형의 쌍룡문경은 a, b, c형 중 a형이 대다수이며, b,c형은 다른 형태의 쌍룡문경의 형태를 변화시키거나, 문양을 새롭게 도안한 경우로 그 예는 많지 않다.

圖60. 雙龍紋鏡, 高麗, 徑19.1cm, 국립중앙박물관 (덕수1818)

Ⅱ유형은 능형으로 a형은 팔릉형, b형은 육릉형으로 구분했다. a형 팔릉형경은 대부분 금대 계열 동경으로 능형부분마다 운문이 있고, 쌍룡이 서로의 몸에 겹쳐지는 구성이다. 국립중앙박물관 소장 쌍룡문경(덕수1818)(圖60)은 용의 위치는 여전히 요대 쌍룡문경과 동일한 요소를 보이지만, 용의 얼굴과 신체표현에서는 많이 변화해 꼬리가 굵어져 다리를 감지 않은 형태이며, 몸의 곡선도 감소했다. 이 동경의 용은 머리에 뿔이 없어 보편적으로 표현하는 교룡이 아닌 螭龍을 표현한 것으로 보인다.

		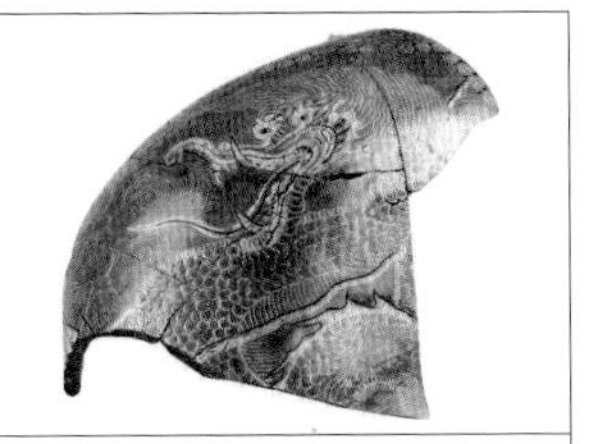
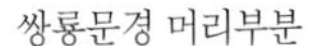 쌍룡문경 머리부분	'황비창천'명경 용문 부분	靑瓷象嵌龍紋梅甁 부분

插圖 27. 雙龍紋鏡(덕수2207)의 龍紋과 유사한 高麗時代 龍紋 比較[253]

Ⅱ-b유형은 육릉형으로 국립중앙박물관 소장 쌍룡문경(덕수2207)(圖61)이 대표적이다. 육릉형으로 제작한 이 동경은 중국에는 이와 유사한 예가 없어, 고려에서 제작했을 것으로 생각된다. 그 이유는 이 동경에 표현된 쌍룡문의 머리부분이 고려에서 제작된 다른 공예품과 비교했을 때 유사성이 높기 때문이다. 이 동경의 쌍룡은 발을 앞으로 들고 새부리와 같은 입을 벌리고 있으며, 머리 뒤 갈기가 목 뒤에서 머리 위로 바람에 휘날리듯 표현되어 있다. 고려시대에는 이러한 용문이 표현된 공예품이 있어 당시 이러한 용문 도안이 고려에서 공유되었던 것으로 생각된다(插圖27).

圖61. 雙龍紋鏡, 高麗, 徑28.8cm, 국립중앙박물관 (덕수2207)

고려동경 중 '황비창천'명경의 용문과 扶安 柳川里 출토 靑瓷象嵌龍紋梅甁의 용문 머리 부분을 보면, 갈기가 날리는 표현이 쌍룡문경(덕수2207)과 유사함을 알 수 있다. 또한 부리와 혀의 표현 등 안면표현 역시 비슷해 이러한 용문 도안이 고려적 색채를 띤 문양으로 추정된다.

Ⅲ유형은 다양한 기형으로 제작된 쌍룡문경으로 방형, 화형 등이 있다. 국립중앙박물관 소장 쌍룡문경(덕수295)(圖62)은 직사각형으로 뉴를 중심으로 상하에 쌍

253 「고려시대 雙龍紋鏡 유입과 獨自性」(사진18) 재인용. 최주연, 앞의 논문(2019), p.156

圖62. 雙龍紋鏡, 高麗, 長18.7×15.3cm, 국립중앙박물관(덕수295)

룡이 있으며, 용 사이 공간에 운기문이 표현되어 있다.

각 유형의 쌍룡문경은 송 · 요 · 금대 쌍룡문경들이 형태 · 문양별로 혼재되어 있으나, 각 시기별 성행한 동경이 고려에 유입된 것으로 보인다. 이는 Ⅰ유형에서 요 · 송대 쌍룡문경의 예가 많은 편이며, Ⅱ유형에서는 송 · 금대 쌍룡문경의 경향이 짙은 동경이 많다. Ⅲ유형은 쌍룡문경에서 흔하지 않은 형태를 갖추고 있어, 기존 동경의 변형을 시도한 예로 생각된다. 고려시대 쌍룡문경은 현존하는 수량과 종류를 보면, 중국 쌍룡문경을 적극적으로 수용했던 것으로 생각되며, 이를 수용한 후 재가공을 통해 새로운 도안을 만들고자 했다. 이는 Ⅱ, Ⅲ유형의 육릉형, 장방형 쌍룡문경과 같이 중국에서는 그 예를 찾아볼 수 없는 동경을 통해 충분히 추정할 수 있다.

③ 四龍紋鏡

4마리의 용이 뉴를 중심으로 둘러싼 형태의 동경은 중국에도 그 예가 많지 않으며. 금대 동경 중 한 예가 있다. 길림 출토 사룡문경은 거치문이 겹겹이 둘러진 외구와 4마리 용이 둥글게 모여 있다. 몸체가 웅크린 형태로 정확한 문양을 식별하기 어렵다. 외구를 장식하는 거치문은 동경 문양 중에서도 古式에 해당한다는 점에서 서수 4마리가 표현되어 있을 가능성도 있다. 4마리의 동물이 동경 문양으로 배치된 예는 서수문경이 대표적이기에 길림 출토 사룡문경의 문양구성은 서수문경의 영향도 생각해볼 수 있다.

국내에도 사룡문경은 그 수량이 적어, 성행하여 제작된 동경류는 아니며, 종류도 한정적이다. 국내에서 보이는 사룡문경의 예는 국립중앙박물관 소장 사룡문경

(덕수2062, 덕수5509)(圖63, 圖64)와 국립경주박물관 소장 사룡문경(경주1149)(圖65)이 있다. 사룡문경은 공통적으로 4마리의 용이 뉴를 중심으로 상하좌우로 배치되어 있다.

圖63. 四龍紋鏡, 高麗, 徑20.3cm, 국립중앙박물관 (덕수2062)

圖64. 四龍紋鏡, 高麗, 徑29.8cm, 국립중앙박물관 (덕수5509)

圖65. 四龍紋鏡, 高麗, 徑19.6cm, 국립경주박물관 (경주1149)

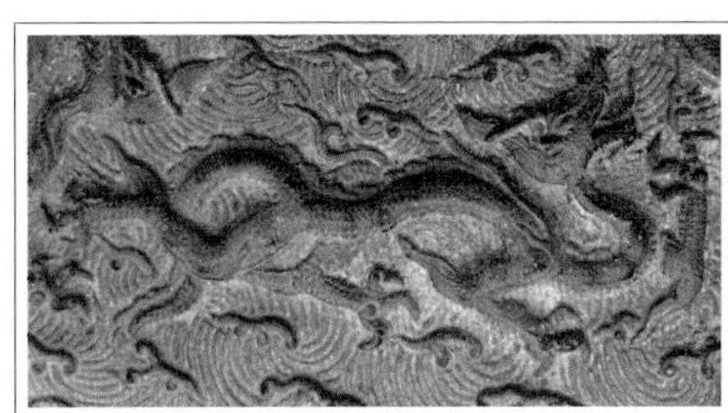

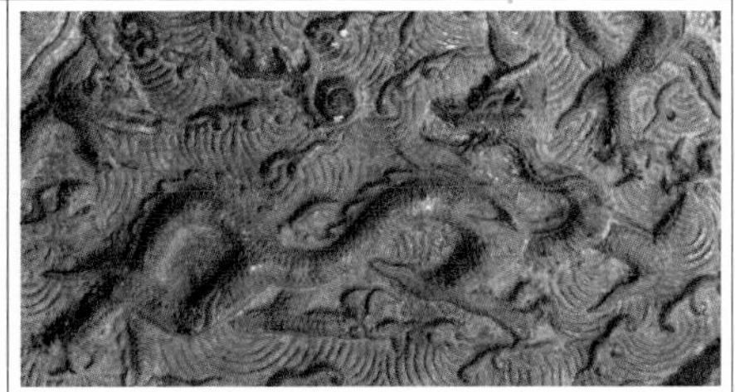

插圖 28. 國立中央博物館 所藏 四龍紋鏡(덕수2062)의 龍紋表現

이중 국립중앙박물관 소장 사룡문경(덕수2062)(이하 덕수2062 사룡문경)는 원형경으로 문양 면 전체에 파도문이 표현되어 있으며, 뉴를 중심으로 4마리의 용이 있고, 뉴 옆에 태극문이 있어, 쌍룡문경에서 보이는 문양구성을 사룡문경에 접목시킨 것으로 생각된다. 이 동경에 표현된 용문은 2마리씩 앞과 뒤를 보는 모습으로 구성되어 있다(插圖28).

용문경 중 뒤를 바라보는 경우는 반룡문경에서 볼 수 있는 요소로 한 마리의 용이 보주를 물기 위해 고개를 틀어 뉴를 향한 자세이다. 그리고 정면을 바라보는 경우는 쌍룡문경에서 흔히 볼 수 있는 구도로 이 동경에서는 반룡문경과 쌍룡문경의 용의 자세가 동시에 나타나는 특이점이 있다.

그리고 국립중앙박물관 소장 사룡문경(덕수5509)(이하 덕수5509 사룡문경)은 팔릉형으로 용문구성과 파도문 표현은 덕수2062 사룡문경과 동일하나 계권이 있어, 용문은 내구에 위치하고, 외구에는 쌍룡문경과 같이 당초문의 문양대가 있다. 국립경주박물관 소장 사룡문경(경주1149)은 연주문으로 된 계권을 중심으로 외구에는 화려한 연화당초문이 있으며, 내구에는 4마리의 용과 연화형 뉴좌가 있다. 이 동경은 덕수 5509 사룡문경과 같이 외구에 문양대가 있는 것이 특징이지만, 문양대가 넓고 연주문 계권이 표현되어 있는 차이점이 있다.

사룡문경은 그 수량이 많지 않지만, 용문의 배치를 제외하면 각각 다른 문양구성으로 이루어져 있다. 이는 쌍룡문경의 성행 속에서 용문경에 대한 새로운 문양구성을 시도한 동경으로 생각되며, 이러한 예는 장방형 쌍룡문경 등과 같이 중국에서는 볼 수 없는 고려 용문경으로 성장한 결과물이다.

2) 植物文

(1) 菊花紋

중국에서 국화는 가을을 대표하는 꽃으로 송대 크게 성행했으며, 도자, 동경 등을 장식하는 문양으로도 사용되었다. 특히 도자에는 다양한 형태의 문양으로 등장해 모란, 연화와 함께 주요문양으로 자리 잡았으며, 금속기(圖66)에도 문양으로 등장해 송대 대표적 식물문임을 알 수 있다. 이러한 경

圖66. 鎏金菊花紋銀盞, 宋

향은 동경제작에도 영향을 끼쳐 국화문경은 수량은 많지 않으나, 다양한 문양구성으로 제작되었으며, 대부분 송대 작품이다.

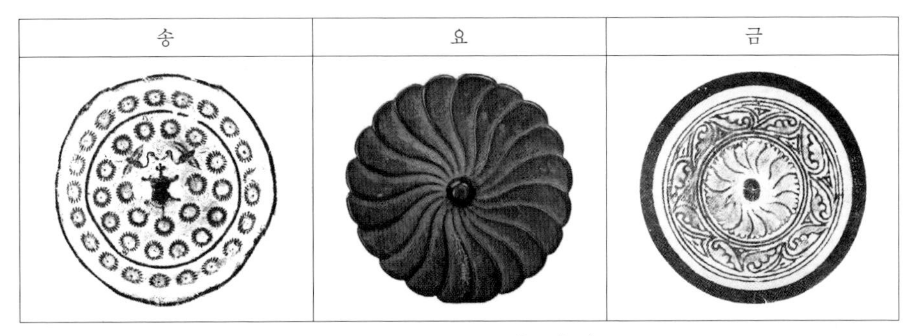

插圖 29. 中國 遼 · 金代 菊花紋鏡의 種類

중국 국화문경은 대부분 원형으로 여러 겹의 국화잎을 표현하기 위해 원형을 주로 택한 것으로 생각된다. 또한 도식화된 국화문 여러 개를 동일하게 찍어내는 방식으로도 제작했으며, 뉴를 중심으로 방사형으로 잎이 퍼져나가는 형식의 표현도 볼 수 있다(插圖29).

고려에서도 국화문을 표현한 공예품이 제작되었으며, 대표적으로 도자기가 있다. 고려청자의 주요 문양 중 하나로 비슷한 국화문이 반복적으로 표현된 것이 특징이다. 국립중앙박물관 소장 青瓷象嵌菊花紋甁(圖67)은 동일한 국화문을 圓圈 안에 하나씩 표현하고, 그 주변에 상하로 배치했다. 단순한 구성이지만 화문을 적절히 배치해 여백과의 조화를 이룬다. 반면, 동경에 표현된 국화문은 문양을 겹쳐서 표현해 다른 양상을 보인다.

圖67. 青瓷象嵌菊花紋甁, 高10.9cm, 국립중앙박물관(덕수958)

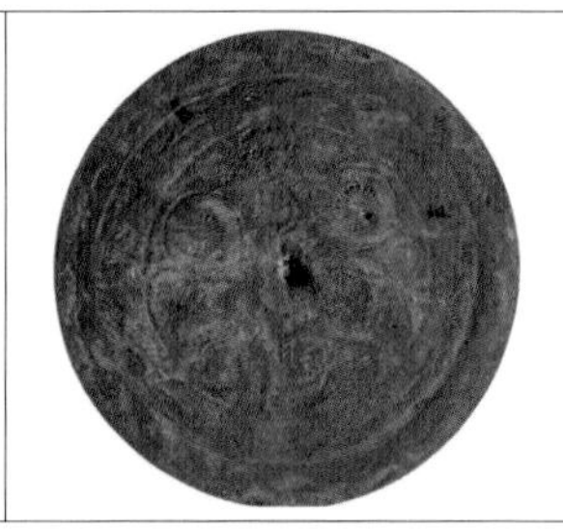

插圖 30. 高麗時代 菊花紋鏡의 種類

圖68. 菊花紋鏡, 高麗 혹은 日本, 徑11.3cm, 국립중앙박물관(덕수2588)

고려에도 많은 종류의 국화문경이 제작되었으며, 중국과 같이 대부분 원형이다. 하지만 문양은 대부분 도식화된 국화문을 표현했는데, 중국과 같이 일주식으로 규칙성을 갖고 표현하기보다는 문양끼리 서로 겹치게도 표현해 다소 산만한 느낌이다(插圖30). 또한 국화문의 화경(圖68)도 고려후기에 전해진 것으로 보여 국화문경은 다양한 국가에서 전래되었음을 알 수 있다.

국립중앙박물관 소장 국화문경(본관2272)은 원형경으로 연부 부근에 한줄의 계권을 따라 외구에 국화문이 일주하고, 내구도 뉴를 따라 선회하는 형식으로 문양이 둘러져 있다. 이 국화문은 모두 동일한 크기와 형태로 문양틀로 찍어냈음을 알 수 있다.

고려시대 국화문경은 동일한 문양이 반복표현된 예가 많다. 이러한 국화문이 반복되는 형식은 도자기에서 주문양의 바탕 장식으로 표현된 경우가 많다. 이는 초기에 사실적인 표현에서 점차 상징성이 완화되며 단순한 장식 요소로 변화하는 과정으로 볼 수도 있다. 하지만 분청사기에 등장하는 국화문에서 보이듯 押印 등의 제작수법에서 연유한 단순한 과정으로도 볼 수 있다.[254] 그렇기에 동경에 표현

254 황정숙, 앞의 논문, pp.170~171.

된 국화문도 동일한 문양판을 이용해 틀에 찍어내어 제작했을 가능성이 높다.

국립중앙박물관 소장 국화문경(덕수4130)(圖69)은 방형으로 그 예가 흔하지 않으며, 문양구성도 독특해 주목된다. 문양틀을 이용해 일률적으로 같은 문양을 표현한 동경들과 달리 연주문을 이용해 뉴 주위를 방형으로 에워싸고, 사방 모서리로 연주문을 이어 구획하여 4부분으로 나누었다. 각 부분에는 작은 국화문 2개와 중간의 큰 국화문 1개가 각각 표현되어 있다.

圖69. 菊花紋鏡, 高麗, 徑9.7cm, 국립중앙박물관(덕수4130)

이러한 구성은 요대 화문경에서 볼 수 있으며, 이 동경과 유사한 예로 中國 遼寧省 阜新縣 旧廟鄉海力板村遼墓 出土 국화문경(圖70)이 있다. 이 동경은 원형으로 연주문으로 장식면을 4등분했으며, 그 구획 안에 국화문이 1개씩 배치되어 있다. 즉, 이 동경은 요대 계열 동경에 속하며, 요대 국화문경과 형태는 다르지만 유사한 문양구성과 배치를 보여 송대 국화문경 뿐만 아니라, 요대 국화문경도 고려에 영향을 끼쳤음을 알 수 있다.

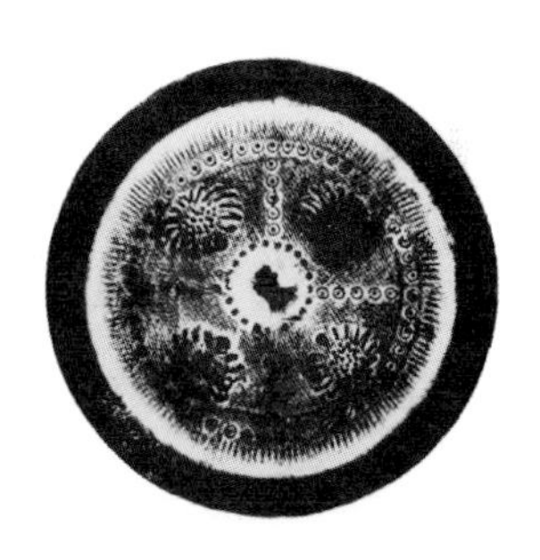

圖70. 菊花紋鏡, 遼, 徑11.5cm, 中國 阜新縣博物館

(2) 纏枝花紋(芙蓉花紋)

纏枝花紋은 당초화문과 유사한 개념으로 꽃가지들이 얽혀 있는 모습을 일컫는다. 당초문 역시 줄기, 넝쿨 잎이 얽힌 식물문양의 호칭으로 연속문양을 형성하는 경우가 많고, 주문양에 따라 蓮花唐草, 牡丹唐草, 忍冬唐草 등으로 분류된다. 하지만 당초문으로 표현된 식물문이 종류를 판별할 수 없는 예도 많아, 瑞花紋으로 분류되기도 한다. 이런 까닭에 식물문 중 가장 많이 표현되지만, 그 명칭은 명확하지 못한 경우가 많다. 본 연구에서는 이러한 당초문을 전지화문으로 지칭하고자 하며, 그 종류 중 부용화 형태가 있는 동경에 대해 살펴보고자 한다. 부용화는 중국이 원산지로 잎이 어긋난 형태의 3~7개 꽃잎으로 되어 있다. 이러한 부용화를 표현한 문양은 간혹 모란문과 구분이 모호한 경우도 있으나, 화려한 꽃잎과 길고 가는 술이 표현되어 있는 꽃은 부용화로 생각된다.

송대는 전지화문경이 크게 발전했던 시기로 주문양으로는 모란, 부용화, 연화, 국화 등이 있으며, 문양 구성방식은 對稱式, 旋回式 등이 있다.

이중 부용화문경은 화려한 꽃잎이 부채꼴 모양으로 펼쳐져 있으며, 그 사이에 꽃술이 촘촘하게 표현되어 있는 것이 특징이다. 이러한 부용화문은 중국 송대 출현한 것으로 이와 유사한 예는 중국 정요 자기에서 볼 수 있다.[255]

插圖 31. 中國 芙蓉花紋鏡의 花紋 表現

圖71. 纏枝花紋鏡, 遼, 徑 9.1cm, 中國 遼寧省博物館

중국의 전지화문경은 화려한 화문이 3~4개가 넝쿨문과 함께 얽혀 있으며, 섬세한 꽃술표현이 특징이다(插圖31). 이 꽃에 대해 부용화로 보는 견해는 '부용'이라는 명칭으로 불리는 꽃들을 근거로 주장하며, 부용은 크게 2가지로 '荷花', '木芙蓉'로 구분한다. 이외 요녕성 지역에서는 '合歡花'를 '拂纓'으로 칭하며, 같은

255 劉寧, 「宋代"芙蓉花紋銅鏡"考」, 『淨月澄華-遼寧省博物館藏古代銅鏡』(遼寧省博物館, 2013), p.482.

음으로 인해 '부용'으로 부르기도 한다. 이에 부용화는 합환화로 보는 의견도 있으며[256], 中國 遼寧省博物館 소장 芙蓉花紋鏡(圖71)에 표현된 화문의 잎 표현은 합환화와 유사해 이에 대한 주장의 근거가 된다.

插圖 32. 高麗時代 纏枝花紋鏡(芙蓉花紋鏡)의 種類

고려시대 전지화문경은 형태와 문양구성이 다양한 편이다(插圖32). 형태는 원형, 방형, 아자형, 팔화형 등이 있으며, 문양은 연주문 혹은 단선문으로 된 테두리 안에 화문을 2~5개를 배치했고, 대칭을 이루는 경우가 많다. 국립중앙박물관 소장 전지화문경(본관2668)(이하 본관2668 동경)은 아자형으로 뉴를 중심으로 사방으로 뻗은 줄기들 사이에 꽃이 표현되어 있으며, 꽃 안에 술 표현이 있다. 본관2668 동경과 유사한 예로 中國 송대 전지화문경(圖72)이 있다. 이 동경 역시 아자형의 형태로 둥근 연주문이 일주해 있으며, 그 내부에 화문이 표현되어 있다.

圖72. 纏枝花紋鏡, 宋, 徑 11.7cm, 『歷代銅鏡紋飾』168

그리고 국립중앙박물관 소장 전지화문경(본관2752)는 원형경에 연주문이 뉴좌와 연부 주변을 일주하여 구획을 나눈다. 뉴좌는 원을 겹쳐 화문을 만들었으며,

256 劉寧, 위의 논문, p.484.

내구에 화문은 화려한 넝쿨문양과 꽃잎이 어우러져 여백없이 표현되어 있다. 국립중앙박물관의 2점의 동경은 형태와 문양구성이 다르지만, 꽃술표현이 비슷하고, 화려한 가지와 잎으로 동경을 장식했다는 공통점이 있다. 또한 국립중앙박물관 소장 전지화문경(덕수291)은 방형으로 꽃의 형태는 많이 도식화 된 편이며, 넝쿨문양은 아자형을 이루며 사방 모서리에 있는 꽃들을 이어준다.

고려 전지화문경은 대부분 문양구성과 표현 등에서 요대 계열 동경과 유사한 점을 찾을 수 있다. 우선 동경 연부에 맞춰 연주문을 둘러서 표현한 점과 뉴좌의 화문 등에서 친연성을 보인다. 또한 요대 동경 중 전지화문이 표현된 동경은 문양표현이 고려보다 다양한 예가 많다. 송대 시작된 전지화문경이 요대에 성행한 것으로 보이며, 이러한 동경이 고려로 전래된 것으로 추정된다.

(3) 蓮花紋

연꽃은 불교에서 청결, 순결의 상징물로 여겨지며, 환생이나 재생의 의미로도 사용되고 있다. 이는 극락세계에 다시 태어나는 '蓮花化生'의 개념으로 무량한 생명을 받아 좋은 세상에 다시 태어나길 바라는 의미이다. 또한 군자의 이상적 덕목을 상징하는 꽃으로도 사용된다. 중국 송의 유학자인 周敦頤(1017~1073)가 『愛蓮說』에서 꽃 중의 君子로 묘사한 이래 연꽃은 유교에서 청빈과 고고함에 비유되었다. 그리고 현실적 생활에서는 부귀와 행복을 염원하는 길상의 의미도 갖게 되었다.[257]

연화문은 중국 春秋時期에 이미 출현하여 청동기와 도자기 등의 문양으로 사용되었다. 秦漢時期에는 크게 성행해 瓦當, 壁畫, 畫像石, 畫像磚 및 동경 등 일상용기의 장식 주제로 확산되었다. 연화문은 원래 인도에서 전래 되어 불교문양으로 중국에서 성행했으며, 佛教建築, 彫塑, 彩繪 등 장식에서 찾아볼 수 있다. 수, 당시

---

257 이진주, 「고려시대 청자 연화문 연구」(명지대학교대학원 석사학위논문, 2015), pp. 8~11.

기 석굴 藻井에 蓮花文이 층차를 이루며 풍부하게 장식되어 있는 등 당시 특색있는 장식형식을 보이기도 한다. 송, 요, 금대에는 상업과 수공업의 번영을 바탕으로 연화문은 광범위하게 응용되어 空間, 瓷器, 建築, 金屬器, 彫刻 등 장식에 많이 등장한다. 이중 도자기는 당시 주요 공예품으로 연화문 표현이 가장 풍부한 시기이기도 하다. 또한 요, 西夏, 금과 같은 북방민족 지역에서 연화문이 특히 성행해 민족적 특색을 가미한 독특한 연화문을 창조하기도 했다.[258]

중국 연화문경은 그 예가 많은 편은 아니나, 蓮板紋과 蓮花唐草紋으로 표현된 동경제작이 이루어졌다. 송대에는 원형 뉴좌가 있으며, 그 주위에 연꽃과 연밥이 표현되어 있으며, 문양표현이 회화적이다. 이러한 예는 찾아보기 힘들며, 연화문경 자체도 그 수량이 많은 편은 아니다. 요대에는 연판문이 간결한 도안형태가 많으며, 단순한 문양표현으로 인해 국화문 혹은 해수문으로 분류되기도 한다. 연판문경(圖73)은 도안화된 문양이지만 섬세한 표현으로 정교함을 보여주는 것이 특징이다. 하지만 요대 동경에서 연판문경은 대부분 가는 선으로 잎만 간단히 표현한 동경이 많다.

圖73. 蓮板紋鏡, 遼, 徑 13.1cm, 中國 上海博物館

插圖 33. 高麗時代 蓮花紋鏡의 種類

258 谷莉, 『宋遼夏金裝飾紋樣研究』(中國戲劇出版社, 2017), p.64.

고려시대에는 꽃을 휘감는 줄기와 함께 화려한 연꽃을 표현한 동경이 많은 편이다. 대부분 원형이지만, 국립중앙박물관 소장 연화문경(덕수4789)은 십이릉형으로 특이한 형태를 갖추고 있다(插圖33). 또한 뉴좌 역시 연꽃형상으로 표현했으며, 그 주변에 연꽃과 넝쿨줄기들, 연잎들이 문양화되어 있다. 그리고 국립중앙박물관 소장 연화문경(덕수5686)은 계권을 중심으로 내, 외구에 문양이 있는데, 내구에는 양각의 신으로 표현된 연꽃이 있으며, 외구에는 넝쿨문이 둘러져 있다. 이러한 구성의 연화문경은 찾아보기 힘든 예이며, 중국 요대 연화문경과 같이 대부분 양각의 선으로 간결히 표현한 연꽃문이 가장 유사하다.

圖74. 忍冬草紋鏡, 遼, 徑 26.2cm, 中國 遼寧省博物館

국립중앙박물관 소장 연화문경(덕수4789, 덕수2717, 덕수4833)은 서로 이어지는 넝쿨문이 특징이며, 이어진 넝쿨문을 따라 연화문과 잎이 줄기 끝에 표현되어 있다. 이러한 넝쿨문양의 표현은 中國 遼寧省博物館 소장 忍冬草紋鏡(圖74)의 줄기 끝부분과 줄기가 이어진 형태 등에서 유사함을 알 수 있다. 하지만 중국 연화문경은 고려시대 연화문경과 같은 줄기 끝부분의 화문이 없다. 이러한 차이는 국내 연화문경이 중국의 인동초문경과 같은 동경을 토대로 국내에서 제작되었을 가능성이 있다.

3) 人物 · 故事文

(1) 杯度禪師紋

국립중앙박물관 소장 동경 중에는 파도치는 물결 위에 바람에 날리는 삿갓을 잡고 있는 인물이 표현되어 있다. 이 인물에 대해 '달마대사'로 보는 견해가 우위를 차지하고 있으며, 달마가 강 혹은 바다를 건너는 장면으로 해석한다. 하지만 승려 모습의 인물은 달마가 강을 건널 때 타고 간 갈대와 다르며, 인상도 일반적으로 알려진 눈이 크고, 얼굴에 수염이 가득한 달마의 인상과는 거리가 멀다. 이에 이 인물에 대해 새로운 접근이 필요하다. 따라서 본 연구에서는『고승전』에 등장하는 고승 '배도선사'를 이 동경에 등장하는 인물로 상정하여 이 동경의 특징을 분석하고 이를 통해 인물에 대해 살펴보고자 한다.

'배도선사'문경은 주로 중국에 소장된 예가 많으며, 국내에도 3점이 있다. 대부분 금대 제작된 것으로 팔릉형과 원형 두 가지 형태가 있고, 크기는 7.0~19.5cm로 차이가 큰 편이다. 이는 같은 주제라도 문양구성의 변화와 형태 차이에 기인한 부분이다. 중국 '배도선사'문경은 동경에 험기가 있어 이 동경들이 금대 제작, 유통되었음을 보여주며, 南京, 牙城市, 延吉, 唐古部族 등 다양한 지역의 험기가 보여 이 동경이 금대 당시 크게 성행했던 것을 짐작할 수 있다. 이러한 상황으로 볼 때, 고려 '배도선사'문경은 금나라에서 국내로 전래 되었을 것이며, 중국에서 크게 성행한 것에 비해 국내에서는 수요가 적었던 것으로 판단된다.

插圖 34. '杯度禪師'紋鏡의 類型分類

'배도선사'문경은 크게 4가지 유형으로 분류할 수 있다. 문양구성은 크게 人物紋, 波濤紋, 殿閣紋과 龍紋으로 이루어져 있다(插圖34). 인물문은 삿갓을 손에 쥐고 있는 것과 器物을 타고 있는 모습은 동일하나, 얼굴, 착의표현 등에서 차이가 있다. Ⅰ,Ⅱ유형은 팔릉형으로 뉴를 중심으로 좌측에는 인물문이 있고, 우측에는 용이 내뿜는 물기둥 위에 전각이 표현되어 있다. 두 유형은 문양구성, 배치가 동일하나, Ⅰ유형의 인물은 차분한 의습표현과 잔잔한 물결 표현 등에서 정적인 모습이라면, Ⅱ유형은 굵은 선으로 표현된 인물의 의복이 날리는 모습도 역동적이다. 또한 인물을 더욱 부각시키기 위해 Ⅰ유형보다 크며, Ⅰ유형 동경 하단부의 물고기가 Ⅱ유형에는 없다. 금대 팔릉형 '배도선사'문경 중 크게 성행한 것은 Ⅱ유형으로 '배도선사'문경을 대표하는 문양구성이다.

圖75. '杯度禪師'紋鏡, 金, 徑 13.6cm, 『中國銅鏡圖典』

圖76. '杯度禪師'紋鏡, 高麗, 徑13.5cm, 국립중앙박물관 (덕수2997)

Ⅲ유형은 원형경이지만 연부가 팔화형이라는 점에서 팔화형 동경을 원경으로 찍어 제작한 것으로 추정된다. 이 유형의 문양구성은 앞서 살펴본 Ⅰ, Ⅱ유형과 인물문은 유사하나, 자연스럽게 삿갓을 잡고 있던 팔은 경직되고, 서 있는 모습도 부자연스러워 형식화된 형태이다. 또한 전각을 물기둥으로 받쳐주던 용의 표현이 생략되어 문양구성에서 변화가 있다. 이와 동일한 예로『中國銅鏡圖典』에 수록되어 있는 '배도선사'문경(圖75)이 있다. 이 동경 역시 연부 내측은 팔화형으로 되어 있으며, 인물문은 물결치는 파도 위에 기물을 타고 서 있으며, 전각은 하단에 용문과 물기둥 없이 운기문 사이로 표현되어 있다.

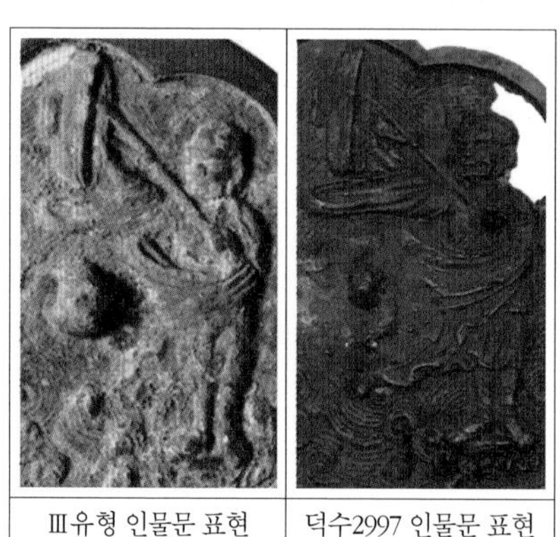

Ⅲ유형 인물문 표현	덕수2997 인물문 표현

插圖 35. Ⅲ類型과 덕수2997 人物紋 表現 比較

국립중앙박물관 소장 '배도선사'문경(덕수2997)(이하 덕수2997 동경)(圖76)은 팔화형으로 제작되었으며, 인물문 형태가 유사해 이 동경은 Ⅲ유형과 친연성이 있다(插圖35). 하지만 Ⅲ유형에는 없는 용문이 덕수2997 동경에는 표현되어 있으며, Ⅰ, Ⅱ유형의 용문과 형태 차이도 있어, 이 동경의 용문은 다른 동경의 용문을 차용했을 가능성도 있다. 따라서 덕수2997 동경은 Ⅲ유형 동경을 원경으로 제작한 것으로 추정되나 세부문양 구성에서 차이가 있어, 원경을 바탕으로 문양을 새롭게 구성한 것으로 보인다.

Ⅳ유형은 전각문과 인물문이 뉴를 중심으로 대칭이던 이전 유형과 달리 뉴 상단에 삿갓을 쥐고 있는 인물이 작게 표현되어 있으며, 발 밑에는 기물이 표현되어 있다. 그리고 나머지 공간에는 파수문으로 채워넣어 물 위를 건너는 모습을 강조했다. 대표적인 예로 『金上京百面銅鏡圖錄』에 수록된 '배도선사'문경(圖77)이 있다. 이 동경은 크기가 7.1cm로 원형이며, 이중원권 안에 문양이 구성되어 있다. 파도 끝부분은 둥글게 말려 있으며, 반복적으로 표현되어 있으며, 그 위에 승형 인물이 삿갓을 들고 서 있다. 이러한 문양구성의 동경은 중국 上京 부근을 중심으로 제작된 유형으로 '서우망월'문경과 같이 제작에 있어 지역성이 보이는 예이다.

圖77. '杯度禪師'紋鏡, 金, 徑7.1cm, 『金上京百面銅鏡圖錄』

승형 인물이 동경에 단독적으로 등장한 것은 송대에는 불교의 신앙적 대상이 부처에서 승려로까지 확대됨에 따라 이를 예술품으로 표현하고자 한 경우가 많았다. 동경 역시 이러한 시대적 흐름을 따랐던 것으로 보이며, 대표적인 예술품으로 미국 Museum of Fine Art Boston 소장 <五百羅漢圖>가 있다. 특히 이 <오백나한도>는 각각의 능력이 다른 나한들이 자신들이 갖고 있는 신통력을 통해 물 위를 건너는 듯한 장면으로 이러한 구도는 '배도선사'문경과 유사하다.[259]

앞서 언급했듯이 이 동경의 주제를 달마도강 혹은 달마도해로 보는 견해가 중국학자들에 의해 제시되었다. 하지만 달마가 행한 행동을 표현했다고 하기에는 동경 속 인물과 확연한 차이를 보이기에 이 도상에 대한 해석이 필요하다.

259 최주연, 앞의 논문(2017), p.38.

表 30. 杯度禪師 관련 記錄[260]

관련경전	시기		내용
慧皎, 『高僧傳』	(梁)	杯度	"이름은 알지 못하나, 항상 나무잔을 타고 물 위를 건너 다녀 배도라 일컬었다. 처음 그가 나타난 곳이 冀州라고 한다. 세세한 행을 닦지 못하였으나, 신력은 탁월하여 세상에 그 유래를 헤아리지 못했다."[261]
		釋法意	"법의는 강남 사람이다. 복된 일을 경영하기 좋아하여, 53개의 절을 세웠다. 晋의 義熙연간(405~418)에 鍾山의 祭酒는 朱應의 아들이었다. 이에 앞서 孫恩이 법의를 따르는 무리를 만들어, 이 산에 숨어살았다. 그 바깥의 땅을 조금 나누어 주어, 법의에게 주고 절을 짓게 하여 연현사라 이름 지었다. 그 후 배도가 이 절에 오가며, 말하였다. "이곳에는 곧 여러 가지 변고가 있을 것이나, 나중에는 좋아질 것이다. 天堂과 마주보는 땅이어서, 복된 일을 하기 쉬우리라." 갑자기 이 절이 들불 때문에 불타버렸다. 그 후 齊諧와 張寅 등이 배도의 말에 의지하니, 배도의 전기에 이 말이 실려 있다. 마침내 법의와 더불어 산의 땅으로 가서, 다시 수리하여 세우고자 하였다. 그러나 물이 없어 살 수가 없었다. 이에 법의는 배도의 말을 생각하였다. 곧 정성을 다하여 예참하면서, 서방의 못물을 빌었다. 사흘이 지나도록 간절하고 측은함이 더욱 지극하였다. 그러니 문득 공중에서 소리가 들리면서, 무엇인가가 때리는 듯 땅에 떨어졌다. 법의는 혹 그것이 금이나 비단이 아닌가 하여, 사람을 시켜 두 자 가량 파내려 갔다. 맑은 물 흐름이 솟아나와, 마침내 개울을 이루어 끊이지 않았다. 이에 그곳에 절을 세웠다. 그 후 법의가 세상을 마친 곳은 알지 못한다."[262]
道世, 『法苑珠林』	7세기 (唐)		"그 때 나이는 40쯤 보였는데 다 헤어진 누더기 옷은 몸을 거의 가리지 못했으며 말은 대중이 없고 기쁨과 성냄이 고르지 않았다. 혹은 한겨울에 얼음을 부수고 물에 들어가 목욕하고 혹은 나막신을 신고 산에 오르며 혹은 맨발로 시장에 들어갔다. 그럴 때는 오직 호로병 하나만을 메고 다른 것은 아무 것도 가지지 않았다. 延賢寺에 잠깐 갔을 때 法意 도인은 딴방을 주어 그를 대우했다. 그 뒤에는 瓜州로 가려고 걸어서 강가로 갔을 때 사공이 그를 배에 태우려 하지 않았다. 그는 다시 술잔에 발을 포개고 사방을 돌아보며 읊조리는데 술잔은 저절로 흘러 바로 북쪽 언덕에 도착했다."[259]

260 「杯度禪師紋 銅鏡의 圖像과 製作背景」의 (표8)재인용. 최주연, 앞의 논문(2017), pp. 45~46.

261 杯度者。不知姓名。常乘木杯度水。因而爲目。初見在冀州。不修細行。神力卓越。世莫測其由來。甞於北方寄宿一家。家有一金像。度竊而將去。家主覺而追之。見度徐行走馬逐而不及。至孟津河浮木杯於水…頃世亦言時有見者。既未的其事。故無可傳也。(『大正新修大藏經』T.50, No.2059, 390b)

262 釋法意。江左人。好營福業起五十三寺。晋義熙中鍾山祭酒朱應子。先是孫恩建義之黨竄居此山。分其外地少許。與意爲寺號曰延賢寺。後杯度去來此寺云。此處尋有諸變。後時當好地對天堂易爲福業。俄爲野火所燒。後齊諧及張寅等。藉杯度之旨。語在度傳。乃與意共行山地。更欲修立。而無水不可住。意惟杯度之言。乃竭誠禮懺。乞西方池水。經于三日懇惻彌至。忽聞空中有聲撲然著地。意恐是金帛。試令人掘。入二尺許泫然清流遂成澗不絶。於是立寺。意後不知所終。(『大正新修大藏經』T.50, No.2059, 411a)

물 위를 지물을 이용해 건넌 신통력은 비단 달마에 국한된 이야기는 아니다. 중국『高僧傳』에는 신기한 능력을 가진 승려들이 설명되어 있으며, 이 중 물 위를 잔과 사발을 타고 건너는 인물인 배도선사가 있다.

南北朝時代 劉宋의 승려 배도에 대해서는 〈表30〉의『고승전』과『法苑珠林』기록에서 찾을 수 있다.『고승전』에는 이름을 알 수 없으나, 나무잔을 타고 물 위를 건너 다녀 '배도'라 불리는 사람이 있으며, 신력이 탁월하여 그 유래를 헤아리지 못했다는 내용으로 소개되어 있다. 또한『법원주림』에는 기이한 행색과 행동을 보이는 배도에 대해 설명했다. 누더기 옷을 입고 말은 대중없었으며, 瓜州로 가려고 배를 타러 갔으나, 사공이 태워주지 않아, 술잔에 발을 포개고 읊조리자 술잔이 저절로 흘러 북쪽 언덕에 도착했다는 내용이다.『고승전』과『법원주림』에서 공통적으로 설명하는 배도는 기이한 행동과 신력으로 이름이 높았으며 나무잔, 술잔 등을 타고 물을 건너는 신통력을 발휘하는 인물이다. 경전에 등장하는 배도선사는 동경에 표현된 승려와 같이 사발, 잔을 타고 다니는 능력이 있어, 동경의 인물이 배도라고 생각된다. 다만, 동경의 전각문에 대해 학자들은 소림사로 판단해 승려를 달마대사로 보기도 해, 이 전각에 대한 해석이 필요하며, 이에 대해 본 연구에서는 배도선사와 관련된 '연현사'에 주목했다. 〈表30〉의『고승전』「釋法意」에는 법의가 연현사라는 절을 짓자 배도가 이 절에 오가며 말하기를 "이곳에는 곧 여러 가지 변고가 있을 것이나, 나중에 좋아질 것이다. 천당과 마주 보는 땅이어서 복된 일을 하기 쉬우리라"고 했다. 이에 절이 들불에 불타버려 다시 수리하여 세우고자 했으나, 물이 없어 살 수가 없었다. 이에 법의는 배도의 말을 생각하여 정성

---

263 …度竊而將去。家主覺而追之。見度徐行。走馬逐而不及。至孟津河浮木杯於水。憑之度河。無假風棹。輕疾如飛。俄而度岸達于京師。見時可年四十許。帶索繿縷殆不蔽身。言語出沒喜怒不均。或嚴氷扣凍而洗浴。或著屐上山。或徒行入市。唯荷一蘆圖子。更無餘物。乍往延賢寺法意道人處。意以別房待之。後欲往瓜州。步行於江側就航人告度。不肯載之。復累足杯中顧眄吟詠。杯自然流。直度北岸…。(『大正新修大藏經』T.53, No.2122, 747a)

을 다해 예참을 하자, 맑은 물이 솟아 나와 마침내 개울을 이루었고, 그곳에 절을 세웠다는 내용이 있다. 이 내용에서 물이 솟아 나와 그곳에 절을 세웠다는 부분은 동경의 문양 중 용이 내뿜는 물기둥 위에 전각표현을 한 것과 유사하다. 이러한 내용을 통해 볼 때, '배도선사'문경은 연현사와 관련된 신이를 예언한 배도선사를 표현한 거울이라 생각된다.

(2) 童子遊戲紋

송 · 금대 童子遊戲에 관한 주제는 회화, 도자, 조각, 금은기 등 예술품의 장식 도안으로 성행했다. 이는 당대 형성되기 시작한 童子文이 이어진 것으로 당대에는 불교와 연관하여 동자들이 표현된 예가 많은 편이다. 당대 불교 석굴인 燉煌莫高窟 제329굴에 蓮花童子를 표현한 벽화가 있다. 이 벽화에 동자는 연화를 밟고 연꽃 가지 사이에 서 있는 모습으로 당대 동자들은 蓮花化生과 관련된 '化生童子'로 당시 정토사상의 유행과 관련 있는 것으로 보았다.[264] 이러한 경향은 당대 동경에서도 찾을 수 있다. 동자문이 표현되어 있는 이 동경(圖78)은 팔화형으로 외, 내구로 나뉘며, 외구에는 나비와 운기문이 표현되어 있고, 내구에는 상, 하단에 연화문이 있고, 하단 연화문은 양쪽으로 긴 연화줄기가 이어져 연꽃 위에 두 명의 동자가 연화가지를 들고 노는 모습이 있다. 이 역시 당시 화생동자를 동경의 주제로 장식했음을 알 수 있다.

圖78. 童子紋鏡, 唐

송대에는 종교적 색채가 사라지고 일상생활에서 볼 수 있는 아동의 노는 모습을 표현한 예술품이 등장하며 크게 유행한다. 이는 당시 아동에 대한 전통적 관념에서 기인한 것으로 어린이는 재난을 없애고 어려움을 해결해주는 존재로 여겨

264 王巍, 「唐代金银器上的人物圖像研究」(河北科技大學 碩士學位論文, 2018), p.65.

져 상서롭고 행운을 준다고 여겨졌다. 특히 남송시기 황궁에서는 선달그믐날에 여아가 驅儺를 쫓는다고 하여 아이들을 중시하는 풍조가 생겨났고, 이는 예술창작의 소재로 반영되었다.[265] 회화로는 북송 蘇漢臣의 〈秋庭戲嬰圖〉(圖79)가 있다. 이 그림에는 두 명의 아이가 탁자 위에 놓인 저울을 갖고 노는 모습이 그려져 있다. 소한신은 북송대 화가로 이와 같은 어린 아이들의 노는 모습을 주제로 그림을 그린 대표적 화가이다. 이외, 송대 어린이를 그린 화가들은 일상생활 속 다양한 놀이를 즐기는 아이들을 그림으로 그려 다양한 장면을 묘사했다. 이러한 경향은 도자에도 반영되어 문양으로 표현되었으며, 동자 자체가 자기로 만들어지기도 한다. 臺灣 故宮博物院 소장 臥童枕은 동자가 엎드려 누워 있는 모습의 도자 베개로 定窯에서 생산된 자기이다. 정요에서는 이와 유사한 동자형태의 베개 생산이 많았으며, 엎드려 누운 동자형태, 옆으로 누워 있는 형태 등 다양하게 표현했다. 다양한 공예품의 문양으로 자리 잡은 동자문은 동경을 장식하는 문양으로도 예외 없이 등장했으며, 금대에 크게 성행했다.

圖79. 蘇漢臣, 〈秋庭戲嬰圖〉, 北宋, 197.5x108.7cm, 臺灣 故宮博物院

금대 동자유희문경은 크게 5종류로 나눌 수 있으며, 대부분 원형으로 2명~5명의 동자가 꽃가지를 들고 있는 모습을 표현한 것이 공통된 특징이다(插圖36). 문양구성이 식물문과 동자 두 가지 요소로 되어 있어 단순한 편이며, 동자들도 각자

265 狄秀斌 · 李郅强, 「淺儀宋金銅鏡上的嬰戲題材」, 『犀照群伦光含万象(晓轩斋藏宋辽金元明清铜镜)』 (文物出版社, 2013), p.172.

다른 자세로 가지를 쥐고 있거나, 줄기를 잡고 노는 모습이다. Ⅰ~Ⅳ형은 동자의 수, 꽃의 종류만 다를 뿐, 기본 구성을 동일해, 금대 꽃가지와 동자로 이루어진 문양을 선호했음을 알 수 있다. Ⅴ유형은 앞의 유형과 같이 동자들이 표현되어 있는 것은 동일하나, 배경에 동전이 가득 '大定通寶'가 시문되어 있다. 대정통보는 大定18年(1178)에 처음으로 주조가 시작되었는데『金史』「食貨」3에 그 내용을 확인할 수 있다.

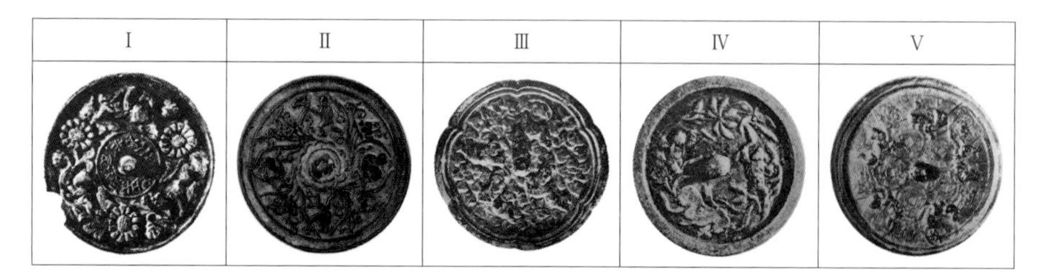

插圖 36. 中國 金代 童子遊戲紋鏡의 種類

> '18년에 대주에 監鑄錢을 세우고……工部郎中 張大節과 吏部員外郎 麻珪에게 주조를 감독하도록 하였다. 그 전에는 '대정통보'라는 글자를 썼으며, 글자 주변에 구멍을 뚫었는데 正隆연간의 표준을 넘었으며 대대로 전해오는 바에 의하면 그 전에는 소량의 은을 첨가하여 사용했다고 한다.……'[266]

세조18년에 감주전을 세우고 주조한 동전에 '대전통보'라는 글자를 썼다는 기록을 통해 이 시기 '대전통보'가 주조되기 시작했음을 알 수 있다. 이에 따라 이 동경은 1178년 이후에 제작되었음을 알 수 있다.

266『金史』卷48志第29「食貨」3 '十八年, 代州立監鑄錢……更命工部郎中張大節、吏部員外郎麻珪監鑄。其錢文曰「大定通寶」, 字文肉好又勝正隆之制, 世傳其錢料微用銀云。……'

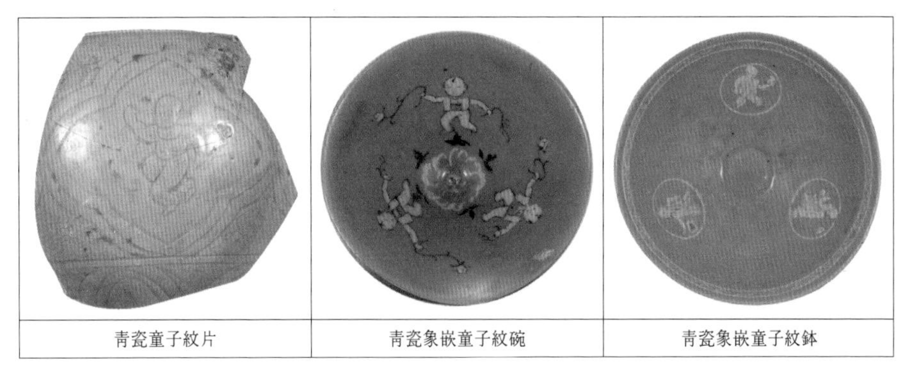

青瓷童子紋片	青瓷象嵌童子紋碗	青瓷象嵌童子紋鉢

插圖 37. 高麗 青瓷의 童子紋 表現

圖80. 青瓷象嵌葡萄童子紋注子, 高麗, 高19.7cm, 국립중앙박물관 (동원1234)

고려시대에도 동자문은 성행했던 문양으로 특히 도자에서 적극적으로 사용했다(插圖37). 강진 출토 青瓷童子紋片에는 풀잎을 손에 쥔 동자가 걸어가는 모습이 표현되어 있으며, 青瓷象嵌童子紋碗과 대접에는 3명의 동자가 손에 꽃, 새 등을 손에 들고 있는 모습이 묘사되어 있다. 또한 국립중앙박물관 소장 青瓷象嵌葡萄童子紋注子(圖80)는 주자 화면 가득 포도와 포도줄기, 잎이 채워져 있으며, 그 사이에 동자들이 줄기를 타고 있거나, 잎을 당기며 노는 모습이 표현되어 있다. 고려시대 도자에는 다양한 기종에 각기 다른 동자가 노는 모습을 있으며, 구성은 유사해도 문양표현은 모두 달라 개성적인 동자문이 장식되었다. 도자에 동자문이 주된 장식으로 등장한 것은 송대 도자의 영향으로 생각되며, 중국과 같이 동자문이 길상적 의미를 갖고 사용된 것으로 보인다.

금속공예품에도 동자문이 표현된 예가 있다. 국립중앙박물관 소장 金銅打出蓮唐草紋佛經匣(圖81)에는 하단에 원앙 두 마리가 강에 떠 있으며, 그 위로 종종머리

圖81. 金銅打出蓮唐草紋佛經匣, 高麗, 高10.3cm, 국립중앙박물관(덕수6291)

를 한 동자 3명이 연화가지를 들고 연판을 밟고 있는 모습이 표현되어 있다. 타출기법으로 제작한 이 경갑은 문양이 고부조로 동자들의 표정까지 정교하게 묘사한 것이 특징이다. 경갑이라는 종교적 성격을 갖는 기물이라는 점에서 동자와 연화가지가 등장한 것으로 보이며, 이는 당대 동경에서 보였던 연화동자와 같은 의미로 생각된다. 고려시대 도자, 금속공예품 등에서 동자가 등장하는 것은 송대 동자문이 성행한 것과 불교와의 연관성 등 복합적 차원에서 동자문은 고려시대 유행한 문양 중 하나로 자리 잡았던 것으로 판단되며, 이러한 사회적 현상 속에서 동자문경도 다양한 종류가 전래 되고 제작되었다.

插圖 38. 高麗時代 童子紋鏡의 種類

고려시대 전래된 것으로 추정되는 동자유희문경은 대략 4가지 유형으로 나눌 수 있다(插圖38). 동경에 등장하는 동자는 2명~8명으로 다양하게 나타나며, 동자들은 꽃을 들고 있거나 놀이를 하는 모습이며, 배경으로는 전각이나 파초 등이 표현되어 있다.

Ⅰ유형은 화면 우측상단에 파초가 크게 자리 잡고 있으며, 정원으로 보이는 장소에서 아동들이 악기를 들고 연주하는 장면을 묘사했다. 이 동경은 계권으로 외,

내구로 나뉘며, 외구에는 꼬리를 길게 늘어뜨린 봉황과, 오리 등 새가 있으며, 그 사이 화려한 모란당초문이 장식되어 있다. 이 유형 동경은 그 예가 많지 않으나, 세부 문양에서 차이가 있어 2가지로 나눌 수 있다. 삼성 Leeum 소장 동자유희문경(圖82)과 日本 泉屋博物館 소장 동자유희문경[267]은 기암괴석과 파초가 있는 정원에서 5명의 아동들이 악기를 연주하는 모습이다. 이중 하단에 깃발을 들 고 있는 아동을 제외하면 피리, 북 등 악기를 다양한 자세로 연주하고 있으며, 그 사이에 풀들이 표현되어 있다. 이와 동일한 구성이나 세부적 표현에서 차이가 있는 예는 국립중앙박물관 소장 동자유희문경(덕2436)(이하 덕수2436 동경)(圖83)이 있다. 자세히 살피지 않으면 삼성 Leeum 소장 동경과 동일한 동경으로 볼 수 있으나, 파초 옆 기암괴석과 뉴좌의 형태가 다름을 알 수 있다. 또한 Leeum 소장 동자유희문경은 5명의 아이들이 구성이 되어 악기를 연주하고 있으나, 덕수2436 동자유희문경은 6명의 아이들이 표현되어 있다. Leeum 소장 동자유희문경 하단에 깃발을 들고 있던 아동이 위로 올라가면서 그 자리에 악기를 치고 있는 아동이 등장하여 6명으로 구성되었다. 이와 함께 아동들 사이에 표현되었던 풀 표현이 생략되어 문양구성의 변화를 시도했음을 알 수 있다.

圖82. 遊戲童子紋鏡, 高麗, 徑25.5cm, 삼성미술관 Leeum

圖83. 遊戲童子紋鏡, 高麗, 徑23.6cm, 국립중앙박물관 (덕수2436)

Ⅱ, Ⅲ유형은 중국 동자유희문경과 동일한 예가 있어, 이 동경들은 중국에서 전래된 것으로 보인다. Ⅱ유형은 자신보다 큰 연화가지를 들고 있는 동자 2명이 서

267 日本 泉屋博物館 소장 유희동자문경에 대해 송대 작품으로 소개하고 있으나, 이 종류의 동경이 중국에서는 그 예를 찾기 힘들고, 중국의 동자유희문경은 아동들이 꽃가지를 노는 모습이 대부분이라는 점에서 이 동경은 고려제작으로 추정된다.

圖84. 遊戲童子紋鏡, 高麗, 徑16.7cm, 국립중앙박물관 (덕수4092)

로 마주 보며 있고, Ⅲ유형은 외구에 나비들이 일주해 있으며, 내구에는 엎드린 자세로 꽃가지를 든 동자 4명이 뉴를 중심으로 표현되어 있다. 이 동경의 연부에는 험기가 있어 금에서 유입된 동경임을 알 수 있다. 이 유형의 동경은 원형이 기본형이지만, 팔각형으로 제자된 예도 있다. 국립중앙박물관 소장 동자유희문경(덕수487)은 원형경과 동일한 문양구성이지만 연부가 팔각형으로 되어 있으며, 이 동경 역시 금에서 전래된 것으로 추정된다. 또한 팔각형경이 문양으로 표현된 동경도 있는데, 국립중앙박물관 소장 동자유희문경(덕수4902)(圖84)은 팔각형경을 원형경에 그대로 찍어서 주조한 것으로 추정된다.

Ⅳ유형은 화형뉴좌를 중심으로 양측면에 수풀이 있고, 뉴 하단에 악기를 들고 행진하는 듯한 아동들의 모습이 표현되어 있으며, 상단 전각에는 이를 지켜보는 인물이 있다. 또한 전각 위에 표현된 구름까지 세부표현이 화면을 가득 채운 구성이다. 이 동경은 앞서 본 Ⅰ유형의 파초가 있는 동경과 같이 악기를 연주하는 아동들이 묘사되어 있어 동일한 주제를 표현했음을 알 수 있으며, 배경 역시 전각이 있는 정원이라는 점에서 두 동경은 같은 주제를 변화하여 제작한 것으로 생각된다. 특히 Ⅳ유형 동경은 고려경에서 볼 수 있는 화형 뉴좌로 이 동경이 고려에서 자체 제작했을 가능성을 보여준다. 또한 이 유형의 동경은 청주 용암 유적Ⅱ 38호 토광묘에서 출토되어 개성뿐 아니라 지방까지 동자문경이 유통되었음을 알 수 있다.

圖85. 遊戲童子紋鏡, 高麗, 徑8.1cm, 성림문화재연구원

그 외 청도 대전리 21호 토광묘 출토 동자문경(圖85)은 지방에서 출토된 몇 안되는 동자문경이라는 점과 함께 문양으로 등장하는 동자문이 중국에서 볼 수 없던 문양구성이라는 점에서 흥미롭다. 이 동경은 2

명씩 짝을 이룬 8명의 동자들이 노는 모습을 담고 있다.

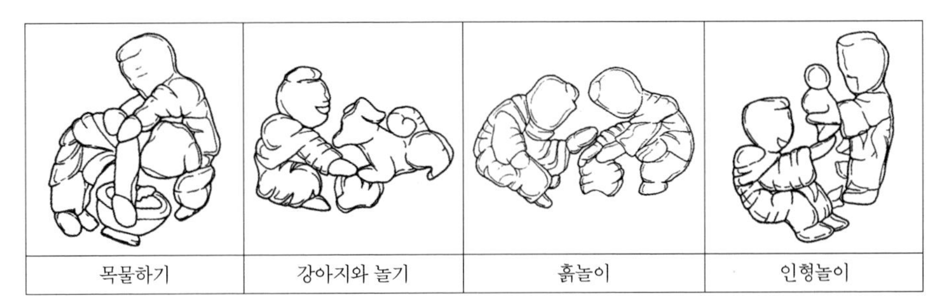

插圖 39. 淸道 大田里 21號 土壙墓 出土 童子紋鏡의 文樣

각각 2명씩 4조를 이룬 동자들은 목물하기, 강아지와 놀기, 흙놀이, 인형놀이를 하는 모습이며, 이는 아동들이 실제 생활에서 노는 모습을 동경에 표현한 것으로 생각된다(插圖39). 따라서 이 동경은 청주 용암 유적에서 출토된 동경과 같이 고려에서 제작된 동자문경이며, 중국에서 전래된 동자유희문경의 꽃가지를 들고 있는 문양구성에서 탈피했음을 알 수 있다. 또한 일상생활에서 아동들이 노는 모습을 재치있게 묘사했다는 점에서 문양의 다양성을 추구했음을 엿볼 수 있다.

(4) 月宮故事紋

월궁고사문은 달과 관련한 소재를 동경에 표현한 것으로 당대 姮娥奔月紋鏡과 月宮紋鏡, 송 · 금대 龍樹殿閣紋鏡 등이 같은 계열이다. 이 동경들에는 달과 토끼, 인물 등이 공통적으로 있으며, 두꺼비, 용, 전각, 화염문 등 세부적 문양에서 각각 차이가 있다. 국내 현존하는 월궁고사문경은 다양하게 남아 있는 편이며, 이 중 용수전각문경의 수량이 다수를 차지한다.

월궁고사문 계열 동경은 문양표현에 따라 크게 3가지 주제로 나눌 수 있다. 첫째, 달에 있는 토끼와 姮娥를 중심으로 표현한 경우로 대부분 당대 혹은 송대 초에 제작된 동경이며, 계수나무를 중심으로 토끼가 방아를 찧는 장면이 표현되어 있다. 둘째, 전각과 인물 혹은 토끼가 등장하며, 송·금대 동경에는 전각, 산, 다리 위의 인물 등의 도상이 추가되면서 월궁의 모습이 구체적으로 제시된 형태이다. 그리고 셋째, 전각과 인물과 더불어 용, 두꺼비, 계수나무 등 부가적 문양이 다양하게 나타나는 경우이다. 용수전각문경과 같이 화면 우측편의 1/3을 차지하는 계수나무와 다리 밑에 있는 용, 다리 위 절구를 중심으로 마주하고 있는 토끼와 두꺼비 등 새로운 요소들이 등장했다.

고대 태양과 달은 신앙과 결부되어 사람들에게 성스러운 존재였고, 이와 관련된 다양한 신화가 형성되면서 신성함을 공고히 했다. 월궁고사문경은 달과 관련된 신화를 담은 동경으로 시대에 따라 그 내용이 변화했다. 당대 고사문경이 등장하면서 월궁고사문경도 동경 문양의 주제로 나타났다.

달과 관련된 신화 중 동경의 문양으로 사용된 것은 '月中有兎', '月中蟾蜍', '玉兎擣葯', '嫦娥奔月'이 있다. '월중유토'와 '월중섬서'는 말 그대로 달에 토끼와 두꺼비가 있다는 것으로 달 속의 옥토끼와 두꺼비를 의미한다. 달 속에 특정한 동식물이 존재한다는 신화로 '월중유토'가 먼저 생성된 후, '월중섬서'가 생겨났고, 이 신화가 서로 혼합되면서 혼재하게 된 것이다. 이는 西漢 말에서 東漢 초에 이르는 전적에 토끼와 두꺼비가 함께 언급되는 것에서 알 수 있다. 예를 들어 劉向의 『五經通義』에서 '달 속에 살고 있는 것이 토끼인가 두꺼비인가'라는 구문이나, 王充의 『論衡』「談日」편에서 '유가에서는 해 속에 발이 세 개인 까마귀가 있고, 달 속에는 토끼와 두꺼비가 있다'고 한 내용에서 이미 토끼와 두꺼비가 함께 등장함을 발견할 수 있다.[268]

동경에 이와 같은 토끼와 두꺼비가 함께 등장한 예는 당대 월궁고사문경에서부터 보인다. 中國 上海博物館 소장 월궁문경(圖86)은 開元10年(722)에 제작되었음을 알 수 있는 명문이 있으며, 동경 가운데 瑞獸뉴좌가 있고, 좌우에 계수나무와

---

268 선정규, 『중국신화연구』(고려원, 1996), pp.176~177.

두꺼비, 방아 찧는 토끼가 있다. 이 동경은 3줄의 계권에 맞춰 156자의 명문이 있는 동경으로 동경에 새겨진 명문 중 가장 긴 내용을 담고 있다. 내용은 고경에 대한 찬양과 이러한 동경을 자신의 일생동안 만들고 싶었음을 담고 있다.[269] 동경의 문양과 명문내용은 크게 관련이 없어 보여, 문양은 당시 성행한 월궁고사문 중 '옥토도약'을 표현한 것으로 보인다.

圖86. 月宮故事紋鏡, 唐, 徑 16.1cm, 中國 上海博物館

插圖 40. 唐代 月宮故事紋鏡(嫦娥奔月)의 種類

이와 함께 '항아분월' 신화 내용을 담은 동경도 당대 제작된다(插圖40). '항아분월' 신화는 항아의 남편 羿가 西王母로부터 청한 불사의 약을 항아가 훔쳐서 먹고 월궁으로 올라갔으나, 이후 쓸쓸한 광한궁 안에서 남편을 그리워했다는 내용이다. 항아에 관한 신화는 魏晉南北朝 이후 많은 문헌과 시에 등장하며, 이야기가 풍성해졌다. 특히 당대 대표적 시인인 李白과 白居易의 시문에 항아는 寂寞과 悔恨의 상징으로 등장해 광한궁에서의 항아의 모습을 은유적으로 표현했다. 하지만 동경에 문양으로 표현된 항아에 대한 이야기는 달로 도망쳐 온 장면을 묘사했다. 당대 동경

269 上海博物館, 앞의 책, p.262

에는 약을 찧는 토끼와 계수나무, 두꺼비가 있으며, 그 장면에 항아가 약을 들고 달로 도착하는 장면이 표현되어 있다. 이는 '옥토도약'+'항아분월'이 합쳐진 것으로 이미 동경의 문양으로 구성된 '옥토도약'에 '항아'의 이야기를 혼합한 것이다. 또한 동한시기 張衡의『靈憲』에는 항아와 관련된 다른 이야기가 첨가되어 있다.

> '예가 불사의 약을 서왕모에게 청했으나, 예의 아내 항아가 약을 훔쳐 달로 달아났다. 가면서 有黃에게 점을 치니 유황은 "길하다. 홀로 날아올라 서쪽으로 가다가 날이 어두워져도 당황하지도 두려워하지도 말라. 후에 크게 번창할 것이다." 항아는 마침내 달에 몸을 맡겨 두꺼비가 되었다.'[270]

이 이야기에서 앞부분은 항아가 약을 훔쳐 달아났다는 기본내용이지만, 뒤에 달에 몸을 맡긴 항아가 두꺼비가 되었다는 부분이 새로 나타난다. 이는 '월중섬서' 신화와도 겹쳐지는 부분으로 '항아분월' 신화내용이 달에서 산다는 토끼와 두꺼비와 결합해 하나의 이야기로 재구성되었음을 생각해볼 수 있다. 따라서 당대 월궁고사문경 중 '항아분월'문경은 달과 관련된 설화가 집약된 결정체임을 알 수 있다.

插圖 41. 宋, 金代 月宮故事紋鏡 比較

270 張衡『靈憲』'羿淸無死之葯于西王母, 姮娥竊之以奔月。將往, 枚筮之于有黃, 有黃占之曰: '吉。翩翩歸妹, 独將西行逢天晦芒, 毋惊毋恐', 后其大昌。姮娥遂托身于月, 是爲蟾蠩。'

송대에도 월궁고사문경의 제작은 이어졌으며, 금대까지 꾸준히 유행한 동경 주제이다. 송대에는 '옥토도약'이 표현된 동경의 제작이 이루어진다. 당대에 이미 제작되긴 했지만, '항아분월'문경보다 제작 사례가 적었던 반면, 송 초기에는 두꺼비가 생략된 '옥토도약'을 주제로 한 동경이 나타나며, 동경의 형태도 독특한 것이 특징이다(插圖41).

송대 월궁고사문 계열 동경인 '옥토도약'문경은 원형의 경면 밑부분에 다리 혹은 받침이 있고, 뒤에 대를 받쳐 기대어 사용할 수 있는 형태이다. 이는 송대 다양한 형태의 동경이 제작되던 경향 속에서 등장한 동경으로 이 동경들에는 절구를 찧는 토끼와 계수나무만 표현되어 있으며, 당대 동경에 있던 두꺼비표현은 사라지게 된다. 그 중 中國 上海博物館 소장 월궁고사문경(圖87)은 중앙에 위치하던 토끼의 모습이 우측으로 이동하고, 그 맞은편에 전각이 표현된다. 이는 송대 동경에 보이는 회화적 요소가 적용되면서 문양 구성이 변화했음을 알 수 있다.

圖87. 月宮故事紋鏡, 宋, 高 14.9cm, 中國 上海博物館

또한 '항아분월'을 주제로 한 월궁고사문경은 항아가 달에 도착하던 장면에서 항아의 남편 예가 서왕모를 만나는 것을 바라보는 항아의 모습이 담긴 장면으로 변화한다. 中國 寧夏回族自治區 隆德縣 宋墓出土 월궁고사문경(圖88)은 1962년 隆德縣에 있는 목조건축 구조를 모방한 묘실에서 발견된 유물로 송대 월궁고사문경 중 항아분월을 표현하던 동경의 변화를 알 수 있는 중요 자료이다.[271] 이 동경

圖88. 月宮故事紋鏡, 宋, 徑 18.7cm, 中國 寧夏回族自治區博物館

271 寧夏回族自治區博物館, 「寧夏回族自治區文物考古工作的主要收获」, 『文物』(1978年8期), p.58.

은 표면색이 붉게 변한 것 이외에는 문양의 마모가 적어 상태가 양호한 편이다. 중앙에 원형의 큰 뉴를 중심으로 좌측에는 전각문이 있고, 우측엔 기암괴석과 나무가 표현되어 있다. 그 하단엔 강이 있어 다리로 육지로 이어져 있으며, 다리 위엔 官帽를 쓴 인물과 이를 안내해주는 인물이 서 있으며, 그 맞은편에는 이를 기다리는 인물이 두 명의 시종을 거느리고 앉아 있다. 그리고 그들 사이에는 빛이 나는 절구를 찧고 있는 토끼가 있다.[272] 이 동경은 다양한 인물과 전각, 회화적 배경 묘사 등으로 복잡한 구성으로 이 역시 송대 회화적 요소가 동경에 반영된 결과이다.

당대 동경이 '항아분월'에 초점을 맞추어 문양을 구성했다면, 송대는 일련의 장면을 한 화면에 담은 것으로 생각된다. 우측 관모를 쓴 인물은 항아의 남편 예이며, 맞은편은 인물은 서왕모로 예가 서왕모에게 불사의 약을 청하러 가는 장면이다. 그리고 전각 속에 있는 인물은 항아로 이 장면을 바라보는 시점으로 묘사되어 있다. 이는 문양구성이 인물에서 이야기 전체로 변화한 것을 알 수 있으며, '항아분월'의 이야기의 시작이 되는 장면을 주요 내용을 보았다. 이러한 경향은 '유의전서'문경에서 이야기 도입단계인 유의가 용녀의 편지를 받는 장면을 묘사한 점과도 같은 맥락이다.

圖89. 月宮故事紋鏡, 金, 徑 18.7cm, 中國 遼寧省博物館

금대에는 송대 월궁고사문경 중 '항아분월'문경 제작이 꾸준히 이어졌으며, 문양도 거의 그대로 차용되었다. 다만, 다리의 위치나 나무의 형태가 변하는 등의 차이가 있으며, 中國 遼寧省博物館 소장 월궁고사문경(圖89)은 문양 재구성에서 서왕모와 예와의 공간

272 송대 월궁고사문경은 그 배경이 서왕모가 기거한 곤륜산의 궁전으로 월궁이 아니다. 이로 인해 바위나 나무 등과 나무 뒤로 산악표현이 이루어진 것으로 생각된다. 다만, 이 동경에서 등장하는 절구를 찧는 토끼와 계수나무와 같은 구도에 있는 나무의 존재가 장소와 맞지 않다는 문제점이 있다. 이는 이 동경의 주제가 월궁고사문경이라는 점에서 송대 성행한 다른 유형의 월궁고사문경인 '옥토도약'문경의 문양과의 혼재로 인해 발생한 부분으로 생각된다.

이 좁아져 그 사이에 있던 토끼 문양이 생략되었다. 하지만 이러한 예외적 사항을 제외하면 송대 월궁고사문경의 문양구성을 그대로 표현했으며, 이 시기 월궁고사문경이 고려로 다수 전래된 것으로 생각된다.

插圖 42. 高麗時代 月宮故事紋鏡의 種類

고려시대 월궁고사문경은 송, 금대 '월궁고사'문경을 표현한 동경들이 전래되어 다양한 문양구성으로 재구성된 것이 특징이다(插圖42). Ⅰ, Ⅱ유형은 항아분월 신화 속 이야기인 서왕모와 예가 만나는 장면을 문양구성한 것이며, Ⅲ, Ⅳ유형은 Ⅰ, Ⅱ유형에서 재구성된 것으로 '용수전각'문경으로 불린다.

Ⅰ유형은 앞서 살펴본 中國 遼寧省博物館 소장 동경과 동일한 문양구성을 보여 이 동경은 고려로 전래된 금대 동경으로 생각된다. Ⅱ유형은 금대 동경 문양구성을 갖추고 있으나, 문양 중 인물과 토끼 등 재배치되어 있다. 뉴의 형태, 문양의 구성 등으로 봤을 때, 이 역시 고려제작보다는 금대 전래된 동경으로 추정된다.

圖90. 月宮故事紋鏡, 金, 徑19.5cm, 국립중앙박물관 (덕수5049)

이 동경은 현재 국립중앙박물관에 소장되어 있는 동경(圖90)으로 원형뉴를 중심으로 뉴 우측엔 나무가 길게 서 있고, 좌측엔 전각이 크게 묘사되어 있다. 나무 우측에 예와 서왕모가 만나고 있으며, 나무 좌측에 시종들이 서 있고, 그 옆에 절구 찧는 토끼가 표현되어 있다(插圖43). 이는 이야기의 주인공들이 우측 공간에 표현되어 있으며, 그 외 문양들은 배경으로써 좌측에 모여 있다. 그리고 주인공들 옆에 '帝孫影昌會造'라는 小篆으로 주출된 명문이 있다.[273] Ⅰ유형에서 보이던 다리, 바위 등 장식적 요소를 Ⅱ유형에서는 배제하고, 인물에 중점을 두어 문양을 꾸몄다. 이로 인해 주변 인물인 시종들의 모습도 다양하게 표현되었으며, 중앙에 위치했던 토끼도 측면으로 이동함으로써 인물에 집중할 수 있는 구도로 문양이 구성되었다.

예와 서왕모가 만나는 모습	시종들이 서 있는 모습	절구 찧는 토끼의 모습

插圖 43. 國立中央博物館 所藏 月宮故事紋鏡(덕수5049)의 細部文樣

Ⅲ, Ⅳ유형은 현재 '龍樹殿閣'紋鏡[274]이라 칭하는 동경류로 Ⅲ유형은 한국에 현존하는 예가 많은 편이다. 이 동경들은 송 · 금대 월궁고사문경의 영향을 받아 제작된 것

---

273 명문은 황제의 자손인 影昌會에 의해 제작된 동경이라는 점에서 일반적으로 생산하던 월궁고사문경은 아니라 생각되며, 문양구성, 뉴의 상태, 문양의 정교함 등에서 솜씨 좋은 장인에 의해 도안을 재구성해 제작한 동경으로 추정된다.

274 현재 국내에서 이 유형의 동경들의 명칭은 '용수전각'문경이다. 이는 동경에 표현된 문양을 명칭으로 사용한 것으로 보통 동물문이나 식물문 등 문양이 명칭으로 사용되는 것과 동일하게 적용되었다. 하지만 동 · 식물문경은 내용을 담고 있기보다 형태적 특징이 중요하기에 문양을 통해 명칭하는 것이 타당하다. 반면, '용수전각'문경은 월궁고사문경이라는 주제를 갖고 이야기를 담고 있는 고사문경이라는 점에서 이에 맞는 명칭부여가 필요하며, 이에 대한 학계의 다양한 의견이 수렴되어야 할 것이다.

으로 생각되며, 기본문양구성은 유사하나, 용, 두꺼비 등 문양의 추가를 통해 새로운 문양구성을 시도했다.

Ⅲ유형은 영남대학교박물관 소장 '용수전각'문경(圖91)이 있다. 원형경으로 송 · 금대 월궁고사문경과 문양위치가 반대로 구성되어 있는 것이 특징으로 전각과 시종을 거느린 서왕모가 우측에 위치하고, 좌측에는 가지가 우측으로 휜 나무와 그 아래 서왕모에게 안내하는 시종과 예가 다리를 건너고 있다. 그 아래 용이 물 위로 나는 모습이며, 서왕모와 예 사이에 절구질하는 토끼와 마주 보는 두꺼비가 표현되어 있다. 특히 신성한 공간과 인물임을 표현하기 위해 서왕모와 전각은 운문에 휩싸여 있으며, 전각을 감싸고 있는 운문은 공간을 상, 하로 구분한다.

圖91. 龍樹殿閣'紋鏡, 高麗, 徑 21.2cm, 영남대학교박물관 (5435)

Ⅳ유형은 Ⅲ유형과 문양구성은 유사하나, 문양이 도식화된 형태로 대표적인 예는 국립중앙박물관 소장 '용수전각'문경(圖92)이 있다. 이 동경은 연부 근처에 계권이 있으며, 내구 가득 문양이 표현되어 있다.

圖92. '龍樹殿閣'紋鏡, 高麗, 徑19.5cm, 국립중앙박물관 (덕수330)

월궁고사문경에는 주요인물 뒤편에 전각표현이 이루어져 있으며, 그 전각에는 문을 열고 밖을 바라보는 인물이 서 있다. 동경 관련 연구에서는 이 인물에 대해 크게 비중을 두지 않아 그저 전각문에 부수적인 문양으로 생각했다. 하지만 전각에서 얼굴 혹은 상반신을 내밀고 있는 인물표현은 중국 고대 묘제 벽화에서부터 등장하기에 전각과 이 인물이 동경에 나타난 배경에 대해 살펴보고 이를 통해 월궁고사문경에 전각이 등장한 연유에 대해 재고의 필요성이 있다.

월궁고사문경은 초기에는 항아와 절구 앞의 토끼, 두꺼비, 그 가운데 계수나무가 표현된 단순한 구조였다. 하지만 송대에 들어오면서 다양한 도상들이 결합되

插圖 44. 月宮故事紋鏡의 啓門表現

고, 당시 성행한 산수화풍의 배경이 추가되면서 전각문, 암벽, 다리, 구름 등 다양한 요소들이 등장한다. 이 중 전각문은 배경적 요소임에도 불구하고 정교하고 사실적 묘사가 이루어져 있으며, 특히 전각의 문이 조금 열린 채 인물이 문 사이로 밖을 바라보는 모습이 묘사되어 있어 시선이 집중된다(插圖44).

본 연구에서는 이 인물에 대해 항아로 해석했으며, 항아의 모습을 전각문에 신체 일부만 보이도록 표현한 것에 주목했다. 예와 서왕모가 만나는 장면에서 항아는 어디에 있었는지 알 수 없으며, 예가 가져온 불사의 약을 훔쳐서 달아났다는 것이 중심내용이다. 이에 동경을 제작하는 장인들이 항아의 모습을 당시 유행한 '啓門'과 결부시켜 표현한 것으로 추정했다.

'계문'이라는 개념은 죽은 자의 공간과 관련 있는 것으로 漢代 石棺, 畫像石墓, 祠堂, 神道碑 등에 출현했으며, 당대 石塔, 요대 塔幢, 송대 經幢과 墓室 등에 등장한다.[275] 계문 대부분 부인이 몸의 반은 문 뒤에 두고 반은 열린 문틈으로 나와 밖을 보는 형식이다. 이 인물표현은 한대 석관 중 서왕모 관련 화상에도 있어 서왕모의 使者로 보는 의견이 있으며, 이 인물의 역할은 문 앞에 서서 망자가 서왕모가 있는 세계로 갈 수 있도록 인도하는 역할로 본다.[276]

또한 월궁고사문경의 문양구성을 근거로 송대 洪邁의 설화집인 『夷堅志』「篙山竹林寺」에 실린 내용으로 보기도 한다.[277] 이러한 의견들의 공통점은 사후세계와

275 韓小囡, 「圖像與文本的重合-讀宋代銅鏡上的启門圖」, 『美術史研究』(2010年 3期), p. 41.
276 吳雪杉, 「漢代啓門圖像性別含義釋談」, 『藝術研究』(中國藝術研究院, 2007年 2期), p.112~114.
277 韓小囡, 앞의 논문, p.45.

의 관련성이며, 망자를 돕기 위한 존재로 본다는 점이다. 이러한 관점은 전통적 계문에 대한 인식에서 비롯된 것이나, 한대 이후 묘제는 도교나 불교적 색채로 인해 표현이 복잡해지고, 나아가 전래되는 동안 원래 의미대로 전해지지 않는다는 점에서 다른 함의를 갖게 될 수도 있다.[278] 이러한 측면에서 볼 때, 월궁고사문경에 표현된 전각 속 인물이 과연 망자와의 관련성을 갖고 동경에 표현된 것인가 하는 의문이 생긴다. 또한 송대에 한대 성행한 '계문'이 다시 유행한 것에는 송대 서민층의 성장과 경제발달과 더불어 유교적으로 예법을 중시했던 喪祭에서 다소 자유롭게 되면서 서민층의 묘실의 장식풍조가 만연했고, 이에 과거 성행한 '계문'표현이 증가하게 된다. 이러한 사회적 분위기는 계문의 기본 성격은 희석되고 장식적 요소로 변화하게 한 것이다.

白釉鏤雕殿宅人物枕의 啓門表現 | 宋墓后龕婦人啓門圖

插圖45. 宋代 工藝品과 墓龕에 새겨진 啓門表現

송대 자기로 제작된 베개에 계문표현이 등장하고, 송묘 계문도에서도 손에 거울을 든 여성이 표현되는 등 소재와 표현이 송대 많은 변화가 있음을 알 수 있다(插圖45). 그리고 山東 兗州 興隆塔 地宮 宋代 舍利石函正面假門(圖93)에서는 승려가 몸

278 鄭巖, 「論"半啓門"」, 『故宮博物院院刊』(2012年 3期), p.20.

圖93. 山東 兗州 興隆塔 地宮 舍利石函正面啓門, 宋, 中國 山東博物館

圖94. 河北 宣化遼張誘恭墓(2号墓) 東南壁啓門圖, 遼, 『宣化遼墓』

을 밖으로 내밀고 있는 장식이 있다. 이는 계문표현이 묘의 장식에서 벗어나 사리함, 동경 등 공예품의 문양으로도 사용되었음을 알 수 있다.

또한 요, 금나라는 자신들만의 묘제방식에서 한족의 묘제방식을 더함으로써 계문표현이 등장한다. 이때 계문도는 송대 이미 변화한 계문도의 영향을 수용함에 따라 河北 宣化遼張誘恭墓(2号墓) 東南壁啓門圖(圖94)에는 그릇을 옮기는 여인의 모습으로 표현되기도 하는 등 문이 반이 열린 형태만 동일할 뿐 갖는 의미는 달라졌음을 알 수 있다. 이에 송·금대 월궁고사문경에 표현된 전각 속의 인물은 당시 묘제에 사용되던 계문표현이 동경의 문양으로 등장했다는 점에서 사후세계와 연관된 부장품으로 볼 수도 있다. 하지만 당시 계문의 의미가 약화되고 장식화되었다는 점을 상기해보면, 계문의 문양형태만 차용하여 월궁고사에 등장하는 인물을 표현했을 가능성이 크며, 그 인물로 항아로 추정할 수 있다.

(5) 許由巢父紋

'許由巢父', '許由洗耳', '巢父遷牛', '穎川洗耳' 등으로 칭해지는 고사로 더러운 말을 들은 귀를 씻는다는 의미를 담고 있다. 중국 고대 堯임금이 九州를 맡아주기를 허유에게 청하자, 허유는 이를 거절하면서 귀가 더러워졌으니 穎川에서 귀를 씻었다. 이때 소를 몰고 지나가던 소부가 귀를 씻는 연유를 물어, 이에 대해 허유가 대답했다. 소부는 그러한 말이 허유의 귀에 들어온 것조차 처신을 제대로 못한

증거라 하여 그 물을 소에게 먹일 수 없다고 상류로 올라가 소에게 물을 먹인다는 내용이다.

'허유소부'문경은 이러한 일련의 내용이 한 화면에 담겨 있으며, 이는 시간적 · 공간적 요소가 함께 적용된 것으로 생각된다. '허유소부' 고사는『高士傳』,『史記』,『壯子』,『淮南子』, 등 다양한 古文獻에서 찾을 수 있으며, 이러한 문헌이 송대 문학발전과 함께 보급됨에 따라 이야기가 더욱 구체적인 묘사를 담는 등 풍부한 내용으로 구성되었다. 고문헌 중『高士傳』에서 '허유소부' 고사가 상세히 실려 있다.[279]

송 · 금대에 '허유소부'문경이 성행했던 원인은 당시 사회가 隱士에 대한 존경심이 컸으며, 황제들도 은사를 예우하고, 遺賢을 찾아가는 등 隱逸風潮가 자리잡음으로써 동경의 주제도 대표적 은사인 '허유'에 관한 고사를 선택한 것으로 보인다.[280] 더욱이 금대 다양한 '허유소부'문경이 제작된 것은 국가적 영향도 반영되었을 것으로 보인다. 이유는 금대 동경은 대부분 관에서 제작, 검수하여 유통되었다는 점에서 당시 사용하는 동경의 문양은 국가에서 관리했을 가능성이 높다. 이는 민간에서 사용할 때 교훈을 주거나, 길상적 의미를 갖는 문양 혹은 나라의 태평성대를 의미하는 내용 역시 동경 주제로 선호했을 것이다. 이런 점에서 은일적 존재인 '허유'와 태평성대를 이끈 요임금과의 고사내용은 금대사회가 태평성대임을 보여주는 매개체였을 것이며, '허유소부'문경은 이를 구체화한 상징물로 다양하게

---

279 '……허유는 이에 中岳의 潁水 북쪽 箕山 아래에 숨어서 밭을 갈면서 종신토록 천사를 경영하려는 마음을 먹지 않았다. 요임금이 또 허유를 불러서 九州의 수장으로 삼으려 했으나 <u>허유는 듣고 싶지 않아서 영수 가에서 귀를 씻었다. 그때 그의 친구 소부가 송아지를 끌고 와 물을 먹이려 하다가 허유가 귀를 씻는 것을 보고는 그 이유를 물었더니 허유가 대답했다.</u> "요임금이 나를 불러 구주의 수장으로 삼으려 하기에 그 소리가 듣기 싫어서 귀를 씻고 있네." 그러자 소부가 말했다. "자네가 높은 언덕과 깊은 계곡에 거처한다면 사람들이 다니는 길이 통하지 않으니, 누가 자네를 볼 수 있겠는가? 자네가 일부러 떠돌며 알려지기를 바라서 명예를 구하는 바람에 내 송아지의 입을 더럽힌 것이네." 그러면서 <u>송아지를 끌고 상류로 가서 물을 먹였다</u>……' 皇甫謐 지음 · 김장환 옮김,『高士傳』(지식을 만드는 지식, 2012), pp.30~31.

280 楊玉彬,「宋 · 金許由巢父故事鏡的初步研究」,『文物鑑定與鑑賞』(2012年, 9期), p.59.

제작되었던 것으로 판단된다.

插圖 46. 宋 · 金代 '許由巢父'紋鏡 種類

송 · 금대 '허유소부'문경은 허유가 귀를 씻고 있고, 이를 본 소부가 귀를 씻는 연유를 묻는 장면이 공통된 주제이다. 하지만 같은 내용이라도 인물배치, 주변배경 등에서 확연한 차이를 보인다(插圖46). 송대 '허유소부'문경은 팔릉형으로 뉴 옆의 나무를 중심으로 우측에 허유가 귀를 씻고 있는 모습이 있고, 좌측에 소를 끌고 온 소부가 이야기를 듣고 자리를 뜨는 장면이 묘사되어 있다. 큰 나무를 배경으로 인물에 중점을 두어 동경의 문양을 구성했음을 알 수 있다. 이에 반해 금대 동경은 인물묘사보다 주변배경에 치중해 평면적인 송대 동경과 달리 산과 나무, 강이 어우러진 산수화풍 구도로 바뀌면서 공간감이 있는 구성이 특징이다.

송대 '허유소부'문경(圖95)과 같이 큰 나무를 중심으로 인물을 양측에 배치하는 구성은 '彈琴人物'紋鏡(圖96)과 유사하다. 이 동경 역시 뉴 옆에 큰 나무가 자리 잡고 있으며, 한쪽엔 거문고를 켜는 인물이 있고, 다른 쪽에 이를 듣는 인물이 서 있다. 이러한 구성은 동경 문양 중 인물에 중점을 두어 두 인물의 행위를 통해 동경 주제를 부각시켰다.

圖95. '許由巢父'紋鏡, 南宋, 徑14.8cm, 中國 上海博物館

圖96. '彈琴人物'紋鏡, 宋, 徑13.1cm, 中國 西安博物館

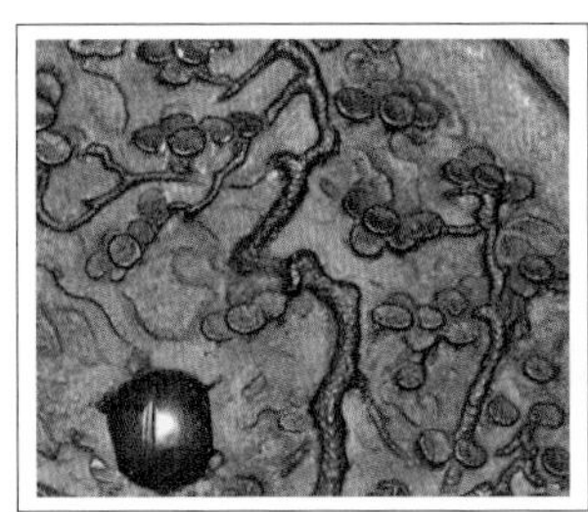
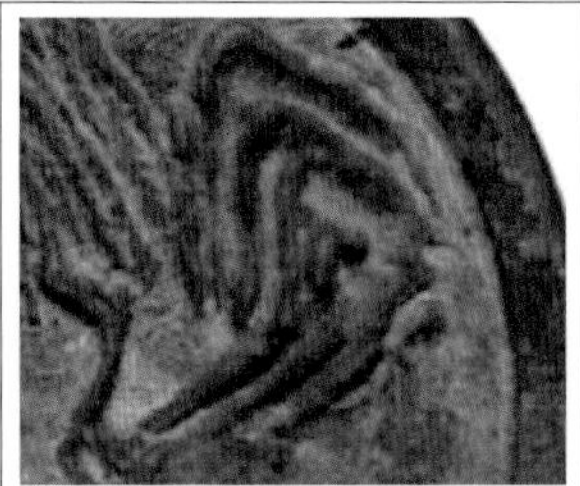

插圖 47. 金代 '許由巢父'紋鏡의 山水畫風 表現

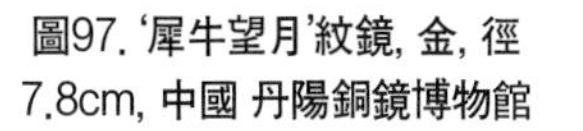

圖97. '犀牛望月'紋鏡, 金, 徑 7.8cm, 中國 丹陽銅鏡博物館

圖98. '柳毅傳書'紋鏡, 金, 徑 10.0cm, 中國 西安博物館

금대 '허유소부'문경은 앞서 언급한 바와 같이 산수화풍 구도를 위해 인물들의 중앙 · 수평적 위치에서 사선 혹은 측면으로 인물 위치가 변화했다. 인물 뒤로 섬세한 나무표현, 奇巖怪石 등을 배치했으며, 가옥이 등장하는 경우도 있다. 금대 동경에 산수화풍이 성행한 것은 당시 중원문화에 대한 관심이 컸으며, 특히 송대 회화를 적극적으로 수용함으로써 '서우망월'문경(圖97), '유의전서'문경(圖98) 등과 같이 인물이 등장하는 동경의 배경으로 산수화 표현을 활용했다(插圖47).

국내 현존하는 '허유소부'문경은 국립중앙박물관에 가장 많은 수량이 소장되어 있으며, 5종류로 구분할 수 있다(插圖48).[281] 대부분 원형이며, 문양은 앞서 살펴본

---

281 이난영은 『고려경 연구』에서 '허유소부'문경 중 일부를 '寧戚飯牛'紋鏡으로 보았다. 이는 두 동경 모두 소가 등장하는 고사내용을 동경에 표현한 결과 발생한 문제로 보인다. 하지만 동경 중 '영척반우'로 볼 수 있는 특징적 표현이 없으며, '영척반우'문경으로 해석한 동경의 우측에는 귀를 씻고 있는 허유가 있어, 이 동경들은 '허유소부'문경으로 분류하고자 한다. 이난영, 위의 책(2003), pp.186~187.

중국 '허유소부'문경과 같이 다양한 문양으로 구성되어 있다. 다만, 같은 문양이라도 수량이 적어 당시 '허유소부'문경의 유입이 많지 않았던 것으로 보인다.

插圖 48. 高麗時代 '許由巢父'紋鏡 種類

圖99. '許由巢父'紋鏡, 高麗, 徑14.2cm, 국립중앙박물관 (덕수609)

국립중앙박물관 소장 '허유소부'문경(덕수609)(이하 '허유소부'문경)(圖99)은 팔화형으로 그 예가 적으며, 중국에서도 찾아보기 힘든 종류이다. 이 동경은 송대 '허유소부'문경의 문양구성과 거의 동일하며, 팔릉형을 팔화형으로 변형해 제작한 경우이다. 허유와 소부, 중앙의 나무표현 등 대부분 주요문양은 동일하나, 송대 '허유소부'문경의 橋脚이 일직선으로 수평한 형태였다면, 이 동경은 곡선형으로 표현되었다. 또한 물결부분이 간소화되었고, 물고기가 물을 내뿜는 문양도 생략되어 인물을 중심으로 문양을 차용했다.

插圖 49. 宋代 '許由巢父'紋鏡을 변형한 金代 銅鏡의 例

금대에도 송대 '허유소부'문경을 변형한 예가 존재한다(插圖49). 형태는 동일하나 뉴와 문양표현을 새롭게 구성하거나 문양은 동일하나 기형을 원형으로 바꾸어 제작했다. 하지만 문양을 그대로 사용할 경우엔 세부표현까지 충실히 나타냈다는 점에서 '허유소부'문경(덕수609)

과 다른 양상을 보인다. 따라서 이러한 차이는 '허유소부'문경(덕수609)이 송대 동경을 모본으로 고려에서 제작된 동경일 가능성이 있다.

(6) 煌丕昌天銘紋

'황비창천'명경은 '밝게 빛나는 창성한 하늘'을 뜻하는 명문이 동경 문양면에 새겨져 있는 동경이다. 문양은 돛대가 있는 배가 바다 위를 항해하고 있으며, 그 배 위에 칼을 들고 있는 사람과 바다 속에서 나타난 용이 마주 보고 있는 장면이다. 이 소재의 동경은 중국에서 제작되기 시작하여 한국과 일본에 전해졌으며, 특히 한국에서 많은 수량이 제작 · 유통된 동경이다.

'황비창천'명경이 처음 제작된 것은 중국 송대이며, 중국에는 현재 17여점 정도의 '황비창천'명경이 현존한다. 하지만 해외기관 소장 '황비창천'명경이 다수 존재하고, 이 동경들의 출처를 알 수 없기에 중국에서 제작된 이 동경의 수량은 더 많을 것으로 생각된다.

圖100. 航海紋鏡, 宋, 徑 18.6cm, 中國 陝西省扶風縣博物館, 扶風出土

'황비창천'명경 대부분은 팔릉형이며, 크기는 16~19cm 내외로 크기 편차가 있는 편이다. 중국에서 처음 제작된 '황비창천'명경은 명문 없이 바다 가운데 배가 풍랑을 만난 형상이 표현되어 있다. 中國 陝西省扶風出土 송대 동경(圖100)이 그 대표적인 예이다. 이 동경은 경직된 곡선들로 이루어진 파도 사이에 3인의 인물들이 배의 앞과 뒤에 무리지어 서 있는 모습이다. 이 동경에는 용이나 바다에 사는 생물의 표현이 없어 '황비창천'명경의 기본적인 문양이 형성된 초기형태로 생각된다. 그리고 中國 四川 集安 宋墓出土 동경(圖101) 역시 명문 없이 바다 위 파도 속에 있는 배의

圖101. 航海紋鏡, 宋, 徑 18.0cm, 中國 四川 稚安 宋墓出土

모습이다. 다만 부풍출토 동경에 비해 곡선 사용이 부드러워지고, 용문이 선미 쪽에 등장하는 등 문양표현에서 이전 동경보다 발전된 양상을 보여준다. 이러한 과정을 거쳐 금대에 '황비창천' 네 자와 파도 위 배 문양을 조합한 동경제작이 이루어진다.

'황비창천'명경은 중국, 한국, 일본을 비롯해 전세계 박물관 등에 소장되어 있는 예가 많아 고려 존속시기 동안 중국과 한국 등지에서 대량 생산된 동경류임을 알 수 있다. 이 동경의 형태는 다수가 팔릉형이나 원형도 소수 존재한다. 동경은 형태의 차이는 있으나, '銘文+船紋+波水紋+海獸紋'의 공통된 구성이다. 명문은 '篆書體'로 된 황비창천 4자가 양각으로 주출되어 있으며, 방형 권 안에 배치되어 있다.

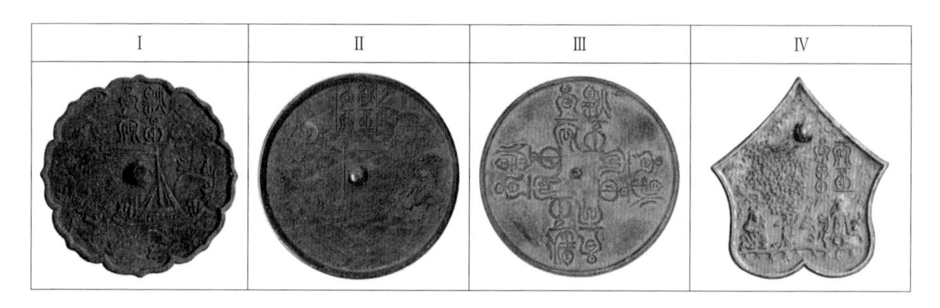

插圖 50. '煌丕昌天'銘鏡 類型

동아시아에서 한국은 '황비창천'명경이 가장 많이 남아 있지만, 그 형태는 팔릉형과 원형 2가지로 국한된다. 반면, 중국은 한국보다 '황비창천'명경의 제작이 이루어지지 않았지만, '황비창천'명문과 다른 문양을 조합해 독특한 형태로 제작한 예가 있다. 이에 본 연구에서는 한국과 중국에서 제작된 '황비창천'명경의 문양에 따라 4유형으로 구분했다(插圖50).

Ⅰ유형은 팔릉형으로 한국과 중국에 가장 많은 종류가 남아 있다. 16~20cm 정도로 크기도 다양한 편이다. 이 동경은 뉴를 중심으로 상하, 좌우로 문양배치가 이루어져 있다. 뉴 위에는 '황비창천' 4자가 양각으로 있으며, 뉴 아래에는 큰 배와

배를 타고 있는 인물들 그리고 이를 마주보고 있는 용이 표현되어 있다. 뉴 좌, 우에는 고개를 내밀고 있는 海獸들이 있으며, 바탕면은 바다를 의미하는 파도와 물결로 문양을 꾸몄다. 빈 공간없이 문양으로 가득채운 이 동경은 개성부근, 고려고분 등에서 출토된 예가 많으나, 정확한 출토지를 알 수 없다. 그 외 지방에서는 국립청주박물관 소장 '황비창천'명경(圖102)이 충주 종민동에서 출토되었으며, 국립부여박물관 소장 동경은 논산 취암동 출토이다. 또한 묘를 이장할 때 발견된 춘천 삼천동 출토 '황비창천'명경(圖103)이 있어, 고려시대 당시 성행했던 만큼 부장품으로도 발견되었다.

Ⅱ유형은 원형경으로 현재 국내에 2점이 있으며 모두 국립중앙박물관에 소장되어 있다. 팔릉형경과 문양구성은 유사하나, 문양형태, 배치 등에서 차이가 있어, 팔릉형경을 토대로 새롭게 문양구성하여 제작한 동경으로 생각된다. 이 원형경은 24cm 정도의 큰 크기 동경이며, 연부가 좁고, 원형 뉴로 구성된 형태이다. 이 동경 역시 팔릉형과 동일하게 뉴를 중심으로 상하, 좌우로 문양구성이 이루어져 있다.

국립중앙박물관 소장 '황비창천'명경(덕수4927)(圖104)을 살펴보면, 뉴 위에는 황비창천 4자가 방형 곽 안에 있으며, 뉴 하부에는 팔릉형과 위치가 반대인 배와 용이 묘사되어 있다. 그리고 배 앞에는 물보라를 일으키며 배를 위협하는 용이 표현되어 있어, 용이 배를 공격하려는 긴박한 장면이 연출되었다. 그리고 뉴 좌, 우에

圖102. '煌丕昌天'銘鏡, 高麗, 徑18.3cm, 국립청주박물관 (공주840)

圖103. '煌丕昌天'銘鏡, 高麗, 徑16.7cm, 국립춘천박물관 (신3784)

圖104. '煌丕昌天'銘鏡, 高麗, 徑24.4cm, 국립대구박물관 (덕수4927)

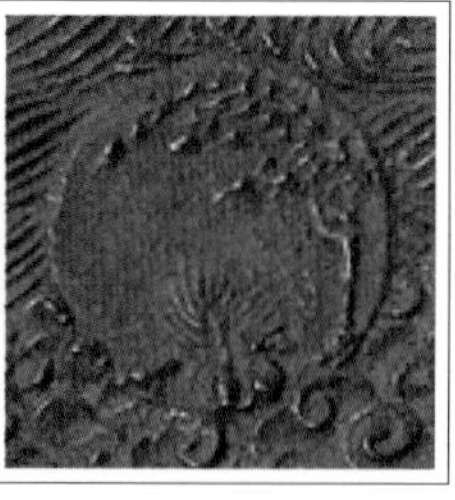

插圖 51. '煌丕昌天'銘圓形鏡의 日月紋 表現

는 물고기와 마갈어가 표현되어 있어, 팔릉형경과 동일한 문양구성을 보여준다. 다만, 원형경에는 좌우 물고기 위에 운기문에 휩싸인 일월문이 둥근 원 안에 삼족오와 토끼로 표현되어 있다(插圖51). 이는 팔릉형 '황비창천'명경 문양구성에 새로운 요소를 첨가한 것으로 보인다. 특히 월문에 표현된 절구를 찧는 토끼와 마주보는 두꺼비, 계수나무의 표현은 고려시대 '용수전각'문경에 등장하는 두꺼비와 토끼의 구성과 유사해 이 문양들은 고려동경의 독창적 면모를 보여주는 요소이다.

원형경 중에는 팔릉형의 문양이나 형태가 원형인 동경도 있다. 국립전주박물관 소장 '황비창천'명경(圖105)과 청주시 율량동 출토 '황비창천'명경(圖106)이 있다. 두 동경은 팔릉형과 동일한 문양이지만, 형태를 원형으로 변형해서 제작한 재주경이다. 이러한 형태변화는 주로 지방에서 보이는 특징으로 개성보다 동경의 종류가 한정적이었던 지방은 형태변형을 통해 새로운 동경제작을 추구했던 것으로 생각된다.

Ⅲ유형은 '황비창천' 4자의 명문을 문양으로 표현한 문자경 형식이다. 대표적으

圖105. '煌丕昌天'銘鏡, 高麗, 徑16.7cm, 국립전주박물관 (덕수4927)

圖106. '煌丕昌天'銘鏡, 高麗, 徑15.4cm, 중앙문화재연구원

圖107. '煌丕昌天'銘鏡, 高麗, 徑14.8cm, 숙명여자대학교박물관

로 숙명여자대학교박물관 소장 '황비창천'명경(圖107)과 숭실대기독교박물관 소장 '황비창천'명경(圖108)이 있다. 두 동경은 명문을 사용하는 방법에서 차이는 있으나, 명문 4자를 이용했다는 공통점이 있으며, '황비창천'명경은 명문이 동경의 주문양임을 알 수 있는 요소이기도 하다. '밝게 빛나는 창성한 하늘'이라는 의미의 명문은 당시 고려인들에게 길상적 의미로 여겨졌던 것으로 보이며, 이를 문양화해 동경에 표현한 것으로 생각된다.

Ⅳ유형은 국내에는 없으나, 중국에는 인물고사문과 명문이 결합한 예가 있다. 中國 山東省 淸州博物館 소장 '황비창천'명 허유소부문경(圖109)은 '황비창천'명문과 허유소부문이 합쳐진 것으로 형태도 특이하다. 이 동경의 명문 중 '황(皇)'자의 경우 황비창천의 '황(煌)'과 차이는 있으나 같은 음의 한자를 표기했다는 점에서 동일한 의미로 명문을 사용한 것으로 생각할 수 있다. 이와 같은 동경은 명문과 문양간의 내용상 연관성이 낮음에도 불구하고 명문이 동경에 표현된 것은 '황비창천'이라는 용어가 당시 성행했음을 방증한다.[282] 또한 미국 LACM소장 '煌丕' 銘 牛郎織女紋鏡(圖110)은 팔릉형으로 우랑직녀가 만나는 장면을 표현한 동경으로 뉴 위에 '煌丕' 2자가 있다. 이 역시 명문과 인물고사문을 결합해 제작한 예이

圖108. '煌丕昌天'銘鏡, 高麗, 徑14.5cm, 숭실대기독교박물관

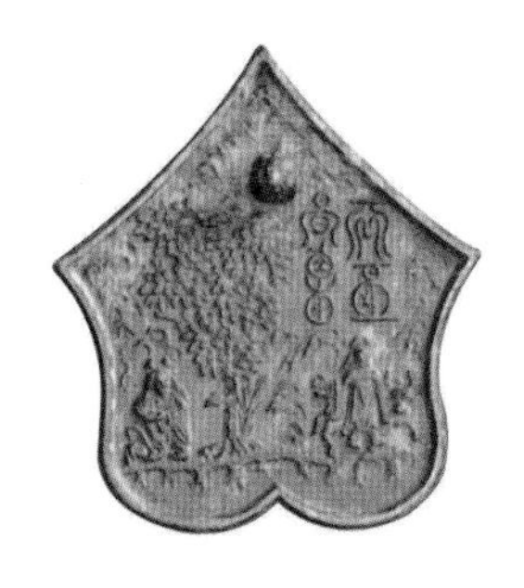

圖109. '皇丕昌天'銘許由巢父紋鏡, 金, 徑18×20cm, 中國 山東省 靑州博物館

圖110. '煌丕'銘牛郎織女紋鏡, 金, 徑20.9cm, LA County Museum of Art in U.S.A

282 최주연, 앞의 논문(2016), p.95.

다. 중국 금대에는 이와 같이 다른 주제의 문양끼리 결합시켜 새로운 동경을 제작하는 경우가 종종 있었으며, '황비창천'명문 역시 이러한 경향 속에서 인물고사문경의 문양과 함께 제작되었다.

Ⅰ~Ⅳ유형으로 나뉘는 '황비창천'명경은 다양한 변화가 있음에도 불구하고 항해하는 배가 용과 대치하는 장면은 주요 문양이다. 이 문양구성은 송 · 금대 성행한 고사나 소설을 토대로 제작되는 경우가 많으며, '황비창천'명경의 문양 역시 이러한 배경 속에서 나타난 것으로 추정된다.

파도가 치는 바다 위에 떠 있는 배와 마주 보고 있는 용이 대치하는 내용은 중국 고대 설화 가운데『淮南子』「도응훈」의 '차비'에 관한 이야기에서 볼 수 있으며, 다음과 같다.

> "楚나라에 차비란 사람이 있었는데 干隊에서 寶劍을 손에 넣었다. 돌아서서 양자강을 건너던 도중 강 江心에 이르렀다. 그때 陽侯의 파도가 일어났고 두 마리의 蛟龍이 배를 둘러쌌다. 차비는 사공에게 물었다. '일찍이 이런 일을 당하고도 살아남은 자가 있었소' 사공은 대답했다. '아직 보지 못했습니다.' 차비는 눈을 부라리며 갑자기 팔을 걷어 올리고 검을 뽑아 들면서 말했다. '무인의 싸움은 仁義의 禮에 따라 할 일이다. 그런 즉 겁탈을 하는 것을 용서할 수 없다. 본디 내 몸이 강심에 있는 것은 腐肉朽骨이 되기에 이르렀다. 검을 버리고 내 몸을 보전할 수는 없으니 나는 조금도 미련을 갖지 않겠다' 말을 끝내자 차비는 물속에 뛰어들어 교룡을 찌르고 마침내 머리를 베었다. 배 안의 사람들은 전원 무사했다. 풍파도 완전히 가라앉았다."[283]

283『淮南子』「道應訓」"…荊有佽非 得寶劍於干隊 還反度江 至於中流 陽侯之波 兩蛟挾繞其船. 佽非謂枻船者日嘗有如此而得活者乎, 對日 未嘗見也. 於是佽非瞋目. 教然攘臂拔劍日 武士可以仁義之禮設也. 不可劫而奪也. 此江中之腐肉朽骨. 棄劍而全己 余有奚愛焉. 赴江刺蛟 遂斷其頭. 船中人盡活 風波畢除…" 劉安編 著 · 安吉煥 編譯,『淮南子』(明文堂, 2001), pp. 213~214.

초나라 차비라는 사람이 강을 건너는 중 파도가 일어나고 그 사이로 교룡이 배를 둘러싸 위협을 가하는 장면을 묘사한 이야기이다. 이는 '황비창천'명경에 표현된 배 선미에 서서 칼을 들고 있는 인물이 교룡과 마주하고 있는 모습과 배 안의 인물들 표현과 매우 흡사하다(插圖52). 이는 단순한 항해문에서 시작하여 이후 송·금대 유행한 설화내용의 영향을 받아 인물과 교룡이 대립하는 극적인 장면을 첨가하여 구체화했다.

插圖 52. '煌丕昌天'銘圓形鏡의 배 안 人物 表現

4) 文字文

(1) 蘇州·杭州·湖州銘紋

兩宋代 성행하여 제작된 지역명경은 상품으로 판매하기 위한 목적성이 강한 동경이었던 까닭에 고려 뿐 아니라, 일본, 동남아시아 등지에서도 많은 양이 발견되었으며, 국내에도 많은 동경이 현존하고 있다. 이 동경들은 소문경이 대다수이며, 방형곽 안에 명문을 주출한 것이 특징이다. 이에 이 동경들은 문자문으로 분류했으며, 명문에 지역명이 있다는 점에서 본 연구에서는 지역명경으로 칭하고자 한다.

국내 지역명경은 중국과 마찬가지로 호주경의 수가 다수이고, 소량의 소주와 항주경이 전해지고 있다. 앞서 중국의 지역명경을 살펴보면서 호주에 많은 동경 공방이 있었음을 살펴보았고, 이중 '石家'가문의 동경 제작이 활발했음을 알 수 있었다.

국내 대부분 지역명경은 국립중앙박물관에 소장되어 있다. 이 동경들은 고려 고분에서 출토로 전하는 寺內正毅기증품, 池內虎吉 구입 '호주'명경(본관9754), '湖

州'銘迦陵頻迦草蟲紋鏡(본관9952), 梅原末治에게서 구입한 '杭州'銘草花紋鏡(본관9895) 등 3점의 구입품이 등록되었다. 이는 일제강점기에 도굴되어 당시 수집 열풍의 대상이었던 청자류는 불법으로 유출되고, 일부 동경이나 금속품들만 입수된 것으로 볼 수 있다. 또한 많은 지역명경이 덕수품으로 등록되어 있다. 덕수품은 대개 일제 강점기 왕실에서 구입한 유물이며, 당시 도굴 과정에서 훼손된 고려 고분 출토 유물들로 파악된다. 그리고 2004년 입수된 백정양 기증품과 동원 이홍근 기증품, 그리고 한일회담 이후 日本 東京國立博物館에서 반환된 신수품 등에 지역명경이 있다.[284]

지역명경은 명문이 특징으로 각 동경마다 비슷한 내용이 있다. (表31)은 국립중앙박물관 소장 호주 · 항주 · 소주경 명문내용 중 대표적 예를 정리했다.

表 31. 國立中央博物館 所藏 湖州 · 杭州 · 蘇州鏡의 銘文 內容

지역명	유물번호	명문
호주	덕수557	湖州眞石家 念二叔照子
	덕수552	湖州眞石念 二叔家照子
	덕수413	湖州眞正石 念二叔照子
	본관2633	湖州南廟前街 西石家念二叔 眞青銅照子記
	본관2620	湖州儀鳳橋南 酒樓相對石家 眞青銅照子記
	덕수565	湖州儀鳳橋石家 眞正一色青銅鏡
	본관9754	湖州儀鳳橋南 酒樓相對石三 眞青銅照子[押]
	본관2608	湖州儀鳳橋石家 眞正一色青銅鏡
	본관2785	[湖州]石十五郎 眞煉銅[照子]
	덕수1521	湖州石異郎 無比煉銅照子
항주	덕수 2718	杭州大隆家 青銅照子(押)
소주	덕수 527	蘇州官出賣銅 器物官(押)

284 안경숙, 앞의 논문(2012), p.326.

동경에 주출된 명문은 '地域名+人名'이 기본이며, 자신의 공방에서 만든 동경이 최고라는 것을 의미하는 광고내용을 넣기도 한다. 호주경은 대개 '석가'집안을 중심으로 동경이 제작되어, 명문에서 '석가'라는 명칭을 쉽게 찾을 수 있다. 또한 '의봉교'는 절강성 호주에 있는 다리로 이 부근에 많은 동경 공방이 위치해 있었다. 이에 많은 공방들 중 자신들의 위치나 가게를 '의봉교' 남쪽 혹은 '의봉교' 酒樓相對라고 글로써 설명해놓았다.

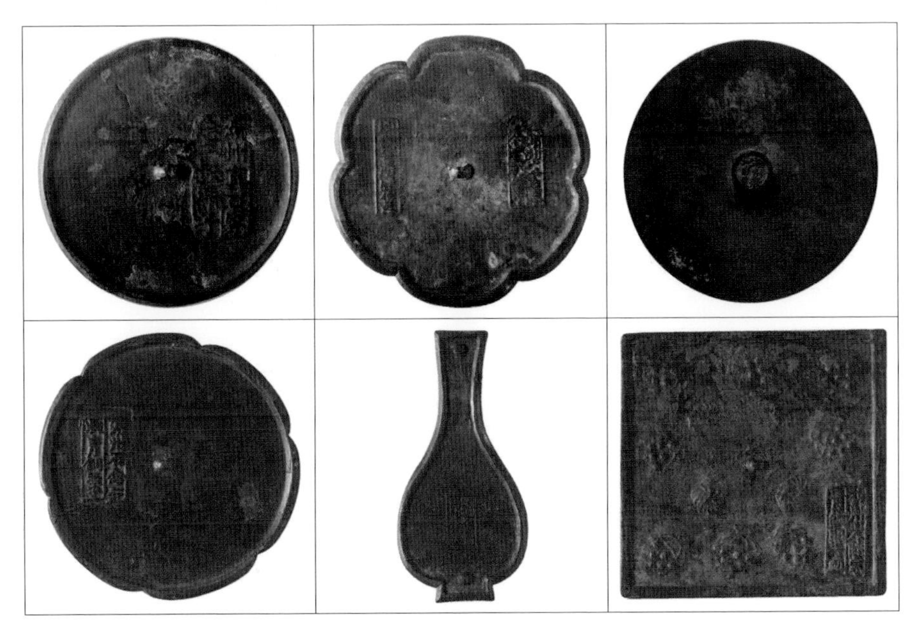

插圖 53. 湖州 · 杭州銘鏡의 銘文 位置

그리고 '無比煉銅照子'라는 문구에서 정련된 동거울로 비할 바가 없다는 내용을 통해 이 동경이 최고의 상품임을 설명해놓은 광고문구도 있다. 이를 통해 지역명경은 당시 많은 공방들이 경쟁하면서 판매하던 상품경이었으며, 짧은 명문에 많은 내용을 담아 상품을 홍보해 남송대 상품 판매의 일면을 알 수 있는 예이다.

명문은 대부분 뉴 오른쪽에 위치하지만, 왼쪽에 있거나, 뉴에 명문을 넣은 경우도 있다. 그리고 병경과 병형경은 배면 중앙에 명문이 있다. 또한 항주경 중 방형경에는 문양이 있으며, 문양을 피해 좌측 하단에 명문이 있어, 호주경과는 차이를 보인다(插圖53). 형태는 원형, 방형, 능형, 화형, 병형 등 다양한 편이며, 이중 능형과 화형이 다수이다.

동경의 주조상태는 수준이 좋지 못한 것도 있으며, 특히 글자가 반대로 뒤집혀 있거나 명문의 자구가 뒤바뀐 경우도 있다. 완형의 동경을 재주조하는 과정에서 나온 결과로 보이며, 이에 재주조로 제작된 질이 안좋은 사주경 또한 교역되었을 가능성이 있다.[285]

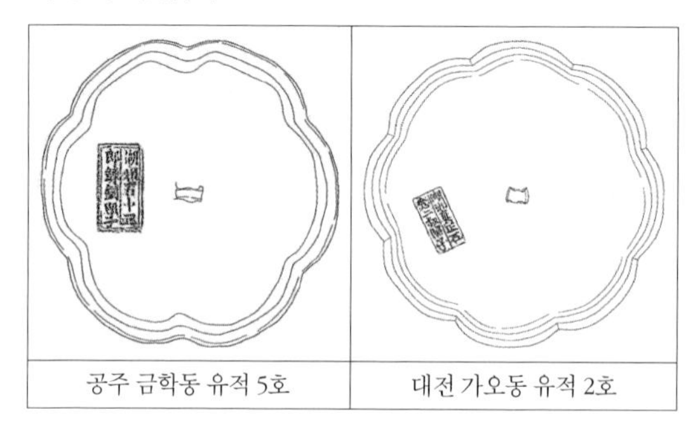

插圖 54. 地方 墳墓 出土 湖州鏡

지역명경은 고려시대 지방에서 분묘의 부장품으로 출토되기도 해, 유통 범위가 넓었으나, 그 예는 많지 않다. 충남 공주 금학동 유적과 대전 가오동 유적에서 1점씩 출토되었다(插圖54). 공주 금학동 유적 5호묘에서 출토된 호주경은 육화형으로 '湖州石十五 郎鍊銅照子'의 명문이 뉴 왼편에 2줄로 주출되어 있다. 그리고 대전 가오동 2호 묘는 팔화형 호주명경이 출토되었으며, 뉴보다 아래 비스듬히 명문대가 있으며, '湖州眞正石念二叔照子'라고 되어 있다. 이 동경과 함께 중국제 흑유완 1점과 중국제 백자대접 1점이 출토되어 이 동경은 고려에서 재주조한 동경이기 보다는 수입경일 가능성이 높다.[286]

285 안경숙, 앞의 논문(2012), p.331.

286 설지은, 앞의 논문, p.56.

(2) 高麗國造紋

表 32. '高麗國造'銘鏡 目錄

번호	명칭	크기	소장처(유물번호)	출토지
1	'高麗國造'銘鏡	徑 9.7cm	국립중앙박물관(덕수3407)	개성부근
2	'高麗國造'銘鏡	徑 9.7cm	국립중앙박물관(덕수89)	개성부근
3	'高麗國造'銘鏡	徑 15.0cm	국립중앙박물관(본관2579)	고려고분
4	'高麗國造'銘鏡	徑 11.3cm	국립중앙박물관(본관12408)	고려고분
5	'高麗國造'銘鏡	徑 14.8cm	국립중앙박물관(신수1513)	
6	'高麗國造'銘鏡		이화여자대학교박물관	
7	'高麗國造'銘鏡	徑 9.7cm	개인소장	
8	'高麗國造'銘鏡	徑 9.6cm	개인소장	
9	'高麗國造'銘鏡	徑 9.0cm	Museum of Fine Arts, Boston	

'고려국조'명경은 고려에서 자체적으로 생산했음을 알 수 있는 '고려'라는 국적을 적은 지역명경이다. 이 동경은 대체로 '명문+문양'으로 구성되어 있으며, 명문은 '고려국조'이고, 문양은 唐草紋이 있다.[287] (表32)를 보다시피 '고려국조'명경은 그 예가 많지 않아, 이를 호주경과 같이 상품경으로 제작했을 가능성은 낮다. 더욱이 주조상태가 양호한 것은 거의 없고, 명문부분은 뭉개져 글자판독이 어려운 경우도 있어 이 동경의 제작목적이 모호한 편이다.

'고려국조'명경의 제작에 대해 안경숙은 지나친 중국 수입경 혹은 수입 방제경에 대한 의존을 타파하고, 고려만의 독창적인 동경제작을 시도하는 과정에서 나타난 문양이라고 보았으며, 정식 교역품이었거나 납품용 혹은 국내 내수품이었을 가능성도 배제할 수 없다고 했다.[288] 이 의견 중 중국 지역명경의 영향으로 고려만

287 이 동경에 표현된 문양에 대해 忍冬唐草紋으로 보기도 하나, 문양상 인동꽃의 날렵한 형태를 찾을 수 없어, 넝쿨문양이 반복적으로 이어지는 당초문으로 보았다.

288 안경숙, 앞의 논문, p.116.

의 제작임을 명시한 동경제작의 결과물이라는 의견에는 동의하나, 교역품이었을 가능성에 대해서는 재고의 여지가 있다. '고려국조'명경이 중국 등 아시아 지역에서 출토 혹은 발견 예가 거의 없다. 그리고 국내에서도 그 수량이 적으며, 동경의 질이 좋지 않아 중국 상품경이 사적으로 제작되어 판매된 것처럼 개인공방에서 사적으로 試製品으로써 제작했을 가능성이 있다.

圖111. '高麗國造'銘鏡, 高麗, 徑11.5cm, 국립중앙박물관(본관12408)

(表32)를 보면, '고려국조'명경은 다수가 국립중앙박물관에 소장되어 있으며, 개성 혹은 고려고분 출토품이다. 크기는 9.0~15.0cm이며, 대부분 '명문+문양' 구성이며, 세부문양표현은 조금씩 상이하다. 국립중앙박물관 소장 '고려국조'명경(본관12408)(圖111)은 소문바탕에 '高麗國□□造'라는 명문이 있다. 이러한 종류는 이 동경이 유일한 예로 명문내용을 제외하면 중국 지역명경과 동일한 구성이다. 이는 당시 남송대 유입된 지역명경의 영향으로 이 동경이 제작되었을 가능성을 생각해볼 수 있으며, 당시 지역명경의 명문에 장인의 성씨가 표기된 점을 생각해본다면, 이 동경의 명문에서 확인되지 않는 한자는 제작자의 성씨나 이름일 가능성도 생각해볼 수 있다.

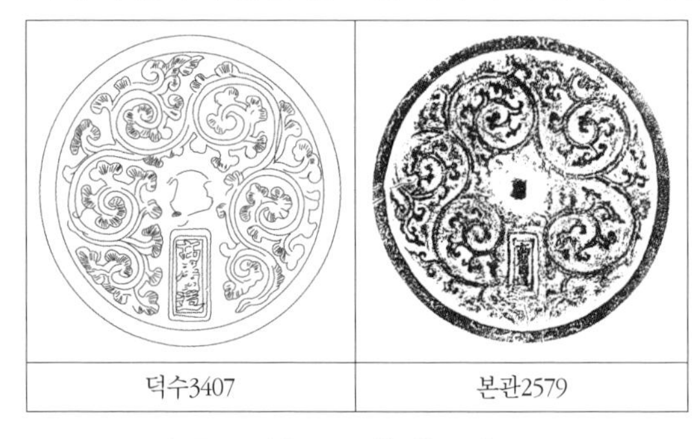

插圖 55. '高麗國造'銘鏡 文樣比較

'고려국조'명경의 문양은 당초문으로 바탕 면을 채우고 있으나, 넝쿨의 방향이나 표현에서 달라 문양은 2가지로 분류할 수 있다(插圖55). 국립중앙박물관 소장 '고려국조'문경(덕수3407, 본관2579)(圖112, 圖113) 2점은 크기와 문양에서 차이를 보이나, 두 동경의 문양을 중심선을 두고 비교하면 대칭으로 동일함을 알 수 있다. 이는 동경 방제시 문양을 찍어내면서 문양

圖112. '高麗國造'銘鏡, 高麗, 徑9.7cm, 국립중앙박물관 (덕수3407)

圖113. '高麗國造'銘鏡, 高麗, 徑15.1cm, 국립중앙박물관 (본관2579)

圖114. '高麗國造'銘鏡, 高麗, 徑9.0cm, Museum of Fine Arts Boston in U.S.A

이 반전된 경우이다. 또한 미국 Museum of Fine Arts Boston 소장 '고려국조'명경(圖114)은 작은 원형 뉴 주변에 연주문의 뉴좌가 있으며, 다른 '고려국조'명경과 같은 당초문이 표현되어 있다. 이 동경은 여백 없이 문양이 꽉 차 있으며, 좌측 하단 부분은 문양이 일부 잘려 생략되었다. 이러한 요소는 원경을 그대로 찍어 주조한 답반경임을 보여주는 특징이다.

현존하는 '고려국조'명경은 '고려국조' 4자가 뚜렷하게 주조된 예가 없다. 이는 원경을 토대로 찍어낸 동경에서 보이는 점이기에 이 동경들 외에 원경으로 주조된 동경들이 있었을 것으로 판단되며, 이러한 원경들이 발견된다면, '고려국조'명경의 제작원인과 특징에 대해 구체적인 연구가 진행될 수 있을 것이다.

宋	遼	金

插圖 56. 宋 · 遼 · 金代 唐草紋鏡 文樣 比較

당초문은 긴 덩굴줄기가 이어지는 형태로 오랜기간 문양으로써 표현되었으며, 牡丹, 蓮花, 忍冬 등 꽃과 결합하여 나타나기도 한다. '고려국조'명경은 화문은 찾을 수 없어 당초문으로 생각되며, 이러한 문양은 통일신라시대 막새문양에서 유사한 예를 볼 수 있다.

이러한 줄기가 작게 말린 당초문이 원을 그리며 연속되는 예는 중국에서 찾기 힘들다. 다만, 송 · 요 · 금대 유사한 형태의 당초문이 동경에 표현된 예가 있어, 비록 동일하지 않더라도 당초문이 동경의 문양으로 사용되었음을 알 수 있다(插圖56).

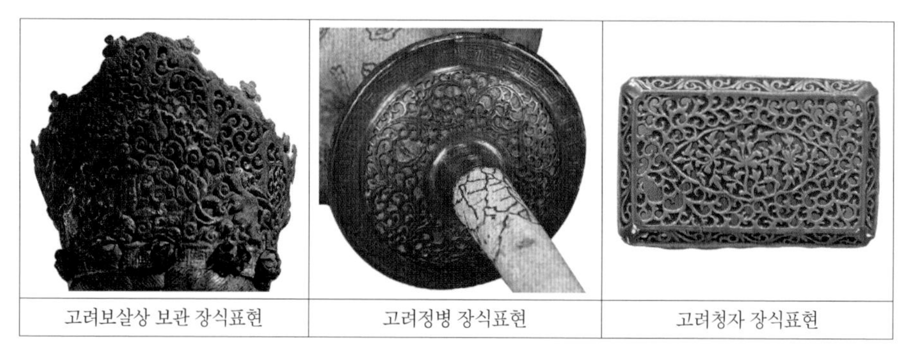

고려보살상 보관 장식표현	고려정병 장식표현	고려청자 장식표현

插圖 57. 高麗時代 工藝品의 唐草紋 表現

고려시대 당초문은 보살상의 보관, 금속공예품의 문양, 탑비의 문양, 고려청자 등에서 다양한 분야의 예술품에서 볼 수 있어, 고려시대 애용한 문양 중 하나로 생각된다. 이 문양들의 특징은 투조기법으로 다양하게 표현된다는 점으로 보관, 정병의 뚜껑장식, 청자 모두 투각으로 당초문을 제작했다(插圖57).

'고려국조'명경의 당초문과 유사한 예는 法泉寺址 智光國師 塔碑와 興王寺 香垸에서 그 문양을 찾을 수 있다(插圖58). 법천사지 지광국사 탑비 상부에 표현되어 있는 당초문은 둥근 곡선을 그리며 여러 갈래 잎들이 펼쳐지는 문양이 반복표현되어 있다. 또한 흥왕사 향완 간주 부분에도 이와 유사한 당초문이 銀入絲技法으로 표현되어 있으며, 특히 잎의 끝부분과 가지가 뻗어 나가는 표현은 '고려국조'명경과 유사하다.

法泉寺址 智光國師 塔碑 上端部 唐草紋 (1085년)

興王寺 香垸 間柱部分 唐草紋(1289년경)

插圖 58. 高麗時代 塔碑와 香垸의 唐草紋 表現

고려시대 당초문은 유사한 형태로 고려 전시기에 유행했던 것으로 생각되며, 고려에서 성행한 이러한 당초문은 '고려국조'라는 고려동경의 문양으로 사용됨으로써 고려적 요소를 동경에 담고자 했음을 알 수 있다.

5) 道敎 · 佛敎主題文

(1) 八卦紋

卦는 원래『易』에서 점을 치기 위해 만들어진 것으로『易』은『周易』,『易經』과 같은 의미이다. 이러한 '역'은 고대 중국에서 天神 · 地祇나 종묘에 제사 지내기 전, 혹은 전쟁과 같은 중대사를 치루기 전에 점을 쳐서 결정하였던 점서의 도구를 통틀어 말한다.[289]

팔괘[290]는『易經』의 기본 卦로써 팔괘를 조합하여 만든 것이『易經』의 육십사괘

289 廖名春 · 康學偉 · 梁韋弦 共著 · 심경호 譯,『주역철학사』(예문서원, 1994), p.18.

290 팔괘는『역』의 원형으로 八經卦라고 한다. 곧 양효━와 음효╍를 세 개씩 조합하여 8개의 부호를 만들어 천지간의 물상을 상징하는 것이 팔괘이다. 괘란 걸친다는 뜻으로 물상을 걸쳐서 사람에게 보인다는 의미이다. 3획에 비로도 2대 1의 강약 관계가 생겨난다. 廖名春 · 康學偉 · 梁韋弦 共著

이다. 이 괘는 '爻'라는 6개의 가로획을 토대로 이루어지는데, '⚊'은 陽의 부호, '⚋'는 陰의 부호이다. 이 부호들은 두 개씩 짝을 이루어 4개의 卦形을 이루는데, 양이 2개인 ⚌는 太陽, 음이 2개인 ⚏는 太陰이다. 또한 下位가 양이고 上位가 음인 ⚎는 少陰, 하위가 음이고, 상위가 양인 ⚍ 少陽이다. 이 네 개의 괘형을 四象이라 한다. 다시 이 사상에 '⚊'과 '⚋'이 더해져 팔괘를 구성한다.[291]

이러한 조합의 팔괘는 乾☰, 兌☱, 離☲, 震☳, 巽☴, 坎☵, 艮☶, 坤☷ 이다. 팔괘에 대해 말(乾), 소(坤), 용(震), 닭(巽), 돼지(坎), 새(離), 개(艮), 양(兌) 8종의 동물 혹은 하늘(乾), 땅(坤), 천둥(震), 바람(巽), 물(坎), 불(離), 산(艮), 못(兌)과 같은 자연현상의 상징어로 여긴다.

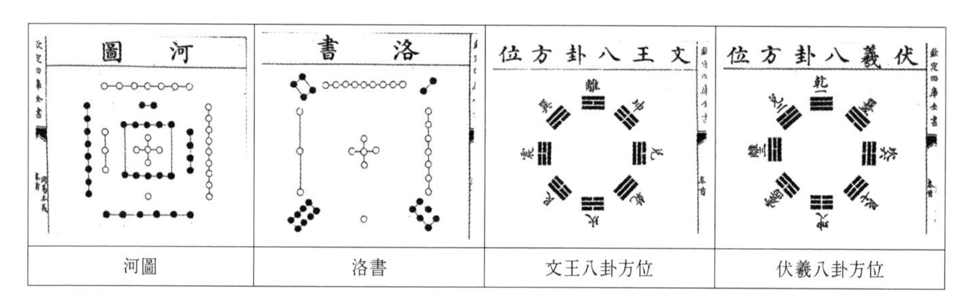

河圖	洛書	文王八卦方位	伏羲八卦方位

插圖 59.『周易本義』序文 收錄 八卦 관련 圖式

팔괘는 방위에 따라 대칭되게 배치하며, 배치의 차이에 따라 伏羲八卦方位와 文王八卦方位로 나눌 수 있다. 이 구성은 한대 역학에는 없었으나, 송대 구체화된 것으로 보인다.『周易本義』[292] 序文에는「河圖」,「洛書」,「文王八卦方位圖」,「伏羲八卦方位圖」등이 도식과 설명으로 구성되어 있다(插圖59).

· 심경호 譯, 위의 책, p.19.

291 梁誠義,「『易經』八卦의 卦名 硏究」(제주대학교대학원 석사학위논문, 2012), pp.2~3.

292 중국 송대 주자학을 집대성한 朱熹(1130~1200)가 주역의 본래 의미를 다시 찾기 위해 편찬한 서적이다.

문왕팔괘방위는 곤괘 괘사의 “서남에서는 벗을 얻고, 동북에서는 벗을 잃는다”는 구절과 방위 배치가 일치한다. 그래서 송의 邵雍은 문왕이 괘사를 지었다는 설에 의거하여 문왕팔괘방위라고 한다. 「설괘전」에 보면 감은 북, 리는 남, 진은 동, 손은 동남, 건은 서북, 간은 동북의 방위가 배당되어 있으며, 이는 문왕팔괘방위와 일치한다. 한편, 복희팔괘방위는 경문에 명기되어 있지 않으나, 「설괘전」의 구절에서 유추하여, 하늘은 남, 땅은 북, 해는 동, 달은 서, 산은 서북, 못은 동남, 바람은 서남, 우레는 동북이라고 추정한다.[293]

팔괘가 동경문양으로 등장한 것은 중국 당대이고, 송대에 까지 이어졌으며, 송 황제는 도교를 숭상함에 따라 팔괘문경이 광범위하게 유행하여 이 시기 팔괘문경의 문양구성은 다양하게 발전했다. 송대에는 화훼문, 쌍검문 등과 함께 표현된 새로운 문양구성도 등장했다(插圖60).[294]

插圖 60. 中國 時期別 八卦紋鏡 種類

당대에서 금대에 이르기까지 팔괘문경은 지속적으로 제작되었으며, 문양구성도 다양해졌다. 대부분 원형이나 팔릉형이고 팔괘문이 주문양으로 표현된 동경에는 십이지, 명문, 화문, 기하학문 등이 함께 표현되어 있다. 팔괘문경의 팔괘는 시

293 廖名春 · 康學偉 · 梁韋弦 共著 · 심경호 譯, 앞의 책, pp.30~31.

294 孫立謀, 「道教鏡鑑析」, 『收藏』(2010年 9期), p.89.

圖115. 八卦紋鏡, 宋, 徑 22.1cm, 中國 西安博物館

대에 상관없이 동경의 형태에 맞게 원형으로 배치되어 있는 것이 대부분이다. 당대에는 四神, 십이지와 팔괘가 함께 주로 등장하는 문양구성이지만, 송대에는 문자와 함께 구성된다. 송대 팔괘문경은 天地, 星象, 干支 등과 함께 장식한 동경류가 많다. 中國 西安博物館 소장 팔괘문경(圖115)은 三周紋, 뉴는 육각형 뉴좌가 있다. 내구에는 팔괘의 명칭이 명문으로 되어 있으며, 중간에는 팔괘가 있고, 외구에 '水銀呈陰精, 百煉得爲鏡, 八卦□□, 神永保命'이라는 명문이 둘러져 있다.

중국 동경의 팔괘문은 시계방향으로 '☰ ☵ ☳ ☶ ☱ ☲ ☷ ☴'으로 구성되어 있으며 이는 문왕팔괘배치방식이다. 다만 팔괘부호가 안팎으로 놓여있는 방향이 다른 경우가 있어, 이는 제작하는 이의 인식에 따른 차이로 생각된다.

고려시대에도 도교성행과 더불어 이와 관련된 동경류가 유통 · 제작되었으며, 그 중 대표적인 예가 팔괘문경이다. 현존하는 수량이 많지는 않아 일반적 용도보다는 종교적 목적으로 사용했을 것으로 보인다. 현존하는 고려 팔괘문경은 원형, 방형, 우입방형, 병형 등으로 대부분 한 손에 들어오는 작은 크기이다(插圖61).

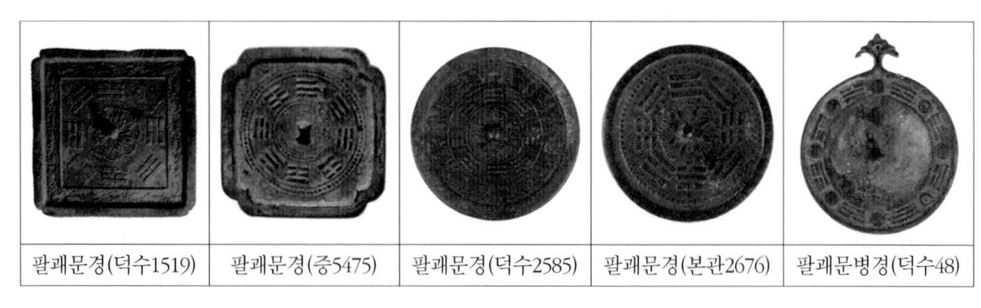

팔괘문경(덕수1519) | 팔괘문경(증5475) | 팔괘문경(덕수2585) | 팔괘문경(본관2676) | 팔괘문병경(덕수48)

插圖 61. 國立中央博物館 所藏 高麗 八卦紋鏡의 種類

문양은 팔괘를 중심으로 다른 부수적 문양과 결합된 경우가 많으며, 특히 외구와 내구로 나누어 문양을 이분했다. 외구에는 십이지, 명문 등을 넣고 내구에 팔괘를 표현한 경우가 있고, 외구에 팔괘를 배치하고 내구에 사신문을 넣거나 뉴좌로 화문을 표현했다. 즉, 팔괘가 중심 문양이긴 하나, 단독으로 동경에 표현한 예는 국내에서 찾아보기 힘들며, 중국에서도 6爻로 이루어진 괘를 표현한 예 정도로 극히 드문 편이다.

고려 팔괘문경은 중국에서 전래되어 도교 도사들에 의해 사용된 것으로 생각되는데, 이는 동경의 팔괘진행방향이 문왕배치식을 따르는 것에서 알 수 있다. 국립중앙박물관 소장 팔괘문경(덕수2585)(圖116)은 中國 西安博物館 소장 팔괘문경과 문양 구성이 유사해 이 동경은 송대 팔괘문경 계열이다. 또한 국립중앙박물관 소장 팔괘문경 중 당대 동경과 유사한 팔괘문경(덕수2667)(圖117)이 있으며, 요대 계열로 생각되는 팔괘문경(증5475)(圖118)도 있어, 중국 여러 나라에서 제작된 팔괘문경이 고려로 유입되었음을 알 수 있다.

팔괘문경 중 방형경이나 현경으로 제작된 예는 고려에서 자체 제작된 것으로 생각된다. 방형경은 뉴가 없으며, 팔괘가 네 모서리와 사방에 배치되어 있고, 그 사이에 운문 등이 있다. 또한 현경은 경면 위에 걸 수 있는 고리가 있으며, 연부를 따라 팔괘부호가 원형의 문양과 번갈아 표현되어 있다. 이러한 동경의 예는 많

圖116. 八卦紋鏡, 高麗, 徑18.0cm, 국립중앙박물관 (덕수2585)

圖117. 八卦紋鏡, 高麗, 徑8.9cm, 국립중앙박물관 (증5475)

圖118. 八卦紋鏡, 高麗, 徑10.7cm, 국립중앙박물관 (덕수3445)

은 편이 아니며, 중국에서도 그 예를 찾기 어려워 고려로 유입된 팔괘문경을 토대로 고려에서 제작한 것으로 보인다. 또한 국립중앙박물관 소장 팔괘문병형경(덕수3445)(圖118)은 6화형으로 사신과 팔괘를 동경의 문양으로 사용했다. 다만, 동경의 크기에 비해 문양이 크고, 팔괘문은 부호의 일부가 잘려 정확한 부호형태를 알 수 없어, 이 동경은 기존 병형경의 형태 위에 팔괘문과 사신문을 찍어내 동경을 제작한 것이며, 답반주조로 인해 주조상태가 불량하다. 이와 같이 고려에서도 도교의 성행에 따라 팔괘문경을 자체적으로 제작하려는 시도가 있었음을 알 수 있다. 하지만 그 제작에 있어 정교함이 떨어지고 단순한 문양구성으로 이루어져 私鑄에 의한 결과물로 판단된다.

(2) 線刻佛像紋

線刻佛像紋鏡(鏡像)은 동판에 불교도상을 새긴 것으로 이를 거울로 포함하느냐의 문제는 아직도 의견이 분분하다. 이는 거울로써의 기본적 성격보다 종교적 목적성이 강한 기물로 부각되면서 발생했다. 본 연구에서는 얼굴을 비출 수 있는 경면과 배면에 뉴와 문양이 함께 표현된 경우를 동경의 기본형태로 보았으며, 이에 따라 동판이나, 얼굴을 비추는 기능이 없는 경우는 제외하고자 했다. 따라서 선각으로 거울의 경면에 도상을 새긴 대상으로만 한정하여 살펴보고자 한다.

선각불상문경은 국내 뿐 아니라, 중국, 일본에서도 상당수 제작되었으며, 중국의 선각불상문경은 대부분 탑 내 봉안되어 있거나 분묘에 매달아놓은 것이 발견되었으며, 표현된 불교도상도 단독 尊像부터 繪畵式 화면 구성까지 다양한 편이다. 일본은 밀교가 크게 성행했다는 점에서 밀교적 도상을 표현한 선각불상문경이 동판뿐만 아니라 동경에도 다양한 도상을 새겨 넣은 예가 많다.

선각불상문경이 본격적으로 발전하고 성행한 것은 중국 五代十國 중 하나인 오월국 전홍숙에 의해서이다. 오월국은 907~978년까지 약 70여년간 짧게 존속했던 나라이지만, 전홍숙의 불교에 대한 절대적인 숭앙은 많은 탑의 건립과 불교공예품 제작, 經典刊行이라는 결과물을 낳았으며, 이는 사회 전반에 걸쳐 불교가 융성하게 되는 원인으로 작용했다. 이 시기 건립된 탑은 白塔, 六和塔, 雷峰塔, 保俶塔이 있으며, 이중 뇌봉탑에서 선각불상문경과 함께 많은 공양품이 발견되었다.

오대 선각불상문경이 등장한 배경은 전홍숙의 불교에 대한 절대적 지지가 바탕이 되었으며, 이를 대변하듯이 선각불상문경은 오월국 영토 내 탑에 봉안된 사례들이 대부분이다. 그 외 송대 분묘에서 출토된 사례가 있으나, 요대까지 탑 내 봉안물로 선각불상문경이 포함되었다.

表 33. 中國 線刻佛像紋鏡 目錄

번호	출토지	수량	크기(cm)	문양		시기
				앞	뒤	
1	蘇州 雲岩寺塔	1	徑 16.2	佛坐像	素紋	961
2	杭州 雷峰塔	1	徑 10.3	淨土場面	'光流素月'	972~973
3	日本 淸涼寺	1	徑 11.4	水月觀音	素紋	985년 이전
4	東陽 中興寺塔	1	徑 7.0	動物人物	瑞獸	五代
5	長沙 宋墓	1	徑 12.5	引路菩薩	素紋	五代~北宋
6	台州 靈石寺塔	5	徑 16.8	釋迦如來 및 七尊		998
			徑 24.9	東方 提頭頼吒天王		
			徑 25.0	南方 毗楼勒叉天王		
			徑 20.0	西方 毗楼博叉天王	花鳥紋	
			徑 20.0	北方 毗沙問天王		
7	上海 隆平寺塔	1	徑 10.0	佛坐像	素紋	北宋
8	香港 夢蝶軒藏	1	徑 24.0	水月觀音	連珠紋	宋
9	內蒙古 慶州 白塔	1	徑 28.3	釋迦如來		1105(遼)
10	Lloyd Cotsen 소장	1	徑 33.0	如來, 眷屬	仙人龜學紋	遼
11	阜新縣 塔子山塔基	1	徑 38.5	素紋	雙龍紋	遼
12	蔚縣 南安寺塔	2	徑 9.0	蓮花紋		遼
13	房山 雲居寺 石經塔	2	徑 10.0	蓮花紋	准提觀音	遼
			徑 10.0	准提觀音	白衣觀音	遼

(表33)은 중국 선각불상문경의 목록으로 台州 靈石寺塔에서 5점의 불교선각경이 출토된 경우를 제외하면, 탑이나, 묘제에서 1점씩 발견되었으며, 보통 일상생활에서 사용하는 동경의 경면에 불교 관련 도상을 선각으로 새겼다. 새겨진 도상은 阿彌陀, 釋迦如來, 觀音菩薩, 引路菩薩, 四天王 등으로 불교에 수많은 도상이 존재한다는 점에서 보면, 표현된 도상은 한정적임을 알 수 있어, 동경에 표현된 도상은 당시 불교 중 성행한 종파의 영향이나 발원자의 요구(사용목적)에 의한 것으로 생각된다.

중국 선각불상문경의 현존하는 가장 이른 예는 蘇州 雲岩寺塔에서 출토된 동경이다. 동경은 1956년 3층에서 발견됐으며, 총 3점으로 光素鏡, 十二生肖鏡(圖119), 素紋鏡이다. 이중 광소경에 적힌 49자의 묵서에 乾隆2년이라는 기록이 있어 이 동경을 탑에 매납한 시기가 961년임을 알 수 있다. 그리고 소문경은 경면(圖120)에 음각으로 대좌에 앉은 부처와 주변에 공양자들이 표현되어 있다.

항주 뇌봉탑은 오월국 시기 세워진 탑으로 송대 '雷峰', '中峰', '回峰' 등 다양한 명칭으로 불렀다. 이 탑 지궁에서 다양한 소재의 동경이 출토되었으며, 그중 '광류소월'명경(圖121)은 배면과 경면 모두 문양이 있어 독특한 구성이다. 배면 외구에 '光流素月 質稟玄精. 澄空鑑水, 照回凝淸. 終古永固, 瑩此心靈'의 명문이 있으며, 계권은 鋸齒紋으로 되어 있고, 내구에는 4마리의 서수가 표현되어 있다. 그리

圖119. 十二生肖鏡, 十二生肖鏡, 宋, 徑 23.7cm, 中國 虎丘 雲岩寺塔 發見

圖120. 素紋鏡 鏡面 佛教線刻紋 部分, 宋, 徑16.2cm, 中國 虎丘 雲岩寺塔 發見

圖121. '光流素月'銘鏡, 宋, 經 10.3cm, 中國 杭州 雷峰塔 發見

고 경면에는 음각으로 문양을 새겼다(圖122). 화면은 천상와 지상으로 양분했으며, 천상에는 北斗星, 선녀와 전각, 구름을 탄 仙人, 나는 仙鶴, 용과 봉황 및 琵琶와 簫 등 악기가 표현되어 있다. 또한 지상에는 양쪽에 樓閣, 菩提樹가 있으며, 중앙에는 탁자가 상하로 각각 있다. 화면 하단의 탁자에는 향로가 있으며 상단에는 공양물이 있다. 각각 좌우에 인물이 4인씩 배치되어 있는데, 남자는 좌측, 여자는 우측에 있으며, 서로 대칭되게 서 있는 모습이다. 문양 구성이 다분히 도교적 요소가 강하며, 이러한 동경을 불탑에 매납한 것은 당대부터 이어온 불 · 도교의 習合 경향에서 비롯된 것으로 생각된다.

圖122. '光流素月'銘鏡 鏡面 線刻部分

表 34. 台州 靈石寺塔 奉安 佛教線刻紋鏡의 銘文內容

名稱	銘文
釋迦如來七尊	"僧保誠奉""息三友水允供奉""咸平元年十月廿四是日" "僧志隆書"(背面)
東方提頭賴吒天王	"乾德四丙寅九月十五日勾當僧歸進慕緣捨入塔永充供養靈石寺記"
西方毘樓博叉天王	"乾德四丙寅九月十五日勾當僧歸進慕緣捨入塔永充供養靈石寺記"
南方毘樓勒叉天王	"乾德四年上元內寅玖月十五日勾當僧歸進慕緣捨入塔永充供養咸平元年十一月二十四日重建此塔僧紹光寺記靈石寺"
北方毘沙門天王	"僧歸進慕緣捨入塔永充供養乾德四丙寅九月記靈石寺記"

태주 영석사탑의 선각불상문경은 오층에서 발견되었다. 오층은 상 · 하로 구성되어 있고, 그 중 하층 鐵函에서 동경 15점이 발견되었으며, 그 중 5점의 선각불상문경이 발견되었다. 크게 석가여래와 제자를 표현한 1점과 사천왕을 각각 표현한 4점으로 구성되어 있다(表34).

上海 隆平寺塔은 2015~2016년 上海博物館考古硏究部에서 青龍鎭遺趾 발굴을 진행했으며, 이중 문헌기록에 보이는 隆平寺 塔基 및 관련 건축 유적을 발굴해 자

圖123. 素紋鏡, 五代~宋, 徑 10.0cm, 上海 隆平寺塔 發見

圖124. 素紋鏡 背面 佛敎線刻紋 部分

기와 건축구성물 등이 대량 출토되었다. 특히 탑의 중심부인 지궁은 벽돌을 쌓아 올린 전축식으로 내부에는 공양물로 채워져 있었다. 4重으로 이루어진 함에는 金臥佛像이 있었으며, 그 좌우에 阿育王塔이 놓여 있었다. 궁실 내부는 각 시대 동전으로 가득 차 있었고, 그 외 함에는 은젓가락, 은국자, 은팔찌, 동경, 동병과 사리, 수정염주 등의 공양품이 발견되었다.[295]

와불 머리부분 동측에 위치해 있던 木函에서는 원형경(圖123) 1점이 발견되었다. 연부가 두꺼운 이 동경은 원형뉴가 있는 소문경으로 경면에 불교선각문(圖124)이 새겨져 있다. 경면 테두리를 따라 실선이 새겨져 있으며, 그 안에 연화대좌 위에 앉아 있는 부처가 표현되어 있다. 부처는 두광과 신광을 갖추고 있으며, 머리는 낮은 육계와 방형의 얼굴에 엄정한 이목구비가 표현되어 있다. 짧은 목에는 삼도가 있으며, 통견을 착의하고 있고, 오른손은 설법인, 왼손은 선정인을 취하고 있다. 발굴 유물에 의해 이 동경은 북송시기 제작된 것으로 추정한다.

중국 선각불상문경 중 여래를 단독으로 표현한 예는 오대~북송시기엔 없으며, 遼代 慶州 白塔[296] 출토 선각불상문경에서 연화좌에 앉아 있는 여래가 있다. 이 여

295 上海博物館, 『千年古港』(2017), p.15.

296 內蒙古自治區 巴林右旗慶州釋迦如來佛舍利塔은 팔각칠층 누각식 전탑구성으로 높이 73.27m이다. 1988년에서 1992년 國家文物局 주도 하에 보수작업이 이루어졌으며, 보수공사 과정 중 탑에서 요대 불교유물이 발견되었다. 이 탑의 외부에는 천 여개의 동경이 감입되어 있었다고 한다. 이 탑은 요대 성종의 황후에 의해 重熙16년(1047)에 착공해 18년(1049)에 완성되었다. 요대 기록을 통해 이 탑은 요대 大康6년(1080)과 乾統5년(1105)에 수리가 있었으며, 이는 塔刹의 수리로 보인다. 또한 청대에도 2층에서 7층의 문벽, 두공 등의 수리를 위해 光緒25, 26년(1899~1900)에 수리

래에는 릉평사탑 출토 선각불상문경과 같이 연화좌 위에 앉아 說法印과 禪定印을 취하고 있으며, 몸은 두광과 신광을 갖추고 있다. 하지만 머리 위에 연화형 천개가 표현되어 있고, 대좌 아래에는 화초문이 있는 등 부처 주위를 장식한 문양이 추가되었다. 이 선각불상문경에는 부처의 좌측과 하단에 명문이 있으며, 이중 '釋迦牟尼佛'이라 적혀 있어, 이 동경의 부처가 석가모니임을 알 수 있다.[297] 두 동경의 여래는 시기적 차이에도 불구하고 문양구성과 여래의 수인 등에서 유사해 이러한 도상이 중국 내에서 '석가여래'로 인식된 것이 아닌가 추정할 수 있다.

중국의 선각불상문경은 대부분 탑 내 봉안되었거나, 무덤 부장품으로 발견되었다. 이는 선각불상문경이 의식을 행하기 위해 사용한 것보다는 탑의 사리를 보호하기 위한 기능이 강했던 것으로 생각되며, 무덤 역시 이와 같은 맥락에서 사용했던 것으로 추정된다. 그리고 의식용으로써 사용된 경우는 준제관음과 같이 의식법이 있어, 경단을 갖추고 이를 행한 일부 동경에 해당하는 특징으로 생각된다. 따라서 선각불상문경의 본래 기능은 벽사적 의미가 강했음을 알 수 있다.

일본 역시 동경의 경면에 불상을 선각으로 새기는 선각불상문경 제작이 이루어졌으며, 동아시아 3국 중 가장 활발한 제작양상을 보여, 현존하는 작례가 많은 편이다. 일본에 선각불상문경이 유입된 것도 10세기경으로 이는 京都 淸凉寺 釋迦如來立像의 복장물로 관음보살이 새겨져 있는 선각불상문경(圖125)에서 확인할 수 있다. 이 불상은 東大寺 승려 奝然이 雍熙2년(985)에 台州 開元寺에 가서 발원한 상으로 태주 사람들이 시주한 물품을 불상 복장물로 납입했다.[298] 이를

했다. 清格勒, 「遼慶州白塔塔身嵌飾的两件紀年銘文銅鏡」, 『文物』9(文物出版社, 1998), p.67 ; 張漢君, 「遼慶州釋迦佛舍利塔營造歷史及其建筑构制」, 『文物』(1994年 12期), pp.66~68.

297 그 외 석가여래 하단에 "塔匠作頭崔羅漢奴, 自書自鉢造功德回▨点尊長, 耶▨"과 "乾統五年五月七日記"라는 명문이 있다.

298 久保智康, 「顯密佛教における「鏡」という裝置」, 『日本佛教綜合研究』第7號(日本佛教綜合研究學會, 2009), p.57.

圖125. 佛教線刻鏡, 宋, 徑 11.4cm, 日本 京都 淸凉寺

통해 일본에는 중국과 마찬가지로 10세기 선각불상문경이 불상에 봉안되었다는 사실을 인지했을 것이다. 하지만 불상의 복장물이라는 점에서 이를 실견했을 가능성은 낮으며, 선각불상문경에 대한 실질적 인식과 제작은 약간의 시간차이가 있었을 것으로 생각된다.

헤이안시대(794~1192), 가마쿠라시대(1192~1333)에 많은 선각불상문경을 제작한 일본은 초기 당에서 유입된 동경에 선각문을 새기는 수준이었으나, 이후 자신들만의 동경에 다양한 불교 주제를 선각으로 섬세하게 새기는 수준으로 발전한다.

表 35. 國內 現存 線刻佛像紋鏡 目錄

번호	유물명	형태	크기(지름)(cm)	문양(도상)		소장처	출토
				앞	뒤		
1	線刻阿彌陀佛紋鏡	圓形	4.5	阿彌陀佛		국립중앙박물관(덕5660)	
2	線刻阿彌陀三尊·九層寶塔紋鏡	圓形	16.3×13.3	阿彌陀三尊	九層寶塔	국립춘천박물관(신15302)	
3	線刻阿彌陀佛·九層寶塔紋鏡	圓形	18.1	阿彌陀佛	九層寶塔	동국대박물관	
4	線刻阿彌陀佛·七層寶塔紋鏡	圓形	12.7	阿彌陀佛	七層寶塔	국립청주박물관(청주24909)	영동
5	線刻毘盧遮那三尊佛·九層寶塔紋鏡	圓形	27.3	毗盧遮那三尊佛	九層寶塔	국립대구박물관(본6110)	하동
6	線刻毘沙門天·神將紋鏡	圓形	10.2	毘沙門天	神將	국립중앙박물관(본4326-2)	
7	線刻毘沙門天·陀羅尼紋鏡	方形	11.0×8.3	毘沙門天	陀羅尼	국립중앙박물관(덕2563)	
8	線刻阿彌陀佛·水月觀音菩薩紋鏡	圓形	10.2	阿彌陀佛	水月觀音	국립중앙박물관(본4326-1)	
9	線刻阿彌陀佛·水月觀音菩薩紋鏡	圓形	17.8	阿彌陀佛	水月觀音	기호문화재연구원(1081-1)	강화
10	線刻阿彌陀佛紋鏡	圓形	13.3	阿彌陀佛		日本 東京博物館	

11	線刻水月觀音菩薩·五層寶塔紋鏡	圓形	10.0	水月觀音	五層寶塔	日本 東京博物館	
12	線刻觀音菩薩紋鏡	心葉形	10.0×8.2	觀音菩薩	湖州銘	국립중앙박물관(덕1945)	개성
13	線刻十一面觀音菩薩紋鏡	八菱形	13.4	彈琴人物文	十一面觀音	국립중앙박물관(구4270)	
14	線刻灑水觀音菩薩·孔雀明王紋鏡	鐘形	12.1×7.6	水月觀音	孔雀明王	국립중앙박물관(덕2353)	개성
15	線刻水月觀音菩薩·九層寶塔紋鏡	圓形	19.8	水月觀音	九層寶塔	국립청주박물관(본13070)	진천
16	線刻水月觀音菩薩·九層寶塔紋鏡	圓形	11.2	水月觀音	九層寶塔	일본 개인	
17	線刻水月觀音菩薩·毘沙門天紋鏡	方形	9.5×4.5	水月觀音	毘沙門天	국립중앙박물관(덕3349)	
18	線刻水月觀音菩薩紋鏡	方形	12.5×7.5	水月觀音		국립중앙박물관(덕524)	개성
19	線刻水月觀音菩薩·火焰紋鏡	圓形	6.9	觀音菩薩	火焰紋	국립중앙박물관(덕2439)	
20	線刻水月觀音菩薩紋鏡	圓形	7.7	觀音菩薩		국립중앙박물관(덕5518)	
21	線刻觀音菩薩紋鏡	圓形	7.0	觀音菩薩		국립중앙박물관(구4978)	
22	線刻水月觀音菩薩紋鏡	圓形	9.8	水月觀音		서울역사박물관(서2389)	
23	線刻楊柳觀音菩薩紋鏡	方形	14.5×10.2	楊柳觀音		국립중앙박물관(덕5645)	
24	線刻楊柳觀音菩薩紋鏡	圓形	18.8	楊柳觀音		국립중앙박물관(신15632)	
25	線刻楊柳觀音菩薩紋鏡	三角形	22.4×14.2	楊柳觀音		국립중앙박물관(신1357)	
	線刻楊柳觀音菩薩紋鏡	圓形	16.0	楊柳觀音		한국문물연구원(423)	영주
26	線刻准提觀音菩薩紋鏡	桃形	8.3×7.5	准提觀音		국립중앙박물관(덕4366)	개성
27	線刻准提觀音菩薩·白衣觀音菩薩紋鏡	方形	9.7×6.7	准提觀音	白衣觀音	국립중앙박물관(덕800)	
28	線刻准提觀音菩薩·毘沙門天紋鏡	方形	13.2×10.2	准提觀音	毘沙門天	국립중앙박물관(덕5157)	

(表35)는 국내에 선각불상문경 목록으로 대부분 동판에 앞 · 뒤 혹은 앞면에 불교도상을 새겨 넣었으며, 방형, 도형, 심엽형, 삼각형 등 다양한 기형에 표현했다. 또한 나타낸 도상은 수월관음, 毘沙門天, 十一面觀音菩薩, 楊柳觀音菩薩, 孔雀明王, 龍頭幢竿 등 다양한 불교도상이 등장하며, 밀교적 성격이 강한 도상이 많은 편이다.

현재 동경에 선각불상문경을 새긴 국내 예는 국립중앙박물관에 2점 소장되어

圖126. 湖州銘鏡, 宋, 徑10.0cm, 국립중앙박물관(덕수1945)

圖127. 湖州銘鏡 背面 佛敎線刻紋 部分

圖128. 彈琴人物故事紋鏡, 宋, 徑13.4cm, 국립중앙박물관(구4270)

圖129. 彈琴人物故事紋鏡 背面 佛敎線刻紋 部分

있다. 호주명경(圖126)에 새겨진 水月觀音 선각불상문경(덕수1945)(이하 수월관음 선각문경)(圖127)과 彈琴人物故事紋鏡(圖128)의 배면에 새겨진 十一面觀音 선각불상문경[299](구입4270)(이하 십일면관음 선각문경)(圖129)이다. 호주명경은 '湖州眞石家念二叔照子'라는 명문이 있는 전형적 지역명경이다. 또한 탄금인물고사문경은 팔릉형으로 뉴부분에 생긴 구멍으로 인해 동경의 문양 일부분이 훼손된 상태이다.

두 동경은 중국 송 · 금대 생산된 동경류이며, 특히 호주명경은 중국 송대 대표적 상품경이라는 점에서 중국에서 생산되어 들어온 외래경이다. 이러한 점은 경면에 새겨진 도상이 고려로 유입된 이후 새겨진 것인지 아니면 동경에 새겨진 이후 유입된 것인지에 대한 선후관계가 고려시대 선각불상문이 동경에 직접 새겨졌는지 알 수 있는 중요한 척도이다.

호주명경에 새겨진 수월관음은 잔잔한 물결 위 풀방석에 윤왕좌를 취하고 있으며, 오른손은 뒤를 짚고 왼손은 세운 무릎 위에 둔 편한 모습이다. 두광과 신광을 모두 갖춘 보살상은 머리에 높은 보관을 쓰고 있으며, 보관 가운데에는 화불이 있고 보관 옆으로는 관꾸미개 천과 보발이 날리는 모습이다. 방형의 얼굴이며 눈은 아래를 내려다보고 있다. 천의를 착의하고 있으며, 가슴 앞에서 천의띠가 묶여 내

299 이 동경은 2005년 서울옥션 제94회 경매를 통해 국립중앙박물관에서 구입한 유물이다.

려오고, 가슴 가운데 영락장식이 표현되어 있다. 양 팔에는 완천과 팔찌를 착용하고 있으며, 군의는 세밀한 주름이 다리의 윤곽을 드러낸다.

십일면관음 선각불상문경은 두광만을 갖추고 있으며, 머리에는 십일면이 간략한 선으로 묘사되어 있다. 머리를 두른 띠는 양 옆에서 매듭져 자락이 날리는 듯한 모습이다. 둥근 얼굴에는 선으로 눈썹과 눈, 코, 입을 새겼으나, 그 표현이 단순하다. 여래식 착의인 통견을 갖춘 이 보살상은 연화좌 위에 결가부좌했다. 손이 위치한 부분은 결손으로 인해 표현을 정확히 알 수 없으나, 목에는 영락장식을 한 것으로 보이며, 연봉가지(여의가지)로 추정되는 지물이 오른쪽 어깨부분에서 보여 손에 지물을 들고 있는 것으로 생각된다.

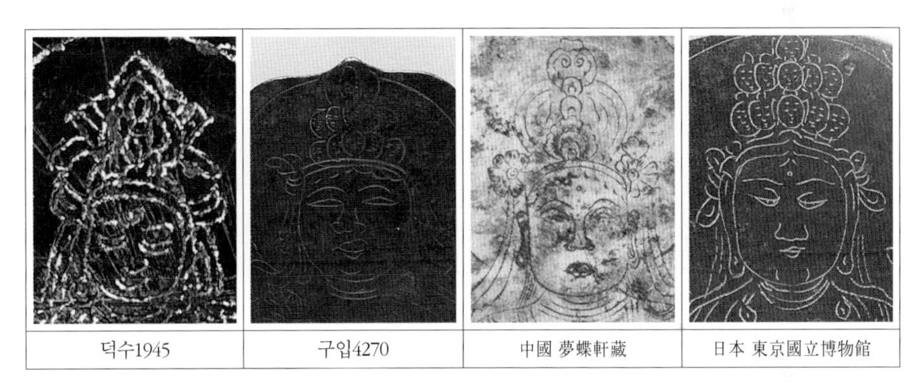

덕수1945	구입4270	中國 夢蝶軒藏	日本 東京國立博物館

插圖 62. 韓 · 中 · 日 觀音菩薩 머리표현 比較

두 선각불상문경은 각각 수월관음과 십일면관음을 표현했으며, 도상적 특징은 머리부분의 보관, 착의, 지물 등을 통해 파악할 수 있다. 이중 두 도상의 특징을 머리부분의 보관과 십일면을 토대로 중국과 일본 선각불상문경과 비교해보고자 한다(插圖62). 한 · 중 · 일 선각불상문경은 동일한 도상을 표현했으나, 보관의 형태, 안면표현 등에서 차이를 보인다. 이중 십일면관음 선각불상문경은 日本 福岡市美術館 소장 십일면관음 선각불상문경의 십일면 표현과 유사한 편으로 머리 위 십일면 표현, 머리에 두른 띠의 매듭표현 등에서 친연성이 엿보인다.

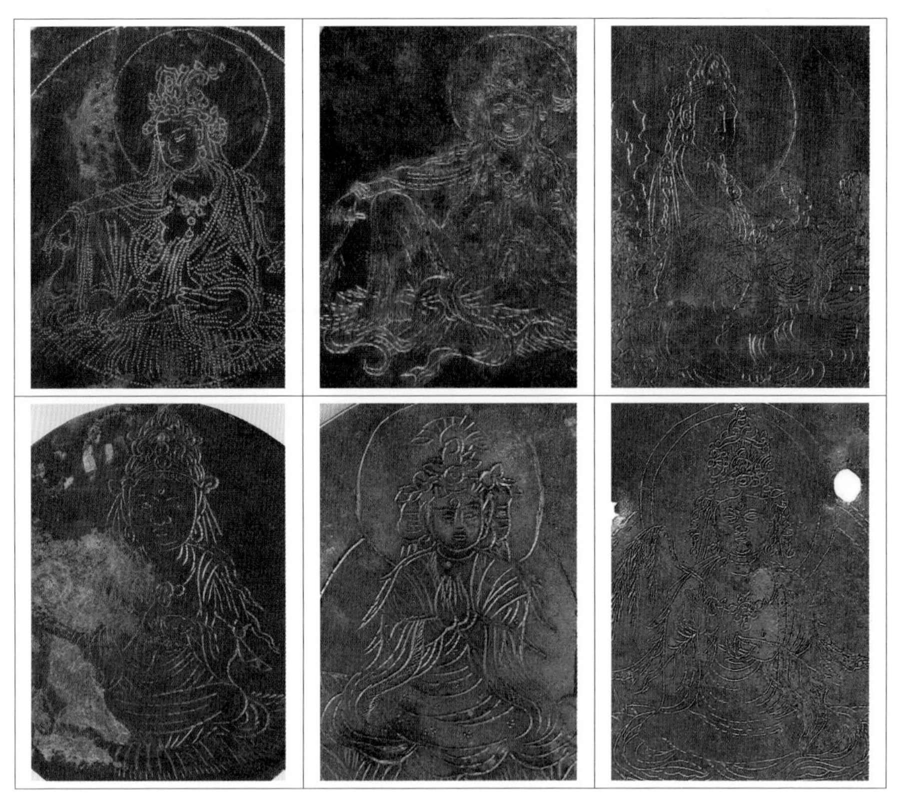

插圖 63. 高麗時代 線刻佛像紋鏡에 새겨진 觀音菩薩坐像 表現

십일면관음 선각불상문경은 중국과 한국 선각불상문경에서는 보기 힘든 도상으로 중국은 아미타, 석가 등 여래를 중심으로 표현했으며, 한국은 여래로는 비로자나, 아미타를 표현했고, 보살은 관음이 가장 많으나, 대부분 수월관음이며, 그 외 양류관음, 준제관음 등이 제작되었다. 반면, 십일면관음 선각불상문경은 일본에서 제작이 활발했던 편이다. 日本 福岡市美術館 소장 십일면관음 선각불상문경(圖130), 日本 個人所藏 십일면관음 선각불상문경(圖131), 日本 東京國立博物館 십일면관음 선각불상문경(圖132) 등이 있다. 이들 십일면보살은 손에 정병이 있는 연화가지를 지물로 들고 있고, 십일면 중 가장 윗부분 얼굴에 두광을 표현한 부분은 국내 십일

圖130. 十一面觀音佛敎線刻鏡, 日本, 徑31.5cm, 日本 福岡市美術館

圖131. 十一面觀音佛敎線刻鏡, 日本, 徑35.6cm, 日本 個人所藏

圖132. 十一面觀音佛敎線刻鏡, 日本, 徑11.2cm, 日本 東京國立博物館

면관음 선각문경과 표현에서 유사하다. 이러한 표현요소들을 통해 생각해보면, 국내 십일면관음 선각문경은 일본에서 제작된 선각불상문경일 가능성이 있다.

관음 선각불상문경은 국내에 선각불상문경 중 다수를 차지하며, 좌상, 입상 등 다양한 자세와 수월관음, 양류관음, 준제관음 등 다양한 도상이 표현되어 당시 관음신앙이 다양한 도상을 통해 이루어졌음을 짐작할 수 있다. 그 중 좌상으로 표현된 예는 대략 7점이며, 이 중 육안으로 식별가능한 예는 6점 정도이다(插圖63).

좌상으로 표현된 관음은 수월관음이 5점, 양류관음이 1점으로 수월관음이 다수를 차지한다. 수월관음 선각불상문경은 정면을 바라보는 자세로 앉아 있는데, 수월관음은 대부분 사선방향으로 앉아 아래를 내려다보는 구도를 취한다. 이는 고려불화에서도 볼 수 있는 구도로 이에 대해 선재동자를 바라보는 시점의 차이로 인해 발생한 자세로 보기도 한다.[300]

고려시대 선각불상문경과 수월관음 선각문경을 비교하면, 유사한 요소를 찾을 수 있다. 우선, 높은 보관은 국립중앙박물관 소장 수월관음 선각불상문경(덕수 524와 덕수 3349)과 같은 형태일 것으로 생각된다. 이러한 형태의 보관표현은 고려후기 고려불화 속 보살에서 볼 수 있는 보관형태로 선각불상문경은 회화적 요소가 강한

300 우주옥, 앞의 논문, p.98.

공예품이라는 점에서 불화에 등장하는 도상을 차용했을 가능성이 있다.(插圖64)[301]

插圖 64. 佛教線刻紋鏡의 觀音菩薩 寶冠 表現

국내 수월관음 선각불상문경 중 좌상은 앉은 자리 밑에 풀방석이나 연화좌를 표현한다(插圖65). 이중 연화좌는 영주 금광리 출토 수월관음 선각불상문경이 유일하며, 나머지는 풀방석 위에 앉아 있는 관음을 묘사했다. 중국과 일본에서는 이와 같은 풀방석 위에 앉아 있는 관음보살을 묘사한 선각불상문경을 찾기 힘들며, 대부분 연화좌 위에 위치해 있다. 즉, 풀방석에 앉아 있는 수월관음의 표현은 고려에서 적극적으로 이루어졌음을 알 수 있다.

插圖 65. 水月觀音 佛教線刻紋鏡의 풀방석 表現

301 선각불상문경의 회화적 경향은 국립중앙박물관 소장 선각불상문경(덕수3349)에서 엿볼 수 있다. 선각문경의 수월관음은 鏡面의 중앙에 위치하였지만, 몸의 2/3를 틀어 화면의 왼쪽을 바라보는 모습이다. 奇巖 앞에 앉은 관음은 풀방석을 깔고 앉아 있으며, 결가부좌를 취한 자세에서 왼쪽 다리를 굽혀 세워 양손을 깍지 끼워 다리를 감싼 자세를 취하고 있다. 그 앞에는 정병에 버드나무가지가 꽂혀 있고, 발아래에는 파도와 작은 인물들이 묘사되어 있다. 이러한 장면묘사는 고려불화인 日本 長谷寺 소장〈水月觀音圖〉과 매우 유사하다. 수월관음의 위치, 자세, 구도 등에서 선각불상문경과 동일한 요소가 많아 두 작품간의 선후관계는 알 수 없으나, 회화에 표현된 구성이 공예품인 선각불상문경에 동일하게 나타난 것은 드문 사례라 할 수 있다.

따라서 수월관음 선각불상문경은 중국에서 유입된 호주경이지만, 새겨진 선각불상문경은 보관, 자세, 풀방석 등 요소 등이 고려에서 제작된 예들과 친연성이 강해 고려에서 제작했음을 알 수 있다. 또한 중국과 일본처럼 동경 자체에 선각불상문경을 새겨 제작하는 방식이 성행하지는 않았으나, 제작했던 사례가 있었던 만큼 고려 역시 동아시아 선각불상문경의 동일한 양상 속에서 발전했다.

6) 幾何學文

(1) 七寶紋

국내에서 '七寶紋'으로 칭해지는 문양은 원을 연속적으로 겹쳐 만들어낸 기하학 문양이다.[302] 이 문양에 대해 중국은 '球路紋', '毬路紋', '連錢紋'으로 부르며, 원이 겹쳐지는 숫자나 형태에 따라 다른 명칭으로 부르기도 한다. 이 문양이 중국에서 등장한 것은 戰國時代로 동전의 뒷면에 문양으로 사용해 '錢紋'으로 출현했던 것으로 보는 견해가 있다.[303]

송, 요대 성행한 칠보문경은 특히 요에서 다양하게 제작된 편이다. 요대 칠보문경은 칠보문만 있거나, '七寶紋+連珠紋', '七寶紋+龜背紋'과 같이 다른 문양과 결합해 제작되기도 한다. 칠보문만 화면 가득 시문되어 있는 예는 中國 江蘇 連雲灣

302 불교에서 말하는 전륜성왕만이 지닌다는 輪寶, 象寶, 馬寶, 如意珠寶, 女寶, 將寶, 主藏臣寶의 일곱 가지 귀한 보물인 칠보와는 다른 의미로 사용된 것으로 보이며, 이 문양은 길상적 의미로 원을 이용해 만든 문양의 총칭으로 생각된다. 이에 대해 사전적 의미는 고리모양 네 개를 조합하여 원형을 만든 기하학문양으로 그 이음새에 구슬을 배치하기도 하고 중앙에 꽃무늬를 넣기도 한다. 또 고리모양 안에 장식하는 것도 많다. 이것을 이어서 '칠보이음'으로 사용하거나 또는 흩어진 모양으로 사용하기도 한다. 엇갈린 원의 일종으로 볼 수 있으며, 한 개의 원에 네 개의 원이 겹치기 때문에 사방거 혹은 十方이라고도 하고 칠보라는 이름은 여기에서 비롯되었다고 한다. 동양에서는 오래 전부터 있었던 장식문양이며, 중국의 繡球文도 여기에 속한다. 한국사전연구사 편,『美術事典』(用語篇)(1998).

303 向静 · 龍红,「連錢紋的源起及其在佛教裝飾藝術中的運用」,『史論空間』(2013年 9期), p.76.

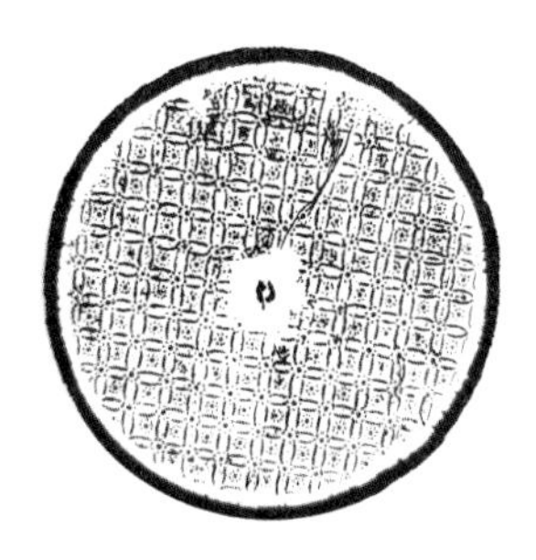

圖133. 七寶紋鏡, 五代, 徑 10.8cm, 中國 江蘇 連雲灣 出土

圖134. 七寶紋鏡, 遼, 徑 10.7cm, 中國 遼寧省博物館

圖135. 七寶紋鏡, 遼, 徑 29.0cm, 中國 赤峯市博物館

出土 칠보문경(圖133)이 있다. 원형의 형태에 칠보문이 표현되어 있는데, 문양 사이에 작은 점으로 문양을 만들어 표현했다. 이 동경은 비교적 초기 시기의 예로 오대시기 출토품이다. 초기에는 비교적 문양이 단순, 반복적으로 이루어졌음을 알 수 있다.

中國 遼寧省博物館 소장 칠보문경(圖134)은 형태, 문양표현 등이 고려시대 칠보문경과 유사해 주목된다. 뉴좌는 명확하지 않지만 화문이 표현되어 있는 듯하며, 그 주위를 연주문이 장식되어 있고, 외구에는 모두 칠보문이 장식되어 있다. 이러한 문양구성은 고려시대 칠보문경의 특징으로 이와 같은 요대 칠보문경이 고려로 전래 되었음을 짐작할 수 있다.

中國 內蒙古 赤峰市 遼駙馬贈衛國王墓 출토 동경(圖135)이 있다. 이 동경은 四蝶連球紋鏡으로 불리며, 점열문으로 이루어진 方廓 내, 외에 칠보문(연구문)이 표현되어 있다. 중국 요대에는 이러한 구성으로 칠보문경과 구배문경을 제작했으며, 방형곽의 모서리에는 잠자리나 나비문양

插圖 66. 宋 · 遼代 銅鏡의 七寶紋 表現

을 넣어 장식했다.

중국의 칠보문경의 칠보문은 '(|)'형을 기본형으로 하여 사방으로 둘렀으며, 모서리 부분은 원점을 넣어 경계를 구분했다(插圖66). 그리고 그 내부에는 작은 점들로 꽃모양을 표현했으며, 대부분 칠보문경에서 확인된다.

圖136. 靑瓷透刻七寶紋香爐, 高麗, 高15.3cm, 국립중앙박물관(덕수2990)

고려시대 칠보문은 동경의 문양으로 뿐만 아니라, 도자기의 문양으로도 선호했다. 특히 청자에 투각으로 칠보문을 표현함으로써 섬세하고 화려한 장식미를 보여준다. 또한 동경과 같이 작은 점들을 동일하게 표현한 도자도 있어, 도자기에도 동경과 동일한 유형의 칠보문이 사용되었음을 추정할 수 있다. 대표적인 예로 국립중앙박물관 소장 靑瓷透刻七寶紋蓋香爐(덕수2990)(圖136)와 靑瓷象嵌七寶紋注子(덕수1378)가 있다.

插圖 67. 高麗時代 七寶紋鏡의 種類

고려시대 칠보문경은 개성 부근 출토로 알려진 동경이 몇 점 있으며, 대부분 지방 분묘에서 출토된 사례가 많다. 국내 칠보문경은 문양변화가 크게 없으며, 형태 역시 그러하다(插圖67). 광양 마로산성 출토 칠보문경은 배면의 모든 공간에 칠보문을 규칙적으로 표현했으며, 그 사이에 '王家造鏡'이라는 명문이 있다. 이 동경은 중국 오대시기 칠보문경으로 추정되는 中國 江蘇 連雲灣 出土 칠보문경과 흡사함을 알 수 있다. 광양 마로산성 출토 칠보문경 역시 그 시기가 10~11세기로 이른 시기에 해당하는 동경이라는 점에서 두 동경의 유사성은 비슷한 시기 제작된 동경일 가능성을 생각하게 한다.

국립중앙박물관 소장 칠보문경(덕수838)은 고려시대 칠보문경의 대표적 문양 구성과 형태이다. 지방 분묘를 비롯해 현존하는 고려 칠보문경은 대부분 이와 동일한 형태이다. 이 동경은 앞서 살펴본 中國 遼寧省博物館 소장 칠보문경과 유사해 요대 칠보문경이 고려로 전래된 것으로 추정된다.

국립중앙박물관 소장 칠보문경(덕수3709)은 팔화형으로 대부분 칠보문경이 원형인데 반해, 팔화형의 예는 거의 없어 주목된다. 또한 뉴를 중심으로 이중권이 둘러져 있으나, 내, 외구는 모두 칠보문으로 표현되어 있다. 영주 금광리 칠보문경은 원래 원형경이나 4부분을 둥글게 깎아 화형으로 변형시킨 예가 있다. 이는 주로 답반주조로 칠보문경을 제작하면서 형태변형을 하지 못했고, 이를 주조 후 변형시키는 방식으로 형태를 바꾼 것으로 보인다. 따라서 팔화형경은 원형으로만 제작되던 칠보문경을 변화시키고자 했던 노력의 결과로 생각된다.

(2) 回紋(雷紋)

사각형을 이루는 선이 반복적으로 회전하여 중첩되는 형식의 기하학 문양이다. '回紋'은 이러한 반복적으로 둘러진 선과 비슷해 붙여진 이름이며, 이러한 문양 중 곡선으로 연속되는 구성을 '雲紋'이라고 한다. 이러한 문양은 商代 청동기 문양으로 서수문과 결합하여 보조문양으로 사용되었으나, 이후 단독 주제로 사용되어, 기물의 목이나 하부를 장식하거나, 구연부 장식으로 자리 잡았다.[304]

304 谷莉, 앞의 책, pp.38~39.

定窯白釉盞托	彩繪蓮荷紋三足爐

插圖 68. 中國 陶瓷의 回紋表現

회문은 雷紋이라고도 하며, 길상적 문양으로 인식되어 있다. 특히 회문은 송대 도자기 문양으로 발전하면서 화문과 함께 표현되거나, 단독으로 기면을 장식하기도 하는 등 다양한 발전을 보인다(插圖68). 중국 송대의 耀州窯, 定窯, 寺龍口窯 등에서 보이는 회문은 주로 북송 말기 삼족향로에 시문되었고, 정요는 북송 말기부터 금대에 제작된 완과 대접의 구연부 안쪽에 회문대가 장식되었다. 또한 사룡구요에서도 회문은 남송 초기부터 12세기 중엽까지 주로 청자삼족향로에 시문되었다.[305]

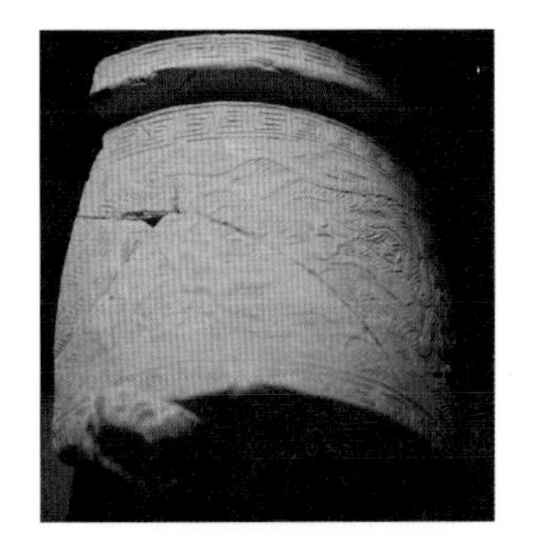

圖137. 靑瓷香爐초벌구이편, 高麗, 국립광주박물관(광7480), 강진 용운리 출토

고려시대 도자기에서도 확인되는데, 康津 龍雲里 靑瓷香爐 초벌구이편(圖137)에는 해수 위를 나는 용이 표현되어 있으며, 그 위, 아래에 회문이 문양대로 장식되어 있고, 구연부 테두리에도 표현되어 있다. 또한 고려시대 小鐘에도 회문이 표현되어 있다.

305 이용진, 「高麗時代 鼎形靑瓷 硏究」, 『美術史學硏究』vol.253(韓國美術史學會, 2006), p.181.

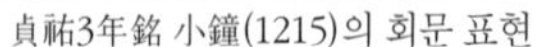
貞祐3年銘 小鐘(1215)의 회문 표현

국립중앙박물관 소장 범종의 회문 표현

插圖 69. 高麗 梵鍾의 回紋表現

圖138. 梵鐘, 고려, 高36.5cm, 국립중앙박물관 (신수1601)

圖139. 回紋鏡, 高麗, 徑9.4cm, 국립중앙박물관 (덕수5460)

호림박물관 소장 小鐘과 국립중앙박물관 소장 범종(신수1601)의 상 · 하대에는 회문으로 문양대가 구성되어 있다(插圖69). 貞祐3年銘 小鐘(1215)는 한줄의 회문이 둘러져 있으며, 국립중앙박물관 소장 범종(신수1601)(圖138)은 2단으로 구성된 회문이 표현되어 있다. 정우3년명 소종의 명문을 통해 13세기 제작된 것을 알 수 있어, 회문의 사용시기를 가늠할 수 있다.

회문이 표현된 동경은 그 예가 많지 않지만, 동경의 보조문양에서 주문양까지 다양하게 등장하는 편이다. 고려시대 회문경은 보조문양으로 회문이 표현된 예는 국립중앙박물관 소장 회문경(덕수5460)(圖139)이 있다. 방형으로 2개의 방형 권에 의해 뉴좌와 외, 내구로 구분된다. 외구에는 화염문과 권초문이 표현되어 있으며, 내구에는 기하학적 문양들과 회문이 있다. 특히 회문은 내구의 바탕을 가득 채워 보조문양으로 사용되었음을 알 수 있다.

그리고 회문이 주문양으로 표현된 동경은 방형과 현경 두 가지 종류가 있다. 국립중앙박물관 소장 回紋方形鏡(덕수2295, 본관3242)(圖140)와 回紋柄鏡(덕수

圖140. 回紋鏡, 高麗, 徑16.0cm, 국립중앙박물관 (덕수2295)

圖141. 回紋鏡, 高麗, 徑 10.3cm, 국립중앙박물관 (덕수489)

圖142. 回紋鏡, 高麗, 徑 10.5cm, 국립중앙박물관 (덕수559)

489, 덕수559)(圖141, 圖142)이 있다. 이 동경들은 연부를 따라 회문이 둘러져 있으며, 그 외 문양구성은 없다. 두 방형경은 크기와 문양이 같아 동일한 형태의 동경임을 알 수 있으며, 병형경은 자루 부분의 길이와 형태만 다를 뿐, 거울부분의 표현은 동일하다.

수량이 많지 않은 회문경은 중국에서 그 예를 찾아보기 힘들다. 특히 현경은 동일한 형태가 없다는 점에서 국내에 있는 회문경은 회문이 도자, 금속공예품에 문양으로 자리 잡은 12세기에서 13세기 무렵에 고려에서 제작한 동경일 가능성이 높다.

고려시대 동경의 문양은 중국에서 전래된 동경을 그대로 주조한 경우도 있지만, 당시 유행한 문양을 동경의 문양으로 사용한 예가 많았다. 가령, 지역명경의 명문틀에 문양을 넣어 표현하거나, 형태를 변형해 기존 문양을 배치하는 등 변화를 주었다. 그리고 '황비창천'명경과 같이 문양과 형대를 모두 변형하거나 혹은 명문만 표현해 문양화 하는 등 고려인들이 선호한 문양을 선별해 사용했음을 알 수 있다.

또한 중국에서 성행했던 동경이 고려에서 성행했던 것은 아니었음을 알 수 있다. 중국에서 성행한 '서우망월'문경이나 '월궁고사'문경 고려에 전래되기는 했으나, 중국에서 제작된 일부만이 고려에 전해졌으며, 그 수량이 많지 않다. 오히려

'월궁고사'문경 항아와 토끼에 대한 내용보다는 전각문과 계수나무 등이 부각된 '용수전각'문경이 제작되는 등 고려인들의 취향에 따라 동경 종류는 선택적으로 수용되었으며, 주제나 문양구성 역시 자신들의 미감에 따라 표현하고자 했음을 알 수 있다.

Ⅵ. 高麗銅鏡의 編年과 特徵

1. 中世 中國銅鏡의 編年 設定

1) 宋代

당에 이어 중원에 등장한 송은 초기 당대 동경을 그대로 수용하여 사용하거나 제작했으나, 점차 자신들만의 동경을 제작했다. 송대 동경은 초기부터 화훼문경의 제작이 활발했으며, 이는 송대 전기간에 걸쳐 성행했다. 그리고 이와 더불어 소문경의 제작도 비교적 많은 편이다. 이러한 소문경은 이후 남송대 명문만 새긴 상품경에 영향을 준 것으로 생각되며, 이 역시 송대 내내 유행했다.

당대 성행했던 팔괘문경도 송대 다양한 문양과 결합하여 새로운 구성으로 제작되었다. 인물고사문경 역시 민간고사나 일상생활의 모습 등을 문양으로 표현한 동경이 출현해 동경사용의 저변이 민간까지 확대되었음을 알 수 있다. 또한 송대 등장한 특수기형인 종형, 향로형경도 남송대 제작되는 등 송대에는 동경의 형태, 문양 등이 크게 변화했으며, 특히 동경 문양 주제가 다양해지면서 송대 동경만의 차별성을 갖게 되었다.

송대 동경 역시 정확한 편년을 확인하기 어려운 경우가 많으며, 편년을 검토하기 위해서 분묘 출토품이나 명문이 있는 동경을 중심으로 편년확인이 가능하다. 송대 분묘는 크게 북송과 남송시기로 나눌 수 있으며, 대부분 분묘에 墓誌가 있어 피장자의 사망시기와 장례시기를 파악할 수 있다. 보통 사망시기와 장례시기가 달라, 장례시기에 부장품이 매납되기에 장례시기를 기준으로 동경의 사용 혹은 제작시기를 가늠할 수 있다. 송대 분묘 중 명확한 시기를 알 수 있는 예 중 동경이 함께 매납된 경우를 정리했으며, 이를 다시 동경의 시기구분에 맞추어 5기로 나누었다. 북송시기에는 Ⅰ~Ⅲ기에 해당하며, 남송시기는 Ⅳ~Ⅴ기에 속한다. 이에 편년검토는 (表36)을 중심으로 살펴보고자 한다.

表 36. 宋代 時期別 代表的 墳墓와 出土 銅鏡[306]

시기 구분		출토지	연대	종류	명문
北宋	Ⅰ	孝感市 黄破縣出土	北宋 初	都省銅坊鏡	'都省銅坊' '匠人謝昭'
		不明	咸平3년 (1000)	纏枝四花紋鏡	'咸平三年庚子東京鑄錢監鑄造'
		福建建瓯縣水南宋墓	祥符2年 (1009)	素紋鏡	祥符二年八月
				素紋鏡	'建州院前行陳滴龍大中祥符二年八月日'
	Ⅱ	江西瑞昌北宋墓	景佑二年 (1035)	都省銅坊鏡	'都省銅坊' '匠人口諒'
		浠水縣城关鎭北宋石室墓	元祐4年 (1089)	素紋鏡	
				素紋鏡	
				花卉紋鏡	
				'卍'字文鏡	
		新昌縣鏡岭鎭雅張村出土	元祐癸酉 (1093)	八卦紋鏡	'宋元祐癸酉孟秋初望鮑公浩依禪月畵像以七寶莊嚴敬造大阿羅漢一十八身'
	Ⅲ	襄陽磨基山宋墓	崇寧3年 (1104)	八卦紋鏡	'大唐貞觀拾陸年伍月戊午造'
				人物故事紋鏡	
		江西波陽宋墓	大觀3年 (1109)	素紋鏡	

306 송대 분묘의 시기구분에 대한 전반적 연구는 개별 분묘의 보고서 위주로 이루어져, 시기별 명확한 특징 파악이 아직 명확히 이루어지지 않았다. 이에 송대 분묘 출토 동경은 개별 보고서를 통해 분석했으며, 이를 분묘편년을 중심으로 동경편년으로 구분했다.

<table>
<tr><td rowspan="9">北
宋</td><td rowspan="9">Ⅲ</td><td rowspan="2">河南安陽新安莊西地宋墓</td><td rowspan="2">大觀3年
(1109)</td><td>花草紋鏡</td><td rowspan="2"></td></tr>
<tr><td>銅鏡</td></tr>
<tr><td rowspan="3">湖北麻城北宋石室墓</td><td rowspan="3">政和3年
(1113)</td><td>鸞鳥花草紋鏡</td><td rowspan="3"></td></tr>
<tr><td>八卦紋鏡</td></tr>
<tr><td>芙蓉花紋鏡</td></tr>
<tr><td rowspan="2">山西忻縣北宋墓</td><td rowspan="2">政和4年
(1114)</td><td>牡丹紋鏡</td><td rowspan="2"></td></tr>
<tr><td>素紋鏡</td></tr>
<tr><td>江西瑞昌縣宋代墓</td><td>宣化6年
(1124)</td><td>八卦紋鏡</td><td></td></tr>
<tr><td>湖南出土</td><td>靖康元年
(1125)</td><td>飛天牡丹紋鏡</td><td>‘伴安楚姬永不分離初改靖康元年月日鑄’</td></tr>
<tr><td rowspan="16">南
宋</td><td rowspan="9">Ⅳ</td><td rowspan="2">長沙東郊楊家山南宋墓</td><td rowspan="2">乾道6년
(1170)</td><td>湖州鏡</td><td rowspan="2"></td></tr>
<tr><td>素紋鏡</td></tr>
<tr><td>四川廣元石刻宋墓</td><td>景元元年
(1195)</td><td>菊瓣紋鏡</td><td></td></tr>
<tr><td rowspan="2">永修南宋墓</td><td rowspan="2">嘉熙4年
(1240)</td><td>方形鏡</td><td></td></tr>
<tr><td>葵形鏡</td><td>建康府口口……</td></tr>
<tr><td rowspan="4">江苏武進村前南宋墓</td><td rowspan="4">嘉熙丁酉
(1270)
이후</td><td>六陵形鏡4점</td><td rowspan="4"></td></tr>
<tr><td>長方形鏡 2점</td></tr>
<tr><td>執鏡</td></tr>
<tr><td>鐘形鏡</td></tr>
<tr><td rowspan="7">Ⅴ</td><td rowspan="2">福州市北郊南宋墓</td><td rowspan="2">淳祐7年
(1247)</td><td>素紋鏡</td><td rowspan="2"></td></tr>
<tr><td>六角形鏡</td></tr>
<tr><td rowspan="2">浙江東陽市胡前山村南宋墓</td><td rowspan="2">寶祐年間
(1253-1258)</td><td>葵形鏡</td><td rowspan="2"></td></tr>
<tr><td>雙鳳紋柄鏡</td></tr>
<tr><td rowspan="3">福州茶園山南宋墓</td><td rowspan="3">咸淳年間
(1265~1274)</td><td>菱花形鏡</td><td rowspan="3"></td></tr>
<tr><td>長方形鏡</td></tr>
<tr><td>香爐形鏡</td></tr>
</table>

(表36)은 송대 분묘에서 출토된 동경을 정리했으며, 다양한 종류의 동경이 무덤의 부장품으로 사용되었음을 알 수 있다. Ⅰ, Ⅱ기에는 연대를 알 수 있는 예가 많지 않으나, 당에서 송으로 나라가 바뀐지 얼마되지 않은 시기였던만큼 당대 동경의 사용은 이어졌으며, 이러한 양상은 부장품에서도 나타난다. Ⅲ기는 經濟成長과 文化復興 등 송의 내적 성장이 이루어진 시기로 다양한 문양구성이 이루어지

고, 팔괘문경 , 화훼문경이 성행했던 시기이다. 남송대인 Ⅳ, Ⅴ기에는 당시 대량 생산된 호주경이 부장품으로 등장했으며, 문양이 있는 동경은 많지 않은 편이다. 대신 소문경은 다양한 형태로 제작되어, 장방형, 종형, 규화형, 향로형, 육각형 등으로 제작되어 문양보다는 동경 형태에 집중했던 것으로 보인다.

Ⅰ기 孝感市 黃破縣出土 都省銅坊鏡은 '都省銅坊', '匠人謝昭'이라는 명문이 주출되어 있는 동경이다. 이 동경은 당대 말, 오대에 주로 제작되던 동경으로 동경에는 제작 장인의 이름을 새겨 넣은 것이 특징이다. 이 동경은 Ⅱ기 江西瑞昌北宋墓에서도 출토되었으며, 이 묘는 1035년에 조성되었다는 점에서 당대 동경은 송대로 전래된 예들이 꾸준히 사용되고, 전승되었던 것을 알 수 있다.

福建建甌縣水南宋墓에서 발견된 소문경 2점은 연부를 따라 명문이 새겨져 있으며, 명문은 연호와 날짜를 적어 장례에 매장하던 시기에 선각하여 매납한 것으로 추정된다. 두 동경에는 모두 '祥符二年八月日'이라는 명문이 있어, 이 동경이 祥符 2년인 1009년에 부장되었음 알 수 있기에, 북송대 초기 동경임을 알 수 있다.

Ⅱ기 역시 Ⅰ기와 마찬가지로 당대 동경이 부장품으로 사용되면서도 화훼문경과 팔괘문경이 보이기 시작한다. 浠水縣城关鎭北宋石室墓는 묘지 내용을 통해 묘주인은 候氏로 북송 元祐 3년 겨울 병을 얻어 4년(1089) 2월 10일 병으로 사망했으며, 10개월 후 장례를 치루었음을 알 수 있다.[307] 이 묘에서는 4점의 동경이 발견되었는데, 소문경 2점, 화훼문경, '卍'字紋鏡이다. 이 동경들은 작은 동경과 큰 동경이 좌 · 우실에 앞, 뒤로 놓여져 2점씩 발견되었다. 화훼문경(圖143)은 '亞'자형으로 뉴를 중심으로 4개로 나눠는 꽃가지가 사방 모서리에 표현되어 있으며, 연부를 따라 연주문이 일주하는 형식이다. 또한 '卍'字文鏡(圖144)은 가운데 '卍'자가 반전된 형태로 있으며, 깨진 상태로 발견되었다. 두 동경 모두 당대 요소가 강한 동경으로 앞서 설명한 바와 같이 Ⅱ기에도 당대 동경의 사용이 상당수 있음을 알 수 있다.

---

307 浠水宋墓考古發掘队, 「浠水縣城关鎭北宋石室墓發掘簡報」, 『江漢考古』(1989年 3期), p.17.

圖143. 花卉紋鏡,
宋, 徑15.9cm,
中國 稀水縣城關鎮 出土

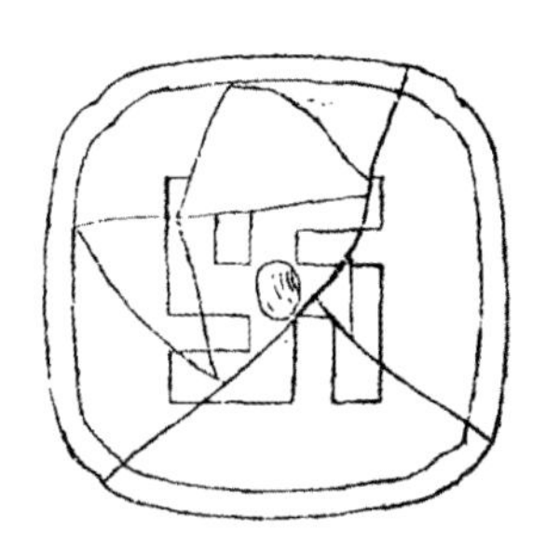

圖144. '卍'字紋鏡,
宋, 徑14.5cm,
中國 稀水縣城關鎮 出土

圖145. 八卦紋鏡,
宋, 徑7.8cm,
中國 浙江省新昌縣文管會

新昌縣鏡岭鎮雅張村 宋墓에서는 팔괘문경(圖145)이 발견되었다. 이 동경에 대해 오대 高僧 貴休와의 연관성을 언급하기도 하며, 팔괘는 도교를 상징하는 문양이라는 점에서 불교와의 연관성이 낮다는 의견도 있다.[308] 원형경인 이 동경에는 팔괘가 계권 옆에 있으며, 뉴를 중심으로 명문이 채워져 있다. '宋元祐癸酉孟秋初望鮑公浩依禪月畵像以七寶莊嚴敬造大阿羅漢一十八身' 내용에는 원우 계유년 가을 첫달에 칠보장엄한 아라한 18상을 제작했다는 내용이다. 여기서 내용은 십팔나한상을 제작했다는 것을 의미해 이 동경은 이 나한상 제작과 함께 주조된 것으로 생각되며, 이는 팔괘문으로 인해 도교적 동경으로 보이나, 명문으로 인해 불교적 용도로 사용된 동경임을 알 수 있다. 이는 당대 도교와 불교가 습합된 특징이 송대에도 이어진 것으로 판단된다. 따라서 Ⅰ, Ⅱ기 동경들은 새로운 면모가 드러나기 시작하지만, 당대 동경의 요소가 아직은 강하게 남아 있으며, 이 시기 화훼문도 당대 대칭으로 문양을 배치하던 특징이 남아 있다.

Ⅲ기에 접어들면, 송대 동경의 특징적 요소인 얕은 부조 형식의 화문경과 인물고사문경 등이 등장하며, 팔괘문경은 앞 시기에 이어 꾸준히 성행한다. 襄陽磨基山宋墓에서는 명문이 적힌 동경과 인물고사문경이 출토되었다. 이 묘주는 崇寧2

308 潘表惠, 「浙江新昌收藏的宋代銅鏡」, 『考古』(1991年 6期), p.573.

년(1104) 2월 17일 사망해 崇寧 3년에 장례를 치뤘다. 이 인물에 대해 관직명 등에 대한 소개가 없어, 일반적 지주계층으로 추정한다.[309] 발견된 동경 중 명문경에는 '大唐貞觀拾隆年伍月戊午造'이라는 명문이 있어, 당대 정관연간에 제작했음을 알 수 있다. 또한 함께 출토된 인물고사문경은 그 실물을 확인할 수는 없으나, 보고서 설명내용으로 보아, '월궁고사'문경으로 추정된다.[310] 이를 통해 '월궁고사'문경이 12세기 초에는 이미 유통되어 부장품으로 사용되고 있었음을 알 수 있다.

圖146. 芙蓉花紋鏡, 宋, 徑32.0cm, 中國 湖北 麻城石室墓 出土

圖147. 飛天花紋鏡, 宋, 「湖南出土宋鏡選記」

湖北麻城北宋石室墓에서는 蘭鳥花草紋鏡, 八卦紋鏡, 芙蓉花紋鏡 3점이 출토되었다. 이 중 부용화문경(圖146)은 화문의 뉴좌를 중심으로 국화문이 표현되어 있다. 뉴좌 부분과 연부 부분 근처에 연주문을 둘렀으며, 그 사이에 화려한 가지와 꽃문양이 특징인 부용화가 가득 표현되어 있다. 국화문과 연주문 등은 북송대 동경에 보이는 특징으로 이러한 경향은 이후 요대에 영향을 줄만큼 당시 사람들이 선호했던 문양이다. 또한 옅은 부조로 꽃을 표현하는 방식은 송대만의 특색으로 고부조의 당대 동경에서 탈피해 섬세하고 사실적인 묘사를 하고자 했다. 묘지 내용을 통해 묘가 조성된 시기가 政和3년(1113)임을 알 수 있어[311], 이 동경들은 12세기 사용된 동경으로 볼 수 있다.

湖南 出土 동경으로 비천과 모란문이 연부를 따라 장식되어 있는 동경(圖147)이 있다. 이 동경은 화문

309 襄樊市博物館, 「襄陽磨基山宋墓發掘簡報」, 『江漢考古』(1985年 3期), p.30.

310 襄樊市博物館, 위의 논문, p.28.

311 王善才 · 陳恒樹, 「湖北麻城北宋石室墓清理簡報」, 『考古』(1965年 1期), p.24.

뉴좌와 이중계권 사이에 명문이 일주하는 형식이며, 외구에 비천과 모란문이 4쌍씩 교차로 배치되어 있다. 명문에는 '靖康元年月日鑄'이라는 시기가 적혀 있어, 이 동경은 1125년에 제작되었음을 알 수 있다.[312] 팔화형의 형태에 따라 문양을 배치한 점과 이전에는 보지 못한 문양구성이라는 점에서 이 시기 새로운 문양구성의 일면을 살펴볼 수 있는 예이다. Ⅲ기는 이전 시기까지 보이던 당대 동경의 요소들이 거의 사라지고, 송대 동경으로의 특징이 확립된 시기이다. '월궁고사'문경, 부용화문경, 비천모란문경과 같이 송대 성행한 인물고사문경과 화훼문경이 부장되었다는 것은 이미 이 시기에 이와 같은 동경이 피장자가 생전에 사용했을 가능성이 있음을 추정할 수 있다.

Ⅳ기는 북송에서 남송으로 전환되는 시기로 금나라의 공격으로 북송이 멸망하고, 난을 피해 남쪽으로 도망하여 杭州에 도읍을 정하고 남송을 재건했다. 이로 인해 나라 안팎으로 혼란스러웠던 시기였으며, 동경의 제작도 침체 되지만, 이후 상품경제가 다시 살아나면서 남송대에는 지역명이 적힌 상품경의 생산이 활발해진다. 이러한 상품경이 출토된 예로 長沙東郊楊家山南宋墓가 있다.

이 묘는 부부합장묘로 묘지에는 여주인 오씨가 사망한 紹興戊辰年(1148)이며, 22년 후 합장했다는 기록을 통해 이 이묘는 1170년에 완성되었다.[313] 출토 동경은 '湖州眞石家二淑照子'라는 명문이 있는 호주경으로 이와 함께 소문경이지만, 호주경의 형태의 동경이 함께 출토되었다. 靖康의 變 이후 어느 정도 시기가 지난 시점이기에 동경제작이 재개되었을 것이며, 이때 북송 말 생산되기 시작한 상품경이 활성화되어 유통되었다. 이는 주로 원형, 방형, 팔릉형 등에 제작지, 제작자 등을 넣은 명문만 주출한 형식의 동경이라는 점에서 생산이 용이했을 것이며, 민간에서도 구입이 쉬웠다. 따라서 이 동경 역시 피장자가 생존했을 때 사용했던 동경

312 周能, 「湖南出土宋鏡選記」, 『南方文物』(1994年 3期), p.87.

313 高至喜, 「長沙東郊楊家山發現南宋墓」, 『考古』(1961年 3月), p.159.

으로 볼 수 있으며, 이에 따라 이 동경의 편년은 1148년 이전으로도 볼 수 있다.

江苏武進村前南宋墓에는 8점의 동경이 출토되어 송대 분묘 중에서도 많은 양이 발견되었다. 이 역시 앞서 살펴본 長沙東郊踢家山南宋墓와 유사한 양상으로 팔릉형, 장방형 등의 호주경이 출토되었다. 또한 종형과 같이 특수형도 발견되어 문양이 간소화되면서 형태에 치중한 남송대 동경의 특징을 이 분묘의 동경들이 대변해 보여준다.

Ⅳ기의 분묘에서는 호주경의 출토 사례가 증가하면서 북송에서 남송으로 전환된 시대적 상황에 맞춰 동경 제작과 사용에도 변화가 일어났음을 알 수 있다. 이는 이전 시기와 같은 화려한 문양은 사라졌지만, 동경이 민간에서 까지 사용될 수 있는 세속화, 보편화를 이룬 시기이다.

Ⅴ기에는 Ⅳ기의 경향이 더욱 심화되면서 동경의 특징을 문양보다는 형태에서 찾기 쉬울 정도로 변화했다. 부장시기를 알 수 있는 福州市北郊南宋墓는 1247년 남송 말기의 분묘로 이 묘에서 발견된 동경은 소문경과 육각형경이며[314], 咸淳年間(1265~1274)로 부장시기를 추정하는 福州茶園山南宋墓에서는 육릉화형경, 장방형경, 향로형경이 출토되었다.[315] 이 분묘들에서 출토된 동경들은 모두 지역명경에 보이는 형태로 명문이 없는 소문경이다. 따라서 Ⅴ기의 분묘 출토 동경의 양상은 많은 예가 없을 뿐 아니라 그 종류도 형태는 다양하나, 문양이 있는 예는 적어, 소문경이 성행했음을 알 수 있다.

Ⅰ~Ⅴ기까지 북송 · 남송대 동경의 편년과 양상에 대해 살펴보았다. 출토된 동경이 시대를 대변하는 대표적 동경은 아니지만, 당시 사용된 동경의 한 측면을 볼 수 있다는 점에서 분묘 제작시기를 토대로 정리해보았다. 이에 (表37)은 분묘에서 나온 동경과 유사한 양상을 띠는 동경들을 토대로 시대적 구분을 했으며, 그 특징

314 福建省博物館, 「福州市北郊南宋墓清理簡報」, 『文物』(1977年 7期), pp.1~15.

315 福建省博物館, 「福州茶園山南宋許峻墓」, 『文物』(1995年 10期), pp.22~33.

에 대해 요약했다. Ⅰ~Ⅲ기는 북송대로 송대 동경이 제작되기 시작하는 도입기와 발전기는 당대 동경의 요소가 남아 있으나 송대 동경 제작이 활발해지면서 팔괘문경, 화훼문경 제작이 이루어지기 시작한다. 그리고 이러한 성장을 바탕으로 전성기에 접어들게 됨에 따라 송대 동경의 큰 특징인 얕은 부조식의 문양표현과 인물고사문경 등이 자리잡게 되며, 고동기를 모방한 동경이 제작된다.

表 37. 宋代 銅鏡 編年 區分

시기구분		특징
Ⅰ	導入期 (960~1022)	太祖~眞宗代 시기로 당 · 오대 동경을 계승한 동경이 비교적 많으며, 새로운 문양구성의 동경은 적은 편이다. 송대 동경 발전상 도입기로 송대 동경의 특유의 특징이 발현되지는 못했다.
Ⅱ	發展期 (1023~1100)	仁宗~哲宗代 시기이다. 포도문과 같은 당대 동경문양이 그대로 사용되지만, 전체적으로 변화가 보인다. 그 중 화문경은 여전히 대칭을 중시하는 경향이지만 문양표현은 더 자유롭게 나타냈다. 또한 형태에서는 桃形이 보이기 시작하여 송대 동경의 새로운 면모가 보인다.
Ⅲ	全盛期 (1101~1127)	文藝復興이 일어났던 徽宗~欽宗代 시기로 송대 동경의 전성기이다. 이 시기에는 화문 위주의 동경류가 많이 제작되었다. 또한 방고동기에 대한 관심으로 이와 관련된 동경류가 제작되었으며, 그 외 인물고사문경, 팔괘문경 등이 제작이 성행했다.
Ⅳ	沈滯期 (1127~1224)	이 시기는 高宗~英宗代에 해당하며, 호주와 같이 楊子江 이남지역에서 생산된 동경이 성행했다. 이전 시기에 비해 새롭게 등장한 형태나 문양은 없었다. 이는 정치적으로 전쟁이 빈번했던 시기였던 만큼 화려하고 다양한 동경 제작에 힘 쏟기 힘들었던 것이 요인으로 작용했다.
Ⅴ	衰退期 (1224년 이후)	남송대로 접어든 이후(理宗代 以後) 동경 생산이 쇠퇴하기 시작한다. 이 시기에는 쌍룡문경이 주요 문양으로 등장했으며, 그 외 인물고사문경이 제작되었다. 가장 많은 종류는 지역명경인 상품경과 이와 동일한 형태의 소문경의 생산이 가장 많았던 것으로 보인다. 하지만 몽골과 금의 남하로 인해 남송 내 정세는 급변했고, 경제적 사회적 위축된 분위기로 인해 동경 제작도 감소했다.

Ⅳ, Ⅴ기는 남송대로 정강의 변으로 도읍을 옮기고 나라를 정비하는 동안 동경 제작에도 큰 변화가 생긴다. Ⅳ기에는 북송 말 시작된 상품경의 제작이 더욱 활발해져 호주경, 항주경, 소주경 등이 제작되었으며, 이러한 동경이 부장품으로 등장하기 시작한다. Ⅴ기에도 Ⅳ기와 마찬가지 양상을 보이지만, 지속된 몽골과 금의 남하로 인해 국내 정세가 불안해지자, 동경의 제작도 감소하고, 그 질도 쇠퇴하게 된다.

2) 遼代

요대동경은 대부분 분묘에서 출토된 예가 많아, 중국에서는 분묘의 시기를 통해 동경의 편년설정에 기준으로 삼았다.[316] 요대 분묘의 시기구분은 묘제의 형식 변화에 따라 구분하며, 시기구분은 대략 유사한 편이다.[317] 초기(907~983), 중기(983~1055), 만기(1055~1125)로 나눈 분묘를 기준으로 동경이 출토된 분묘를 살펴보고자 한다. 遼代 埋葬風習은 한족의 정형적인 묘장으로 초기부터 만기까지 이어졌으며, 많은 부장품이 함께 매장되었다. 그 중 동경이 부장품으로 있는 경우도 있어, 자체적 편년이 힘든 동경의 제작 혹은 사용시기를 추정할 수 있다.

表 38. 遼代 時期別 代表的 墳墓와 出土 銅鏡

시기	출토지	동경종류
초기 (Ⅰ기)	耶律羽遼墓(942년)	海獸葡萄紋鏡 盤龍紋鏡
	赤峯縣大營 駙馬贈衛國王夫婦合葬墓(959년)	八瓣菱花形鏡 寶相花紋鏡 四蝶連球紋鏡 四蝶龜背紋鏡 纏枝花草紋鏡
	遼寧法庫叶茂台遼墓	海獸葡萄紋鏡 連球紋鏡

316 柳淑娟, 앞의 책 ; 李陽, 「遼代銅鏡探析」, 內蒙古大學 碩士學位論文, 2016.

317 劉韡, 劉謙과 董新林은 요분묘의 형식을 통해 시기구분을 시도했다. 劉韡, 劉謙은 3시기로 나누어 초기는 943~958년으로 會同6년~應曆8년까지 시기로 보았으며, 중기는 986~1045년인 統和4년~重熙14년까지로 보았다. 또한 만기는 1055년~1107년 淸寧元年~乾統7년으로 설정했다. 그리고 董新林은 4시기로 구분해 제1기는 太祖, 太宗시기(907~947년), 제2기는 世宗~景宗시기(947~983년), 제3기는 경종~興宗시기(983~1055년), 제4기는 도종~天祚帝(1055~1125)이다. 두 가지 시기구분은 3기와 4기로 나누긴 했으나, 4기로 나눈 것을 제1,2기를 합쳐 3기로 구분하면 나머지 시기구분과 유사함을 알 수 있다. 이에 본 논문에서는 이 두 시기구분을 참고하였으며, 분묘 중 동경이 출토된 대표적 분묘를 다루었다. 劉韡 · 劉謙, 「遼墓分期試論」, 『遼寧工程技術大學學報』(1999年 3期) ; 董新林, 「遼代墓葬形制與分期略論」, 『考古』(2004年 8期)

	遼寧省錦州市錦縣張扛村遼墓	四獸銘文鏡 寶相花紋鏡 仿漢草叶紋鏡 雙鸞銜花紋鏡
	內蒙古興安盛科右中旗代欽塔拉遼墓	八蝶龜背紋鏡
	內蒙古敖漢旗沙子沟、大横沟遼墓	八瓣菱花形鏡(沙子沟 1호) 團花球紋鏡(大横沟 1호)
	遼寧省北票市下瓦房沟遼墓	六蝶紋鏡
	內蒙古赤峰市紅山區西水地村遼墓	四蝶龜背紋鏡
中期 (Ⅱ기)	陳國公主與駙馬合葬墓(1018년)	鍍銀素紋鏡
	朝阳大营子鄉劉承嗣族墓	四蝶龜背紋鏡
	遼寧省朝阳市重型機器廣遼墓	亞字形牡丹紋鏡
	遼寧省 建平, 新民縣 遼墓	纏枝牡丹紋鏡 迦陵頻伽紋鏡 四像龜背連球紋鏡 4점 四龍折枝花紋鏡(新民縣)
	遼寧省朝阳縣前窗戶村遼墓(1004년 전후)	海獸葡萄紋鏡 四瓣連球紋鏡 荷花紋鏡
	內蒙古赤峰市林西縣小哈達村遼墓	亞字形鏡 花鳥紋鏡 雙鳳紋鏡
晚期 (Ⅲ기)	內蒙古皆里木盟科左中旗小努日木村遼墓	素紋鏡(거란자 명문 있음)
	吉林省通愉縣团結屯遼墓	雙鳳纏枝花紋鏡
	河北省張家口市宣化區下八里村張文藻墓 (1074년)	渦旋紋鏡 鳳雁雲紋鏡 素紋鏡 2점
	遼寧省建平縣三家鄉注秦德昌墓(1078년)	飛天雲紋鏡
	河北省張家口市宣化區下八里村張世本墓(1093년)	花草人物紋鏡 牡丹紋鏡
	河北省張家口市宣化區下八里村張匡正墓(1093년)	素紋鏡 銅鏡
	河北省張家口市宣化區下八里村韓師訓墓(1111년)	素紋鏡
	河北省張家口市宣化區下八里村張恭誘墓(1117년)	素紋鏡
	北京市大興區康莊化墓	素紋鏡(挂形)
	內蒙古昭烏達盟寧城县小劉仗子村遼墓	素紋鏡 2점
	內蒙古阿鲁科爾沁旗温多爾敖瑞山遼墓	素紋鏡
	遼寧省建昌縣亀山一号遼墓	素紋鏡

圖148. 海獸葡萄紋鏡, 遼, 徑 18.0cm, 中國 耶律羽遼墓 出土

圖149. 盤龍紋鏡, 遼, 徑 28.0cm, 中國 耶律羽遼墓 出土

赤峯市 耶律羽遼墓는 墓誌에 會同4년(941) 8월 11일 사망해 그 다음해에 묘에 안치했다는 내용을 통해 묘가 942년에 완성되었음을 알 수 있다. 이 묘에는 다양한 벽화와 부장품이 있었으며, 당대 유행한 기법으로 벽화가 그려지거나, 당대 물품이 부장되어 있어, 요대 초기 부장품의 일면을 알 수 있다.[318] 이 중 발견된 동경은 해수포도문경(圖148), 반룡문경(圖149) 2점으로 두 동경 모두 당대 성행한 동경이다. 이 동경과 함께 출토된 청자와 백자도 당대 자기의 연장선에 있는 형태라는 점에서 요나라가 건국되었으나, 초기에는 당대 영향이 남아 있음을 알 수 있다.

赤峯縣大營 駙馬贈衛國王夫婦合葬墓는 부마와 공주부부의 합장묘이며, 묘지의 내용을 통해 부마는 應曆9년(959) 7월 묘장했음을 알 수 있다. 묘 내에서 출토된 유물은 피장자가 생전에 애용했던 물건들로 일상생활용품이 많으며, 많은 양이 부장되어 있었다. 특히 馬具가 대량 출토되었으며, 마구의 장식은 당대~오대 유행한 기법으로 제작되었다. 반면, 요대 특유의 기물인 鷄冠壺도 이 묘에서 발견되었으며, 계관호의 초기형식을 볼 수 있는 중요한 예이다.[319]

이 묘에서 출토된 동경은 5점으로 그 양이 많은 편으로 八瓣菱花形鏡, 寶相花紋鏡, 四蝶連球紋鏡, 四蝶龜背紋鏡, 纏枝花草紋鏡이 있다. 耶律羽遼墓 출토 동경이 모두 당대 동경이었던 반면, 이 묘에서는 당대 동경과 함께 요대 동경이 함께 부장품으로 발견되었다. 당대 동경인 팔판릉화형경, 보상화문경 역시 당대 유행했던 동경

318 內蒙古文物考古研究所 外,「遼耶律羽之墓發掘簡報」,『文物』(1996年 1期), p.30.

319 前热河省博物館籌備組,「赤峯縣大營子遼墓發掘報告」,『考古學報』(1956年 3期), pp.24~15.

류로 요대에도 전해진 것으로 보인다. 요대 동경으로 대표적인 사접연구문경, 사접구배문경은 나비가 사각 모서리 혹은 동경면 안에 표현되어 있고, 그 외구에 칠보문 혹은 구배문이 있는 동경이다. 이 문양구성은 특히 요대 초기에 등장하기 시작해 요대 전 시기에 걸쳐 유행한 동경으로 그 초기 작품이 이 묘에서 출토된 동경이다.

遼寧省錦州市錦縣張扛村遼墓는 정확한 묘장시기를 알 수 없으나, 묘장형식, 출토유물 등을 통해 요대 초기 분묘로 추정하며, 그 근거로 당대 유물의 출토도 포함된다. 이 분묘에서는 '唐國通寶'가 발견되었는데, 이동전은 오대십국시대인 南唐 元宗顯德 6年(959)에 주조된 동전으로 요대 초기와 시기적으로 비슷해 이 분묘도 이 시기에 제작된 것으로 보았다.[320] 이 묘에서 출토된 동경은 四獸銘文鏡, 寶相花紋鏡, 倣漢草叶紋鏡, 雙鶯銜花紋鏡 4점으로 漢鏡 1점을 제외하면 모두 당대 제작된 동경이며, 특히 보상화문경과 쌍앵함화문경은 당대 크게 성행해 많은 수량이 제작된 동경이기도 하다. 앞서 설명했듯, 요대 초기에는 당대 물품이 상당수 부장품으로 사용되었으며, 피장자가 사용하던 물건들도 당대 제작된 것들이 많았던 것으로 생각된다. 이 묘 역시 이러한 요대 초기 분묘의 특징이 강해 초기에 형성된 묘임을 알 수 있다.

중기는 요의 문화적, 경제적, 사회적 성장으로 번영을 이루었던 시기로 수공예 기술이 향상되어 동경제작도 큰 변화가 있던 시기이다. 이 시기에는 당대 동경의 비중이 감소하면서 본격적으로 요대 동경이 등장하며, 모란문경, 가릉빈가문경, 용문경 등 다양한 동경이 제작된다. 또한 이 시기 불탑에 봉안된 동경들이 발견된 것도 특징이다. 遼寧省 朝陽北塔 天宮(1032~1055)과 重熙18년(1049) 内蒙古 赤峰市 巴林右旗 遼慶州 释迦佛舍利塔이 대표적이다.

陳國公主與駙馬合葬墓는 『遼史』에 전하는 기록은 없으나, 묘지를 통해 보면 陳國公主는 開泰7년(1018) 죽었으며, 당시 18세였고, 景宗의 손녀이다. 부마 역시

320 劉謙, 「遼寧錦州市張扛村遼墓發掘報告」, 『考古』(1984年 11期), pp.990~1002.

『遼史』에 기록은 없으나, 황후의 형제로 묘지에 기록되어 있다. 이 묘는 요의 황족 묘 중 가장 완전하고 풍부한 출토유물이 특징이다. 또한 진귀한 재료를 이용해 다양한 공예품을 제작해 부장해 당시 공예품 제작기술이 상당했음을 알 수 있다. 이 묘에서 발견된 金花銀枕, 金銀冠, 金面具, 銀絲로 이루어진 埋葬服飾 등은 요 황족의 묘장풍습을 잘 보여준다.[321] 이 묘에서 출토된 동경은 은도금이 된 동경으로 원형의 소문경이다. 화려한 공예품으로 이루어진 부장품에서 거울은 문양이 없는 단순한 형태인 점이 독특하나, 동으로 제작한 동경에 은으로 도금을 하여 잘 비춰지도록 했다. 이 동경은 요대 일반적인 예로 볼 수는 없으나, 요대 황실 묘에서도 동경을 부장품으로 사용했음을 알 수 있는 예이다.

遼寧省 建平, 新民縣 遼墓는 建平縣과 新民縣 두 곳에 위치한 3기의 요대 묘로 그 중 建平張家营子遼墓에 많은 부장품과 동경이 출토되었으며, 新民巴圖营子遼墓에서도 동경 1점이 출토되었다. 이들 묘는 묘지나 기년명 유물이 발견되지 않아 조성연대를 알 수가 없다. 다만, 묘장형식과 유물 등을 비교했을 때, 초기 분묘보다 늦은 형식으로 보여, 중기 분묘로 추정할 수 있다. 建平張家营子遼墓에는 많은 부장품과 섬세하게 제작된 공예품이 출토되어 피장자의 신분이 요대 통치계층으로 귀족층으로 추정된다. 발견된 유물은 요대 대표적 도자기인 계관호가 있으며, 景德鎭 청백자가 발견되어 당시 중원과의 문화적 교류가 있었음을 알 수 있다. 이 묘에서는 金銅面具와 金耳飾(圖150), 打出金銀冠(圖151) 등 당시 요대 금속공예 수준이 높았음을 알 수 있는 유물도 발견되었다.[322]

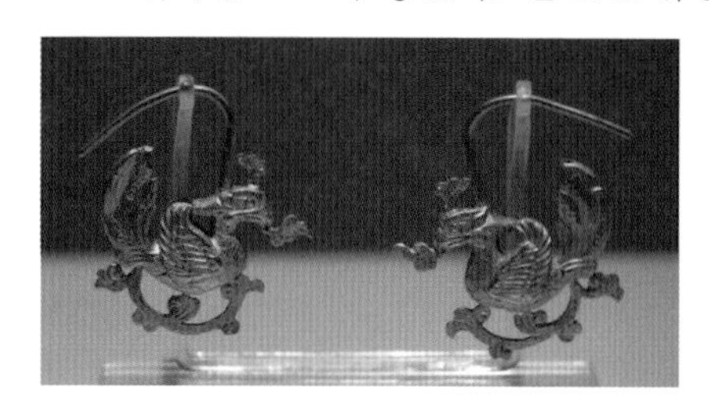

**圖150. 金耳飾, 遼, 高5.6cm,
中國 遼寧省博物館, 建平張家营子墓 出土**

321 內蒙古文物考古研究所, 「遼陳國公主駙馬合葬墓發掘簡報」, 『文物』(1987年 11期), pp.4~24.
322 馮永謙, 「遼寧省建平,新民的三座遼墓」, 『考古』(1960年 2期), pp.15~24.

圖151. 打出金銀冠, 遼, 高 19.0cm, 中國 遼寧省博物館, 建平張家营子墓 出土

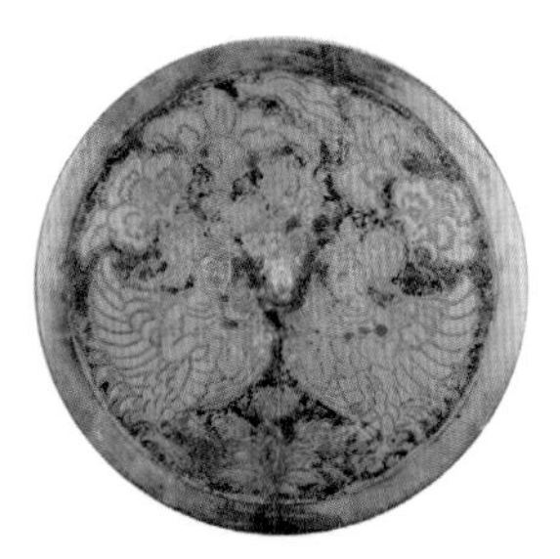

圖152. 迦陵頻迦紋鏡, 遼, 徑 22.8cm, 中國 遼寧省博物館, 建平張家营子墓 出土

圖153. 四像龜背連球紋鏡, 遼, 徑15.0cm, 中國 遼寧省博物館, 中國 建平張家营子墓 出土

建平張家营子遼墓에서 출토된 동경은 纏枝牡丹紋鏡, 迦陵頻伽紋鏡(圖152), 四像龜背連球紋鏡(圖153) 4점으로 총 6점이 있다. 이중 주목되는 것은 가릉빈가문경으로 불교적 도상인 가릉빈가를 양각 선으로 표현했으며, 그 주변은 흑칠을 하여 문양이 잘 드러나도록 표현했다. 이 시기 불교가 성행함에 따라 동경에 독특한 도상의 불교적 주제가 나타나는 것도 특징이다.

이 시기 묘실에 동경이 많이 발견된 것은 묘실 내에 동경을 걸어두었기 때문이며, 이는 당시 불탑에 동경을 매달아 놓는 것과 같이 불교와 관련 있는 것으로 생각된다. 가릉빈가문경을 묘실 천장에 매달아 놓고, 4점의 동경을 방의 모서리에 각각 매달았던 것으로 추정하며, 모란문경은 피장자의 신체 근처에 놓았던 것으로 보인다.[323] 이는 동경이 빛을 비추어 밝게 빛남으로써 악한 기운을 쫓아버리고, 보호해준다는 벽사의 의미로 불탑 역시 이러한 이유로 많은 동경을 탑에 매달았다.

圖154. 四龍折枝花紋鏡, 遼, 徑18.7cm, 中國 遼寧省博物館, 中國 新民巴圖营子墓 出土

新民巴圖营子遼墓에서는 연주문 계권을 중심으로

323 馮永謙, 앞의 논문, p.18.

내구에는 4마리의 용이 있고, 외구에는 折枝花紋으로 구성된 四龍折枝花紋鏡(圖154)이 출토되었다. 요대 중기에는 요대 대표적인 동경인 용문경 제작이 활발해지며, 특히 쌍룡문경의 제작이 성행한다. 이러한 측면에서 이 동경은 용문경의 유행이 절정일 시기에 제작된 동경으로 四瑞獸紋鏡과 같은 문양배치이지만, 외구에 화려한 절지화문을 배치해 새로운 표현을 시도했다.

만기에는 이전 시기에 비해 다양한 동경 제작이 감소하고, 문양도 단순해지는 경향으로 변화한다. 그리고 거란문자를 문양으로 표현한 동경 등 銘文鏡이 제작되기 시작한다. 하지만 많은 분묘에서 소문경이 출토되는 점으로 보아, 만기에는 문양이 없는 소문경 제작이 증가해 동경이 갖는 문양적 발전은 쇠퇴했다.

만기의 대표적 분묘는 河北省 張家口市 宣化區下八里村 遼墓로 이 墓群은 張世卿과 韓師訓 양 가문의 가족묘지이다. 주로 장씨 가문 위주로 조성된 묘군은 촌의 동쪽은 장씨 가문, 서쪽은 한씨 가문의 묘가 위치해 있다. 발굴된 묘는 대략 10기 정도이며, 이 중 한사훈 묘를 제외하면 모두 장씨 가문의 묘이며, 이중 동경이 출토된 묘는 장씨 묘 4기, 한씨 묘 1기이다. 발굴된 묘 중 가장 연대가 올라가는 것은 張匡正과 張文藻의 묘로 장광정은 淸寧4년(1058)에 사망하여 大安9년(1093) 묘장했으며, 장문조는 咸雍10년(1074)에 사망하여 大安9년(1093)에 묘장했다. 이후 張世本(1093), 張恭誘(1117)의 순으로 묘장되었으며, 한사훈의 묘는 天慶元年(1111) 묘장되었다.[324] 따라서 이 묘들은 11세기~12세기에 걸쳐 묘장되었으며, 요대 만기에 해당하는 시기임을 알 수 있어, 이 묘에 부장된 동경의 사용시기를 알 수 있다.

장문조의 묘에는 渦旋紋鏡(圖155), 鳳雁雲紋鏡(圖156), 素紋鏡 2점이 출토되었으며, 장세본의 묘에서 花草人物紋鏡, 牡丹紋鏡이 출토되었다. 그 외 장광정, 장

---

324 張家口市宣化區文物保管所, 「河北宣化下八里遼韓師訓墓」, 『文物』(1992年 6期), pp.1~11 ; 陶宗冶, 「河北宣化下八里遼金壁畫墓」, 『文物』(1990年 10期), pp.1~19 ; 河北省文物研究所 外, 「宣化遼代壁画墓群」, 『文物春秋』(1995年 2期), p16 ; 河北省文物研究所 外, 「河北宣化遼張文藻壁画墓發掘簡報」, 『文物, 』(1996年 9期), pp.14~46.

圖155. 渦旋紋鏡, 遼, 徑 13.2cm, 中國 宣化區下八里 村 張文藻墓 出土

圖156. 鳳雁雲紋鏡, 遼, 徑 13.3cm, 中國 宣化區下八里 村 張文藻墓 出土

圖157. '天慶十年'銘鏡, 遼, 徑 18.0cm, 中國 吉林省 遼源市 小城子古城 出土

공유, 한사훈의 묘에서는 소문경이 발견되었다. 장문조의 묘에서 출토된 동경 중 와선문경은 뉴를 중심으로 곡선이 반복되는 문양이 표현되어 있는데, 이러한 문양은 요대 동경에 많이 보이는 특징으로 이 동경에 대해 국화문, 연화문으로 보기도 한다. 또한 장세본 묘에서 출토된 모란문경은 중기부터 성행한 동경류로 모란문경은 원래 송에서 크게 성행했던 동경으로 송의 동경을 요에서 수용하면서 모란문경이 나타난 것으로 보기도 한다.[325]

그 외, 吉林省 遼源市 小城子古城에서 발견된 동경(圖157)이 있다. 이 동경에는 '天慶十年五月記'라는 명문과 '高ㅁ'의 명문이 있다.[326] 천경은 요대 마지막 연호로 천경10년은 1120년에 해당해 이 동경은 요대 말기에 제작된 동경이다. 이 동경에는 '험기'가 있어, 금대에도 사용된 것으로 보인다.

이상, 요대 기년명이 있는 분묘에서 출토된 동경을 시기별로 구분해 살펴보았으며, 각 시기별 부장품으로 사용된 동경이 달랐음을 알 수 있었다. 초기, 중기, 만기를 거치는 동안 요대 동경은 당대 동경을 도입하여 자신들만의 동경을 제작하고자 했으며, 이는 나라가 강성해진 중기에 빛을 발하게 된다. 그리고 만기에는

---

325 柳淑娟, 앞의 책, p.185.

326 唐洪源, 「吉林省遼源市出土一面遼代銅鏡」, 『文物』(1983年 8期), p.76.

이전 시기 화려하게 제작되던 동경들과는 달리 글자를 넣거나, 문양이 없는 간단한 형식의 동경을 제작하는 변화를 보인다. 이는 불교의 영향으로 만기 분묘의 형식도 단순화되고 불교식 묘장이 도입된 결과로 생각된다. 또한 국운이 쇠락하는 가운데 이전과 같이 화려한 동경 제작도 힘들었을 것으로 판단된다.

表 39. 遼代 銅鏡 編年 區分

시기구분		특징
I	導入期 (916~983)	초기 요대 동경은 당대 동경과 함께 병행하여 발전했으나 그 수량이 많지는 않다. 대부분 귀족계층 무덤에서 동경이 출토됨에 따라 당시 동경의 사용계층을 알 수 있으며, 생전 사용하던 거울을 부장품으로 넣은 것으로 보인다. 이 시기 성행한 동경류는 칠보문경(連球龜背紋鏡),과 화문경(分花式鏡)으로 두 문양은 시기별 변화는 있으나, 요대 말기까지 꾸준히 성행했다.
II	全盛期 (983~1055)	중기에는 당대 동경의 비중이 감소하면서 독자적 발전이 이루어지며, 귀족에 한정되던 부장품인 동경이 평민묘에 까지 부장된다. 이전 시기 성행한 칠보문경은 더욱 유행했으며, 화문경은 모란문경을 중심으로 발전했다. 또한 이 시기에는 많은 수량의 용문경과 봉황문경이 제작되었다.
III	衰退期 (1055~1125)	동경은 II기보다 적은 수량이 제작되었으며, 동경 질도 하락했다. 이 시기에는 요의 특색이 보이는 팔각형의 경형이 출현했으며, 이 동경에 거란문이 조출되었다. 이 시기에는 重圈紋鏡, 명문경, 소문경의 수량이 대폭 증가한다.

(表39)는 앞서 살펴본 요대 동경의 시대별 특징을 간략히 정리한 것이며, 시기구분은 분묘와 비슷하게 나누어짐을 알 수 있다. I기 도입기는 당대 동경이 여전히 사용되었으며, 요대 동경이라 할 수 있는 예도 거의 없어, 당대 동경을 토대로 요대 동경으로 변해 가기 위한 준비기이다. 이 시기 대표적인 분묘로 耶律羽遼墓에서 해수포도문경과 반룡문경이 출토되었다. 이 동경들은 당대에 크게 성행했던 동경이라는 점에서 I기 의 특징을 보여준다. 한편, I기에 속하는 赤峯縣大營 駙馬贈衛國王夫婦合葬墓에서는 요대 성행한 사접구배문경, 사접연구문경 등이 출토되어 당대 동경만을 계속 추구한 것은 아님을 알 수 있었다. 이러한 자기만의 동경 제작의 노력은 II기에서 본격화 된다.

II기는 요나라 전 시기 중 가장 번성한 때로 문화, 경제, 정치 모든 방면에서 성장한다. 이는 근접 국가와의 끊임없는 교역으로 인한 문화적 확대와 영토확장을 통한 강력한 통치를 기반으로 한 결과였다. 이 시기 귀족에 한정되던 부장품인 동경이 평민묘까지 확장되었으며, 귀족들의 묘에 부장되던 동경은 더욱 비싼 재료 혹은 뛰어난 기법으로 제작되었다. 또한 이전 시기 성행한 칠보문경인 사접연구문경은 꾸준히 성행했으며, 모란문경이 송에서 유입되어 제작되기 시작한다. 이 시기 대표적 분묘인 陳國公主與駙馬合葬墓에서는 은으로 도금한 소문경이 출토되었으며, 建平張家营子遼墓에서는 모란문경, 가릉빈가문경 등이 출토되어 이 시기 다양한 주제가 동경의 문양으로 표현되었음을 알 수 있다.

Ⅲ기는 이전 시기 다양하게 전개되던 동경 제작이 감소하고, 동경의 질이나 문양구성이 쇠퇴하는 경향을 보인다. 이는 요대 말기 잦은 전쟁으로 양질의 동경을 생산할 상황이 아니었으며, 이 시기 분묘들도 불교식 묘장법을 수용함에 따라 단순화되어 부장품의 양이 줄어들게 된다. 이에 이전 시기보다 동경의 수요가 감소했을 것으로 보여 문양에 신경 쓰기 보다는 실용적으로 명문을 기입하는 등 제작양상이 변화하게 된다. 이러한 와중에도 새로운 경향의 동경이 등장하기도 한다. 거란문자로 명문을 주출한 팔각형 동경으로 그 수량은 많지 않다. 또한 소문경의 사용이 증가했던 시기이도 하다. 이 시기 대표적 분묘인 河北省 張家口市 宣化區 下八里村 遼墓에서 장씨 가문의 묘에서 소문경이 다수 출토되어 요대 말기 소문경 사용의 일면을 살펴볼 수 있었다.

3) 金代 銅鏡 編年

금대는 당대 동경처럼 고부조의 양질의 동경이나, 송대 동경과 같이 섬세한 표현이 엿보이는 동경의 생산과는 거리가 멀었으며, 당시 동금정책으로 동경제작에도 제한이 있었다. 그럼에도 불구하고 금대에는 이전 시기보다 동경 제작에 대해 적극적이었으며, 그 종류도 다양하다. 금대 동경으로 특정지을 수 있는 요소는 방고경의 제작, 험기, 인물고사문경의 성행 등이 있다. 이에 금대 동경은 이러한 특징을 중심으로 편년을 검토해보고자 한다.[327] 편년의 기준은 금대 분묘에서 출토된 동경을 토대로 했으며, 시기를 알 수 있는 분묘의 경우 출토 유물을 기준으로 분묘 조성시기를 추정했다.

表 40. 金代 時期別 代表的 墳墓와 出土 銅鏡

시기	출토지	동경종류
I	河南新鄕市宋金墓	瑞獸紋鏡
	河南林縣金墓(1143)	鐘形鏡
II	北京市海淀區南辛莊金墓(1153~1160)	'卍'字文鏡
	山西汾陽金墓(1156~1161)	蓮菊花紋鏡
		七寶紋鏡
		素紋鏡
		菊瓣牡丹紋鏡
	鶴壁市東頭村金墓(1158~1178)	摩竭魚紋鏡
	河北崇禮縣水晶屯金墓(1173)	雁蝶紋鏡
	吉林鎭賚縣黃家圍子遺址金墓(금대 중기)	仙人鶴鹿同春柄鏡
		素紋鏡
III	沈陽市小北街金代墓(1161~1189)	龍虎紋鏡
	大同金代閻德源墓(1190)	海獸葡萄紋鏡
		素紋鏡
	侯馬102號金墓(1196)	八卦紋鏡
		花瓣牡丹紋鏡
	山西孝義下吐京和梁家莊金墓(1197)	雙龍紋鏡
	山东滕縣金苏瑀墓(1198)	海獸葡萄紋鏡
		雙龍紋鏡
	河南修武縣大位村金墓(1199~1202)	纏枝牡丹紋鏡
	河北省遷安市開發區金代墓(1161~1208)	瑞獸紋鏡
		仕女紋鏡
	山西襄汾縣金墓(1204 下限)	纏枝花卉紋鏡

327 금대 묘장에 대한 연구인「金代墓葬硏究」에서 출토 동경에 대한 시기구분을 시도했다. 본 논문은 이러한 시기구분을 토대로 금대 출토 동경을 살펴보았으며, 그 중 시기성이 명확한 예를 정리했다. 趙永軍,「金代墓葬硏究」(吉林大學 博士學位論文, 2010)

(表40)은 금대 분묘에서 출토된 동경을 3기로 나누어 정리했으며, 시기구분은 분묘의 조성시기와 동경의 시기성 등을 고려했다. 먼저, Ⅰ기는 중국의 당, 송, 요 등의 경향을 갖은 동경이 많아, 금대 동경으로 발전하기 위한 도입기에 해당한다. 河南新鄉市宋金墓의 동경은 서수를 표현한 동경으로 외구에 일주하는 문양구성은 한경을 모방했음을 알 수 있다. 또한 서수의 표현 역시 한대부터 성행했다는 점에서 이 무덤의 동경은 연부의 넓이나, 문양의 구성 등에서 한경과의 차이가 확연해 고대 동경을 모방한 방고경으로 생각된다.[328] 또한 河南林縣金墓에서는 종형경이 발견되었다.[329] 이 역시 Ⅰ기인 금대 동경의 초기 양상을 보여주는 것으로 송대 유행한 종형경이 이 시기 발견되었다는 점에서 남송대 동경이 금대에 전해져 부장품으로 사용되었음을 알 수 있다. Ⅰ기에 속하는 예가 많지는 않으나, 출토된 대부분은 이전 시기 제작되거나 사용된 동경류로 금대 동경이라 볼 수 있는 경우는 드물다.

Ⅱ기에는 Ⅰ기에 비해 동경이 부장된 예가 많으며, 금대 동경으로써의 특징이 드러나기 시작한다. 이 시기 분묘 출토 동경은 국화문경, 마갈어문경, 仙人龜鹿同春柄鏡 등에서 금대의 특징을 살펴볼 수 있다. 또한 동경의 연부나 문양 면에 험기가 새겨진 예가 많아져, 이 시기에 동금정책으로 인한 동경 검수가 제도적으로 이루어지고 있음을 알 수 있다.

北京市 海淀區南辛莊金墓는 묘지 내용을 통해 貞元年間(1153~1156)과 正隆年間(1156~1161) 사이에 제작되었음을 알 수 있다.[330] 이 묘에서는 '卍'字紋鏡이 출토되었는데, 당, 송대 '만'자문경과 달리 원형경의 이중권 안에 '卍'자가 있으며, 글자 가운데 뉴가 위치해 있다.

328 張新斌, 「河南新鄉市宋金墓」. 『考古』(1996年 1期), pp.61~64.

329 張增午, 「河南林縣金墓清理簡報」. 『華夏考古』(1998年 2期), pp.35~53.

330 北京市海淀區文化文物局, 「北京市海淀區南辛莊金墓清理簡報」, 『文物』(1988年 7期), pp.56~66.

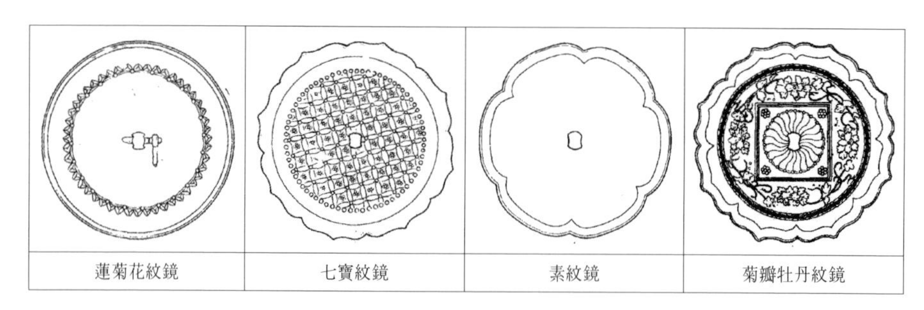

插圖 70. 山西汾陽金墓 出土 銅鏡 種類

山西汾陽金墓는 正隆年間에 조성된 것으로 추정되며, 이 분묘에서는 4점의 동경이 발견되어, Ⅱ기 분묘 중 가장 많은 동경이 매납되어 있었다. 이 동경들은 발견 당시 후벽, 묘 천장 등에 매달려 있어 송, 요대 분묘에 동경을 매달아 놓던 풍습이 이어졌던 것으로 보인다.[331] 이 묘에서 발견된 동경은 蓮菊花紋鏡, 七寶紋鏡, 素紋鏡, 菊瓣牡丹紋鏡으로 제각기 다른 문양을 갖고 있다(插圖70). 이 동경들 중에는 칠보문경이나 국판모란문경과 같이 요대 동경의 요소가 강한 종류도 있어, 초기 요대 동경에 영향을 받은 금대 동경의 경향은 남아 있음을 알 수 있다.

鶴壁市東頭村金墓 출토 동경은 용의 머리와 물고기의 머리인 문양이 구성되어 있다.[332] 이 문양에 대해 魚龍으로 보기도 하나, 금대 성행한 마갈어가 합당하다. 이 시기에는 불교 도상인 마갈어가 동경의 주문양으로 표현되기 시작하며, 1마리 혹은 2마리, 4마리가 등장한다. 또한 吉林鎭賚縣黄家圍子遺址金墓에서는 仙人鶴鹿同春紋이 표현된 병경이 출토되었다.[333] 선인과 학이 등장하는 이 문양구성은 송대부터 시작되지만, 금대 크게 성행했으며, 선인구학문 등 유사한 종류의 동경이 금대에 다수 존재한다. 이처럼 이 시기에는 금대 동경만의 문양구성이 이루어

---

331 山西省考古研究所 · 汾陽縣博物館, 「山西汾陽金墓發掘簡報」, 『文物』(1991年12期), p.31.

332 鶴壁市文物工作队, 「鶴壁市東頭村金墓發掘簡報」, 『中原文物』(1996年 3期), p.36.

333 吉林省文物考古研究所, 「吉林鎭賚縣黄家圍子遺址發掘簡報」, 『考古』(1988年 2期), pp.146~148.

지고, 인물고사문경도 비슷한 주제를 다양하게 표현하는 등 다채로운 변화를 추구 했다.

河北崇禮縣水晶屯金墓 출토 동경은 기러기와 나비 등이 원형경에 표현되어 있으며, 동경의 뒷면에 '□州官□' 4자의 험기가 있다. 이 동경은 묘지 내용을 통해 大定 3년(1173)에 사망했음을 알 수 있으며, 이 시기는 동금정책으로 험기가 동경에 새겨지던 시기이기도 하다.[334] 이에 이 동경은 피장자가 당시에 사용했던 동경임을 알 수 있으며, 금대 동경의 특징인 '험기'가 새겨진 기년명 동경의 대표적 예이다.

Ⅲ기에는 방고경인 해수포도문경과 서수문경의 제작이 많았으며, 이와 더불어 금대 특징이 두드러진 쌍룡문경이나 임녀문경 등도 제작되었다. 이는 이전 시기 방고경을 제작하던 경향이 이어진 것으로 생각된다.

大同金代閻德源墓는 묘지에 大定30년이라는 기록이 있어, 이 묘는 1190년에 조성되었음을 알 수 있다.[335] 이 묘에서는 출토된 동경 2점은 해수포도문경과 소문경이다. 두 동경 모두 당대부터 제작되던 동경들로 이 동경들은 당대 제작되었기 보다는 금대 방제한 동경들이다. 山東滕縣金苏瑀墓 출토 동경 역시 해수포도문경이 있으며, 이와 더불어 이 시기 성행한 쌍룡문경도 있어[336], 해수포도문경은 이 시기 제작된 방고경일 가능성이 높다.

山西襄汾縣金墓는 금대 말기 조성된 분묘로 이 묘에도 동경 1점이 출토되었다. 팔릉형에 부용화가 표현되어 있는 이 동경은 연부에 '泰和4年襄陵官匠', '襄陵縣驗

334 賀勇, 「河北崇禮縣水晶屯發現一座金代石函墓」, 『考古』(1994年 11期), pp.1050~1051.

335 금대 연호 중 대정연간은 1161~1189년으로 29년간이다. 연호가 바뀌어도 새로운 연호 대신 이전의 연호를 계속 사용하는 경우가 있어, 이 묘지의 대정30년도 이와 같은 사례로 생각된다. 따라서 대정30년은 명창 원년에 해당하며, 1190년이다. 大同市博物館, 「大同金代閻德源墓發掘簡報」, 『文物』(1978年 4期), p.6.

336 滕縣博物館, 「山東滕縣金苏瑀墓」, 『考古』(1984年 4期), p.349.

記官(花押)'의 명문이 있다.[337] 험기를 새긴 시기가 태화4년(1204)이기에 이 동경은 1204년 이전에 제작되었음을 알 수 있다. 송대 등장한 부용화문경은 금대에도 화훼문류로 많이 제작된 편이다. 화훼문경은 산서지역에서 많이 출토된다는 점에서 이 동경 역시 이러한 특징을 보여주는 예이다.

Ⅰ, Ⅱ, Ⅲ기로 나뉘는 금대 동경의 편년구분은 당시 분묘의 시기구분과 비슷해 분묘에 부장된 동경은 피장자가 사용하던 동경이거나 당시 제작된 것이었음을 알 수 있다. 명확한 시기를 알 수 있는 분묘의 예가 많지 않아, 당시 성행한 동경을 살펴보는 것에는 한계가 있으나, 금대 동경은 시기별 갖는 특징이 두드러지는 편이기에 이를 중심으로 정리했으며, 다음 (表41)과 같다.

表 41. 金代 銅鏡 編年 區分

시기구분		특징
Ⅰ	導入期 (1115~1152)	초기 동경은 요대 동경의 요소가 강하게 나타나는데, 이는 요대 동경 장인들의 영향으로 생각할 수 있다. 또한 당 · 송대 동경의 영향을 받은 동경류도 보여, 앞선 시기 제작된 동경을 답습하던 시기이기도 하다. 이 당시는 묘의 부장품에서 금대 특유의 동경이 보이지 않아, 이를 통해 금대의 전형적 동경이 아직 성립되기 전임을 알 수 있다.
Ⅱ	全盛期 (1153~1189)	금대 동경의 대표적 특징인 '험기'가 大定年間(1161~1189)시기에 등장한다. 험기는 동경의 제작시기를 파악할 수 있으며, 금대 동경의 제작 혹은 사용지를 알 수 있는 기록자료이다. 이 시기 대표적 문양은 마갈어문, 쌍어문, 동자문 등 다양하며, 제작양상은 지역별로 상이해 동경 제작이 지방에 까지 확산되어 개성적 표현이 이루어지기도 한 시기이다.
Ⅲ	成熟期와 衰退期 (1190~1234)	承安年間(1196~1200)에 해당하는 시기로 문양표현이 다양하고 금대 특징이 두드러진다. 금대 초기에 성행하던 동경도 꾸준히 제작되지만, 지역적 특징이 나타난다. 흑룡강 지역에서는 원형의 쌍어문경, 인물고사문경이 많으며, 상대적으로 정교하지 않다. 요녕성 지역에는 방한경, 산서지구는 화초류경 위주로 발견되어 선호하는 동경류가 지역별로 차이가 있음을 알 수 있으며, 이는 금대 다양한 문양의 동경이 제작되는 원인이 되기도 했다.

Ⅰ기는 송, 요대 동경의 영향을 받아 금대 동경으로 볼 수 있는 특징이 아직 형성되기 전이다. 이 시기에는 방고경과 송대 특수형인 종형경이 발견되기도 한 점

337 陶富海, 「山西襄汾縣的四座金元時期墓葬」, 『考古』(1988年 12期), p.1117.

이 이를 대변한다. Ⅱ기는 금대 동금정책으로 동경의 주조나 동경을 검수한 것을 기록한 험기가 제도적으로 확립된다. 이 시기 많은 동경의 연부, 동경 문양면, 배면 등 글을 새길 수 있는 곳에 선각으로 글을 새겨 넣었다. 또한 문양 면에서는 금대 대표적 문양인 쌍어문과 동자문이 동경의 주요 주제로 사용된다.

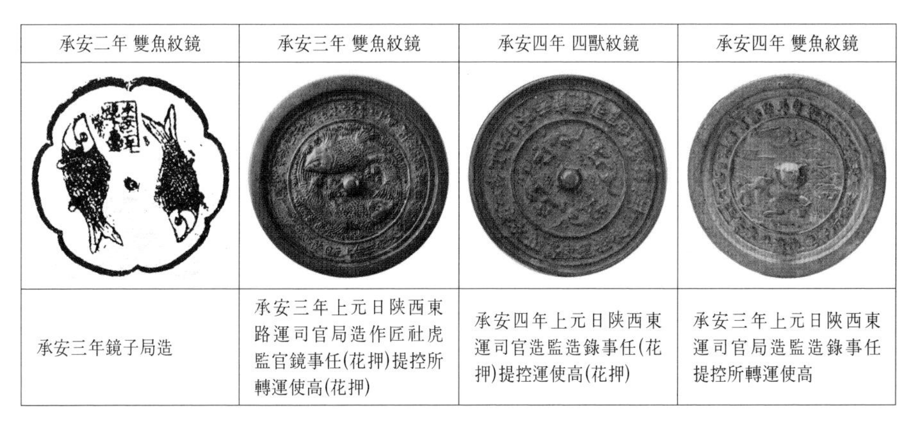

承安二年 雙魚紋鏡	承安三年 雙魚紋鏡	承安四年 四獸紋鏡	承安四年 雙魚紋鏡
承安三年鏡子局造	承安三年上元日陕西東路運司官局造作匠社虎監官鏡事任(花押)提控所轉運使高(花押)	承安四年上元日陕西東運司官造監造錄事任(花押)提控運使高(花押)	承安三年上元日陕西東運司官局造監造錄事任提控所轉運使高

插圖 71. 承安年間' 製作 銅鏡과 銘文內容

Ⅲ기에는 초기에 성행하던 동경들이 지속적으로 제작되면서도 같은 주제라도 문양구성이나 문양형태를 다르게 표현한 동경이 등장한다. 이는 동경을 제작한 지역적 차이로 볼 수 있으며, 그 대표적인 예로 '서우망월'문경이 있다. 이 동경은 섬서계와 길림계로 문양에 따라 나눌 수 있을 정도로 지역성이 뚜렷하게 드러난다.

그리고 Ⅲ기에는 동경의 연부를 따라 명문을 표기한 동경이 등장한다. 이 동경은 명창연간(1190~1196)과 승안연간(1196~1200)에 제작된 동경으로 당시 성행한 주제인 쌍어문경, 서수문경, '서우망월'문경 등에 주로 명문이 있다.

승안연간에 제작된 쌍어문경은 외구에 일주하는 명문대가 없고, 호주경과 같이 방형의 테두리 안에 '承安三年鏡子局造'라는 간략한 명문이 있다. 이에 반해 외구에 명문대가 있는 동경들은 承安3~4年 上元日 陝西東路에서 轉運使의 감독 하에 제작된 동경이라는 기록이 있다(插圖71). 내용 구성은 동경 표면에 새긴 '험기'와 유사하기에 이와 동일한 성격을 갖고있는 명문임을 알 수 있다. 명창 · 승안연간 동경은 금 章宗代 제작된 동경이라는 점에서 시기성을 갖고 있으며, 이 동경을 만든 것은 상원일과 같은 명절에 동경을 선물하기 위한 목적이었던 것으로 생각된다.

이같이 다양한 변화를 추구하며, 금대 사람들이 선호하는 쌍어문, 마갈어문, 쌍룡문 등을 동경에 표현했다. 하지만 衛紹王代 남하하기 시작한 몽골에 의해 금 내부 사정도 혼란스러워지기 시작했으며, 이러한 상황은 동경의 제작에도 영향을 미쳐, 1200년대 이후 분묘 출토 동경의 수량이 적어지는 것을 통해 간접적으로 알 수 있다.

2. 高麗銅鏡의 編年과 特徵

1) 동아시아 銅鏡의 傳來와 系譜

고려시대 동경은 10~14세기 존속한 중국 왕조에 따라 영향을 받았으며, 이는 송 · 요 · 금대 각 왕조별 특징이 두드러진 동경이 유입됨에 따라 이러한 동경을 宋系, 遼系, 金系로 나누어 살펴볼 수 있다. 각 계열은 문화적 차이에 따라 선호 주제, 문양표현 등에서 차이가 나며, 동일한 주제라고 하더라도 모방단계에서 나라별 변형 양상이 달라, 각 계열별 특징이 뚜렷한 편이다.

表 42. 系列別 銅鏡의 代表文樣

系列別 代表文樣
宋系-花紋, 龍紋, 鳳凰紋, 地域銘紋, 人物故事紋
遼系-七寶紋, 龜背紋, 連珠紋, 龍紋, 佛教題紋
金系-人物故事紋, 雙魚紋, 龍紋, 童子遊戲紋

송 · 요 · 금은 각 국가가 선호했던 문양을 동경에 다양하게 표현했으며, 용문, 화문과 같이 공통적으로 추구했던 문양도 있다. 다만, 동일한 주제의 문양을 선호했더라도 표현방법, 문양구성 등의 차이가 있어, 구별할 수 있다.

각 시기 성행하여 제작된 동경은 계열별로 (表42)와 같이 분류했다. 먼저, 송계는 북송과 남송시기로 구분하며, 북송시기에는 화려한 식물문과 칠보문 등이 주로 문양으로 사용되었다면, 남송대에는 북송대 동경발전을 기반으로 다양한 경형에 팔괘문, 인물고사문 등이 표현된다. 더욱이 남송대에는 지역명인 호주, 소주, 항주가 적혀 있는 상품경 제작이 성행했던 시기였다.

요계는 칠보문경과 연주문, 용문경이 대표적이다. 칠보문경의 제작은 전시기에 걸쳐 이루어져 요대 동경을 대표하는 문양 중 하나로 꼽을 수 있다. 또한 송대 동경에도 보이는 연주문은 요대 동경에서 문양을 표현하는 하나의 수단으로 사용하면서 단순한 점선의 나열에서 탈피한다. 이어지는 점선들이 화문 혹은 추상적 문양으로 완성되어 동경 배면을 가득 채우는 것이 특징이다. 요대 용문은 쌍룡으로 짝을 이루어 동경의 뉴를 중심으로 배치된다. 그리고 계권을 통해 외구에 운문을 장식했고, 이러한 경향은 고려 쌍룡문경에서도 찾아볼 수 있다.

금대는 송대 발전하기 시작한 인물고사문이 크게 성행했으며, 다양한 주제의 고사문경이 제작되었다. 금대에는 송대 인물고사문경을 토대로 변화시켜 제작한 경우가 많으며, 특히 지역별로 같은 주제를 다른 문양으로 만들기도 해 금계 인물고사문경은 같은 시기, 같은 주제라고 해도 변화를 주어 차별화시켰다. 이러한 인물고사문경 중 고려로 전래된 금계 동경으로 '서우망월'문경, '허유소부'문경, '황비창천'명경, '용수전각'문경 등이 있다. 또한 쌍어문경은 금대 사람들이 애호하던 문양으로 제작수량이 많은 편이며, 이 역시 다양한 도안을 바탕으로 만들어져 고려로 전래되었다. 그 외, 일상생활과 관련된 주제들이 각광 받으면서 아이들이 노는 모습을 표현한 동자유희문경과 같이 어린 아이들이 노는 장면을 표현한 동경 제재도 인기가 있었다.

表 43. 中國 宋・遼・金代 主要 銅鏡과 宋・遼・金系 銅鏡과의 比較

		中國 (宋・遼・金)	韓國 (宋・遼・金系)
宋系	花紋	 	 
	龍紋	 	
	鳳凰紋	 	 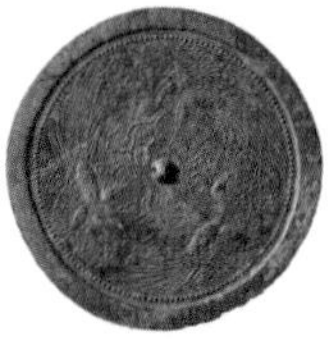
	地域銘紋	 	 
	人物故事紋	 	 
遼系	七寶・龜背紋	 	 

遼系
連珠紋
龍紋
佛敎題材紋
金系
人物
故事紋
雙魚紋
龍紋
童子遊戲紋

(表43)은 송 · 요 · 금대 동경과 고려에 들어온 송 · 요 · 금계 동경과의 비교이다. 동일한 문양, 형태로 된 예도 있고, 문양은 같으나 형태가 다르거나, 주제는 같으나 문양형태나 구성이 다른 경우도 있어, 이는 중국 원경에서 영향을 받을 수 있는 다양한 조건을 고려의 실정에 맞게 받아들였음을 알 수 있다. 하지만 중국에서 성행했다고 해도 고려에 유입된 동경의 수가 적은 경우가 있고, 중국에서 제작되었으나 고려에서 크게 성행해 제작된 동경류도 있다. 이러한 예는 송대 동경에서 형성되어 금대까지 이어진 동경류 중 인물고사문경에서 두드러지게 나타나는 특징이다. 이에 (表43)의 계열별 동경에 대해 송계 동경부터 살펴보고자 한다.

송대 동경 계열에 속하는 고려동경은 북송대의 화려한 화문과 봉황문이 주를 이룬다. 당대 동경에서부터 화려한 보상화문, 모란문, 연화문이 동경에 표현되면서 주요 문양으로 자리 잡았으며, 이러한 경향은 송으로 이어졌다. 자연물에 관심이 많았던 송 왕조의 황제들과 화가들은 산수화, 화훼화를 그렸으며, 이는 사회적 현상으로 확대되어 도자기의 대표적 문양으로 자리잡게 된다. 정요에서 생산된 백자에는 연판문, 국화문, 화훼문 완들이 제작되었다. 이러한 현상은 동경에도 영향을 끼쳤고, 오랜 기간 꽃과 함께 표현되던 당초문과 결합한 연화당초문, 모란당초문 등 문양이 동경의 제재로 표현된다. 이러한 동경 중 고려로 유입된 송계 동경은 寶花紋으로 불리는 화려한 꽃이 팔화형 혹은 아자형 형태에 화면 가득 표현된 예가 대표적이다. 남송대 들어온 송계 동경은 지역명경으로 호주, 소주, 항주 등지에서 생산된 상품경이다. 이 동경들은 중국에서 전래되었어도 소문경에 명문만 있는 구성이기에 이를 본떠 제작한 예는 많지 않다.

요계 동경은 요대 황제에 의해 불교가 숭앙되면서 동경에도 그 영향이 미쳐 가릉빈가문, 연화문과 같은 불교주제문경의 제작이 이루어졌다. 이 동경류는 고려로 많은 종류가 유입되지 않았던 것으로 보이며, 고려에 요대 동경으로 영향을 끼친 것은 칠보문경과 용문경이 대표적이다. 국내 요계 동경 중 칠보문경은 한 가지 유형이 크게 성행했던 것으로 보이며, 이러한 예는 지방 분묘에서 출토되는 사례가 많다. 칠보문과 함께 많이 등장하는 것은 龜背紋 혹은 龜甲紋이라는 문양으로 거북이 등껍질 모양과 유사해 붙은 이름이다. 요대에는 이 형태의 문양에 사각형의 테를 넣고 그 사방 모서리에 나비나 곤충을 표현한 동경이 제작되었다. 요계동경 중 구배사접문경이 있으며, 고려로 전래된 동경을 원본으로 답반한 경우가 많아 문양이 흐려 명확한 식별은 어려운 게 대부분이다.

요계 용문경은 요대 성행한 쌍룡문경을 위주로 전래되었다. 운문과 태극문, 쌍룡이 어우러진 이 동경은 요대에 많이 제작되었으며, 고려에 수용되어 고려에서도 많은 변화를 시도하며 제작되었다.

금대에는 앞서 언급했듯이 인물고사문경이 성행해 다양한 주제의 동경이 제작되었으며, 같은 주제라도 문양구성, 형태 등을 변화시켜 다양한 종류의 동경을 만들었다. 많은 종류의 인물고사문경이 제작되었으나, 고려로 전래된 금계 동경은 고려인들이 선호하는 이야기의 동경이 유입되었던 것으로 보인다. '허유소부'문경이나 '황비창천'명경같이 그 시작은 송대부터이지만 금대 크게 성행한 주제들이 고려에 전래 되었다. 또한 아이들이 노는 장면을 표현한 동자유희문경도 금대 성행했으며, 이 역시 고려로 전해졌다. 금대 동자유희문경은 뉴를 중심으로 2~4명의 동자들이 나뭇잎을 잡고 둘러 있는 모습으로 구성된 문양이 많다. 금계 동자유희문경은 대표적으로 화문의 뉴좌가 있는 동경 상단에 전각이 있고, 좌우에 파초가 있으며, 그 밑에 동자 4명이 놀이를 하는 모습이 담긴 동경과 두 명의 동자가 뉴를 중심으로 큰 나뭇잎을 가지고 어울려 노는 모습을 담은 두 종류의 동경이 있다. 그 외 금대 제작된 다양한 동자유희문경이 있겠지만 이 두 종류가 많이 남아 있는 편이며, 고려시대 지방에서 출토된 동자유희문경 중에는 중국에서 볼 수 없던 문양구성의 동경도 있어, 금계 동자유희문경은 고려로 전래되어 고려화 되었음을 알 수 있다.

고려시대 시기별 각 국가와의 교류를 통해 들어온 동경은 일상생활에 사용하기 위해 다양한 경로를 통해 많은 수량이 고려로 유입되었을 것이며, 현존하는 고려

동경의 수량이 이를 방증한다. 이로 인해 중국경과 고려경의 구분이 어려워 고려는 중국경에 의존해 동경의 자체 제작에 크게 힘을 쏟지 않은 것으로 생각할 수도 있다. 하지만 송 · 요 · 금대 대표적 동경을 분류하고 특징을 살펴봄으로써 고려로 전래된 동경이 각 나라별 계열에 따라 나뉨을 알 수 있다. 또한 각 계열에 속한 고려동경이 문양을 그대로 답습하지 않고 변화시키고자 한 면모도 전래된 동경을 계열별 비교해봄으로써 알 수 있었다. 이는 고려가 중국에서 전래된 동경을 유입하는 것에 그치지 않고, 고려 내에서 재생산 혹은 재창조하고자 했음을 알 수 있다.

2) 高麗銅鏡의 編年 檢討

고려시대 동경의 수요는 개성을 중심으로 이루어졌으며, 현재 가장 많이 출토된 지역도 개성이다. 하지만 북한지역이라는 한계로 인해 개성부근 출토 동경들은 정확한 출토상황을 알 수 없어, 동경 사용 혹은 제작시기에 대해 객관적 판단이 어려운 실정이다. 이로 인해 동경 연구자들은 북한을 제외한 지역에서 출토된 국내 동경을 중심으로 편년을 제시, 추정하고 있으며, 이는 국내 고려동경 연구가 반쪽만 이루어지는 한계이기도 하다. 본 연구 역시 이러한 한계점을 극복하지는 못했다. 다만, 기존 연구자들의 편년검토를 토대로 지역별, 시기별 동경의 종류와 특징에 대해 살펴보고, 이를 중국 동경과의 비교를 통해 그 계열성을 정리해보고자 한다.

〈表44〉는 고려동경이 출토된 유적들로 북한의 출토지가 명확한 예를 포함해 경기, 강원, 충청남 · 북도, 전라남 · 북도, 경상남 · 북도로 나누었으며, 각 지역을 대표하는 고려분묘, 사지 등 유적에서 출토된 동경을 정리했다. 정리 결과, 충청도와 경상도에서 많은 동경이 출토되었으며, 이에 반해, 강원도와 전라도는 그 예가 적은 편이다. 이는 당시 중국과의 교역로와 국내의 유통경로 등에 의한 결과인지 혹은 당시 고려의 사회적 상황에 따른 차이인지에 대해서는 추후 연구가 필요한 실정이다.

表 44. 高麗時代 遺蹟 出土 銅鏡을 통한 編年 檢討[338]

지역	유적명(출토지)	동경				추정시기
		출토위치	명칭	형태	크기(cm)	
북한	자강 희천시 서문동 유적	주거지	銅鏡		29.8	
		주거지	銅鏡		22.5	
		주거지	雙龍紋鏡	圓形	23.5	12C
	황해도 신천 운학리	사지	龍樹殿閣紋鏡	圓形	19.0	12~13C
경기	강화 옥림리 유적	4지점 13호	懸鏡	陽燧形	5.0	14C
	강화 창후리 유적	C-11호	方格蝶紋鏡	圓形	9.0	11~12C
	安山 大阜島 六谷 유적	15호	雙魚紋鏡		11.2	12C
	용인 마북리 유적	3호(토광)	素紋鏡	八花形	9.2	11~12C
		3호(석곽)	素紋鏡	八花形	9.0	12C
		A지구(고려)	素紋鏡	八花形	9.8	12C
		B지구(고려)	素紋鏡	八花形	10.3	12C
	용인 좌항리 유적	7호	七寶紋鏡	圓形	10.4	
		9호	瑞花雙鳥紋鏡	八陵形	10.2	11C
	평택 도일동 유적	13호	瑞花雙鳥紋鏡	五花形	11.5	12C
	평택 토진리 유적	3호	龍紋鏡		8.2	12C
		6호	動物紋鏡	圓形	8.2	12C
	화성 반송리 행장골 유적	4호	素紋鏡	八花形	9.7	11~12C
		5호	纏枝花紋鏡	八陵形	11.2	11~12C
		23호	雙龍紋鏡	圓形	23.2	12C
	화성 송라리 유적	1호	家常貴富銘鏡	圓形	16.2	14C
강원	평창 월정사 구층석탑	1층 탑신	雙龍紋鏡	圓形	19.4	11C
		1층 탑신	光流素月銘鏡	圓形	11.9	11C
		1층 탑신	波紋鏡	圓形	11.4	11C
		1층 탑신	素紋鏡	圓形	11.5	11C
	양양군 양양면 임천리	山3 발견	月宮故事紋鏡	八陵形	11.8	12C
충북	단양 현곡리 유적	6호	連珠紋鏡	八陵形	12.9	12C
		9호	七寶紋鏡	圓形	10.9	13C
		12호	素紋鏡	八花形	9.7	11C

338 (表44)의 유적은 고고학 분묘 출토 동경에 대해 연구한 남연의, 박미욱, 설지은, 안경숙, 이난영, 주영민 등의 연구에서 정리한 출토동경 편년을 참고하여 재구성했다.

충북	단양 현곡리 유적	24호	瑞花雙鳥紋鏡	八陵形	12.8	13C
		27호	素紋鏡	八花形	9.5	13C
		3호(토광)	素紋鏡	八陵形	15.8	13C
	영동 부용리 · 양정리 유적		佛教線刻紋鏡	圓形		12~13C
	영동 지봉리 유적	1지구 2호	素紋鏡	八花形	9.0	12C
	옥천 가풍리Ⅱ 유적	C-가지구3호	菊花紋鏡	圓形	11.0	13C
		C-나지구6호	素紋鏡	八花形	10.0	14C
	옥천 인정리 유적	3지점 8호	瑞獸紋鏡	圓形	9.2	12~13C
	옥천 옥각리 유적	101호	動物紋鏡		9.0	12~13C
		102호	瑞花雙鳥紋鏡	八陵形	13.4	13C 이후
	음성 양덕리	3-3지점 3호	寶花紋鏡	圓形		
		3-3지점 7호	瑞花雙鳥紋鏡	八陵形		12~13C
	진천 회죽리 유적 I	Ⅲ-4-2	懸鏡	方形		
		Ⅲ-4-6	瑞花雙鳥紋鏡	八陵形	12.7	12C
	청주 명암동 유적 I	4호	素紋鏡	八花形	10.8	
	청주 용암 유적	19호	七寶紋鏡	圓形	10.1	11~12C
		38호	童子殿閣紋鏡	圓形	4.7	12C
		46호	素紋鏡	圓形	10.5	12C
		55호	七寶紋鏡	圓形	23.0	11C
		57호	雙龍紋鏡	圓形	23.0	12C
		58호	素紋鏡	長方形	14.2×11.4	11~12C
		62호	瑞花雙鳥紋鏡	八陵形	12.5	12C
		89호	花紋鏡	圓形	9.7	11~12C
		90호	素紋鏡	圓形	10.6	11C
		96호	花鳥紋鏡	圓形	10.2	
		99호	瑞花雙鳥紋鏡	八陵形	12.1	11C
		111호	花紋鏡	圓形	14.3	12C
		130호	瑞花雙鳥紋鏡	八陵形	11.5	12C
		157호	花紋鏡	圓形	10.0	12C
		181호	花紋鏡	方形	10.0×10.0	12C
		207호	瑞花雙鳥紋鏡	五花形	8.4	12C
		2-16	雙鶴紋鏡	圓形	13.4	12C
		역대골 132호	煌丕昌天銘鏡	圓形	15.2	12C
		역대골 239호	瑞花雙鳥紋鏡	八陵形	10.3	12C

충북	청주 율량동 유적	역대골 256호	素紋鏡	八花形	10.6	12C
		주중동 I 46호	瑞花雙鳥紋鏡	五花形	11.0	12C
	청주 용정동 유적	II-126	懸鏡	陽燧形	6.0	14C
	충주 목행동 유적	A-1지점 2호	花紋鏡	五花形	10.5	12~13C
	충주 사미리 · 조천리 유적	1지구	菊花紋鏡	圓形	11.3	13C
	충주 중원군 누암리 유적	23-1호	菊花紋鏡	圓形	11.0	13C
	충주 호암동 유적	1-24호	瑞花雙鳥紋鏡	八陵形	10.0	12C 이전
		2-30호	瑞花雙鳥紋鏡	隅入方形	9.1	12C 이전
		2-59호	瑞花雙鳥紋鏡	五花形	10.5	12C
		2-85호	素紋鏡	圓形		12C 이전
	충주 단월동	8호	素紋鏡	方形	10.7×14.8	12C
충남	공주 금학동	5호	湖州銘鏡	六花形	5.2	11~12C
		8호	四乳鳥紋鏡	圓形	8.1	12C 중기
	공주 정지산 유적	19호	雙龍紋鏡片			12
	보령 구룡리 유적	2호	懸鏡	圓形	10.0	13C
	서천 추동리 유적 I	I 지역 F-6호	雙魚紋鏡	圓形	10.6	12C
		B-20	瑞花雙鳥紋鏡	八陵形	11.5	12C
	서천 추동리 유적III	8호	花鳥紋鏡		10.0	12C
	연기 연기리 유적	74-63호	梵字紋鏡	柄形	5.0	14C
	연기 갈운리 유적	52-1-1	瑞獸紋鏡	圓形	9.2	
		52-2-56	龍紋鏡	圓形	10.7	12~13C
		52-3-31	七寶紋鏡	圓形		12C
	대전 가오동 유적	2호	湖州銘鏡	八花形	18.8	12C 중기
	천안 장산리 유적	3호	瑞獸紋鏡		9.0	
	홍성 신경리	2호	瑞獸紋鏡		8.8	13C
전북	무주 유동리 유적		素紋鏡	方形	12.4	12C
	익산 광암리 유적	3구역 10호	七寶紋鏡	八花形	9.5	
		5구역 18호	動物紋鏡	圓形	8.4	15C
	진안 수천리 유적	9호	海獸葡萄紋鏡	圓形	5.5	12C
		19호	雙龍紋鏡	隅入方形	12.7	
전남	광양 마로산성 유적	건물지1-1 초석 측면	海獸葡萄紋鏡	圓形	9.1	10~11C
	광양 마로산성 유적	건물지1-1	七寶紋鏡	圓形	18.5	10~11C
		건물지2	寶相花紋鏡	圓形	16.1	10~11C
	보성 광곡리 유적	발견	雙龍紋鏡	圓形	17.0	12C

경북	경산 신대리 유적Ⅲ	205호	草花紋鏡	八花形	9.6	11~12C
	경산 임당 유적(Ⅰ)	A-99호	草花紋鏡		13.6	11C 이후
	경주 검단리 유적	7호	四乳鳥紋鏡			
		18호	瑞花雙鳥紋鏡	八陵形	13.6	12C
		36호	瑞花雙鳥紋鏡	八陵形	12.7	12C 후기
	경주 물천리 유적	Ⅱ-15	瑞花雙鳥紋鏡	圓形	13.0	12C
		Ⅱ-21	七寶紋鏡	圓形	10.7	12C
		Ⅱ-34	四乳方廓紋鏡	圓形	8.9	12C
		Ⅱ-40	七寶紋鏡	圓形	10.8	12~13C
		Ⅲ-11	素紋鏡	方形	11.5×11.5	11C 이후
		Ⅲ-15	草花紋鏡	圓形	13.9	12C
		Ⅲ-17	四乳鳥紋鏡	圓形	6.0	12C
	영주 금광리 유적	A2Ⅱ구간 제2단	佛敎線刻紋鏡	圓形	16.4	12C 이후
		A2Ⅱ구간 제2단배수로 2호	七寶紋鏡	圓形	10.0	12C 전기
		A2Ⅱ구간 제2단배수로 2호	瑞花雙鳥紋鏡	八陵形	13.0	12C 전기
	청도 대전리 유적	7호	瑞花雙鳥紋鏡	八陵形	11.3	12C 중엽
		14호	草花紋鏡	圓形	13.6	13C
		19호	雙龍紋鏡	圓形	23.3	12C
		21호	遊戱童子紋鏡	圓形	8.1	12C 중엽
		29호	四乳四鳥紋鏡	圓形	9.2	12~13C
		Ⅰ-99호	雙魚紋鏡	圓形	11.1	12C
경남	마산 진북리 유적	Ⅰ-22호	瑞花雙鳥紋鏡	八陵形	12.3	12C
	산청 평촌리 유적	Ⅱ-43호	四乳虺龍紋鏡		13.2	12C
	창녕 계성 유적	1호	七乳禽獸紋鏡		14.5	12C
	부산 덕천동 유적	1호	懸鏡	方形	10.0	11~12C
		6호	八卦紋鏡	柄形	8.3	12C
		16호	菊葡萄鳥紋鏡	圓形	11.2	12C
	울산 손골 유적	Ⅰ-가-79호	素紋鏡	八花形	10.1	
		Ⅰ-나-32호	雙龍紋鏡	圓形	21.4	12C 후기
	울산 손골 유적	Ⅰ-나-126호	唐草紋鏡	五花形	10.9	13C
		Ⅰ-나-306호	雙魚紋鏡	圓形	11.1	13C

고려시대 동경이 출토된 대표적 유적은 분묘로 부장품으로 매납된 동경들이 수습되면서 공반유물을 통해 분묘의 조성시기와 동경의 편년 등을 대략적으로 추정할 수 있다.

현재 北韓 慈江道 熙川市 西門洞 遺蹟에서 3점의 동경이 발굴되었으며, 그 중 쌍룡문경이 포함되어 있다. 뉴를 중심으로 두 용이 태극문형 보주를 향해 있는 모습으로 쌍룡문경 중에서도 가장 많은 유형이다. 동경들이 주거지에서 발견된 것으로 보아 실생활에서 사용했던 것으로 추정된다.[339]

(1) 경기도

表 45. 龍仁 麻北里 遺蹟 出土 銅鏡目錄

동경형태	출토위치	문양	크기(cm)	공반유물	출처
	3호 석곽묘	소문	9.0	청자접시, 청자대접, 토기병, 동곳	p.67 [사진17]
	3호 토광묘	소문	9.2	청동발, 청자대접, 청동숟가락, 동곳, 동전, 토기병, 유리구슬, 철제가위	p.63 [사진12]
	A지구 수습유물	소문	9.8		p.69 [사진19]
	B지구 수습유물	소문	10.3		p.71 [사진21]

339 이 외에 북한지역 출토 동경으로 국립중앙박물관 소장 개성부근 출토 동경들이 다수 존재한다. 하지만 이 동경들은 출토 위치가 명확하지 않아, 시기성을 알기 어렵다. 다만, 당시 수도인 개성에서 사용한 동경류를 파악하는데 중요한 자료라는 점에서 이 동경들에 대한 다각적 분석이 필요한 실정이며, 이에 대해 추후 연구분석하고자 한다. 개성부근 출토 동경은 안경숙의 연구에 정리되어 있어, 이를 참고할 수 있다. 안경숙, 앞의 논문, pp.24~42.

이 유적에서는 일상적인 생활용품들이 부장품으로 사용되어, 도자기, 청동발, 동곳, 청동숟가락, 동경, 유리옥, 철제가위 등이 출토되었으며, 출토자기의 편년에 따라 11세기가 중심연대로 추정된다.[340] 그리고 유적에서 출토된 동경은 모두 소문경으로 중국에서 소문경이 부장품으로 사용된 것은 11세기경이며, 원형, 방형의 경이 많다. 팔화형은 당대 동경에서 많이 보이는 형태이며, 소문경 중에 팔화형은 중국경에서 찾기 어렵다. 이 동경과 동일한 예로 청주 율량동 역대골 유적, 단양 현곡리 유적 등에서 찾을 수 있으며, 이 유적의 소문경은 대체로 11~12C로 시기설정되어 있어, 마북리 유적 동경도 이와 동일한 시기의 것으로 판단된다.

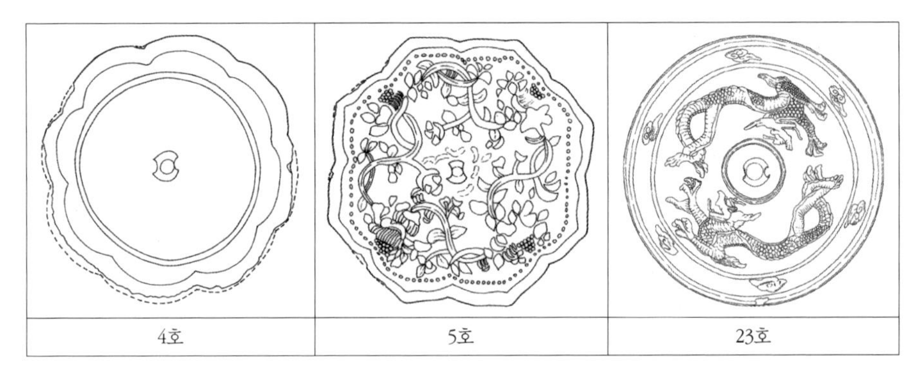

插圖 72. 華城 盤松里 행장골 遺蹟 出土 銅鏡 種類

화성 반송리 행장골 유적은 삼국시대 후기~고려시대의 석실묘 3기와 석곽묘 21기, 고려~조선시대 분묘 74기, 측구부탄요 3기 등 129기가 조사된 유적이다. 이 중 고려시대 유물은 석곽묘와 묘에서 출토되었으며, 그 종류는 자기, 청동기명, 관정, 구슬 등이 있다. 동경이 출토된 유구는 4호, 5호, 23호로 고려시대 묘이다(插圖72). 4호 묘는 동경과 元豐通寶, 가위, 관정이 출토되었으며, 5호 묘는 청동합, 동경, 숟가락, 동곳, 가위, 관정이 나왔고, 23호 묘에서는 청자접시, 도기 저부,

340 경기도박물관, 앞의 책, pp.51~52.

동경, 청동완, 동곳, 가위가 확인되었다.[341]

출토 동경을 살펴보면, 4호 묘는 소문경으로 연부가 부식으로 일부 손실되었으며, 형태는 용인 마북리 유적, 단양 현곡리 유적 소문경과 동일하다. 이 묘에서는 원풍통보(1068~1085)가 출토되어 상한을 11세기 중엽 이상으로 볼 수 없으며, 용인 마북리 유적 동경 역시 11~12세기의 편년으로 추정되어 이 동경 역시 이와 유사한 시기의 것으로 생각된다.

5호 묘의 전지화문경은 그 예가 많은 편은 아니다. 긴 가지가 얽히듯이 이어져 있으며, 그 사이마다 꽃과 잎이 표현되어 있다. 그리고 연부를 따라 점열문이 표현되어 있어 송 혹은 요대 동경의 특징을 갖고 있다. 23호 묘에서는 고려시대를 대표하는 쌍룡문경이 출토되었으며, 청주 용암 유적, 청도 대전리 유적에서 동일한 동경이 발견되었다. 쌍룡문경은 요대 계열 동경으로 요대 동경으로는 11세기 제작으로 추정되는 예도 있어, 이 시기 고려에도 전래되었을 것으로 생각되며, 지방 분묘에서 출토되는 동경들은 공반유물의 편년검토를 통해 대략 12세기로 추정한다.

(2) 강원도

강원도 지역은 평창 월정사 구층석탑에서 출토된 동경 4점이 있으며, 양양 임천리에서 월궁고사문경 1점이 발견되었다. 이들 동경들은 석탑의 조성시기와 동경문양을 통해 편년을 유출할 수 있다. 월정사 석탑 출토 동경은 앞서 살펴본 이 동경들의 특징들을 통해 요대 경향이 강한 동경들임을 제시했으며, 탑의 조성시기 11세기로 보아, 이 동경들 역시 이 시기로 볼 수 있다. 양양 임천리 발견 월궁고사문경(圖158)은 현

圖158. 月宮故事紋鏡, 高麗, 徑11.8cm, 국립중앙박물관 (신수1685)

341 畿甸文化財硏究院 · 韓國土地公社,『華城 盤松里 행장골 遺蹟』(2006), pp.255~261.

재 국립중앙박물관 소장되어 있다. 이 동경은 국내 월궁고사문계 동경으로 중국 송대 월궁고사문경과 유사한 문양구성이다. 나무를 중심으로 양측에 인물들이 배치되어 있고, 가운데에는 절구질을 하는 토끼가 있다. 송대 동경에는 다리와 전각 등이 있으나, 이 동경에는 다리의 표현이 약화되고, 전각문은 생략되었으며, 전각 위치에 산악표현이 있다. 이와같은 문양변화는 금대 동경에서 주로 보이는 요소라는 점에서 이 동경은 송대 월궁고사문경의 문양구성을 변화시킨 금대 동경으로 생각된다. 따라서 이 동경의 편년은 고려 월궁고사문경이 성행한 12세기로 추정할 수 있다.

(3) 충청북도

단양 현곡리 유적은 고려, 조선시대 분묘가 발견된 곳으로 고려시대 석곽묘 27기, 토광묘는 6기가 있으며, 이중 석곽묘 6, 7,12, 24, 27호와 토광묘 3호에서 동경이 출토되었다. 출토된 동경은 연주문경, 칠보문경, 소문경, 서화쌍조문경이 확인된다(表46). 6호에서는 연주문경이 출토되었는데, 공반유물인 청자대접편에서 보이는 모래 섞인 백색 내화토 받침자국이 남아 있어 제작시기를 12~13세기 전반으로 추정한다.[342] 9호분은 목관을 하관하고 사슴을 잡아 장례의식을 지냈던 것으로 추정된다. 사슴뼈가 유골 위, 발치부분에서 나왔으며, 이러한 장례의식은 4호분과 7호분에서도 찾아볼 수 있어, 고려시대 이 지역 장례풍습을 알 수 있는 자료이다.[343] 이 분묘에서는 청자앵무문발, 청자잔받침, 광구병, 철제가위 등이 출토되었으며, 칠보문경이 출토되었다. 24호 묘에서 출토된 동경은 서화쌍조문경으로 고려시대 분묘에서 가장 많이 출토되는 동경류이다. 팔릉형의 동경에는 계권으로 외, 내구로 구분되어 있으며, 원앙으로 보이는 새와 화문이 화려하게 표현되어 있

342 서울시립대박물관 · 한국도로공사, 앞의 책, p.33.
343 서울시립대박물관 · 한국도로공사, 위의 책, p.78.

다. 이 동경과 함께 출토된 청자발은 내화토 받침, 내저원각 등 특징으로 12세기 후반~13세기로 추정한다. 그리고 서화쌍조문경 역시 12세기~13세기에 주로 성행했던 것을 감안한다면, 이 분묘 출토 서화쌍조문경의 편년은 12세기 후반 이후로 생각된다.

表 46. 丹陽 玄谷里 遺蹟 出土 銅鏡目錄

동경형태	출토위치	문양	크기 (cm)	공반유물	출처
	널무덤 3호	소문	15.8	청자접시, 토기항아리, 청동합, 청동숟가락, 청동젓가락, 동곳, 철제가위, 철제집게, 구슬, 기타	p.199 [도면56]
	돌덧널 6호	연주문	12.9	청자대접편, 토기유병, 동곳, 철제가위	p.60 [도면11]
	돌덧널 9호	칠보문	10.9	청자음각앵무문발, 청자잔받침, 청자유병, 토기광구병, 철제가위, 목걸이 장식물, 기타	p.80 [도면17]
	돌덧널 12호	소문	9.7	토기병, 토기항아리, 청동합, 동곳, 청동칼, 기타	p.98 [도면23]
	돌덧널 24호	서화 쌍조문	12.8	청자발, 토기병, 동곳, 철제가위, 기타	p.164 [도면44]
	돌덧널 27호	소문	9.5	청자항아리, 청자발, 동곳, 청동손칼, 기타	p.180 [도면50]

表 47. 清州 龍岩 遺蹟 出土 銅鏡目錄

동경형태	출토위치		문양	크기 (cm)	공반유물	출처
	금천Ⅱ-1	토광묘 19호	칠보문	10.8	관정	p.49 [도면20]
		토광묘 38호	동자 전각문	10.1	철제가위, 관정	p.84 [도면40]
		토광묘 46호	소문	4.7	동곳, 빗, 동전, 청동편, 관정	p.97 [도면49]
		토광묘 55호	칠보문	10.5	청자유병, 청동발, 청동접시, 청동숟가락, 동곳, 동전, 철제가위, 관정	p.114 [도면59]
		토광묘 57호	쌍룡문	23.0	청동발, 청동접시, 은곳, 동전, 철제가위	p.122 [도면62]
		토광묘 58호	소문	14.2×11.4	청자접시, 청동발, 청동숟가락, 동곳	p.125 [도면63]
		토광묘 62호	서화 쌍조문	12.5	철제가위, 동전, 관정	p.86[344] [사진72]

344 韓國文化財保護財團 · 韓國土地公社, 『淸州 龍岩遺蹟(Ⅱ)-寫眞-』(韓國文化財保護財團, 2000), p.86.

	금천Ⅱ-1	토광묘 89호	화문	9.7	청자대접, 청동숟가락, 철제가위	p.183 [도면97]
		토광묘 90호	소문	10.6	청자대접, 청자유병, 청동숟가락	p.185 [도면98]
		토광묘 96호	화조문	10.2		p.197 [도면 105-②]
		토광묘 99호	서화 쌍조문	12.1	동곳, 관정	p.202 [도면108]
		토광묘 111호	화문	14.3	동곳, 동전, 관정	p.220 [도면121]
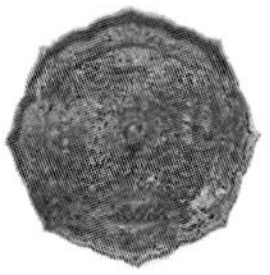		토광묘 130호	서화 쌍조문	11.5	도기유병, 관정	p.170[345] [사진156]
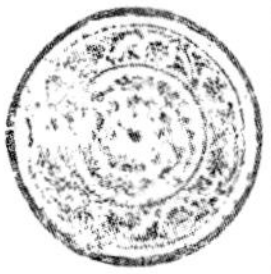		토광묘 157호	화문	10.0	철제가위, 관정	p.296 [도면168]
		토광묘 181호	화문	10.0	동곳, 청동령, 동전, 구슬	p.335 [도면194]

345 韓國文化財保護財團 · 韓國土地公社, 위의 책, p.170.

	금천II -1	토광묘 207호	서화 쌍조문	8.4	청자잔, 흑유병, 청동발, 청동접시, 청동숟가락, 동곳, 동전, 철제가위, 관정	p.375 [도면222]
	금천II -2	토광묘 16호	운학문	13.4	청자유병, 철제가위편	p.423 [도면256]
	지표		칠보문			p.456 [도면279]

청주 용암 유적은 청주시 금천동 일대로 고려시대~조선시대 분묘가 형성된 집단 분묘 유적이다.[346] 이 유적에서 동경이 확인된 분묘는 17기로 국내에서 가장 많은 동경이 출토된 유적이기도 하다. 많은 수량이 출토된 만큼 그 종류도 다양해 칠보문, 동자전각문경, 소문경, 쌍룡문경, 화문경, 서화쌍조문경 등 당시 분묘들에서 출토되는 동경류와 동일한 양상을 보인다(表47). 38호 묘에서는 동자전각문경이 출토되었다. 이 동경은 개성부근에서도 출토 예가 있으며, 지방에서는 용암 유적에서 발견되었다. 동자문은 12세기 금에서 유입된 주제로 대부분 꽃가지를 들고 노는 모습으로 표현되었으며, 도자기 역시 비슷한 문양표현이 보인다. 이런 측면에서 볼 때, 12세기 유입된 동자문경을 고려만의 문양구성으로 변화를 주어 제작하고자 했으며, 전각이 있는 이 같은 동경은 12세기 중엽에서 13세기 무렵에 제작된 것으로 추정된다.

쌍룡문경은 화성 반송리 유적, 연기 갈운리 유적 등에서 출토되었으며, 용암 유적 쌍룡문경은 海東通寶(1102)[347], 청동접시, '8'자형 가위 등과 함께 출토되어 12

346 총 260기의 토광묘가 조사되었으며, 주로 고려시대 분묘가 밀집하여 분포하고, 일부 조선시대 토광묘가 조사된 지역이다. 이 분묘 중 유물이 없어 정확한 시기를 판단하기 힘든 유구는 모두 98기이며, 관정만 출토된 분묘도 22기이다. 韓國文化財保護財團 · 韓國土地公社, 앞의 책, p.459.

347 이 유적 57호 분묘에서 발견된 동전 중 동국통보, 해동통보, 삼한통보는 고려 肅宗7년(1102)에 만

세기 전반~13세기 중반 이전에 매장되었음을 알 수 있다.[348]

청주 율량동 유적은 삼국시대부터 조선시대에 이르는 주거지, 건물지, 분묘 등 616기의 유구가 조사되었으며, 고려시대 분묘는 석곽묘 12기와 토광묘 40여기가 확인되었다. 동경은 역대골 132호, 239호, 256호, 주중동Ⅰ 46호의 4기 토광묘에서 출토되었다. 이중 역대골 132호에서는 황비창천명경과 동전이 출토되었다.

황비창천명경은 팔릉형경이 대다수이며, 원형경의 경우, 문양구성이 달라 차이가 있다. 이에 반해 역대골 황비창천명경은 팔릉형경의 문양구성을 갖춘 원형경으로 흔하지 않은 예이다. 이는 당시 성행한 팔릉형 황비창천명경을 원형으로 형태를 바꾸어 제작해 다른 형식의 동경을 제작하고자 했음을 알 수 있다. 이 동경은 분묘에서 崇寧重寶(1102-1106), 熙寧元寶(1068), 天聖元寶(1023)가 함께 발견되었다. 동전 중 숭녕중보가 가장 늦은 시기에 주조된 것으로 12세기 동전이다. 이에 이 동경은 12세기 중엽 이후 제작된 것으로 생각된다.[349]

(4) 충청남도

충청남도 서천 추동리 유적Ⅰ의 고려분묘는 석곽묘 17기와 토광묘 28기가 확인되었으며, F-60호, B-20호에서 동경이 출토되었다. F-60호 묘에서는 쌍어문경과 청자병, 청자항, 청동잔, 동전 등이 출토되었고, B-20호 묘에서는 서화쌍조문경, 청자철화문병, 청자유병, 청자발, 청동숟가락, 은곳 등이 출토되었다. 서화쌍조문경은 동경의 특징만 알아 볼 수 있을 정도의 편들로 남아 있다.

들어진 여러 화폐 중 하나로 이 시기에 화폐 유통에 적극적인 정책이 추진되었다. 『高麗史』「世家」 卷79 食貨2 貨幣에는 숙종 7년 12월 制書를 내려 화폐를 주조하는 법을 제정해 주조한 錢 15,000관을 재추와 문무양반 및 군인에게 나누어 하사하고, 錢文을 해동통보로할 것이라 한 내용이 있다. 이를 통해 1102년 이후 고려에서 제작된 동전유통이 시작되었다는 점에서 이 분묘 조성시기는 12세기를 상한으로 보아도 무방하다.

348 설지은, 앞의 논문, p.80.

349 최주연, 앞의 논문(2016), p.110.

F-60호 묘의 쌍어문경은 묵서가 있는 한지에 쌓인 상태로 출토되었으며, 동전 중 가장 늦은 시기는 숭녕중보(1102~1106)가 있다. 쌍어문경이 국내로 유입된 것은 12세기 무렵으로 추정할 수 있어, 이 분묘의 쌍어문경도 동전과 함께 생각해볼 때, 12세기 중엽으로 편년을 설정할 수 있다.

表 48. 忠州 虎岩洞 遺蹟 出土 銅鏡目錄

동경형태	출토위치	문양	크기(cm)	공반유물	출처
	1-24호	서화 쌍조문	10.0	철제가위	p.54 [그림33]
	2-30호	보상 당초문	9.1	청자대접, 동곳	p.132 [그림100]
	2-59호	서화 쌍조문	10.5	청자접시, 구슬	p.165 [그림130]
	2-85호	소문			p.200 [그림168]
	지표	서화 쌍조문	11.8		p.211 [그림174]
	지표	서화 쌍조문	11.0		p.281 [그림226]

충주 호암동 유적은 1차 발굴조사시 138기의 분묘를 확인했고, 2차 조사에서는 추가로 34기의 분묘를 발굴하여 모두 172기를 조사했다. 묘제상 목관묘는 158기이며, 석곽묘 5기, 회곽묘 9기이며, 이 유적 주요 묘제는 목관묘임을 알 수 있다.[350]

호암동 유적은 총 6점의 동경이 출토되었으며, (表48)로 정리했다. 발굴된 동경은 서화쌍조문경 4점, 소문경, 보상당초문경 각각 1점씩으로 이 유적에서도 서화쌍조문경이 많이 발견되었으며, 형태는 팔릉형과 오화형이다. 이 유적은 고려시대 부장품의 기본구성인 청자접시, 청동숟가락, 동곳 등이 함께 출토되고, 특히 충청도 지역 분묘에서 많이 출토되는 서화쌍조문경이 4점이 보여, 이 유적은 전형적인 고려시대 분묘의 특징을 보여준다.

(5) 전라남 · 북도

전라남 · 북도는 출토 예가 많지 않으나, 신라 말에서 고려 초기에 해당하는 유적인 광양 마로산성 유적에서 3점의 동경이 출토되었다. 방형의 해수포도문경과 칠보문경, 보상화문경이 발견되었는데, 이 중 해수포도문경은 당대 동경으로 추정했으며, 칠보문경은 송, 요대 성행한 문양으로 이 동경은 중국에서 제작되어 고려 초기인 10~11세기 초 전래된 것으로 보인다. 또한 보상화문경은 중국 당대 보상화문경과 유사한 문양이 표현되어 있으나, 화문 주변에 점열문이 있다. 이러한 점열문은 요대 유행하던 문양이라는 점에서 칠보문경과 보화문경은 송 혹은 요대에서 제작된 동경으로 10~11세기로 편년할 수 있다.

(6) 경상북도

경상도에서는 경상북도에 출토 유적이 많은 편이며, 특히 경주 지역에서 그 예가 많고, 분묘와 사지 등에서 출토되었다. 경주지역 대표적인 유적은 검단리 유적과

350 충주박물관, 앞의 책, p.283.

물천리 유적이 있다. 검단리 유적에서는 고려시대 목관묘 35기와 토광묘 12기가 확인되었고, 12세기 후기로 추정되는 목관묘에서 동경 3점이 출토되었다.[351] 7호 묘에서 출토된 사유조문경과 18, 36호 묘에서 출토된 서화쌍조문경이 있다(插圖73).

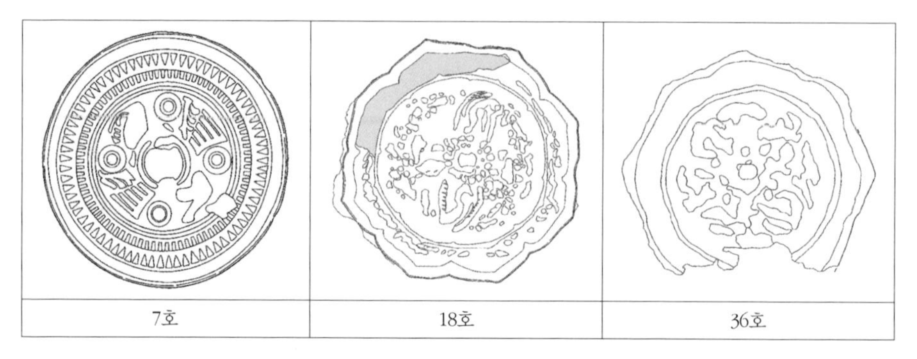

7호	18호	36호

插圖 73. 慶州 檢丹里 遺蹟 出土 銅鏡 種類

圖159. 四乳鳥紋鏡, 高麗, 徑 8.7cm 경북 검단리 유적 출토

7호 묘의 사유조문경(圖159)은 원형으로 계권에 구멍이 있으며, 뉴를 중심으로 조문과 사유가 배치되어 있다. 외구는 사각문과 삼각거치문이 일주하는 형식이다. 이와 같은 동경은 청도 대전리 유적 29호 묘와 경주 물천리 유적 17호 묘에서 보여, 당시 이러한 방한경이 경상북도 지역에서 제작되었던 것으로 보인다.

18호 묘는 유물 양단벽쪽에서 출토되었으며, 남단벽과 서장벽 모서리에서 청동병, 남단벽과 동장벽의 모서리에서 회청자대접이 출토되었고, 북단벽에서 약연이 출토되었다. 목관 내부의 북단벽에 은곳과 남단벽에 서화쌍조문경, 목제빗이 포개진 채 출토되었으며, 그 주변에 불명철기가 확인되었다.[352] 서화쌍조문경은 팔릉형으로 새 두 마리가 대칭으로 배치되어 있으며, 그 옆으로 서

351 주영민, 앞의 논문, p.141.

352 경상북도문화재연구원, 『慶州 檢丹里 遺蹟』(2007), pp.113~114.

화문이 있다. 전형적인 고려시대 서화쌍조문경으로 이 유적의 동경은 경주 물천리 유적 15호 묘 출토 동경과 동일한 문양을 갖고 있다.

表 49. 慶州 勿川里 遺蹟 出土 銅鏡目錄

동경형태	출토위치	문양	크기(cm)	공반유물	출처
	Ⅱ-15호	서화 쌍조문	13.0	병, 청자접시, 동전, 청동발, 은제 동곳, 철편	p.98 [도면48]
	Ⅱ-21호	칠보문	10.7	동곳, 청동도장, 철편	p.110 [도면53]
	Ⅱ-34호	사유 방곽문	8.9	동곳	p.131 [도면67]
	Ⅱ-40호	칠보문	10.8	병, 동곳, 청동문진	p.145 [도면75]
	Ⅲ-11호	소문	11.5×11.5	동곳, 장신구	p.174 [도면96]
	Ⅲ-15호	화문	13.9	동곳	p.179 [도면101]
	Ⅲ-17호	?	6.0	청자개	p.181 [도면103]

36호 묘는 녹유병, 서화쌍조문경, 곳, 청동완, 청동순가락, 청동대접, 청자상감국화문접시가 출토되었다.[353] 서화쌍조문경은 답반주조로 인해 주조상태가 좋지 않으며, 문양 식별이 어렵다.

경주 물천리 유적은 삼국시대~근대로 추정되는 분묘군이 확인되어 발굴조사의 필요성이 제기되어 시굴조사 이후, 발굴조사가 이루어졌다. 이 유적에서는 고려시대 석실묘 1기와 토광묘 73기, 화장묘 4기가 확인되었으며, 청자를 비롯한 토도류 36점, 금속류 381점, 기타 6점 등 총 420여점이 출토되었다.[354]

물천리 유적에서는 서화쌍조문경, 칠보문경, 사유방곽문경, 소문경, 초화문경, 사유조문경이 출토되었다(表49). 이 동경 중 사유조문경은 검단리 유적, 공주 금학동 고분군에서도 확인된다. 이 유적에서는 Ⅱ-15호, Ⅱ-21호와 Ⅲ-11호 묘에서 동전이 발견되었다.

表 50. 慶州 勿川里 遺蹟 出土 銅錢 種類(銅鏡 出土 墳墓)

유구	출토 동전
Ⅱ-15호	皇宋通寶(1039)
Ⅱ-21호	開元通寶(621), 宣化通寶(1119-1125), 崇寧重寶(1102-1106), 元豐通寶(1078-1085), 熙寧元寶(1068), 元祐通寶(1086-1093), 紹興元寶(1131-1162)
Ⅲ-11호	開元通寶(621), 元豐通寶(1078-1085), 祥符元(通)寶(추정), 熙寧元寶(추정)

(表50)은 물천리 유적 중 동경과 함께 출토된 동전들로 Ⅱ-21호 묘에서 다량 발굴되었다. 개원통보와 같은 당대 동전과 북송, 남송대 동전이 반출되었다. 이 중 가장 시기가 늦은 소흥원보는 1131~1162년에 사용된 동전으로 이 유적은 적어도 12세기를 기점으로 조성되었음을 알 수 있다. 또한 출토 동경 중 Ⅱ-15호, Ⅱ-21호의 서화쌍조문경과 칠보문경은 유사한 예가 12세기에 많으며, 특히 칠보문경은

353 경상북도문화재연구원, 위의 책, p.152.

354 성림문화재연구원, 앞의 책(2007), p.23.

연기 연기리 유적, 영주 금광리 유적 등과 동일한 형식이라는 점에서 이 동경들은 12세기에 사용되었던 것으로 추정할 수 있다.

圖160. 瑞花雙鳥紋鏡, 高麗, 徑13.0cm, 한국문물연구원

영주 금광리 유적은 지형과 유구 분포 성향에 따라 29개 구간으로 구분하여 발굴조사를 진행했으며, 모두 675기의 유구가 확인되었다. 이중 동경이 확인된 유구는 A2Ⅱ구간 제2단과 A2Ⅱ구간 제2단 배수로 2호에서 출토되었다. 출토 동경은 선각불상문경과 서화쌍조문경(圖160), 칠보문경(圖161)이며, 선각불상문경은 경자와 동반 출토되었다.

圖161. 七寶紋鏡, 高麗, 徑10.0cm, 한국문물연구원

선각불상문경은 고려 후기 불교의식을 위해 사용되던 종교용품으로 현재까지 출토지와 동반유물이 확인된 예는 3건이다.[355] 대부분의 선각경이 13세기 성행한 것으로 보고 있어, 금광리 선각불상문경 역시 이와 유사한 시기에 제작된 것으로 추정한다. 또한 칠보문경과 서화쌍조문경은 고려시대 지방 분묘에서 출토된 예가 많은 동경으로 이 동경류에 대한 편년은 대략 12~14세기까지 넓은 편이다. 이는 함께 출토되는 동반유물의 편년과의 비교를 통해 동경의 편년을 설정함으로써 생기는 결과이다. 이에 동경 자체를 보면, 10세기 만들어지기 시작한 것으로 추정하는 서화쌍조

355 영동 부용리 · 양정리 유적의 토광묘에서 원형의 동판에 연화좌 위에 아미타가 결가부좌한 모습이 표현되어 있는 선각불상문경이 발견되었다. 아미타가 새겨진 뒷면에서 선각으로 칠층탑이 새겨져 있다. 이 선각경과 함께 토기병, 청동발, 청동완, 철제가위 등이 출토되었다. 그리고 인화-강화 도로건설공사 매장문화재 발굴조사에서 출토된 선각불상문경이 있다. 이 선각문경은 동경 6점과 함께 출토되었으며, 아미타불과 다른 한 면에는 수월관음이 선각되어 있다. 중원문화재연구원, 『영동 부용리 · 양정리 유적』(2012), pp.291~292 ; 한국문물연구원, 앞의 책(5), p.146.

문경과 칠보문경이 지방으로 확산되면서 그 시기가 중앙인 개성보다 늦었던 것으로 보이며, 생활용품으로 사용하다 피장자의 사망 후 매납한 것을 감안한다면, 늦어도 12세기에는 이 동경이 전국으로 확산되어 사용되고, 부장품으로 매납되었을 것으로 판단된다.

表 51. 淸道 大田里 遺蹟 出土 銅鏡目錄

동경형태	출토위치	문양	크기(cm)	공반유물	출처
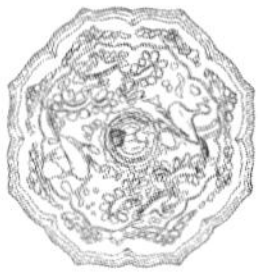	7호	서화 쌍조문	11.3	청자병, 청자유병, 청자접시, 청동숟가락, 청동젓가락, 청동발	p.53 [도면17]
	14호	화문	13.6	도기병, 도기소병, 청자대접, 청자접시, 청동숟가락, 동곳, 철편	p.71 [도면27]
	19호	쌍룡문	23.3	도기병, 도기옹, 청자대접, 청자접시, 청동숟가락, 철편	p.83 [도면34]
	21호	유희 동자문	8.1	청동숟가락, 청동발, 철편	p.92 [도면39]
	29호	사유 서조문	9.2	청동발, 청동접시, 동곳, 철제가위, 철편	p.111 [도면50]
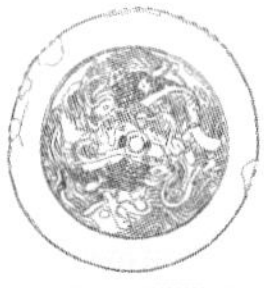	I-99호	쌍어문	11.1	청자분합, 흑유병, 철제가위, 청자완, 청동 시저, 청동발, 청자접시	p.263 [129]

청도 대전리 고려 · 조선묘군 유적 I 은 중칭산으로부터 남쪽으로 뻗어 내리는 능선 정상부와 남동사면 일대를 발굴조사했으며, 이 곳에서 삼국시대 석실묘2기와 고려시대 이후 토광묘 37기로 총 39기의 유구가 조사되었다.[356] 청도 대전리 고려 · 조선묘군 유적 II 은 조사 I 구역 A지구로 확인된 유구는 삼국시대 석실묘 3기와 고려시대 토광묘 150기, 조선시대 수혈 1기이다. 이 중 동경은 대전리 유적 I 에서 5점, 대전리 유적 II 에서 1점이 출토되었다. 이는 (表51)에서 확인할 수 있다.

청도 대전리 유적에서 출토된 동경은 서화쌍조문경, 화문경, 쌍룡문경, 동자유희문, 사유서조문경, 쌍어문경이 출토되었으며, 이 외 조선시대 병경 1점이 출토되었다. 고려시대 분묘에서 출토된 6점의 동경은 모두 도기병, 청자대접, 청자접시, 청동숟가락, 철제가위 등과 함께 발견되었다. 이 중 청주 용암 유적과 같이 청도 대전리 유적 21호분에서도 유희동자문경이 출토되었는데, 문양의 형태는 다르다.

또한 쌍어문경이 출토된 분묘는 대표적 공반유물인 청자완, 청자접시, 청자분합, 청동발, 청동匙箸, 동곳, 철제가위가 출토되었다. 대부분 분묘 유물구성이 자기, 도기, 동기류로 체계적으로 매납되는 양상을 보이기에 이 분묘는 그 체계성을 잘 따른 것으로 보인다. 하지만 매장유물은 피장자의 정치적, 경제적 지위와 관련하여 교구, 인장, 문진, 동전, 먹 등이 부장되고 그 지역의 매장풍습에 따라 바닥이나 요갱에 철편이나 철겸을 넣기도 해 기본 매장유물과 더불어 추가적 요소가 있다.[357]

(7) 경상남도

부산 덕천동 유적은 삼한, 고려, 조선시대 분묘가 출토되었으며, 그 중 고려시대 목관묘가 16기가 있으며, 동경이 출토된 분묘는 3기이다. 1호묘에서 방형경, 6

---

356 성림문화재연구원, 앞의 책(2008), p.140.

357 박미욱, 「고려분묘 출토 동경의 검토 - 경북지역 자료를 중심으로」, 『박물관연구논집』16(부산시립박물관, 2011), p.108.

호묘에서는 팔괘문경이 발견되었으며, 16호 묘에서는 국화문경이 출토되었다. 고려시대 분묘에서 출토된 동전 중 金의 正隆通寶(1156)을 참고하여 대략 11~12C에 목관묘가 축조된 것으로 추정한다.[358]

表 52. 龜浦 德川洞 遺蹟 중 1號 墓 出土 銅錢 種類[359]

유구	출토 동전
1호	開元通寶(621), 宋元通寶(960), 至道元寶(995), 咸平元寶(998), 景德元寶(1004), 祥符元寶(1008), 天福通寶(1017), 天聖元寶(1023), 皇宋通寶(1039), 治平元寶(1064), 熙寧元寶(1068), 元豐通寶(1078), 元符通寶(1098), 元封通寶(1098), 大觀通寶(1107), 正隆元寶(1156)

(表52)는 1호 묘에서 편년의 자료가 되는 동전이 1호에 대량 발견되었다. 이 묘에서 발견되 동전은 당 개원통보(621)을 비롯해 금 정륭통보(1156)까지 다양하게 있으며, 대부분 북송대 동전들이 출토 되었다. 이를 통해 앞서 언급한 것과 같이 이 유적의 고려 분묘들은 11~12세기에 제작된 것으로 보았다. 이에 분묘에서 출토된 동경을 통해 시기를 유추해보고자 한다.

圖162. 八卦紋鏡, 高麗, 徑10.1cm, 구포 덕천동 유적 출토

1호 방형경은 고려후기 성행한 선각불상문경과 같은 동판형으로 장방형 동판에 걸 수 있는 귀를 만들어 놓은 형태이다. 이와같은 선각불상문경은 12세기 말부터 제작되기 시작해 13~14세기에 밀교의식과 함께 성행했다는 점에서 이 동경 역시 13~14세기 제작으로 보는 것으 타당하다. 그리고 6호에는 청자류인 대접, 접시, 소합 등이 발견되었으며, 이와 함께 팔괘문경(圖162)이 출토되었다. 이 동경과 같은 예로 국립중앙박

358 東亞大學校博物館,『龜浦 德川洞 遺蹟』(2006), p.258.
359 東亞大學校博物館, 위의 책, p.58.

물관 소장 팔괘문경(덕수48)이 있으며, 원형의 경면 위에 고리가 있어 매달 수 있는 형식이다. 중국에는 이러한 형태의 동경은 거의 없어, 고려에서 유행한 동경류로 생각되며, 팔괘, 회문 등이 표현되어 있어, 도교 의식용으로 사용되었을 가능성도 있다. 중국에서 팔괘문경은 11세기 송대 제작이 활발해졌으며, 12세기 무렵 성행했다. 고려 역시 11세기경 팔괘문경 제작이 이루어졌을 것으로 보이며, 이와같은 형식의 현경으로 변화한 시기는 12세기 이후로 생각된다.

圖163. 菊葡萄鳥紋鏡, 高麗, 徑6.8cm, 구포 덕천동 유적 출토

16호 묘에서는 菊葡萄鳥紋鏡(圖163)은 이중권을 중심으로 외구와 내구로 나뉘며, 국화, 포도, 새가 표현되어 있다.[360] 포도문은 당대부터 성행한 문양으로 해수포도문경이 대표적이며, 포도만을 단독으로 구성한 동경도 당대 성행했다. 그리고 국화문은 금대 성행한 문양으로 12세기 보이기 시작해서 13세기 성행했으며, 고려 역시 13세기부터 국화문경이 보여, 14세기에 유행했다. 이러한 경향으로 볼 때, 이 동경은 13세기 무렵 제작된 것으로 추정된다. 따라서 구포 덕천동 유적 동경들은 12~13세기 무렵 제작된 동경으로 생각된다.

이상, 각 지역별 대표적 유적에서 출토된 동경을 살펴보았다. 경기도, 강원도, 충청도, 전라도, 경상도를 중심으로 유적에서 출토된 동경은 그 종류가 비슷한 양상을 보여, 다양한 동경이 전래되어 사용되던 개성과는 다른 모습을 볼 수 있다. (表53)은 각 지역별 출토 동경의 분류와 문양으로 지역별 동경을 대분류로 분류하여 출토된 동경의 문양을 정리했다.

---

360 보고서에는 조문을 동자문으로 판독하여, 이 동경을 동자문경으로 분류했다. 하지만 본 논문에서는 표현된 문양이 사람의 형상보다는 날개를 펼치고 있는 새나 나비로 보여, 이를 새문양으로 지칭하고자 한다.

表 53. 地域別 出土 銅鏡의 分類와 文樣

지역	분류	문양
경기도	動物文	瑞花雙鳥紋, 雙龍紋, 動物紋, 雙魚紋
	文字文	家常貴富紋
	幾何學文	七寶紋
	無文	素紋
강원도	動物文	雙龍紋
	文字文	光流素月紋
	人物故事文	月宮故事紋
	幾何學文	波紋
	無文	素紋
충청도	動物文	瑞花雙鳥紋, 動物紋, 雙龍紋, 雙鶴紋, 四乳鳥紋, 雙魚紋, 花鳥紋
	植物文	菊花紋, 寶花紋, 花紋
	人物故事文	童子殿閣紋, 煌丕昌天紋
	文字文	湖州銘紋, 梵字紋
	幾何學文	七寶紋, 連珠紋
	無文	素紋
전라도	動物文	海獸葡萄紋, 動物紋, 雙龍紋
	植物文	寶相花紋
	幾何學文	七寶紋
	無文	素紋
경상도	動物文	瑞花雙鳥紋, 四乳鳥紋, 雙龍紋, 雙魚紋, 七乳禽獸紋,
	植物文	草花紋, 菊花紋, 葡萄紋
	人物故事	遊戲童子紋
	佛敎題材	佛敎線刻紋
	文字文	八卦紋
	幾何學文	七寶紋, 四乳方廓紋
	無文	素紋

동물문, 식물문, 인물고사문, 문자문, 기하학문, 불교주제, 무문으로 문양분류를 했으며, 이에 따라 출토된 동경의 문양을 보면, 경기도는 동물문을 표현한 동경류가 많으며, 강원도는 출토 예가 많지 않아, 전체 양상으로 보기 어려우나, 인물고사문, 동물문 등의 동경이 출토되었다.

충청도는 가장 많은 동경이 출토된 만큼 분류한 동경의 대부분이 발견되었으며, 종류도 다양하다. 동물문에서는 서화쌍조문, 쌍룡문경이 많으며, 식물문에서는 국화문, 화문경이 확인된다. 문자문으로 호주명경과 범자문경이 등장하고, 기하학문인 칠보문과 연주문경이 출토되었다. 이중 지방에서 흔하지 않은 인물고사문경이 다른 지역에 비해 출토 빈도가 많다는 점에서 동경을 소유하고자 하는 적극적인 욕구가 반영된 것으로 생각된다.

전라도는 출토양은 많지 않으나, 문양은 다양한 편이다. 쌍룡문, 보상화문, 칠보문과 같이 고려초기에 중국에서 전래된 것으로 보이는 동경류가 출토되었다는 점에서 전라도 지역의 동경은 다른 지역보다 동경의 편년이 올라가며, 이는 고려 건국 초기 전라도와의 관계성도 고려해볼 수 있는 요소로 보인다.

충청도와 함께 많은 양이 출토된 경상도 역시 다양한 동경류가 발견되었다. 동물문에서는 서화쌍조문, 쌍룡문, 쌍어문, 사유조문 등이 발견되었는데, 이 중 사유조문, 칠유금수문과 같이 한경에서 보이는 문양 특징을 가진 동경류도 발견되었다.

문양의 종류가 많은 편은 아니며, 고려시대 성행한 봉황문, 보상화문, 당초문 등과 같은 문양은 없다. 또한 다양한 인물고사문경이 전래된 것에 비해 황비창천문, 월궁고사문 등 몇 가지 예만 있는 점 등은 당시 수도인 개성과 차이점이다. 반면, 서화쌍조문, 칠보문은 각 지역마다 확인된다는 점에서 이 두 동경이 지방에서 가장 많이 생산되고 유통된 동경류임을 짐작할 수 있다. 그리고 중앙에서 성행한 쌍룡문경은 지방에서도 많이 출토된다는 점에서 쌍룡문경은 고려시대 전역에서 선호한 동경문양임을 알 수 있다. 이에 선호한 문양인 서화쌍조문경과 칠보문, 쌍룡문경의 편년을 간략히 살펴보고자 한다.

서화쌍조문경은 대부분 분묘에서 출토될 만큼 분묘 매장품으로 많이 사용된 동경이다. 같은 유적에서 몇 점씩 출토되는 경우도 있으며, 그 종류도 다양하다. 이중 충주 호암동 유적, 단양 현곡리 유적, 경주 물천리 유적, 청도 대전리 유적, 청주 율량 주중동 유적에서 출토된 서화쌍조문경은 모두 문양이 달라, 같은 주제지만 문양 표현이 다양했음을 알 수 있으며, 청주 율량 주중동 유적의 서화쌍조문경은 오화형으로 제작되어 형태변화도 있음을 알 수 있다(插圖74).

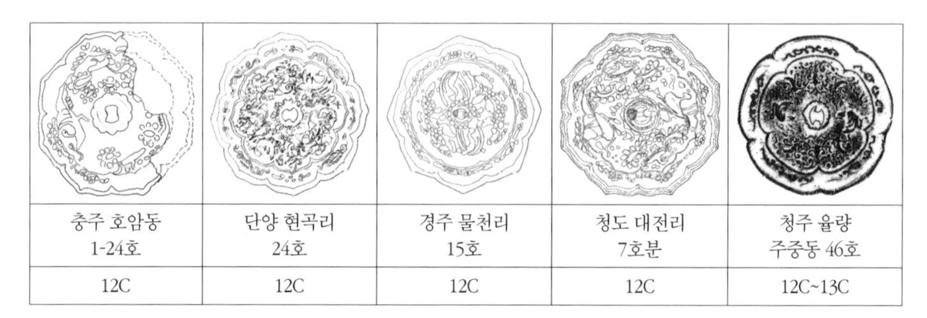

충주 호암동 1-24호	단양 현곡리 24호	경주 물천리 15호	청도 대전리 7호분	청주 율량 주중동 46호
12C	12C	12C	12C	12C~13C

插圖 74. 高麗 墳墓 出土 瑞花雙鳥紋鏡의 編年比較

서화쌍조문경은 문양분석 부분에서 살펴보았듯이 통일신라시대 말기 무렵부터 생산된 것으로 추정되며, 당대 쌍봉문경의 영향으로 문양이 구성된 동경으로 보았다. 대체로 10세기부터 제작된 것으로 추정하며, 이른 시기의 예는 경주지역이나 개성지역에서 출토된 동경이 있다. 하지만 이 동경은 크게 성행한 것은 동경사용의 저변이 확대된 12세기 무렵으로 생각되며, 각 분묘 출토 서화쌍조문경도 공반유물을 통한 편년을 유추하면, 대략 12~13세기에 사용된 것으로 보여, 고려시대 오랜 기간동안 애용된 동경이다.

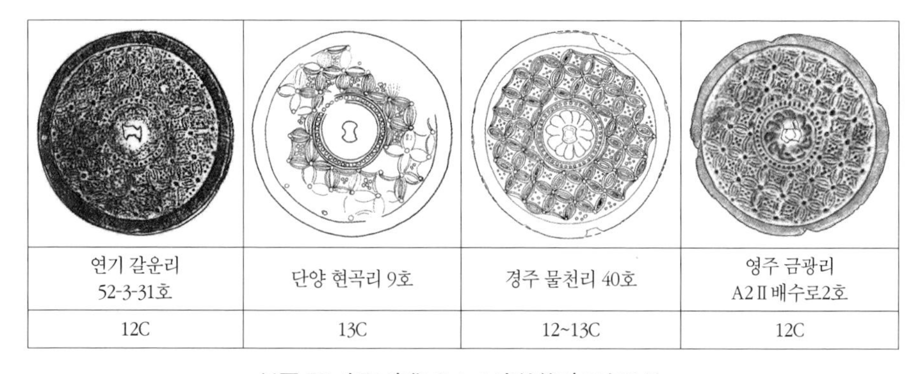

연기 갈운리 52-3-31호	단양 현곡리 9호	경주 물천리 40호	영주 금광리 A2Ⅱ 배수로2호
12C	13C	12~13C	12C

插圖 75. 高麗 墳墓 出土 七寶紋鏡의 編年比較

칠보문경 역시 서화쌍조문경과 함께 고려시대 지방에서 많이 출토되는 동경이다. 이 동경은 요대와 송대 초기 만들어지기 시작한 문양으로 둥근 원을 반복적으로 표현해 문양을 구성하는 것으로 길상적 의미를 담고 있어, 중국 요대 오랜 시기동안 성행했다. 고려에서는 연기 갈운리 유적, 단양 현곡리 유적, 경주 물천리 유적, 영주 금광리 유적에서 그 예를 볼 수 있다(插圖75).

각 유적에서 발견된 칠보문경은 대부분 유사한 문양구성을 갖고 있다. 뉴를 중심으로 점열문의 뉴좌가 권을 형성하고, 외구 가득 칠보문이 표현되어 있다. 경주 물천리와 영주 금광리 유적 칠보문경과 같이 뉴좌로 화문이 표현된 경우도 있으나, 기본구성은 모두 동일함을 알 수 있다. 칠보문경이 고려로 유입된 것은 고려 10~11세기 무렵으로 생각되며, 그 예로 광양 마로산성 출토 칠보문경이 있다. 이후 지방으로 칠보문경이 대량생산되고 확산되면서 12세기 무렵 많은 분묘의 매장품으로 사용된 것으로 추정된다. 다만, 이렇게 지방으로 유입된 칠보문경은 경 두께가 얇아지고, 문양이 무뎌지는 등 답반으로 인해 주조상태가 좋지 않은 경우가 많다.

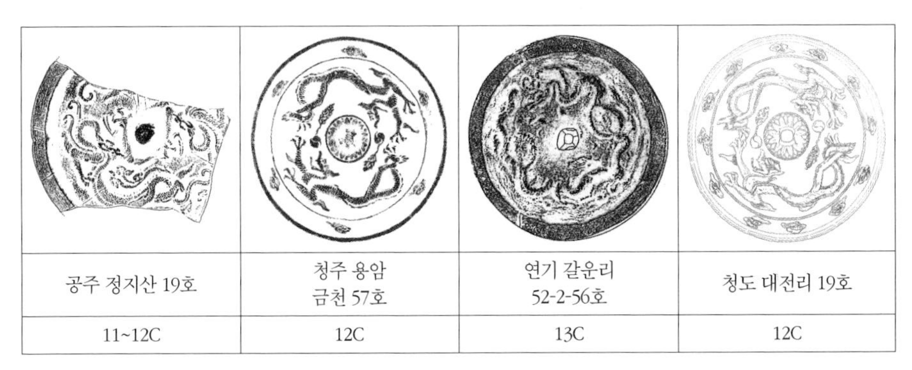

공주 정지산 19호	청주 용암 금천 57호	연기 갈운리 52-2-56호	청도 대전리 19호
11~12C	12C	13C	12C

插圖 76. 高麗 墳墓 出土 雙龍紋鏡 編年 比較

쌍룡문은 고려를 대표하는 동경 문양 중 하나로 쌍룡문경은 성행했던 만큼 두 마리의 용을 다양한 문양과 결합시켜 변화를 추구했으며, 용의 형상도 달리 표현했다. 쌍룡문경은 공주 정지산 유적, 청주 용암 금천 유적, 연길 갈운리 유적, 청도 대전리 유적에서 출토되었으며, 청주 용암 금천 유적과 청도 대전리 유적 쌍룡문경은 용과 보주 등의 형태가 동일해 같은 계열 동경임을 알 수 있다. 다만, 외구에 표현된 운문의 수가 달라, 운문을 가감해 표현한 차이가 있다(插圖76). 그리고 공주 정지산 유적 쌍룡문경편은 월정사 동경과 동일한 용문양으로 11~12세기 유행한 쌍룡문경으로 추정된다. 또한 연기 갈운리 유적 쌍룡문경은 청도 대전리 유적 쌍룡문경과 유사한 구성이지만, 문양의 정확성이 떨어지고, 표현도 서툴러 차이가 있다. 이에 쌍룡문경을 보면, 고려시대 쌍룡문경은 중국의 영향 하에 11~12세기 그 형태와 문양구성이 갖추어졌으며, 13세기에는 지방에서 이를 모방한 동경이 등장한 것으로 생각된다.

表 54. 高麗 銅鏡 編年 區分

시기구분		특징
Ⅰ	形成期 (918~1070)	통일신라시대 유입된 당대 동경의 영향으로 서수포도문경, 용문경, 봉황문경 등이 제작된다. 이와 더불어 송과 요대 초기 동경류도 유입되어 고려 초 방제된 것으로 보인다. 대표적 예로 조화문경, 칠보문경 등이 있다.
Ⅱ	全盛期 (1070~1170)	무신의 난 이전까지의 시기로 송 · 요 · 금으로부터 많은 양의 동경이 유입되던 시기이며, 이 동경들을 토대로 문양구성의 변화, 형태 변화 등을 통해 새로운 동경 제작을 모색하던 시기이다. 이 시기에 제작된 동경들은 유입된 동경을 그대로 답반한 경우도 있으나, 쌍룡문경, '황비창천'명경, '용수전각'문경 등과 같이 고려적 요소가 강한 동경이 등장한다.
Ⅲ	停滯期 (1170~1356)	무신의 난이 일어난 해부터 원 간섭기가 끝나는 1259년까지의 시기이다. 사회적으로 혼란스럽고, 잦은 반란과 전쟁이 있던 시기였고, 수공업의 기틀이 와해되어 장인들의 流亡이 속출하기도 했다. 이는 동경의 질적 하락이 동반되기는 했으나, 장인들의 지방으로 이전으로 인해 동경의 지방으로의 확산이 이루어진 것으로 보인다. Ⅲ기는 국내 상황에 따라 Ⅲ-1, 2로 구분할 수 있다. Ⅲ-1기는 무신정권기인 1170~1270년이며, Ⅲ-2기는 무신정권이 막을 내리고 원의 간섭기인 1270~1356년에 걸친 시기이다. Ⅲ-1기에는 대표적으로 쌍어문경, 팔괘문경이 성행했으며, Ⅲ-2기에는 국화문경이 제작되기 시작한다. 서화쌍조문경과 칠보문경은 앞선 시기에 이어 꾸준히 제작된다. 또한 선각불상문경이 이 시기 제작되기 시작한 것으로 추정된다.
Ⅳ	衰退期 (1356~1392)	고려 말기에 해당하는 시기이다. 기존 제작되었던 동경들을 위주로 문양의 변화를 시도했으나, 동경의 질은 좋지 않다. 이 시기에는 범자가 있는 동경이 유행했으며, 이는 조선초기까지 이어진다.

(表54)는 고려시대 동경을 4시기에 나눌 수 있으며, 각 시기별로 영향을 주고 받는 중국의 왕조가 변화함을 알 수 있으며, 이로 인해 전래된 동경들도 시기별 계열성을 보인다. Ⅰ기는 10~11세기로 고려적 특징이 아직 정립되기 전이며, 중국 동경의 영향을 그대로 수용하던 시기이다. 이 시기의 중국은 요와 북송 역시 도입기, 발전기에 해당한다는 점에서 요와 북송의 초기 경향이 보이는 동경류가 고려에 전래되었을 것이며, 그 예로 칠보문경이 있다.

Ⅱ기는 11~12세기에 해당하며, 고려동경으로 자체 발전을 도모하던 시기이다. 이 시기의 중국은 요가 쇠퇴하기 시작했으며, 북송은 1127년 정강의 변 이전까지 발전된 양상을 보였고, 그 이후 남송대에는 동경 발전의 침체기가 이어졌다. 이러한 와중에 성장하기 시작한 금의 동경 발전 도입기와 전성기가 Ⅱ기와 동일한 시기였다. 즉, Ⅱ기는 송, 요, 금 3국 모두 고려에 영향을 끼치던 시기였으며, 3국에서 전래된 동경의 종류는 다양했고, 이를 받아들이면서 고려동경 제작에 대한 욕구도 생겨났을 것이다. 이 당시 제작된 동경은 요대 계열의 쌍룡문경, 송대 계열의 황비창천명경, 월궁고사문경, 지역명경이 있으며, 금대 쌍어문경도 유입되기 시작한 시기이다.

Ⅲ기는 요가 멸망하고, 남송과 금이 유지되고 있었으나, 1234년 금이 멸망하고, 원이 1271년 나라를 건국하면서 1279년 남송이 멸망하는 등 중국의 상황이 혼란스러웠다. 고려 역시 무신의 난과 원 간섭기와 같이 큰 사건이 이 시기에 발생하면서 동경 제작도 정체기에 접어들게 된다. 이 시기는 국내 상황에 따라 Ⅲ-1기와 Ⅲ-2기로 나눌 수 있다. Ⅲ-1기는 무신정권기이며, Ⅲ-2기는 원의 간섭기이다. Ⅲ-1기에는 금대 동경의 전래가 많았던 것으로 생각되어, 동자문경, 쌍룡문경 등이 대표적이다. Ⅲ-2기에는 원의 간섭기였던 만큼 원에서 성행한 불교의 밀교가 유행했고, 이에 따라 불교의식구인 선각불상문경이 이 시기에 성행하여 제작된 것으로 추정된다.

Ⅳ기는 고려 말기에 해당하는 시기로 새로운 동경 제작을 위한 시도 대신 기존

제작되었던 동경들을 위주로 문양변화를 시도하거나, 간략한 단순 문양으로 동경을 장식했다. 이 시기에는 범자문경이 크게 성행해 동경의 문양으로 사용했으며, 이러한 경향은 조선시대까지 이어진다.

고려동경은 중국의 정세 변화에 맞춰 각 시기 존재했던 나라들에서 전래된 동경의 영향을 받았으며, 그 중 Ⅱ기는 요와 양송, 금까지 동경을 적극적으로 제작하던 나라들이 모두 공존했던 시기였던 만큼 많은 종류의 동경이 유입되고 제작되었으며, 이를 토대로 고려만의 동경을 제작하고자 노력했다. 이는 지방 분묘에서 발견된 동경들의 편년이 12세기에 편중되어 있던 것도 당시 상황과 일맥상통한다는 점에서 고려동경은 12세기를 기점으로 성장과 쇠퇴를 경험했던 것으로 생각된다.

3. 동아시아에서 高麗銅鏡의 特徵과 意義

1) 高麗銅鏡의 特徵

고려시대는 전 시기에 걸쳐 중국의 송, 요, 금, 원대 동경이 모두 전래되어, 한국 역사상 가장 많은 종류의 동경이 제작되고 유통되었다. 이는 고려에서 동경에 대한 수요가 통일신라보다 확대되었고, 이에 따라 공급 또한 증가했을 것으로 생각된다.

통일신라는 왕 중심의 귀족사회로 동경과 같은 물품은 사치품으로 분류되어 사용자 계층이 한정적이었다. 이러한 경향은 중국 당대에서도 볼 수 있어, 봉건시대 거울은 신분을 상징하는 징표였던 것이다. 반면, 고려는 호족을 중심으로 나라가 세워졌다는 점에서 지방세력의 성장이 이루어졌으며, 봉건시대인 통일신라보다 신분적 제약이 감소함에 따라 인적교류도 활발해졌다. 또한 국제무역을 통한 상인세력의 성장 등으로 문화에 대한 욕구가 생겨났고, 이를 향유하고자 하는 계층의 폭도 넓어졌다. 그렇기에 귀족만 향유하던 동경은 사회가 변화함에 따라 다양한 계층의 사람들이 사용할 수 있을 정도로 저변이 확대되었을 것이다. 따라서 고려사회의 변화에 따른 동경의 수요를 어떻게 충족했는지 생각해보고자 한다.

(1) 外來鏡에 대한 開放性

고려시대는 주변국가인 중국과 일본 사이에서 지속적으로 변화하는 국제정세에 맞춰서 교류했다. 특히 중국은 10~14세기에 송 · 요 · 금 · 원 4국이 서로 간 견제하며 공존하거나 멸망하는 등 중국 내 상황이 고려 존속기간동안 큰 영향을 끼쳤다. 가령, 송과 교류 중이던 고려는 요의 성장으로 인해 요와 사대관계를 맺게 되고, 이로써 송과의 교류는 단절되기도 했으며, 여진족의 성장으로 금이 건국되고 금과의 사대관계를 맺게 됨에 따라 다시 송과의 교류가 중지되었다. 이와 같이 고려는 중국의 국가간 정세변화에 따라 고려의 국가적 안전을 도모하기 위한 정책적 노력을 취했다.

고려는 당시 중국에 존재했던 나라인 4국과 사대 · 책봉관계를 맺었고, 이들과의 관계를 우호적으로 유지하기 위해 전략적 관계유지가 필요했으며, 이는 중국 각 국가별로 그 방법이 상이하다.

고려는 건국 초기부터 적극적인 외교관계를 추구하면서 국가의 기반을 다지고자 했다. 이 시기 중국은 오대십국시기로 중국 내는 혼란의 시기였으나, 고려는 오대십국의 오월, 후량, 후당, 후진에 사신을 보냈고, 이후 혜종과 정종, 광종대에도 후진, 후한, 후주, 송과 외교를 지속적으로 이어갔다. 이러한 고려의 적극적 대외교류는 건국 이후 국제적으로 국가적 위상을 세우고, 당시 문화의 중심축이었던 불교문화를 수용하기 위한 노력이었다.[361]

---

361 안병우, 「개방성과 고려, 그리고 현재의 동아시아」, 『한국중세사연구』No. 42(한국중세사학회,

그리고 광종대 이후 송과 요 사이에서 고려는 이해관계에 따라 교류를 중지 혹은 지속시키는 등 외교정책을 시행했다. 이는 당시 성장하는 요와 국경이 맞닿아 있던 고려는 3차례에 걸친 요와의 전쟁으로 관계가 단절되어 있었으나, 요의 급속한 성장은 고려에게도 민감한 부분이었다. 이와 더불어 성종대 전쟁을 마무리하기 위해 12년 윤10월 서희를 보내 和議를 요청해 소손녕의 침공을 중지했으며[362], 이듬해인 성종13년(994) 2월 거란(요)의 연호를 사용하게 되었다.[363] 이 해 고려는 요의 戰役에 대해 보복할 계획을 송에 알렸으나, 송은 군사를 가벼이 움직이기 마땅치 않다고 고려의 군사요청을 거절함에 따라 고려는 송과의 외교관계를 끊었다.[364] 이는 강성해지는 요와 전쟁에 의해 사대관계를 맺게 됨에 따라 이를 전쟁으로 타개하려 했으나, 송의 군사요청 거절은 이러한 의지를 꺾었고, 이에 대해 고려는 송과의 단절을 선택함으로써 요와의 우호적 관계로 태세전환이 이루어졌음을 알 수 있다.

고려전기 격변하는 정세 속에서 고려는 국가적 체계를 확립하기 위해 내적인 노력과 함께 중국 여러 나라의 상황에 집중했으며, 이는 중국 華夷論에서 벗어나 국가의 실리를 추구하는 방향을 선택했음을 알 수 있다.

이 시기는 앞서 언급했듯이 오호십국의 혼란기였던 만큼 많은 유민이 발생했고, 특히 발해의 멸망으로 그 유민들이 대거 유입된다. 고려는 이러한 유민을 적극적으로 수용하면서 고려사회의 개방성과 다원화의 발현이 이루어진다. 이 시기 유입된 중국 이주민 가운데는 '文士'로 표현된 지식인들이 포함되어 있어 고려가 중국의 선진문물을 수용하는 좋은 기회가 되었고, 고구려의 계승국이라고 할 수

2015), p.13.

362 『高麗史』「世家」卷第三 成宗 12年 閏10月 '閏月 丁亥 幸西京, 進次安北府, 聞契丹蕭遜寧攻破蓬山郡, 不得進乃還。遣徐熙請和, 遜寧罷兵。'

363 『高麗史』「世家」卷第三 成宗 13年 2月 '始行契丹統和年號。'

364 『高麗史』「世家」卷第三 成宗 13年 6月 '六月 遣元郁如宋乞師以報前年之役。宋以北鄙甫寧, 不宜輕動, 但優禮遣還。自是, 與宋絶。'

있는 발해 유민의 대거 이주는 신라의 삼국통합이 갖는 한계를 극복한 민족사적 의의를 갖는 한편 고려가 다원사회가 된 요인 중 하나이다.[365]

고려는 역사적 흐름 속에서 각 국가의 문화를 적극적으로 수용했으며, 이는 각 나라에서 유입된 문물을 통해 확인할 수 있다. 그 중 동경은 그 유입 경로에 대한 기록이 없어 명확하지 않지만 국내 현존하는 양이 방대하고, 그 종류도 다양해 고려가 교류했던 각 나라에서 전래되었을 것으로 생각된다. 그리고 전래방식에 따라 유입된 동경의 질은 천차만별이었을 것이며, 이렇게 유통된 외래경은 수도였던 개성을 중심으로 지방까지 확산 되었다.

현재 개성 부근 출토로 알려진 동경은 그 수량과 종류가 다양한데, 이는 고려시대 당시 전래된 외래경과 이를 토대로 고려에서 제작한 동경 등이 혼재한 결과이다. 특히 중국에서 전래된 동경을 원본으로 하여 문양변화를 시도하고, 새로운 문양을 구성하는 등 외래경에 대한 적극적인 수용과 이를 변화시켜 고려화하고자 했던 노력은 당시 개방적인 고려사회의 분위기를 대변한 것으로 생각된다.

(2) 獨自性

고려시대는 중국, 일본 등 주변국가의 영향 하에 동경이 교류, 전래되었으며, 유입된 동경 문양을 취사선택하여 동경을 제작했다. 이로 인해 고려시대에는 고려 장인의 독창성이 발현된 동경제작이 이루어졌는가에 대한 물음이 항상 존재했다.

고려시대 제작 · 유통된 많은 동경 중 고려에서 자체 제작한 동경의 존재는 기존 학자들에 의해서도 제기된 의견이다.[366] 하지만 정확히 어떠한 문양이 고려작품인지 판별하기 어렵고, 이를 비교할 중국 동경의 유무 역시 명확하지 않았다.

365 안병우, 앞의 논문, p.14.

366 이난영, 앞의 책(2003), p.161. ; 황정숙, 앞의 논문, p.152.

본 연구에서는 이러한 조건에도 불구하고, 중국에서 지금까지 진행된 동경 연구 결과에서 제시한 동경들과 고려시대 제작된 것으로 보이는 동경과의 비교를 통해 고려동경의 독자성에 대해 살펴보고자 한다.

'독자성'은 다른 것과 구별되는 특유한 성질을 일컫는 말이다. 이에 고려시대 동경의 독자성 범주에 대해 생각해보면, 우선 고려에서 창출해낸 도안을 통해 제작한 경우는 독창성을 수반하여 독자적으로 제작된 동경이다. 하지만 고려동경 중 이 범주에 속하는 예가 현재로선 찾기 어렵다. 고려 독자경으로 대표되는 '고려국조'명경도 중국 지역명경의 문양구성을 차용했다고 볼 수 있어, 이 범주에 속하는 동경에 대해서는 추후 풀어야할 과제라 생각한다.

그리고 기존 동경의 문양을 번안하거나 일부를 차용해 동경 주제로 표현한 방제경의 경우도 독자성의 범주에 속한다. 방제경은 고려에 전래된 외래경을 형태변경에만 국한하지 않고 문양구성을 변화시켜, 재창조한 것으로 볼 수 있기 때문이다. 고려시대 독자성을 보이는 동경은 대부분 이 범주에 속하며, 대표적 동경류는 '고려국조'명경, 용문경, '황비창천'명경, '용수전각'문경 등이 있다. 이 동경들은 '고려국조'명경을 제외하면 모두 중국에서 전래된 원경이 존재하며, 원경들이 중국과 고려에서 성행했던 동경류들이다. 이로 인해 고려에 유입된 다수의 동경은 고려만의 미감으로 재구성되었으며, 특히 '황비창천'명경과 '용수전각'문경은 고유의 특성은 남기면서 새로운 문양을 추가하여 재탄생되었다.

또한 용문경에서는 쌍룡문경에서 이러한 요소들이 보이는데, 요대 계열 동경의 연부 문양대를 화려한 화문으로 장식하고, 용의 배치, 형태 등에서 변화가 생겼다. 그 예로 장방형의 쌍룡문경과 같이 새로운 형태와 용문이 등장하게 된다. 이러한 일련의 변화는 고려동경으로의 독자성을 갖춘 것으로 생각되며, 고려동경이 갖는 특유의 성질로 보아도 무방하다. 고려동경의 독자성의 요소는 동경 자체의 세부 문양을 통해서 드러나며, 이는 원경을 변화시켜 제작하려는 의도에서 비롯된 것으로 판단된다.

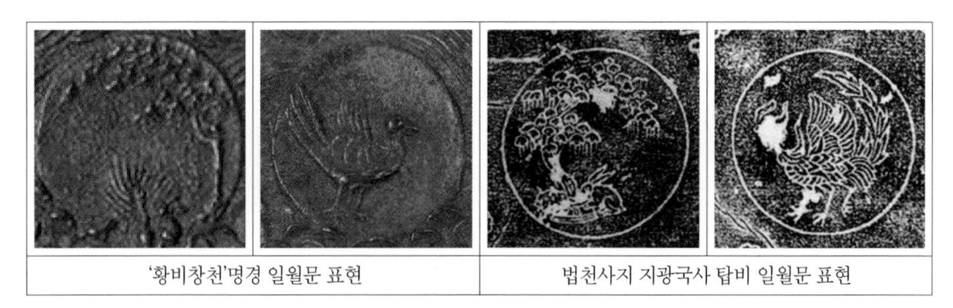

'황비창천'명경 일월문 표현 | 법천사지 지광국사 탑비 일월문 표현

插圖 77. '煌丕昌天'銘鏡과 法天寺址 智光國師 塔碑 日月紋 比較

'황비창천'명경 역시 원경인 팔릉형경을 토대로 형태를 원형으로 변화시키고, 문양의 형태와 배치를 새롭게 구성했다. 특히, 상단 좌우에 표현된 일월문은 고려시대 탑비나 불화에서 볼 수 있는 요소로 고려에서 선호했던 문양들을 추가하여 원경의 기본형은 유지하면서 고려적 미감을 표현하고자 했음을 알 수 있다(插圖77).

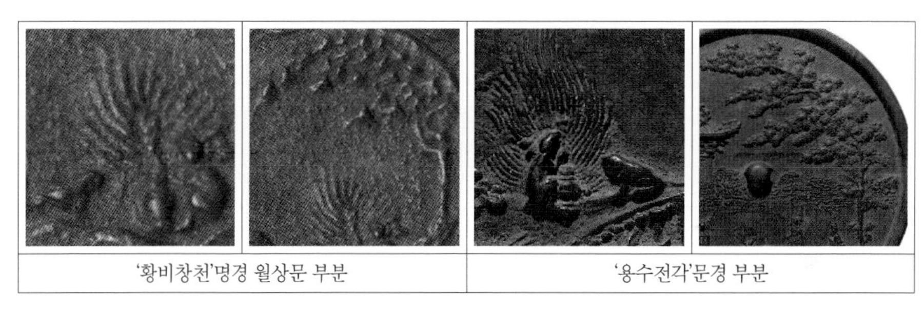

'황비창천'명경 월상문 부분 | '용수전각'문경 부분

插圖 78. '煌丕昌天'銘鏡과 '龍樹殿閣'紋鏡에 표현된 文様比較[367]

또한 일월문 중 월상문에 표현된 토끼와 두꺼비 그리고 계수나무의 표현은 '황비창천'명경과 '용수전각'문경에서 그 유사함을 찾을 수 있다(插圖78). 이는 두 동경 모두 고려에서 제작된 동경으로 알려져 있다는 점에서 이러한 문양을 서로 차

367 「高麗時代 '煌丕昌天'銘 銅鏡 考察」 (도판20) '고려시대 '龍樹殿閣'紋鏡에 표현된 文様과의 比較(나무, 토끼, 두꺼비)'재인용. 최주연, 앞의 논문(2016), p.112.

용했음을 알 수 있는 예이다.

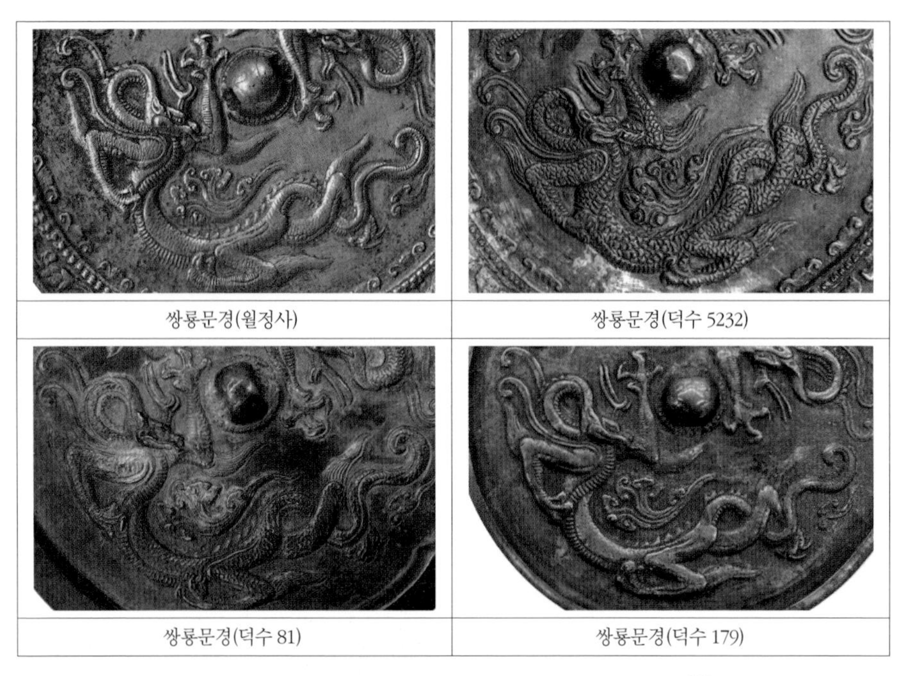

쌍룡문경(월정사)	쌍룡문경(덕수 5232)
쌍룡문경(덕수 81)	쌍룡문경(덕수 179)

插圖 79. 月精寺 石塔 發見 雙龍紋鏡과 유사한 龍紋 比較[368]

고려시대 쌍룡문경은 고려동경 중에서도 새로운 변화가 많이 보이는 동경 중 하나이다. 요대 성행한 쌍룡문경을 토대로 고려에서 선호하는 문양을 통해 재구성했다. 그 대표적 예로 월정사 성보박물관 소장 쌍룡문경이 있다. 이 동경은 유려한 화문대와 뉴를 중심으로 배치된 용문이 특징으로 섬세한 문양표현이 눈에 띈다. 이 동경에 대한 제작지에 대해 중국경으로 보기도 하나, 연부에 둘러진 문양대의 화문과 용의 표현은 고려 쌍룡문경에서 볼 수 있는 독특한 장식이라는 점에서 이 동경은 고려에서 문양을 재구성해 제작한 동경으로 생각된다.

---

368 「고려시대 雙龍紋鏡 流入과 獨自性」의 (사진29) 재인용. 최주연, 앞의 논문(2019), p.164.

월정사성보박물관 소장 쌍룡문경의 용문은 특히 고려 쌍룡문경 중 동일한 문양이 있어 주목된다. 고려시대 동경은 다양한 동경의 문양을 차용하여 하나의 새로운 동경으로 제작하는 경우가 있음을 앞서 설명했으며, 이러한 경향이 두드러지게 드러나는 예가 고려시대 쌍룡문경이다. 특히 월정사성보박물관 소장 쌍룡문경은 비슷한 문양구성인 국립중앙박물관 소장(덕수5232) 쌍룡문경을 비롯해 국립중앙박물관 소장 쌍룡문경(덕수179, 덕수81) 등과 동일해 이러한 동경의 용문양을 차용했음을 알 수 있다(插圖79). 또한 연부에 표현된 화문대 역시 국립중앙박물관 소장 쌍룡문경(덕수316)과 유사해 당시 제작되던 쌍룡문경을 기본형으로 하여 새롭게 문양을 구성했으며, 그 대표적인 경우가 월정사성보박물관 소장 쌍룡문경으로 볼 수 있다.

또한 '고려국조'명경은 '高麗國□□造'만 있는 소문경이 있어 이 동경의 명문표기 방식이 중국 지역명경과 동일하기에 이 동경이 남송대 성행한 지역명경을 토대로 제작되었음을 알 수 있다. 하지만 당시 탑비나 공예품에서 보이는 당초문을 동경의 문양으로 차용해 동경을 장식한 점은 앞서 '황비창천'명경이나 '용수전각'문경에서 보이는 고려에서 성행한 문양을 표현한 것과 일맥상통하는 요소이다. 더욱이 '高麗國造'라는 명문은 이 동경의 구체적인 제작목적은 알 수 없으나, 고려에서 이 동경을 제작했음을 보여주는 직접적인 근거이다.

따라서 고려시대 대표적 동경에서 보이는 형태와 문양의 변화, 재구성 그리고 고려에서 제작했음을 보여주는 명문 등의 요소는 중국에서 전래된 동경을 토대로 고려화 하고자 하는 노력을 엿볼 수 있다. 또한 이러한 변화는 다른 동경과 차별화되는 새로운 구성을 갖추고 있다는 점에서 고려동경의 독자성으로 보아야 할 것이다.

2) 高麗銅鏡의 工藝史的 意義

고려시대는 통일신라시대의 화려했던 금, 은을 이용한 공예품 제작기술을 이어

받았으며, 기술을 토대로 귀족들이 향유할 수 있는 공예문화를 형성했다. 이러한 문화의 바탕에는 고려사회가 갖는 개방성을 통한 다양한 문물의 수용과 함께 실리적 외교를 통한 다양한 국가와의 교류가 있었다. 중국은 고려가 존속하던 시기에 송, 요, 금, 원의 나라들이 있었으며, 각 나라들은 고려와 긴밀하거나 혹은 대립의 관계 속에서도 사적 교역이나 국가적 차원의 사절단을 통해 교류했다. 고려는 송을 통해 중원의 발전한 귀족문화를 전래받고자 했으며, 그 결과, 많은 서적과 금은제품, 향료 등이 고려로 전래되었다.

또한 북방민족인 요, 금의 문화 역시 고려로 전래되었으며, 특히 요의 금속공예 기술과 공예품의 유입은 고려 금속공예에 크게 영향을 미쳤다. 고려 금속공예는 조형면에서 정병, 병향로, 쌍룡문경 등과 문양면에서는 태극화염보주문, 포류수금문, 연판문, 모란문 등에서 요대 문화적 요소가 보인다. 또한 요대 공예기법인 타출기법,어자문기법도 고려공예품 제작이 큰 영향을 주었다.[369]

고려시대는 불교문화를 중심으로 많은 공예품들이 생산되었으며, 이로 인해 금속공예의 전성기를 맞이했으며, 다양한 종류의 공예품이 현존한다. 불교공예품은 梵音具인 梵鍾과 金鼓가 있으며, 供養 · 儀式具인 香爐, 香垸, 淨甁, 金剛鈴과 선각불상문경 등이 있다. 범종은 통일신라시대에 이어 고려시대에도 많이 제작되었으며, 다양한 문양과 형태 변화가 이루어졌다. 고려 범종은 상대 위에 입상화문대라는 장식이 등장하며, 주악상 대신 불, 보살상 혹은 공작명왕 등과 같은 새로운 도상이 문양으로 표현된다. 이는 범종을 제작하는 사찰의 종교적 성격을 토대로 만들어진 것임을 알 수 있다.

그리고 고려시대 향로와 향완, 정병 등은 당시 성행한 문양들이 은입사기법을 통해 제작된 예가 많다. 이는 당시 은입사기법의 발전을 의미하며, 그 수법도 화려하고 섬세하다. 향완에는 범자문, 용문, 초화문 등이 기면을 장식했으며, 정병

---

369 안귀숙, 「고려 금속공예에 보이는 遼文化의 영향」, 『고려와 북방문화』(양사재, 2011), p.224.

도 포류수금문, 용문 등이 표현되어 있다. 정병에 새겨진 문양은 앞서 언급한 요대 문화에서 볼 수 있던 요소들로 요대 벽화, 도자 등에서 볼 수 있으며, 이러한 문화가 고려에 적극 수용되었음을 알 수 있다.

금속공예기법 중에서도 고려시대 눈에 띄는 것은 타출기법이다. 타출기법은 전연성이 뛰어난 금속을 두드려 문양을 도드라지게 표현하는 것으로 우리나라에는 은제병과 향합, 침통 등이 제작된 예가 있다. 이 공예품들은 작은 크기이지만 다채로운 형태와 문양 등은 고려 금속공예의 화려하고도 귀족적인 면모를 대변해준다.[370]

고려시대 공예분야 중 주목할 수 있는 부분은 도자공예분야이다. 대표적으로 고려청자는 고려를 대표하는 도자기로써 기법, 문양, 도자 색상 등 모든 부분이 조화를 이루면서 도자 제작의 전성기를 이루었다. 특히 상감청자는 반건조상태의 기면에 문양을 음각한 후, 백토를 메워 초벌구이로 구워내 유약을 바른 뒤, 재벌구이를 하는 기법으로 제작한 도자기이다. 고려시대에는 중국의 여러 나라와 교역을 하고 그 영향을 받았기에 도자분야 역시 이러한 경향 속에서 발전했다.

고려 초 자기요업의 시작과 정착단계에서 중국 남방 월주요의 영향이 지대했으며, 이는 가마구조, 축요방식, 도자의 조형 등에서 그 관계를 확인할 수 있다. 하지만 기술도입 당시 중국 남방의 영향이 컸던 것과 비교하면 11세기 이후 점차 중국 북방지역으로부터 번조기술, 기종과 기형, 장식기법과 문양 등 새로운 요소들을 부분적으로 수용했다. 즉, 초기청자 제작기부터 작업조건과 공정이 다른 청자와 백자가 竝産된 점, 일부 기종이 중국 남방계와는 다른 조형전통을 보이고 있는 점, 중국 북방 요업에서 발달한 상감기법 및 철화기법이 고려 초기 요업단계부터 나타난 점 등에서 그러하다.[371]

---

370 최응천 · 김연수 지음, 『금속공예』(솔, 2003), p.29.

371 장남원, 「10-12세기 고려와 遼 · 金도자의 교류」, 『고려와 북방문화』(양사재, 2011), pp.183~184.

고려의 문화 형성에 큰 영향을 끼친 것에 대해 기존 연구들은 송과의 교류를 대표적으로 언급했다. 하지만 최근 경향은 송 뿐만 아니라, 북방민족인 요, 금과의 교류도 활발했음을 밝히고 있으며, 이는 고려에 가장 많은 수량이 유입된 동경을 통해서도 확인된다.

고려동경은 화려한 형태와 문양이 장식된 예가 많으며, 그 종류도 다양하다. 이는 중국을 통해 유입된 동경들과 고려에서 이러한 동경을 모본으로 하여 만든 동경들이 혼재하면서 발생한 결과이다. 고려동경의 형태와 문양은 당시 교류했던 국가에서 제작된 동경들의 영향 속에서 형성되었다. 또한 고려 금속공예품과 도자공예품에서 보이는 문양과 유사한 표현이 고려동경에도 보여 이는 시기적으로 유행한 문양이 여러 공예품에 공통적으로 장식된 것이다. 가령, 동경의 식물문 중 국화문의 표현이 도자기에 유사하게 표현된 경우가 있으며, 동물문의 용문이 도자기와 동경에서 유사하게 표현된 예는 부안 유천리 유적에서 발굴된 청자의 용문과 '황비창천'명경이나 쌍룡문경의 용문이 있다.

고려동경의 이러한 문양공유는 독자적 동경을 제작에도 적용되어 중국에서 유입된 동경을 변형하여 재창출하는 과정에서 일월문이나 용문 등 고려에서 성행한 문양을 추가적으로 사용하기도 했다. 이는 고려동경이 갖는 특징으로 당시 유행에 민감하게 반응했음을 알 수 있다. 또한 다양한 공예품 중에서도 중국의 각 시기별 주요 동경이 유입되고 이를 반영하여 새로운 동경을 제작하고자 한 점은 당시 동경에 대한 고려인들의 관심과 새로운 것에 대한 욕구가 컸음을 방증한다. 따라서 고려시대 공예사에서 고려동경은 일상생활용품을 대표하는 기물로 다양한 문양과 형태를 통해 당시 사회에 유행한 장식요소를 민감하게 반영한 공예품임을 알 수 있다. 또한 이러한 점은 고려시대 외국 문물에 대한 개방적 태도와 이를 적극적으로 수용해 자신들의 것으로 재해석하고자 한 노력에 의한 것이기에 고려동경은 당시 중국과의 긴밀한 교류관계를 구체적으로 보여주는 공예품으로 그 의의가 크다.

Ⅶ. 맺음말

동아시아 문화권이 형성된 것은 중국 당 문화가 주변국으로 전파되면서 문화권이 형성되었으며, 당이 멸망하고 중세로 전환되었어도 그 문화적 영향력은 컸다. 중세 동아시아의 중국은 당과 같이 일원적 지배력은 없었으나, 남쪽에는 양송이 자리를 잡았고, 북쪽에는 요와 금이 차례로 등장하여 국가를 형성하면서 다양한 문화가 서로에게 영향을 끼치고, 자신들의 국가적 이익을 위해 다른 국가와의 교류와 단절을 끊임없이 반복하면서 사회적, 문화적 발전을 이루었다. 이러한 동아시아 정세 속에서 고려는 강력한 국력이나 왕권이 형성되지 못했지만, 동아시아 각 국가와 시대적 흐름에 따른 교류의 단절과 재개 등을 실시하면서 자국의 이익을 위한 노력을 펼쳤다. 이러한 과정에서 송, 요, 금 그리고 원의 정치, 사회, 문화 등 여러 방면의 다양한 요소를 수용할 수 있었고, 이로 인해 고려는 당시 동아시아 문화가 融和되던 곳이기도 했다.

고려동경 역시 송, 요, 금 그리고 원대 동경이 고려로 유입됨에 따라 고려는 중세 동아시아 국가들의 동경이 모두 존재하는 국가였다. 그렇기에 본 연구에서는 중세 동아시아 국가들의 정세와 고려와의 교류를 토대로 고려동경의 발전양상을 살펴보고자 했다.

그리고 중국은 중세 동아시아의 중심으로 당시 고려와 일본 문화에 지대한 영향을 끼쳤으며, 두 나라도 중국에서 유입된 문화를 바탕으로 자신들만의 고유문화와 결합시켜 새로운 발전을 도모했다. 동경 역시 이러한 맥락에서 발전했으며, 고려동경은 중국에서 유입된 동경을 토대로 변화를 시도했다는 점에서 원본인 중국 동경에 대한 이해가 선행되어야 한다고 판단했다.

중국 동경은 당대를 기점으로 많은 변화가 일어나며, 10~14세기 존속한 국가들 역시 건국 초기에는 당대 동경을 기반으로 동경 제작을 시작했다. 그리고 이를 바탕으로 자신들만의 특징을 갖춘 동경을 제작하는 발전양상을 보였다. 이에 본 연구에서는 당대 동경의 형태와 종류에 대해 간략히 정리해봄으로써 이후 등장하는 송대, 요대, 금대 동경의 초기 양상을 쉽게 이해할 수 있도록 했다. 또한 송대, 요대, 금대, 원대 동경에 대해 당시 사회적 경향과 함께 동경의 특징을 정리해 보았다.

송대에는 북송과 남송으로 나뉘는 시기에 따라 동경의 특징이 변화했다. 북송대는 당대 동경에서 벗어나 송만의 동경적 특색을 갖추었으며, 표현, 주제 등의 변화가 특징이다. 이는 당시 서민계층의 성장과 시장발달 등 사회발달에 기인한 것이며, 다양한 동경이 등장하는 토대가 되었다. 또한 송 휘종대 절정을 이룬 방고동기에 대한 관심은 동경으로도 확장되어 당대 동경을 고동기로 인식하게 되는 계기가 되었다. 이는 당시 방고동기 관련 서적인『선화박고도』에 동경에 대한 설명이 자세히 수록된 것에서 찾을 수 있다. 그리고 남송대에는 판매만을 위해 대량생산한 동경제작도 성행한다. 다양한 형태의 동경은 문양이 대부분 없으며, 배면에는 방형 곽 안에 '제작지+장인성씨+광고'를 주출했다. 제작지가 '호주', '소주', '항주'이기에 호주경, 소주경, 항주경이라고 지칭하기도 한다. 남송대 이와 같은 상품경이 성장할 수 있었던 것은 당시 동경의 보편화와 이를 수출하기 위해 제작하는 등 판매조건의 다양화로 인해서 가능했다.

요·금대 동경은 북방문화를 기반으로 중원문화를 수용하면서 독특한 발전을 이룬다. 송대 동경보다 더욱 다양해졌으며, 실생활 장면이나 자신들이 선호하는 문양을 동경에 표현하는 등 변화를 추구한 것이다. 또한 중원문화에서 성행한 산수화적 표현을 동경 문양으로 도입함으로써 기암괴석, 전각 등 표현이 동경에 등장한다. 특히 금대에는 동금정책으로 인해 동경을 검수하는 제도가 생겨났으며, 이로 인해 금대 동경의 특징이 발현되었다.

금대 동금정책은 국가의 동부족을 타개하기 위한 방편으로 마련된 것으로 동기를 검수해 사용을 허가하는 험기제도를 실시했다. 동경 역시 험기제도의 대상이었으며, 이로 인해 동경의 배면, 문양면, 연부, 측면 등 다양한 면에 이 동경을 검수했다는 내용이 새겨졌다. 보통 '지역명+관직명+관명(화압)'순으로 구성되며, 금대 전 영역에서 실시되었다. 험기의 내용은 단순하지만 당시 지역행정을 파악할 수 있고, 동경이 검수된 지역을 통해 사용된 지역을 알 수 있으며, 검수한 관리명을 통해 금의 관직제도를 파악할 수 있어, 금대 사회 전반을 살펴볼 수 있는 중요한 자료임을 알 수 있었다.

고려와 일본이 동경을 직접적으로 교류했던 실제적 유물이나 기록은 현재 찾을 수 없다. 하지만 동아시아에 속해 있는 국가라는 점과 일본 역시 중국 당대 동경에 큰 영향을 받았기에 일본에서 제작된 동경인 중세 화경에 대해 간략히 살펴보았다. 일본은 당과의 직접적인 교류를 통해 당문화를 적극적으로 수용했으며, 동경 역시 당대 동경을 받아들여 이를 모방하는 식의 제작이 이루어졌다. 하지만 후지와라 가문이 등장하는 헤이안시대에 당과의 교역이 단절되었고, 이로 인해 일본은 그들만의 동경 제작을 시도하는 계기가 되었다. 또한 가마쿠라시대로 접어들면서 당의 영향은 많이 옅어지고, 일본식 동경으로 성장하게 된다. 이 시기 대표적 동경은 봉래문경으로 봉래산을 표현한 이 동경은 길상적 의미를 내포하고 있으며, 산악표현, 학과 거북이, 소나무 등의 문양구성을 이룬다. 이러한 문양구성이 가마쿠라시대 이후 봉래문경의 대표적 구성으로 자리잡았음을 알 수 있었다.

고려동경이 중국의 영향 하에 발전했던 것은 부정할 수 없다. 하지만 성행한 동경류는 당시 고려인들의 성향과 사회적 요소가 반영되었기에 고려동경의 제작에 있어 사회적, 종교적 배경에 대해 간과할 수 없다. 특히 공예품은 사회발전에 따라 영향을 받으며, 국가의 경제, 사회, 문화적 배경이 뒷받침될 때 크게 성장한다. 따라서 고려동경은 사회적 배경을 통해 동경을 제작하던 장인에 대한 기록을 살펴보고, 당시 거울의 주재료인 동생산과 수요 등에 대해 알아보고자 했다. 그리고 고려에서 성행한 종교인 불교와 도교에서 종교적 도구로 거울을 사용했기에 당시 사회에서 불교와 도교의 위치와 그 역할에 대해 생각해보고자 했다.

고려동경은 생활용품으로 가장 많이 사용되었던 것으로 판단되지만, 앞서 언급한 바와 같이 종교적 법기로도 이용되었기에 동경의 다양한 기능에 대해 살펴보고자 했다. 이를 위해 기능을 신앙적 기능과 부장의 기능으로 나누었으며, 특히 부장의 기능에서는 당시 분묘에서 출토된 동경을 분석해 동경의 종류, 부장 위치 등을 살펴보았다. 그 결과, 고려 분묘 출토 동경은 매장위치, 동경종류 등이 다양해 규칙성은 없으나, 지방에서 제작되고 유행한 동경류가 주로 매장되었음을 밝힐 수 있었다.

동경은 원형의 형태를 벗어나 팔릉형, 규화형, 종형 등 다양한 형태로 제작되고, 문양 역시 단순한 기하학문에서 고사내용을 표현한 것과 회화성이 있는 것으로 변화했다. 특히 고려동경은 중국 동경에서 보이는 이러한 특징을 다시 고려적 요소로 변화시키고자 했다. 이에 V장에서 고려동경의 형태와 문양에 대해 분석하고자 했다.

고려동경의 형태는 중국 동경 형태를 그대로 수용했지만, 능형, 종형, 현경 등에서 다른 양상을 보였다. 특히 능형은 팔릉형이 대표적인데, 고려에서는 십이릉형의 동경도 제작되었으며, 현경 중에 원형에 작은 운판형 고리가 달려있는 경우도 있어 형태변화를 시도했음을 알 수 있었다. 그리고 고려동경에 표현된 주제를 중국 송, 요, 금 동경과 비교함으로써 고려에 유입되고 제작된 동경의 주제에 대해 살펴보았다. 그 결과, 고려는 송, 요, 금의 동경과 동일한 주제가 고른 분포를 보여 각 나라에서 성행한 동경이 모두 유입되었음을 알 수 있었으며, 이는 고려가 통일신라에 비해 폭발적으로 많은 종류의 거울이 존재했던 원인이었음을 생각해볼 수 있었다.

이러한 주제분류를 통해 고려동경의 대표적 문양을 분류하여 그 특징에 대해 정리해보았다. 본 연구에서는 동물문, 식물문, 인물 · 고사문, 문자문, 도교 · 불교주제문, 기하학문으로 분류했다. 각 분류 중 대표적 문양을 선별하여 고려적 특색이 보이는 동경들을 중심으로 살펴보았다. 이 중 쌍룡문경, 서화쌍조문경, '황비창천'명경, '용수전각'문경, '고려국조'명경 등과 같이 고려에서 성행하거나 문양을 재구성한 동경을 중심으로 그 특징을 분석했다. 쌍룡문경은 당시 유입된 요대 쌍룡문경을 토대로 문양의 재구성을 이루었으며, 그 대표적 예로 월정사 구층석탑에서 발견된 쌍룡문경이 국내에서 제작되었을 것으로 추정했다. 또한 '황비창천'명경 역시 중국의 팔릉형경을 도입하여 원형경으로 변화시키고, 일월문을 추가하는 등 변화를 주어 고려동경으로 제작했음을 알 수 있었다.

동경은 제작시기를 알 수 있는 기록이나 자료가 없어 편년 설정에 어려움이 많다. 특히 고려동경은 중국 등에서 유입된 예가 많아, 국적을 알기 어려울 뿐만 아니라, 이를 찍어내는 방식으로 주조하기도 해 사실상 정확한 편년 제시는 힘들다. 그렇기에 제작시기는 분묘 등에서 출토된 동경을 분묘 조성시기와 출토유물 등을 통해 간접적으로 추정한다. 본 연구에서도 이러한 방법에서 크게 벗어나지 못한 한계가 있다. 그럼에도 불구하고 출토 동경을 통한 편년을 시도하는 것은 중국 역시 이러한 방식으로 편년을 도출하며, 이렇게 검토된 편년은 당시 유행한 동경의 양상과 대부분 비슷한 시기성을 갖는다. 이는 명확한 편년 제시에는 한계가 있으나, 당시 동아시아 안에서 이루어진 동경 제작과 사용시기에 대한 일면을 살펴볼 수 있는 요소라는 점에서 중요하다. 따라서 중국 송대, 요대, 금대 동경이 매납된 분묘를 분류해 당시 중국 각 국가별 동경의 시기 편년을 먼저 시도한 후, 고려동경 역시 이와 같은 방식으로 편년을 추정하고자 했다.

송대는 북송과 남송의 구분을 통해 Ⅰ~Ⅴ기로 구분했으며, 요대와 금대는 존속 시기와 분묘변화양상 등을 고려해 Ⅰ~Ⅲ기로 나누었다. 각 국가의 동경들은 대부분 초기 당대 동경의 영향이 잔존해 있었으나, 그 속에서도 변화가 일어났다. 그리고 전성기에는 국가별 대표적 동경들이 등장하기 시작해 송대에는 인물고사문경과 팔괘문경 등의 제작이 보였으며, 요대에는 초기 등장한 칠보문경이 지속적으로 제작되기도 하지만 불교적 주제인 가릉빈가문과 같이 새로운 문양이 나타나기도 한다. 금대 역시 마갈어문, 쌍어문, 동자문과 같이 금대 문화에서 발달한 특유의 문양들이 동경의 주제로 표현되는 것을 알 수 있었다. 하지만 이렇게 발전하던 중국의 동경들도 각 국가의 국력이 쇠퇴함에 따라 동경의 주조와 문양 등이 나빠지고 소략해지는 변화를 공통적으로 보였다.

고려동경 역시 분묘 등 출토 동경을 중심으로 편년을 고찰했다. 다만, 개성출토품이 다수이지만, 지역적 한계로 인해 북한유적 출토품은 대부분 제외했으며, 경기도를 위시하여 강원도, 충청도, 전라도, 경상도에서 출토된 동경을 분석하여 편년을 설정했다. 고려시대 분묘 중 동경이 많이 출토된 지역은 충청도와 경상도였으며, 출토된 동경의 종류도 비슷해 당시 지방에서 유통된 동경은 유사한 종류였음을 알 수 있었다. 또한 많은 수량이 발굴된 분묘 유적은 다양한 동경이 출토되기도 해 이러한 경우는 중앙인 개성에서 전해졌거나, 혹은 중국에서 직접 수입된 제품으로 보았다. 하지만 이러한 동경 중에서도 고려 제작으로 추정되는 동경이 있었다. 청도 대전리 유적에서 출토된 동자문경이 대표적이다. 동자문경은 금대 성행한 동경류로 어린아이들이 풀잎을 잡고 있거나, 연잎을 타고 있는 등 모습을 표현한 동경이다. 대부분 자연과 동화된 모습의 동자를 표현했다면, 청도 대전리 유적의 동자문경은 2명씩 짝지어진 아이들이 노는 모습을 표현한 것이 특징이다. 특히 아이들의 놀이는 일상생활에서 볼 수 있는 강아지와 노는 모습, 인형놀이 등을 문양화하였다는 점에서 고려시대 일상생활의 일면을 알 수 있었다.

고려동경의 다양함은 외래경을 적극적으로 수용한 당시 사회의 개방성과 동경에 대한 높은 관심을 통한 결과로 보았다. 고려는 강력한 왕권을 기반으로 전국이 통제되는 사회였다기보다는 지방호족과의 협력을 통해 발전한 사회였고, 이전시기보다 계급구분이 완화되면서 일반서민층의 성장이 이루어졌다. 또한 고려로 내투한 외국인들에 대한 수용적 자세와 그들의 문물을 적극적으로 받아들이는 개방적 자세는 다양한 문물이 고려로 유입되는데 중요한 작용을 했으며, 동경 역시 이러한 사회적 성향을 통해 대량 유입, 유통된 것으로 보았다. 그리고 이렇게 유입된 동경은 그대로 찍어내는 수준의 제작이 아닌 고려인들이 선호하던 문양을 갖고 재구성하고, 변화를 줌으로써 고려만의 동경을 제작하고자 했다. 이에 대해 본 연구에서는 이 역시 독자성으로 보았다.

고려동경은 중세 동아시아에서 475년간 존속한 고려시대 사용되던 공예품 중 하나이다. 일상생활에서 사용하는 용품이라는 점에서 많은 사람들이 사용했으며, 이로 인해 동경의 형태, 문양 등이 다양하다. 이러한 요소는 고려동경의 특징을 파악하는 중요한 요인이 되었으며, 본 연구는 이를 사회적 맥락과 접목하여 고려동경의 전반적 사항에 대해 분석해보고자 했다. 이에 고려동경에 대한 분석을 당시 동아시아의 중심인 중국과의 비교를 통해 살펴보고자 했으며, 이를 위해 사회적 배경과 제작양상, 편년 비교 등 다양한 방법을 통해 시도해보고자 했다. 하지만 이중 편년은 정확한 제작시기를 알 수 있는 예가 없어, 분묘 출토 동경을 통해 편년을 설정해 간접적으로 시기를 구분했다는 한계가 있다. 또한 국적의 문제가 명확하지 않는 한계점이 있다는 점에서 아직도 풀어야할 과제가 많다. 이에 본 연구는 이러한 의문점과 과제를 타개하기 위한 하나의 발판으로 생각하며, 다루지 못한 부분은 추후 연구를 통해 해결을 모색해보고자 한다.

【参考紋獻】

1. 經典 · 史料

『開元釋教錄,入藏目錄』

『關尹子』

『高麗圖經』

『高麗史』

『高麗史節要』

『高僧傳』

『廣雅』

『群書考索』

『金史』

『爾雅』

『東文選』

『東人之文四六』

『法苑珠林』

『白虎通』

『佛果圜悟禪師碧巖錄』

『佛祖統記』

『山海經』

『釋氏通鑒』

『宣和奉使高麗圖經』

『說文解字』

『世說新語』

『小學紺珠』

『續高僧傳』

『續夷堅志』

『宋史』

『修行道地經』

『新唐書』

『神僧傳』

『靈憲』

『遼史』

『雲笈七籤』

『元史』

『爾雅』

『傳法正宗記』

『帝王韻紀』

『祖庭事苑』

『出三藏記集』

『七俱胝佛母所說准提陀羅尼經』

『七佛俱胝佛母心大准提陀羅尼法』

『太平御覽』

『抱朴子』

『顯密圓通成佛心要集』

『弘贊法華傳』

『淮南子』

2. 圖錄

〈국문〉

국립경주박물관,『國立慶州博物館 所藏 鏡鑑』, 2007.

국립경주박물관,『銅鏡 과거를 비추는 거울』, 2007.

국립공주박물관,『한국의 고대 상감 큰 칼에 아로새긴 최고의 기술』, 2015.

국립대구박물관,『한국의 문양 龍』, 통천문화사, 2003.

국립문화재연구소,『미국 로스앤젤레스 카운티 박물관 소장 한국문화재』, 2012.

국립부여박물관,『청동거울』, 2010.

국립제주박물관,『금속공예에 깃든 고려인의 삶』, 2011.

국립중앙박물관, 『고려동경-거울에 담긴 사람들의 삶』, 2010.
국립중앙박물관, 『국립중앙박물관 소장 고려동경 자료집-호주명, 항주명, 소주명 동경』, 2012.
국립중앙박물관, 『한국의 도교 문화 행복으로 가는 길』, 2013.
국립중앙박물관, 『대고려 918 · 2018, 그 찬란한 도전』, 2018.
국립청주박물관, 『국립청주박물관』, 2011.
국립청주박물관, 『청주 思惱寺 금속공예 I 』, 2014.
국립해양문화재연구소, 『보존 · 복원보고서 달리도선』, 2012.
동국대학교 경주캠퍼스 박물관, 『동국대학교 경주캠퍼스 박물관 도록』, 2012.
문화관광부 문화재관리국, 『重要發見里長文化財圖錄』 제2집, 1998.
문화재청 동산문화재과, 『문화재대관-국보 금속공예』, 문화재청, 2008.
복천박물관, 『신의 거울 동경』, 2009.
북촌미술관, 『中國古代銅鏡展』, 2013.
삼성미술관 Leeum, 『細密可貴』, 2015.
숙명여자대학교 박물관, 『숙명여자대학교박물관 명품도록』, 2007.
영남대학교박물관, 『영남대학교 박물관 소장유물 도록』, 2005.
월정사성보박물관, 『월정사성보박물관도록』, 2002.
코리아나화장박물관, 『한국의 화장도구』, 2010.
한국불교미술박물관, 『예술과 실용의 만남 금속공예』, 2010.
호암갤러리, 『大高麗國寶展』, 1995.

<영문>

The Cleveland Museum of Art, 『Circles of Reflection : The Carter Collection of Chinese Bronze Mirrors, The Cleveland Museum of Art』, 2000.

<중문>

甘肅省博物館 編, 『甘肅省博物館文物精品圖集』, 三秦出版社, 2006.
管維良, 『中國銅鏡史』, 中慶出版社, 2006.
故宮博物院編, 『故宮收藏 妳應該知道的200件銅鏡』, 紫禁城出版社, 2007.
孔祥星 · 劉一曼, 『中國銅鏡圖典』, 文物出版社, 1997.

那國安 · 王禹浪,『金上京百面銅鏡圖錄』, 哈爾濱出版社, 1994.
臺灣國立歷史博物館,『國立歷史博物館藏 歷代銅鏡』, 1996.
臺灣國立歷史博物館,『淨月澄華: 息齋藏鏡』, 2001.
臺灣國立故宮博物院,『皇帝的鏡子』, 2015.
董彦明 · 徐英章 · 趙洪山,『金代刻款銅鏡』, 遼寧省博物館, 1996.
劉國仁,『中華龍紋鏡』, 黑龍江省人民出版社, 2003.
本書編委會,『宣化遼墓』, 文物出版社, 2014.
沙元章,『遼金銅鏡』, 黑龍江美術出版社, 2007.
山西博物院 · 內蒙古博物院,『草原華章-契丹文物精華展』, 山西人民出版社, 2010.
上海博物館,『練形神治瑩質良工-上海博物館藏銅鏡精品』, 上海書畵出版社, 2005.
上海博物館,『千年古港』, 2017.
西安市文物保護考古所,『西安文物精華 銅鏡』, 中國圖書進出口西安公司, 2007.
安徽省文物考古研究所 · 六安市文物局,『六安出土銅鏡』, 文物出版社, 2008.
梁上椿,『岩窟藏鏡』, 岡村秀典譯出版社, 1934.
王士伦,『浙江出土銅鏡(修訂本)』, 文物出版社, 2006.
遼寧省博物館編,『淨月澄華-遼寧省博物館藏古代銅鏡』, 遼寧大學出版社, 2014.
栗滨,『北方草原古銅鏡圖錄』, 遠方出版社, 2008.
張英,『吉林出土銅鏡』, 文物出版社, 1988.
狄秀斌 · 李郅强,『犀照群伦光含万象(曉軒齋藏宋遼金元明清銅鏡)』, 文物出版社, 2013.
中國青銅器全集編輯委員會,『中國青銅器全集 第16卷: 銅鏡』, 文物出版社, 1998.
陳凧九 主編,『丹陽銅鏡博物館 千鏡堂』, 文物出版社, 2007.
China Guardian 2011 Spring Auctions,『鏡花水月-夢蝶軒藏鏡』, 2011.
河北省文物研究所編,『歷代銅鏡紋飾』, 河北省美術出版社, 1996.
黄启善,『廣西銅鏡』, 文物出版社, 2004.

〈일문〉

大和文華館,『建國1100年 高麗-金屬工藝の輝きと信仰-』, 2018.
大和文華館,『鏡像の美-鏡に刻まれた佛の世界』, 2006.
奈良國立博物館,『聖地 寧波-日本佛教1300年の源流』, 2009.

大板市立東洋陶磁美術館,『高麗青磁-ヒストのきらめき』, 2018.
東京國立博物館,『中國王朝の至寶』, 2012.

3. 報告書

<국문>
경기도박물관,『龍仁 麻北里 高麗 古蹟』, 2001.
경상북도문화재연구원,『慶州 檢丹里 遺蹟』, 2007.
국립공주박물관,『艇止山』, 1999.
국립중앙박물관,『국립중앙박물관 소장 고려시대 동경 자료집』, 2012.
畿甸文化財硏究院 · 韓國土地公社,『華城 盤松里 행장골 遺蹟』, 2006.
기호문화재연구원,『 忠州 沙美里 · 釣川里遺蹟』, 2012.
檀國大學校博物館,『陳田寺址 發掘報告』, 1989.
東亞大學校博物館,『龜浦 德川洞 遺蹟』, 2006.
文化財硏究所,『中原 樓岩里 古墳群』, 1992.
성림문화재연구원,『慶州 勿川里 高麗墓群 遺蹟』, 2007.
성림문화재연구원,『淸道 大田里 高麗 · 朝鮮墓群 I 』, 2008.
성림문화재연구원,『淸道 大田里 高麗 · 朝鮮墓群 II 』, 2008.
서울시립대박물관 · 한국도로공사,『丹陽 玄谷里 高麗古墳群』, 2008.
숭실대학교 한국기독교박물관,『한국기독교박물관 소장 국보 제141호 다뉴세문경 연구(제 5회 매산기념강좌)』, 2008.
숭실대학교 한국기독교박물관,『한국기독교박물관 소장 국보 제141호 다뉴세문경종합조사연구』, 2009.
중앙문화재연구원,『燕岐 葛雲里遺蹟 I 』, 2011.
중앙문화재연구원,『燕岐 葛雲里遺蹟 II 』, 2011.
중앙문화재연구원,『燕岐 葛雲里遺蹟 III 』, 2011.
중앙문화재연구원,『청주 율양2지구 택지개발지구 내 청주 율양동 유적 I 』, 2011.
중앙문화재연구원,『청주 율양2지구 택지개발지구 내 청주 율양동 유적 II 』, 2011.
중앙문화재연구원,『청주 율양2지구 택지개발지구 내 청주 율양동 유적 III 』, 2011.

중원문화재연구원, 『沃川 加豊里Ⅱ 遺蹟』, 2011
중원문화재연구원, 『영동 부용리 · 양정리 유적』, 2012.
충주박물관, 『忠州 虎岩洞遺蹟 發掘調査報告書』, 1998.
충청문화재연구원, 『舒川 楸洞里 遺蹟 I』(圖面), 2006.
충청문화재연구원, 『舒川 楸洞里 遺蹟 I』(本文), 2006.
충청문화재연구원, 『舒川 楸洞里 遺蹟 I』(寫眞), 2006.
한국문물연구원, 『영주 다목적댐 건설사업 구역(금광리Ⅱ) 내 榮州 金光里 遺蹟』제1권, 2018.
한국문물연구원, 『영주 다목적댐 건설사업 구역(금광리Ⅱ) 내 榮州 金光里 遺蹟』제2권, 2018.
한국문물연구원, 『영주 다목적댐 건설사업 구역(금광리Ⅱ) 내 榮州 金光里 遺蹟』제3권, 2018.
한국문물연구원, 『영주 다목적댐 건설사업 구역(금광리Ⅱ) 내 榮州 金光里 遺蹟』제4권, 2018.
한국문물연구원, 『영주 다목적댐 건설사업 구역(금광리Ⅱ) 내 榮州 金光里 遺蹟』제5권, 2018.
한국문화재보호재단, 『淸州龍岩遺蹟(Ⅰ)-本文-』, 2000.
한국문화재보호재단, 『淸州龍岩遺蹟(Ⅱ)-本文-』, 2000.
한국문화재보호재단, 『淸州龍岩遺蹟(Ⅰ)-寫眞-』, 2000.
한국문화재보호재단, 『淸州龍岩遺蹟(Ⅱ)-寫眞-』, 2000.

〈중문〉

蘇州博物館 編, 『蘇州博物館藏 虎丘雲岩寺塔, 瑞光寺塔文物』, 文物出版社, 2006.
浙江省文物考高研究所, 『雷峰塔遺址』, 文物出版社, 2005.

4. 單行本

〈국문〉

孔祥星 · 劉一曼 著 安京淑 譯, 『中國古代銅鏡』, 도서출판 주류성, 2003.
김리나, 『統一新羅 美術의 對外交涉』, 예경, 2001.
金庠基, 『新編高麗時代史』, 서울대학교출판부, 1985.
김위현 著, 『國譯 遼史』上, 단국대학교출판부, 2012.
김위현 著, 『國譯 遼史』中, 단국대학교출판부, 2012.
김위현 著, 『國譯 遼史』下, 단국대학교출판부, 2012.

김주미, 『한민족과 해 속의 삼족오-한국의 일상문 연구-』, 학연문화사, 2010.
김현룡 감수 · 김종군 편역, 『한국문학과 관련있는 중국 전기 소설선』, 박이정, 2005.
劉安編 著 · 安吉煥 編譯, 『淮南子』, 明文堂, 2001.
牟鐘鑒 지음 · 이봉호 옮김, 『중국 도교사 신선을 꿈꾼 사람들의 이야기』, 예문서원, 2015.
박경식, 『한국의 석탑』, 학연문화사, 2008.
朴龍雲, 『高麗時代史』(上)(下), 一志社, 1985.
방향숙 · 신채식 · 이석현 · 민경준 · 이영옥, 『한중외교관계와 조공책봉』, 고구려연구재단, 2005.
不空 譯 · 김영덕 옮김, 『한글대장경』265 밀교부19, 동국역경원, 1999.
서영대, 『용, 그 신화와 문화 [2]: 한국편』, 민속원, 2002.
선정규, 『중국신화연구』, 고려원, 1996.
宋應星 · 林東錫 譯, 『天工開物』, 동서문화사, 2015.
숭실대학교 한국기독교박물관, 『다뉴세문경 종합조사연구』, 피알앤북스, 2009.
王大有 著 · 朴東錫 譯, 『龍鳳文化原流』, 東文選, 2002.
廖名春 · 康學偉 · 梁韋弦 共著 · 심경호 譯, 『주역철학사』, 예문서원, 1994.
劉安 · 李錫明 譯, 『淮南子』2, 소명출판, 2010.
유향, 『열선전 : 중국 도교의 70선인 이야기』, 예문서원, 1996.
유흠 저 · 김장환 역, 『西京雜記』, 지식을 만드는 지식, 2012.
이계지 지음 · 나영남, 조복현 옮김, 『정복 왕조의 출현 요 · 금의 역사』, 신서원, 2014.
李蘭暎, 『韓國의 銅鏡』, 韓國精神文化硏究院, 1983.
李蘭暎, 『高麗鏡 硏究』, 통천문화사, 2003.
李培根, 『高麗銅鏡解說』, 技文社, 1991.
이성규 등, 『國譯 金史』1, 단국대학교출판부, 2016.
이성규 등, 『國譯 金史』2, 단국대학교출판부, 2016.
이성규 등, 『國譯 金史』3, 단국대학교출판부, 2016.
이성규 등, 『國譯 金史』4, 단국대학교출판부, 2016.
이정신, 『고려시대의 특수행정구역 所 연구』, 혜안, 2013.
이진한, 『고려시대 무역과 바다』, 경인문화사, 2015.
李浩官, 『韓國의金屬工藝』, 문예출판사, 1997.

일본 역사교육자협의회 편, 『동아시아 역사와 일본』, 동아시아, 2005.
張國風 지음 · 이등연, 정영호 편역, 『중국 고전소설사의 이해』, 전남대학교출판부, 2011.
장남원, 강병희, 권순형, 김순자, 김영미, 안귀숙, 정은우, 『고려와 북방문화』, 양사재, 2011.
정재서, 『도교와 문학 그리고 상상력』, 푸른숲, 2000.
존 W. 홀 지음 · 박영재 옮김, 『선사부터 현대까지 일본사』, 역민사, 2003.
최병규, 『중국의 시가와 소설의 입문서-중국고전 시가와 소설의 이해와 감상』, 한국문화사, 2008.
최응천 · 김연수 지음, 『금속공예』, 솔, 2003.
최응천, 『한눈에 보는 입사』, 미진사, 2016.
폴발리 지음 · 박규태 옮김, 『일본문화사』, 경당, 2011.
한국미술사학회, 『高麗美術의對外交涉』, 예경, 2004.
皇甫謐 지음 · 김장환 옮김, 『高士傳』, 지식을 만드는 지식, 2012.
黃沍根, 『韓國文樣史』, 悅話堂, 1994.

〈영문〉

R. W. Swallow, 『ANCIENT CHINESE BRONZE MIRRORS』, PEIPING HENRIVETCH, 1926.

〈중문〉

谷莉, 『宋遼夏金裝飾紋样研究』, 中國戲劇出版社, 2017.
孔祥星 · 劉一曼, 『中國銅鏡圖典』, 北京: 文物出版社, 1997.
柳淑娟, 『遼代銅鏡研究』, 沈陽出版社, 1998.
梅叢笑, 『以銅爲監—中國古代銅鏡藝術』, 中國書店出版社, 2012.
聞人軍, 『考工記』, 中國國際廣播出版社, 2011.
長錯, 『青銅鑑容 : 今昔居」青銅藏銅鑑賞與文化研究』, 藝術家出版社, 2015.
何堂坤, 『中國古代銅鏡的技術研究』, 紫禁城出版社, 1999.

〈일문〉

久保智康, 『中世 · 近世の鏡』, 日本の美術 第394号, 至文堂, 1999.
藤原崇人, 『契丹佛教史の研究』, 法藏館, 2015.

岩崎佳枝 校注,『七十一番職人歌合 · 新撰狂歌集 · 古今夷曲集』, 岩波書店, 1993.

田中 琢 編,『日本の 美術3 : 古鏡』, 至文堂, 1981.

朝鮮總督府,『朝鮮古蹟圖譜』卷9, 靑雲堂, 1929.

中野政樹,『和鏡』, 日本の美術 第42号, 至文堂, 1969.

早川光三郎,『蒙求』, 明治書院, 1980.

靑木 豊,『和鏡の文化史』, 刀水書房, 1992.

5. 論文

〈국문〉

강길중,「宋代 文化形成과 人文學의 發展」,『역사문화연구』 제35집, 한국외국어대학교 역사문화연구소, 2010.

高西省,「韓中 양국 출토 航海圖紋銅鏡 考察」,『美術資料』 第63號, 국립중앙박물관, 1994.

고유민,「고려 龍樹殿閣文鏡 도상과 양식연구」,『古文化』 第83號, 한국대학박물관협회, 2014.

김병인,「高麗 睿宗代 道敎振興의 배경과 추진세력」,『全南史學』 제20집, 2003.

김복순,「신라와 고려의 사상적 연속성과 독자성-불교를 중심으로」,『한국고대사연구』vol.54, 한국고대사학회, 2009.

김성준,「황비창천명 항해도문 고려동경에 새겨진 배의 국적」,『역사와 경계』 vol.105, 부산경남사학회, 2017.

김순아,「동국대학교박물관소장 금동아미타 · 구층보탑경상」,『佛敎美術』 vol.21, 동국대학교박물관, 2010.

김연수,「高麗 墳墓 出土 金屬工藝 分析 試考」,『고고학』 vol.6, 중부고고학회, 2007.

김은애,「고려시대 타출 공예 연구」,『美術史學硏究』 vol.253, 韓國美術史學會, 2007.

김철웅,「고려 道敎의 殿 · 色 · 所」,『史學硏究』vol.108, 韓國史學會, 2012.

郭東錫,「高麗鏡像의 圖像的 考察」,『美術資料』44, 國立中央博物館, 1989.

郭東錫,「准提觀音 · 白衣觀音 線刻方形鏡像의 圖像解釋-中國 准提觀音圖像의 新解釋-」,『美術資料』48, 國立中央博物館, 1991.

남연의,「울산 복산동 손골유적 출토 高麗銅鏡」,『蔚山史學』vol.16, 蔚山史學會, 2012.

남연의,「한반도 출토 銅鏡 연구사」,『蔚山史學』vol.18, 蔚山史學會, 2014.

남연의, 「고려인의 동경인식」, 『蔚山史學』vol.19, 蔚山史學會, 2015.
박경남, 「元末明初 문학 동향 및 宋濂 문학관의 변화」, 『동양고전연구』 제62집, 동양고전학회, 2007.
朴美郁, 「釜山博物館所藏銅鏡」, 『博物館硏究論集』9, 釜山博物館, 2002.
박미욱, 「고려분묘 출토 동경의 검토 - 경북지역 자료를 중심으로」, 『박물관연구논집』16, 부산시립박물관, 2011.
朴玉杰, 「高麗來航 松商人과 麗 · 宋의 貿易政策」,, TÙ8Tðl, Uvol.32, 성균관대학교 대동문화연구원, 1997.
박용운, 「고려는 귀족사회임을 다시 논함-上」, 『한국학보』93, 일지사, 1998.
박용운, 「고려는 귀족사회임을 다시 논함-下」, 『한국학보』94, 일지사, 1999.
박원모, 「민속 현장에서의 동경 : 황해도 무속의 경우」, 『한반도의 청동기제작
기술과 동아시아의 고경』, 국립경주박물관, 2007.
박지훈, 「요대 承天 蕭太后의 섭정」, 『역사문화연구』 제64집, 한국외국어대학교 역사문화연구소, 2017.
朴珍璟, 「瑞花雙鳥文八稜鏡의 연원과 전개」, 『한국고대사탐구』vol.10, 한국고대사탐구학회, 2012.
박진경, 「金系 高麗鏡의 제작과 유통」, 『美術史學硏究』 第279 · 280號, 韓國美術史學會, 2013.
박진경, 「准提 修行儀軌와 儀式具로 제작된 銅鏡」, 『佛敎美術史學』vol.24, 佛敎美術史學會, 2017.
송일기, 「五臺山 月精寺 八角九層石塔 出土『全身舍利經』의 考察」, 『한국도서관 · 정보학회지』vol.33, 한국도서관 · 정보학회, 2002.
신숙, 「통일신라 평탈공예 연구」, 『美術史學硏究』 第242 · 243號, 한국미술사학회, 2004.
안경숙, 「낙랑구역 남사리 28호 무덤 출토 鏡架 연구」, 『고고학지』 제15집, 국립중앙박물관, 2006.
安京淑 · 兪惠仙 · 金庚洙, 「국립중앙박물과 소장 平脫鏡의 과학적 조사」, 『東垣學術論文集』, 국립중앙박물관, 2008.
안병우, 「개방성과 고려, 그리고 현재의 동아시아」, 『한국중세사연구』no.42, 한국중세사학회, 2015.
오세정, 「고려 건국신화 <고려세계>의 서사구조 연구」, 『古典文學硏究』vol.49, 한국고전문

학회, 2016.

우주옥, 「高麗時代 線刻佛像鏡과 密敎儀式」, 『美術史學』vol. 24, 한국미술사교육학회, 2010.

柳江夏, 「唐代의 청동거울[銅鏡]에 대하여 : 文物과《太平廣記》器玩을 통해 본 隋 · 唐代의 銅鏡」, 『中國小說論叢』vol. 28, 한국중국소설학회, 2008.

嚴基杓, 「韓國 梵字 眞言銘 銅鏡의 特徵과 意義」, 『역사문화연구』vol. 58, 한국외국어대학교 역사문화연구소, 2016.

유승원, 「특별연구 : 고려 귀족사회론에 대한 본격적 비판 고려사회를 귀족사회로 보아야 할 것인가」, 『역사비평』38호, 역사비평사, 1997.

윤용현, 「석기와 다뉴세문경의 복원제작기술」, 『문화재복원제작기술연구(문화재 복원제작기술 교재개발 워크숍)』, 한국전통문화학교 한국문화예술교육진흥원, 2007.

윤용현 · 정광용, 「청동 잔무늬거울의 복원제작기술 연구」, 『한국문화재보존과학회 춘계학술대회 자료집』, 한국문화재보존과학회, 2008.

윤용현 · 윤석빈 · 정영상, 「청동거울 석제거푸집의 복원 제작기술과 주조 실험」, 『博物館學報』 No. 29, 한국박물관학회, 2015.

李健茂, 「韓國 先史時代 靑銅器 製作과 거푸집」, 『한국의 청동기 제작과 용범』, 숭실대학교 한국기독교박물관, 2005.

이근명, 「王安石 新法의 시행과 黨爭의 발생」, 『역사문화연구』 제46집, 한국외국어대학교 역사문화연구소, 2013.

李松蘭, 「高麗時代 月精寺 八角九層石塔 舍利具의 銅鏡 埋納의 樣相 」, 『博物館紀要』, 단국대학교출판부, 2010.

李時燦, 「宋代 문화와 서사문학 발전의 상관관계 연구」, 『中國文化硏究』24, 中國文化硏究學會, 2014.

이양수, 「다뉴조문경의 제작기술」, 『호남고고학보』22, 호남고고학회, 2005.

이용진, 「高麗時代 鼎形靑瓷 硏究」, 『美術史學硏究』vol. 253, 한국미술사학회, 2006.

李貞薰, 「고려시대 금과의 대외관계와 同文院」, 『史學硏究』vol. 119, 韓國史學會, 2015.

이정희, 「고려전기 對遼貿易」, 『지역과 역사』제4호, 부산경남역사연구소, 1997.

李鍾玟, 「高麗靑瓷 龍 裝飾의 樣式的 系譜와 編年」, 『역사와 담론』 제53권, 湖西史學會, 2009.

이해주, 「불교 조형물에 구현된 동물화생도상 고찰」, 『동양학』 제66호, 단국대학교 동양학연구원, 2017.

李興鍾,「高麗의 門閥貴族과 武臣政權」,『典農史論』vol.7, 서울시립대학교 국사학과, 2001.

任明美,「高麗時代 人物관련 製作物을 통해서본 服飾制度에 관한 硏究(I):銅鏡人物像을 中心으로」,『同大論叢』vol.23, 동덕여자대학교, 1993.

임태경,「고려로 유입된 중국 동전의 기능과 용도 -원재료의 활용을 중심으로-」,『해양문화재』제7호, 국립해양문화재연구소, 2014.

장경희,「隋唐代聯珠環文錦의 東西交涉」,『한국조형디자인』, 한국조형디자인학회, 2007.

장남원,「10~12세기 고려와 遼 · 金도자의 교류」,『美術史學』vol.23, 한국미술사교육학회, 2009.

장미란,「後周 世宗의 고민과 폐불령」,『불교연구』제45집, 한국불교연구원, 2016.

장석오,「古代 佛典에 나타난 마카라 문양의 系統과 意味」,『佛敎美術史學』vol.16, 佛敎美術史學會, 2013.

전익환 · 박장식 · 이재성 · 백지혜,「한반도 출토 청동거울의 표면처리 기법에 관한 연구」,『보존과학회지』vol.22, 한국문화재보존과학회, 2008.

전중배,「중국 五代의 불교정책과 그 성격」,『東國史學』제37권, 동국역사문화연구소, 2002.

정수희,「고려 煌丕昌天銘鏡의 도상과 불교적 해석」,『美術史學硏究』no.286, 한국미술사학회, 2015.

鄭智禧,「고려 水月觀音鏡像과 서울역사박물관 鏡像의 연구」,『강좌미술사』vol.24, 한국불교미술사학회, 2005.

齊東方 · 徐潤慶(譯),「거울과 환영 : 唐代 銅鏡을 중심으로」,『美術史論壇』vol.24, 한국미술연구소, 2007.

조진선,「세형동검 용범에 대한 제작기술-주형의 설계 및 새김기법을 중심으로-」,『한국고고학보』60, 한국고고학회, 2006.

조현식,「고려(高麗) 공예문화(工藝文化)의 한중교류」,『동방학』29卷, 한서대학교 동양고전연구소, 2013.

주경미,「고려시대 월정사 석탑 출토 사리장엄구 再論」,『震檀學報』vol.113, 震檀學會, 2011.

주영민,「高麗墳墓 출토 銅鏡 연구」,『嶺南考古學』56호, 영남고고학회, 2011.

천진기,「한국 문화에 나타난, 토끼[卯 · 兎]의 상징성 연구」,『토끼의 생태와 관련 민속』, 제 35회 국립민속박물관 학술발표회, 1998.

崔恩娥,「경주지역 건물지의 鎭壇具에 관한 고찰 : 매납방법과 봉납물을 중심으로」,『문물연구』제11호, 동아시아문물연구학술재단, 2007.
崔應天,「癸未銘 梵鐘의 特徵과 編年」,『丹豪文化研究』vol.4, 龍仁大學校 傳統文化研究所, 1999.
崔應天,「高麗後期의 金屬工藝」,『강좌미술사』제22호, 한국미술사연구소, 2004.
崔鍾成,「國行 무당 祈雨祭의 歷史的 研究」,『震檀學報』86, 震檀學會, 1998.
崔朱延,「高麗時代 '煌丕昌天'銘 銅鏡 考察」,『先史와 古代』vol.48, 한국고대학회, 2016.
崔朱延,「金代 '犀牛望月'紋 銅鏡의 多樣性과 地域性」,『古文化』vol.87, 한국대학박물관협회, 2016.
崔朱延,「杯度禪師紋 銅鏡의 圖像과 製作背景」,『文化史學』no.47, 한국문화사학회, 2017.
최주연,「高麗時代 雙龍紋鏡 流入과 獨自性」,『文化財』vol.52, 국립문화재연구소, 2019.
최주연,「高麗時代 線刻佛像文鏡의 傳來와 製作要因」,『文化史學』No.53, 한국문화사학회, 2020.
최주연,「宋·金代 月宮故事紋鏡의 變化와 圖像解釋」,『文化史學』No.55, 한국문화사학회, 2021.
허일권·조남철·강형태,「익산 미륵사지 출토 동경의 금속학적 연구 및 산지추정」,『보존과학회지』vol.20, 한국문화재보존과학회, 2007.
黃純艶,「南宋과 金의 朝貢體系 속의 高麗」,『震檀學報』제114호, 震檀學會, 2012.
홍인국,「동북아지역 초기 동경의 기원과 전개」,『白山學報』vol.104, 白山學會, 2016.

〈중문〉

高西省,「從扶風出土的歷代銅鏡」,『月刊故宮文物』第138, 國立故宮博物院, 1994.
孔祥星·李雪梅,「關于金代銅鏡上的檢驗刻記」,『考古』, 中國社會科學院考古研究所, 1992.
孔樣星,「略論中國古代人物鏡」,『文物』, 1998年 3期.
高至喜,「長沙東郊楊家山發現南宋墓」,『考古』, 1961年 3月.
吉林省文物考古研究所,「吉林鎭賚縣黄家圍子遺址發掘簡報」,『考古』, 1988年 2期.
内蒙古文物考古研究所 外,「遼耶律羽之墓發掘簡報」,『文物』, 1996年 1期.
内蒙古文物考古研究所,「遼陳國公主駙馬合葬墓發掘簡報」,『文物』, 1987年 11期.
蘆博文,「遼代銅鏡中龍紋样式初探」,『藝術科技』, 浙江舞台設計研究院, 2016年 10期.
譚德睿·吴來明,「古銅鏡"水銀沁"表面形成机理的研究」,『文物保護與考古科學』, 第9卷 第1期, 1997年 5月.

唐洪源,「吉林省遼源市出土一面遼代銅鏡」,『文物』, 1983年 8期.
大同市博物館,「大同金代閻德源墓發掘簡報」,『文物』, 1978年 4期.
陶富海,「山西襄汾縣的四座金元時期墓葬」,『考古』, 1988年 12期.
陶宗冶,「河北宣化下八里遼金壁畵墓」,『文物』, 1990年 10期.
董新林,「遼代墓葬形制與分期略論」,『考古』, 2004年 8期.
董志翘,「漢譯佛典中的“坏(杯)船”,“坏(杯)舟”-兼談”杯度”,“一葦度江”傳說之由來」,『文史』, 中華册局有限公司, 2015年 3期.
董學增 · 高素心,「吉林枠甸出土金代刻款銅鏡」,『文物』, 1988年 7期.
杜树志,「金代海船紋菱花銅鏡賞析」,『東方收藏』, 2014年 5期.
滕縣博物館,「山東滕縣金苏瑀墓」,『考古』, 1984年 4期.
羅曉艷,「摩羯紋的發展及特征淺談」,『文物鑑定與感賞』, 2016年 9期.
黎毓馨,「瑞相重明—雷峰塔文物陳列」,『藝術品』, 2016年 2期.
劉國威,「院藏元明時期所造準提咒梵文鏡」,『故宮文物』vol.385, 故宮博物院, 2015.
馮永謙,「遼寧省建平, 新民的三座遼墓」,『考古』, 1960年 2期.
文工,「漚魯抹銅鏡」,『文物』, 1982年 6期.
潘表惠,「浙江新昌收藏的宋代銅鏡」,『考古』, 1991年 6期.
白云翔,「試論東亞古代銅鏡鑄造技術的两介傳統」,『考古』, 中國社会科學院考古研究所, 2010年 2期.
福建省博物館,「福州市北郊南宋墓清理簡報」,『文物』, 1977年 7期.
福建省博物館,「福州茶園山南宋許峻墓」,『文物』, 1995年 10期.
付國静,「銅監上京 : “金 · 源”展中的金代銅鏡」,『收藏』, 2018年 3期.
付崇 · 許憶,「金代銅鏡中的人物故事(上)」,『東方收藏』, 福建日報報業集團, 2016年 9期.
付崇 · 許憶,「金代銅鏡中的人物故事(下)」,『東方收藏』, 福建日報報業集團, 2016年 11期.
北京市海淀區文化文物局,「北京市海淀區南辛莊金墓清理簡報」,『文物』, 1988年 7期.
徐英,「摩竭造像的原型與流變」,『内蒙古大學藝術學院學報』, 2006年 2期.
徐殿魁,「唐鏡分期的考古學探討」,『考古學報』, 1994年 3期.
孫守道 · 郭大順,「論遼河流域的原始文明及龍的起源」,『文物』, 1984年 4期.
孙立謀,「道教鏡鑑析」,『收藏』, 2010年 9期.
宋德金,「金章宗简論」,『民族研究』, 1988年 4期.

宋志剛 · 吕慧琴, 「張家口市博物館館藏銅鏡選介」, 『文物春秋』, 2012年 4期.
沈偉忠, 「宋代金銀器的蓮塘紋与與菊紋」, 『東方收藏』, 2014年 4期.
襄樊市博物館, 「襄陽磨基山宋墓發掘簡報」, 『江漢考古』, 1985年 3期.
梁上椿, 「古鏡研究總論」, 『大陸雜誌』 5卷, 1952年 5期.
楊麗敏 · 長劍, 「近年遼北發現的金代刻銘銅鏡」, 『蘭臺世界』, 遼寧省檔案學會, 2015年 36期.
楊柏林, 「金代雙龍紋銅鏡和肇龍紋园鏡」, 『黑河學刊』, 1988年 1期.
楊玉彬, 「宋 · 金吴牛喘月故事鏡的命名與文化内涵考設」, 『文物鑑定與鑑賞』, 2012年 7期.
楊玉彬, 「仙鄉傳書成佳活 悲歡情緣映鑒中—宋金柳毅傳書故事鏡解析」, 『東方收藏』, 福建日報報業集团, 2012年 7期.
楊玉彬, 「宋 · 金許由巢父故事鏡的初步研究」, 『文物鑑定與感賞』, 2012年 9期.
楊玉彬, 「宋金"達摩度海故事鏡"定名質疑-兼議達摩"航海東來"故事的源變」, 『文物鑒定與鑒賞』, 2013年 1期.
楊静榮, 「陶瓷裝飾紋樣 - "吴牛喘月"考」, 『故宮博物院院刊』, 1984年 2期.
揚之水, 「雷峰塔地宮出土"光流素月"鏡線刻畵考」, 『東方博物』, 2006年 4期.
楊海霞, 「宋遼金時期銅鏡發展狀況初探」, 『美與時代』, 2009年 (上半月).
陽海霞, 「宋遼金時期花鳥紋銅鏡分类研究」, 『傳統與創新』, 2010.
閆月珍, 「"鏡"意象與中國文人的内省意識」, 『山西師大學报(社会科學版)』 第34卷 第1期, 2007.
寧夏回族自治區博物館, 「寧夏回族自治區文物考古工作的主要收获」, 『文物』, 1978年 8期.
吳雪杉, 「漢代啓門圖像性別含義釋談」, 『藝術研究』, 中國藝術研究院, 2007年 2期.
王宏, 「龍圖耀金鏡寶鑑照妝奩歷代龍纹銅鏡擷英」, 『收藏』, 2002年 1期.
王麗媛, 「欲禪讓帝選賢才退避洗耳不仕途-解讀一面宋銅鏡中許由巢父故事」, 『東方收藏』, 2011年 4期.
王蘭蘭, 「唐玄宗千秋金監節獻鏡渊源考析」, 『陕西師範大學繼續教育學報』第24卷, 2007.
王明達, 「也談我國神話中龍形象的產生」, 『思想戰綫』, 1981年 3期.
王牧, 「五代吳越國的銅鏡類型及紋飾特点(上)-兼儀五代時期的銅鏡及相關問題」, 『收藏家』, 2018年 6期.
王善才 · 陳恒樹, 「湖北麻城北宋石室墓清理簡報」, 『考古』, 1965年 1期.
于力凡, 「鐵牛鎭水紋銅鏡紋飾題材研究」, 首都博物館論叢雜志 編輯部, 『首都博物館論叢』, 2012.
劉謙, 「遼寧錦州市張扛村遼墓發掘報告」, 『考古』, 1984年 11期.

劉鱺 · 劉謙,「遼墓分期試論」,『遼寧工程技術大學學報』, 1999年 3期.
李娜,「鑑于歲月一普祠博物館館藏歷代銅鏡賞析」,『文物鑑定與鑑賞』, 2018年 11期.
伊藤清司 著 · 張小元 譯,「龍的起源論」,『思想戰綫』, 2003年 2期.
伊葆力,「中國古代銅鏡上的龍紋飾」,『哈爾濱學院學報』, 2002年 9期.
李建廷,「遼代雙龍紋鏡」,『收藏』, 陝西省文史館, 2010年 8期.
李菲,「一件金代“吴牛喘月”鏡考」,『文博』, 湖北省十堰市博物館, 2009.
李静,「宋代銅鏡的世俗化特徵研究」,『裝飾』, 2015年 3期.
李天一,「唐代銅鏡盛行略考」,『美術大觀』, 2015年 5期.
張家口市宣化區文物保管所,「河北宣化下八里遼韓師訓墓」,『文物』, 1992年 6期.
張米,「繁盛和諧 吉祥有魚 考古出土的龍泉窯雙魚紋」,『大衆考古』12期, 中國國家博物館, 2017.
張英,「海船鏡」,『北方文物』, 北方文物雜誌社, 1985年 1期.
張增午,「河南林縣金墓清理簡報」,『華夏考古』, 1998年 2期.
張漢君,「遼慶州釋迦佛舍利塔營造歷史及其建筑构制」,『文物』, 1994年, 12期.
張慧光,「中國傳統鳳紋圖像形式結構的演繹」,『赤峰學院學報』, 2011年 9期.
傳擧有,「龍鏡研究-中國銅鏡史研究之一」,『湖南省博物館館刊』, 湖南省博物館, 2008.
前热河省博物館籌備組,「赤峯縣大營子遼墓發掘報告」,『考古學報』, 1956年 3期.
田華,「金代銅鏡的刻款及相關問題」,『北方文物』, 北方文物雜誌社, 1995.
田華 · 邱玉春,「再論金代銅鏡刻款及相关問題」,『求是學刊』, 黑龍江大學, 1996.
浙江省文物考古研究所,「杭州雷峰塔五代地宮發掘簡報」,『文物』, 2002年 5期.
鄭巖,「論“半啓門”」,『故宮博物院院刊』, 2012年 3期.
丁勇,「內蒙古博物館館藏金代銅鏡淺談」,『內蒙古文物考古』, 內蒙古博物館, 1996.
丁勇,「達摩度海人物故事紋銅鏡」,『北方文物』, 北方文物雜誌社, 1997年 1期.
趙青,「多元文化互通的佳作——摩羯纹金杯」,『文物天地』, 2018年 8期.
趙曉紅,「宋金時期銅鏡淺析」,『東方收藏』, 2015年 9期.
陳述,「跋吉林大安出土契丹文銅鏡」,『文物』, 1973年 8期.
陳瑞清,「“上京巡院”銅鏡」,『黑龍江史志』, 2015年 2期.
陳灿平,「唐千秋鏡考」,『中國國家博物館館刊』, 2011年 5期.
陳清香,「達摩事迹與達摩圖像」,『中華佛學學報』, 中華佛學研究所, 1999年 12期.
陳紅波,「客從遠方來, 遺我雙鯉魚—Z0916金雙魚紋銅鏡的文化内涵」,『天水行政 學院學報』,

2017年 1期.
周能,「湖南出土宋鏡選記」,『南方文物』, 1994年 3期.
朱偉,「金代"星宿鎭水鏡"與"犀牛望月鏡""吴牛喘月鏡"的關係」,『文物鑑定與鑑賞』, 2015年 7期.
清格勒,「遼慶州白塔塔身嵌飾的两件紀年銘文銅鏡」,『文物』, 1998年 9期.
彭雪飛,「龍文化在龍鏡上的演繹(上)」,『東方收藏』, 福建日報報業集团, 2011年 7期.
彭雪飛,「龍文化在龍鏡上的演繹(下)」,『東方收藏』, 福建日報報業集团, 2011年 8期.
何堂坤,「關於我國古代銅鏡鑄造技術的幾个問題」,『自然科學史研究』, 中國科學院自然科學史研究所, 1983年 4期.
何堂坤,「我國古代銅鏡淬火技術的初步研究」,『自然科學史研究』, 中國科學院自然科學史研究所, 1986年 2期.
何堂坤,「宋鏡合金成分分析」,『四川文物』, 四川省文物局, 1990年 3期.
何堂坤,「幾件金代銅鏡的科學分析」,『北方文物』, 北方文物雜誌社, 1990年 3期.
何堂坤,「明代銅鏡科學考察」,『文物保護與考古科學』, 上海博物馆, 1994年 1期.
何堂坤,「關於古鏡熱處理的幾個問題 」,『中國歷史博物館館刊』, 中國國家博物館, 1996年 2期.
何堂坤 · 孔祥星,「關於古鏡的常見缺陷缺損及其修補技術」,『中國歷史博物館館刊』, 中國國家博物館, 1998年 2期.
河北省文物研究所 外,「宣化遼代壁画墓群」,『文物春秋』, 1995年 2期.
河北省文物研究所 外,「河北宣化遼張文藻壁画墓發掘簡報」,『文物』, 1996年 9期.
賀勇,「河北崇禮縣水晶屯發現一座金代石函墓」,『考古』, 1994年 11期.
鶴壁市文物工作队,「鶴壁市東頭村金墓發掘簡報」,『中原文物』, 1996年 3期.
韓小囡,「圖像與文本的重合-讀宋代銅鏡上的启門圖」,『美術史研究』, 2010年 3期.
向静 · 龍红,「連錢紋的源起及其在佛教裝飾藝術中的運用」,『史論空間』, 2013年 9期.
許明綱,「遼寧大蓮出土官府驗記銅鏡」,『黑龍江史志』, 2013年 3期.
浠水宋墓考古發掘队,「浠水縣城關鎭北宋石室墓發掘簡報」,『江漢考古』, 1989年 3期.

〈일문〉

久保智康,「朝鮮半島における日本系銅鏡」,『韓半島考古學論叢』, すずさわ書店(東京), 2002.
久保智康,「顯密佛教における「鏡」という裝置」,『日本佛教綜合研究』第7號, 日本佛教綜合研究學會, 2009.

6. 學位論文

〈국문〉

姜在勳,「准提眞言과 念誦儀軌 硏究」, 동국대학교대학원 석사학위논문, 2005.

康賢禎,「高麗時代金銀工藝의硏究-金屬製護符容器를중심으로」, 동국대학교대학원 석사학위논문, 2001.

高福升,「韓·中 龍傳承의 政治·宗教的比較 硏究」, 경희대학교대학원 박사학위논문), 2014.

高維敏,「高麗 '龍樹殿閣文'鏡 硏究」, 이화여자대학교대학원 석사학위논문, 2006.

權珠英,「조선시대 倭鏡과 그 유통과정 연구」, 동아대학교대학원 박사학위논문, 2018.

金陽玉,「韓半島 靑銅器時代 文樣의 硏究-새와 사슴문양을 중심으로」,『韓國考古學報』10·11合集, 韓國考古學硏究會, 1981.

金恩愛,「高麗時代打出工藝品硏究」, 홍익대학교대학원 석사학위논문, 2003.

金鐘一,「韓國中西部地域靑銅遺蹟·遺物의分布와祭儀圈」, 서울대학교대학원 석사학위논문, 1993.

金和英,「韓國 蓮華紋 硏究」, 이화여자대학교대학원 박사학위논문, 1976.

나영남,「契丹의 異民族 支配政策과渤海人의 存在樣態」, 한국외국어대학교대학원 박사학위논문, 2013.

盧敬淑,「銅鏡의 製作技法과 保存處理 硏究」, 경기대학교대학원 석사학위논문, 2005.

朴晟佑,「고려중기 金과의 경제교류와 銅교역」, 부산대학교 대학원 석사학위논문, 2010.

朴珍璟,「金系 高麗銅鏡 硏究」, 홍익대학교대학원 석사학위논문, 2008.

白順元,「우리나라 龍紋樣에 對한 考察」, 이화여자대학교대학원 석사학위논문, 1981.

변진의,「龍形의 象徵的 表現에 관한 硏究-韓國的 始原과 特性을 中心으로」, 한양대학교대학원 석사학위논문, 1989.

柳蕙英,「牧丹文硏究」, 이화여자대학교대학원 석사학위논문, 1986.

薛智恩,「湖西地域 高麗時代墳墓 出土 銅鏡 硏究」, 동국대학교대학원 석사학위논문, 2015.

孫眞,「高僧傳의 神異譚연구」, 동국대학교대학원 박사학위논문, 2015.

신숙,「統一新羅 平脫工藝 硏究」, 홍익대학교대학원 석사학위논문, 2002.

안경숙,「高麗 銅鏡 硏究」, 한양대학교대학원 박사학위논문, 2015.

안재건,「8세기 新羅의 遣唐使·遣日使를 통해 본 中代王權의 外交政策」, 안동대학교대학원 석사학위논문, 2018.
梁誠義,「『易經』八卦의 卦名 硏究」, 제주대학교대학원 석사학위논문, 2012.
우주옥,「高麗時代 線刻佛像鏡 硏究」, 고려대학교대학원 석사학위논문, 2009.
元水映,「高麗時代 以後 唐草紋에 관한 硏究」, 이화여자대학교대학원 석사학위논문, 1992.
윤근영,「고려후기 · 조선전기 보살상의 당초문겹보관 연구」, 홍익대학교대학원석사학위논문, 2016.
이미지,「고려시기 對거란 외교의 전개와 특징」, 고려대학교대학원 박사학위논문, 2012.
이수정,「충북지역 고려고분 연구」, 숭실대학교대학원 석사학위논문, 2009.
이양수,「韓半島 三韓 · 三國時代 銅鏡의 考古學的 硏究」, 부산대학교대학원 박사학위논문, 2010.
李恩炅,「칭기스칸 초기 세력 형성에 관한 일고찰」, 숙명여자대학교대학원 석사학위논문.
이진주,「고려시대 청자 연화문 연구」, 명지대학교대학원 석사학위논문, 2015.
이혜란,「葡萄唐草文에 關한 硏究」,이화여자대학교대학원 석사학위논문, 1986.
全英順,「高麗銅鏡 硏究 : 刑態와 紋樣을 中心으로」, 홍익대학교대학원 석사학위논문, 1972.
鄭永斌,「中國小說 속에서의 銅鏡의 文學的 受容」, 이화여자대학교대학원 석사학위논문, 2005.
정수희,「고려시대 銅鏡과 불교문화 연구」, 동아대학교대학원 박사학위논문, 2020.
崔朱延,「高麗後期 夾紵菩薩像 硏究 : 南宋代 彫刻樣式의 受容을 中心으로」, 동국대학교대학원 석사학위논문, 2011.
表受我,「高麗時代 14世紀 舍利莊嚴具 硏究」, 동국대학교대학원 석사학위논문, 2016.
하정숙,「韓 · 日 銅鏡文化의 샤머니즘적 성격에 관한 연구」, 한양대학교대학원박사학위논문, 2010.
黃貞淑,「高麗 銅鏡의 硏究-編年試圖를 위한 基礎硏究」, 대구가톨릭대학교대학원 석사학위논문, 2000.
黃貞淑,「고려 중 · 후기 사상을 통해본 동경 문양의 상징성 연구」, 대구가톨릭대학교대학원 박사학위논문, 2006.
許一權,「미륵사지 출토 銅鏡과 銅鐘의 금속학적 연구」, 한서대학교대학원 석사학위논문, 2006.

〈중문〉
關靜瀟,「准提佛母及其信仰硏究」, 陝西師範大學校 碩士學位論文, 2011.
谷莉,「宋遼夏金裝飾紋样硏究」, 蘇州大學 博士學位論文, 2011.

史正浩,「宋代金石圖譜的興起、演进與藝術影响」, 南京藝術學院 博士學位論文, 2013.
史策,「金代銅鏡紋飾研究—以上京地區爲中心」, 哈爾濱師範大學 碩士學位論文, 2017.
王劍,「中國古代小說中的鏡子--一个精神分析的閱讀」, 四川大學 碩士學位論文, 2005.
王巍,「唐代金银器上的人物圖像研究」, 河北科技大學 碩士學位論文, 2018.
楊昔慊,「海兽葡萄鏡的初步研究」, 西北大學校 碩士學位論文, 2010.
楊夏薇,「宋代湖州鏡的研究」, 南京藝術學院 碩士學位論文, 2012.
李陽,「遼代銅鏡探析」, 內蒙古大學 碩士學位論文, 2016.
張霄霄,「吳越王室佛教信仰研究—以錢弘俶阿育王塔爲例」, 中國美術學院 碩士學位論文, 2017.
趙永軍,「金代墓葬研究」, 吉林大學 博士學位論文, 2010.
蔡航,「金代仿古銅鏡研究」, 陝西師範大學 碩士學位論文, 2013.

7. 참고사이트

<국내>

국립중앙박물관 http://www.museum.go.kr/site/main/home

대구가톨릭대학교박물관 http://museum.cu.ac.kr/

숙명여자대학교박물관 http://www.sookmyung.ac.kr/sites/museum/index.do

이뮤지엄 http://www.emuseum.go.kr/main

<국외>

미국 The Metropolitan Museum of Art http://www.metmuseum.org

미국 Boston Museum of Fine Arts https://www.mfa.org

미국 The Cleveland Museum of Art http://clevelandmuseumofart.art/home

미국 LACMA https://www.lacma.org

영국 British Museum https://www.britishmuseum.org

일본 東京國立博物館 http://www.tnm.jp

중국 中國國家博物館 http://www.chnmuseum.cn

중국 湖南省博物館 http://www.hnmuseum.com

대만 國立故宮博物院 https://www.npm.gov.tw

【圖版目錄】

* 필자촬영은 출처 생략함.

圖 17. 山水飛雁鏡, 鎌倉, 徑9.5cm, 日本 東京國立博物館
(日本 東京國立博物館 http://www.tnm.jp)

圖 18. 작자미상, 〈磨鏡圖〉, 明代, 中國 首都博物館
(中國 首都博物館 http://www.capitalmuseum.org.cn/)

圖 19. 佛教線刻紋鏡, 高麗, 徑16.0cm, 한국문물연구원
(한국문물연구원, 『영주 다목적댐 건설사업 구역(금광리Ⅱ) 내 榮州 金光里 遺蹟』제2권, 2018, p.281.)

圖 20. '光流素月'銘鏡, 高麗, 徑11.9cm, 월정사성보박물관
(월정사성보박물관, 『월정사성보박물관도록』, 2002, p.30.)

圖 21. 素紋鏡, 高麗, 徑11.5cm, 월정사성보박물관
(월정사성보박물관, 『월정사성보박물관도록』, 2002, p.32.)

圖 22. 雙龍紋鏡, 高麗, 徑19.4cm, 월정사성보박물관
(월정사성보박물관, 『월정사성보박물관도록』, 2002, p.31.)

圖 23. 波紋鏡(花紋鏡), 高麗, 徑11.4cm, 월정사성보박물관
(월정사성보박물관, 『월정사성보박물관도록』, 2002, p.32.)

圖 24. 蓮唐草紋鏡, 高麗, 徑27.0cm, 국립중앙박물관(덕수4789)
(국립중앙박물관 http://www.museum.go.kr/site/main/home)

圖 25. 十二菱素紋鏡, 高麗, 徑22.4cm, 국립중앙박물관(덕수 879)
(국립중앙박물관 http://www.museum.go.kr/site/main/home)

圖 26. 雙雀鶴紋鏡, 高麗, 徑7.6cm, 국립중앙박물관(덕수2846)
(국립중앙박물관 http://www.museum.go.kr/site/main/home)

圖 27. 鳳雁雲鶴紋鏡, 遼, 徑15.8cm, 中國 遼寧省博物館

圖 28. 摩竭魚紋金杯, 唐, 徑13.1cm, 中國 陝西歷史博物館, 西安市太乙路出土
(趙青, 「多元文化互通的佳作——摩羯纹金杯」, 『文物天地』, 2018年 8期, p.39.)

圖 29. 摩竭形提梁銀壺, 遼, 高33.0cm, 中國 內蒙古博物院
(山西博物院 · 內蒙古博物院, 『草原華章-契丹文物精華展』, 山西人民出版社, 2010, p.90.)

圖 30. 摩竭魚紋鏡, 遼 혹은 金, 徑19.0cm, 中國 吉林省博物館
(張英, 『吉林出土銅鏡』, 文物出版社, 1988, p.92.)

圖 31. 摩竭魚紋鏡, 金, 徑9.5cm, 中國 張家口市博物館
(宋志剛 · 吕慧琴, 「張家口市博物館館藏銅鏡選介」, 『文物春秋』, 2012年 4期, p.76.)

圖 32. 雙摩竭紋銅鏡, 金代, 徑23.7cm, 中國 甘肅省博物館

圖 33. 摩竭魚紋鏡, 高麗, 徑11.8cm, 국립중앙박물관(덕수4915)
(국립중앙박물관 http://www.museum.go.kr/site/main/home)

圖 34. 摩竭魚紋鏡, 高麗, 徑9.3cm, 국립중앙박물관(덕수3299)
(국립중앙박물관 http://www.museum.go.kr/site/main/home)

圖 56. 雙龍紋鏡, 遼, 徑22.7cm, 中國 個人所藏
(劉國仁,『中華龍紋鏡』, 黑龍江省人民出版社, 2003, p.192.)

圖 57. 至元四年銘雙龍紋鏡, 元, 徑22.3cm, 中國 上海博物館
(上海博物館,『練形神治瑩質良工-上海博物館藏銅鏡精品』, 上海書畵出版社, 2005, p.355.)

圖 58. 雙龍紋鏡, 高麗, 徑18.5cm, 국립중앙박물관(덕수2858)
(국립중앙박물관 http://www.museum.go.kr/site/main/home)

圖 59. 雙龍紋鏡, 高麗, 徑11.5cm, 국립중앙박물관(본관4325-48)
(국립중앙박물관 http://www.museum.go.kr/site/main/home)

圖 60. 雙龍紋鏡, 高麗, 徑19.1cm, 국립중앙박물관(덕수1818)
(국립중앙박물관 http://www.museum.go.kr/site/main/home)

圖 61. 雙龍紋鏡, 高麗, 徑28.8cm, 국립중앙박물관(덕수2207)
(국립중앙박물관 http://www.museum.go.kr/site/main/home)

圖 62. 雙龍紋鏡, 高麗, 長18.7×15.3cm, 국립중앙박물관(덕수295)
(국립중앙박물관 http://www.museum.go.kr/site/main/home)

圖 63. 四龍紋鏡, 高麗, 徑20.3cm, 국립중앙박물관(덕수2062)

圖 64. 四龍紋鏡, 高麗, 徑29.8cm, 국립중앙박물관(덕수5509)
(국립중앙박물관 http://www.museum.go.kr/site/main/home)

圖 65. 四龍紋鏡, 高麗, 徑19.6cm, 국립경주박물관(경주1149)
(국립경주박물관 제공)

圖 66. 鎏金菊花紋銀盞, 宋
(沈倬忠,「宋代金銀器的蓮塘紋与與菊紋」,『東方收藏』, 2014年 4期, p.95.)

圖 67. 青瓷象嵌菊花紋瓶, 高10.9cm, 국립중앙박물관(덕수958)
(국립중앙박물관 http://www.museum.go.kr/site/main/home)

圖 68. 菊花紋鏡, 高麗 혹은 日本, 徑11.3cm, 국립중앙박물관(덕수2588)
(국립중앙박물관 http://www.museum.go.kr/site/main/home)

圖 69. 菊花紋鏡, 高麗 , 徑9.7cm, 국립중앙박물관(덕수4130)
(국립중앙박물관 http://www.museum.go.kr/site/main/home)

圖 70. 菊花紋鏡, 遼, 徑11.5cm, 中國 阜新縣博物館
(柳淑娟,『遼代銅鏡硏究』, 沈陽出版社, 1998, p.95.)

圖 71. 纏枝花紋鏡, 遼, 徑9.1cm, 中國 遼寧省博物館
(遼寧省博物館,『淨月澄華-遼寧省博物館藏古代銅鏡』, 遼寧大學出版社, 2014, p.249.)

圖 72. 纏枝花紋鏡, 宋, 徑11.7cm,『歷代銅鏡紋飾』168
(河北省文物硏究所編,『歷代銅鏡紋飾』, 河北省美術出版社, 1996, p.168.)

圖 73. 蓮板紋鏡, 遼, 徑13.1cm, 中國 上海博物館
(上海博物館 編,『練形神治瑩質良工-上海博物館藏銅鏡精品』, 上海書畵出版社, 2005, p.335.)

圖 93. 山東 兗州 興隆塔 地宮 舍利石函正面啓門, 宋, 中國 山東博物館
(鄭巖,「論"半啓門"」,『故宮博物院院刊』, 2012年 3期, p.28.)

圖 94. 河北 宣化遼張誘恭墓(2号墓) 東南壁啓門圖, 遼,『宣化遼墓』
(河北省文物研究所,『宣化遼墓』, 文物出版社, p.彩板80.)

圖 95. '許由巢父'紋鏡, 南宋, 徑14.8cm, 中國 上海博物館
(上海博物館,『練形神治瑩質良工-上海博物館藏銅鏡精品』, 上海書畵出版社, 2005, p.313.)

圖 96. '彈琴人物'紋鏡, 宋, 徑13.1cm, 中國 西安博物館
(西安市文物保護考古所,『西安文物精華 銅鏡』, 中國圖書進出口西安公司, 2007, p.139.)

圖 97. '犀牛望月'紋鏡, 金, 徑7.8cm, 中國 丹陽銅鏡博物館
(陳風九 主編,『丹阳銅鏡博物館 千鏡堂』,文物出版社, 2007, p.159.(도 264))

圖 98. '柳毅傳書'紋鏡, 金, 徑10.0cm, 中國 西安博物館
(西安市文物保護考古所,『西安文物精華 銅鏡』, 中國圖書進出口西安公司, 2007, p.151.)

圖 99. '許由巢父'紋鏡, 高麗, 徑14.2cm, 국립중앙박물관(덕수609)
(국립중앙박물관 http://www.museum.go.kr/site/main/home)

圖 100. 航海紋鏡, 宋, 徑18.6cm, 中國 陝西省扶風縣博物館, 扶風出土
(國家文物局,『中國文物精華大辭典 青銅卷』, 上海辞書出版社, 1995, p.374.)

圖 101. 航海紋鏡, 宋, 徑18.0cm, 中國 四川 稚安 宋墓出土
(孔祥星 · 劉一曼,『中國銅鏡圖典』, 文物出版社, 1997, p.853.)

圖 102. '煌丕昌天'銘鏡, 高麗, 徑18.3cm, 국립청주박물관(공주840)

圖 103. '煌丕昌天'銘鏡, 高麗, 徑16.7cm, 국립춘천박물관(신3784)
(문화관광부 문화재관리국,『重要發見埋藏文化財圖錄』제2집, 1998, p.80.)

圖 104. '煌丕昌天'銘鏡, 高麗, 徑24.4cm, 국립대구박물관(덕수4927)

圖 105. '煌丕昌天'銘鏡, 高麗, 徑16.7cm, 국립전주박물관(덕수4927)

圖 106. '煌丕昌天'銘鏡, 高麗, 徑15.4cm, 중앙문화재연구원
(중앙문화재연구원,『청주 율양동 유적 I』, 2011, p.466.)

圖 107. '煌丕昌天'銘鏡, 高麗, 徑14.8cm, 숙명여자대학교박물관
(숙명여자대학교 박물관,『숙명여자대학교박물관 명품도록』, 2007, p.150.)

圖 108. '煌丕昌天'銘鏡, 高麗, 徑14.5cm, 숭실대기독교박물관

圖 109. '皇丕昌天'銘許由巢父紋鏡, 金, 徑18×20cm, 中國 山東省 青州博物館
(王麗媛,「欲禪讓帝選賢才退避洗耳不仕途-解讀一面宋銅鏡中許由巢父故事」,『東方收藏』, 2011年 4期, p.20.)

圖 110. '煌丕'銘牛郎織女紋鏡, 金, 徑20.9cm, LA County Museum of Art in U.S.A (LACMA https://www.lacma.org)

圖 111. '高麗國造'銘鏡, 高麗, 徑11.5cm, 국립중앙박물관(본관12408)
(국립중앙박물관,『고려동경-거울에 담긴 사람들의 삶』, 2010, p.31.)

圖 130. 十一面觀音佛教線刻鏡, 日本, 徑31.5cm, 日本 福岡市美術館
(大和文華館,『鏡像の美-鏡に刻まれた佛の世界』, 2006, p.74.)

圖 131. 十一面觀音佛教線刻鏡, 日本, 徑35.6cm, 日本 個人所藏
(大和文華館,『鏡像の美-鏡に刻まれた佛の世界』, 2006, p.77.)

圖 132. 十一面觀音佛教線刻鏡, 日本, 徑11.2cm, 日本 東京國立博物館
(大和文華館,『鏡像の美-鏡に刻まれた佛の世界』, 2006, p.76.)

圖 133. 七寶紋鏡, 五代, 徑10.8cm, 中國 江蘇 連雲灣 出土
(柳淑娟,『遼代銅鏡研究』, 沈陽出版社, 1998, p.42.)

圖 134. 七寶紋鏡, 遼, 徑10.7cm, 中國 遼寧省博物館
(柳淑娟,『遼代銅鏡研究』, 沈陽出版社, 1998, p.50.)

圖 135. 七寶紋鏡, 遼, 徑29.0cm, 中國 赤峯市博物館
(柳淑娟,『遼代銅鏡研究』, 沈陽出版社, 1998, p.43.)

圖 136. 青瓷透刻七寶紋香盧, 高麗, 高15.3cm, 국립중앙박물관(덕수2990)
(국립중앙박물관 http://www.museum.go.kr/site/main/home)

圖 137. 青瓷香爐초벌구이편, 高麗, 국립광주박물관(광7480), 강진 용운리 출토

圖 138. 梵鐘, 고려, 高36.5cm, 국립중앙박물관(신수1601)
(국립중앙박물관 http://www.museum.go.kr/site/main/home)

圖 139. 回紋鏡, 高麗, 徑9.4cm, 국립중앙박물관(덕수5460)
(국립중앙박물관 http://www.museum.go.kr/site/main/home)

圖 140. 回紋鏡, 高麗, 徑16.0cm, 국립중앙박물관(덕수2295)
(국립중앙박물관 http://www.museum.go.kr/site/main/home)

圖 141. 回紋鏡, 高麗, 徑10.3cm, 국립중앙박물관(덕수489)
(국립중앙박물관 http://www.museum.go.kr/site/main/home)

圖 142. 回紋鏡, 高麗, 徑10.5cm, 국립중앙박물관(덕수559)
(국립중앙박물관 http://www.museum.go.kr/site/main/home)

圖 143. 花卉紋鏡, 宋, 徑15.9cm, 中國 浠水縣城關鎭 出土
(浠水宋墓考古發掘队,「浠水縣城關鎭北宋石室墓發掘簡報」,『江漢考古』, 1989年 3期, p.14.)

圖 144. '卍'字紋鏡, 宋, 徑14.5cm, 中國 浠水縣城關鎭 出土
(浠水宋墓考古發掘队,「浠水縣城關鎭北宋石室墓發掘簡報」,『江漢考古』, 1989年 3期, p.14.)

圖 145. 八卦紋鏡, 宋, 徑7.8cm, 浙江省新昌縣文管會
(潘表惠,「浙江新昌收藏的宋代銅鏡」,『考古』, 1991年 6期, p.573.)

圖 146. 芙蓉花紋鏡, 宋, 徑32.0cm, 中國 湖北 麻城石室墓 出土
(王善才 · 陳恒樹,「湖北麻城北宋石室墓清理簡報」,『考古』, 1965年 1期, p.23.)

圖 147. 飛天花紋鏡, 宋,「湖南出土宋鏡選記」
(周能,「湖南出土宋鏡選記」,『南方文物』, 1994年 3期, p.87.)

附錄 1.『金史』에 보이는 '驗記' 地域名 記錄*

<table>
<tr><th rowspan="2">路</th><th rowspan="2">地域名</th><th>『金史』卷24~26 志 第5~7</th></tr>
<tr><th>내용</th></tr>
<tr><td rowspan="6">上京路</td><td>上京</td><td>상경로는 곧 海古의 땅이니 금나라의 본토이다. 금나라 말에 '金'을 '按出虎'라고 부르는데 이곳 按出虎水가 이곳에서 발원하였기 때문에 '金源'이라고 命名하고 建國의 國號를 여기에서 취하였다. 금나라 건국 초에는 內地라 일컬었고, 天眷 元年(1138)에 上京이라고 하였다. 海陵 貞元 원년(1153)에 燕으로 도읍을 옮기고 상경이라는 호칭을 없애고 會寧府라고 칭하였고, [이 지역을國中이라고 칭하는 자는 법을 어겼다하여 論罪하였다. 大定 13년(1173) 7월에 다시 상경으로 회복되었다……부는 1개, 절도사군진은 4개, 방어사주는 1개. 현은 6개, 진은 1개가 있다.
上京路, 即海古之地, 金之舊土也。國言「金」曰「按出虎」, 以按出虎水源於此, 故名金源, 建國之號蓋取諸此。國初稱為內地, 天眷元年號上京。海陵貞元元年遷都于燕, 削上京之號, 止稱會寧府, 稱為國中者以違制論。大定十三年七月, 復為上京。其山有長白、青嶺、馬紀嶺、完都魯, 水有按出虎水、混同江、來流河、宋瓦江、鴨子河。府一, 領節鎮四, 防禦一, 縣六, 鎮一。[志第五「地理志」上]</td></tr>
<tr><td>上京
會寧縣</td><td>下等의 府이다. 처음에는 會寧州였으나 太宗이 도읍을 세우고 부로 승격하였다. 천권 원년에 上京留守司를 두었고, 유수가 本府 府尹을 대리하면서 本路兵馬都摠管을 겸하였다. 후에 上京曷懶 등 路의 提刑司를 두었다. 호수는 3만 1천 2백 70호였다.
會寧府, 下。初為會寧州, 太宗以建都, 升為府。天眷元年, 置上京留守司, 以留守帶本府尹, 兼本路兵馬都總管。後置上京曷懶等路提刑司。戶三萬一千二百七十。[志第五「地理志」上]</td></tr>
<tr><td>宜春</td><td>[대정7년에 설치하였다. 鴨子河가 있다.]
宜春大定七年置。有鴨子河。[志第五「地理志」上]</td></tr>
<tr><td>肇州</td><td>조주는 下等의 州이고 防禦使를 두었다. 예전의 出河店이다. 天會 8년(1130)에 태조가 병사를 일으켜 요나라와 전쟁하여 승리하고, 이곳에서 왕업의 기틀을 준비하였기에 州를 세웠다. 천권 원년(1138) 10월에 방어사를 두었고 회령부에 예속시켰다. 해릉 때에는 일찍이 濟州의 支郡이 되었다. 承安 3년(1198)에 태조가 무용을 떨치고 융흥한 지역이었기 때문에 節度使鎭으로 승격되었고, 군대를 두어 武興軍으로 부르게 하였다. 5년에 漕運司를 설치하고 조운사의 提擧官이 주의 업무를 겸하여 관장하였다. 이후에 군을 폐지하였다. 정우 2년(1214)에 다시 武興軍節度使鎭으로 승격하고, 招討司를 설치하여 초토사로 주의 업무를 겸하여 관장하게 하였다.
肇州, 下, 防禦使。舊出河店也。天會八年, 以太祖兵勝遼, 肇基王績於此, 遂建為州。天眷元年十月, 置防禦使, 隸會寧府。海陵時, 嘗為濟州支郡。承安三年, 復以為太祖神武隆興之地, 陞為節鎮, 軍名武興。五年, 置漕運司, 以提舉兼州事。後廢軍。貞祐二年復陞為武興軍節鎮, 置招討司, 以使兼州事。[志第五「地理志」上]</td></tr>
<tr><td>信州</td><td>하등의 주이고, 彰信軍이며, 자사를 두었다. 본래는 발해 懷遠軍으로 요나라 開泰 7년(1018)에 세워졌으며, 각로의 한족을 취하여 세운 곳이다.
信州, 下, 彰信軍刺史。本渤海懷遠軍, 遼開泰七年建, 取諸路漢民置。[志第五「地理志」上]</td></tr>
<tr><td>武昌縣</td><td>[본래 발해 회복현 땅이다] 1개의 진이 있다.
武昌本渤海懷福縣地。鎮一。[志第五「地理志」上]</td></tr>
<tr><td>咸平路</td><td>咸平府
(縣)</td><td>함평부는 하등의 府이고 總管府를 설치하였고 安東軍 절도사를 두었다. 본래 고려 銅山縣 땅으로 요나라에서는 咸州를 두었는데, 금나라 건국초기에 咸州路를 설치하고 都統使를 두었다. 천덕 2년(1150) 8월에 咸平府로 승격되었고, 후에 총관부가 되었다. 遼東路 전운사와 東京 함평로 提刑司를 두었다.
下, 總管府, 安東軍節度使。本高麗銅山縣地, 遼為咸州, 國初為咸州路, 置都統司。天德二年八月, 陞為咸平府, 後為總管府。置遼東路轉運司、東京咸平路提刑司。[志第五「地理志」上]</td></tr>
</table>

* 『金史』卷24~26 志第五~七과『韓譯 金史』의 '험기'관련 지역명을 정리했다.

咸平路	平郭	[현서가 부성 안에 있고 옛 이름은 함평이며 대정 7년(1167)에 [지금 이름으로] 바뀌었다.] 平郭倚, 舊名咸平, 大定七年更。[志第五「地理志」上]
	東山 (東平縣)	[요나라가 동주 진안군을 두었던 곳으로 본래 한나라 양평현이었는데 요나라 태조 때 동평채를 두었는데 그로 인해 동평이라 명명하였으며, 군은 진동이라고 하였다. 장종 대정 29년(1189)에 동평부와 이름이 중복되어 [지금의 이름으로]변경하였다. 남쪽으로는 시하, 북쪽으로는 청하, 서쪽으로는 요하가 있다.] 銅山遼同州鎮安軍, 本漢襄平縣, 遼太祖時以東平寨置, 因名東平, 軍曰鎮東。章宗大定二十九年, 以與東平重, 故更。南有柴河, 北有清河, 西有遼河。[志第五「地理志」上]
	新興縣	[요나라에서 은주 부북군을 두었던 곳으로 본래 발해의 부주였으나 희종 황통 3년(1143)에 주를 폐하고 이름을 변경하여 내속하였다. 경내에 범하가 있고, 북쪽으로 시하가 있으며, 서 에 요하가 있다.] [新興遼銀州富國軍, 本渤海富州, 熙宗皇統三年廢州, 更名來屬。有范河, 北有柴河, 西有遼河。] [志第五「地理志」上]
	清安	[요나라 肅州 信陵軍으로 희종 황통 3년(1143)에 강등되어 현이 되었다.] 清安遼肅州信陵軍, 熙宗皇統三年降為縣。[志第五「地理志」上]
	榮安	[동쪽으로 遼河가 있다.] 榮安東有遼河。[志第五「地理志」上]
	韓州	하등의 주이고 자사를 두었다. 요나라가 동평군을 설치하였는데 본래는 발해의 鄚頡府였다. 韓州, 下, 刺史。遼置東平軍, 本渤海鄚頡府。[志第五「地理志」上]
	柳河縣	[본래는 발해의 粵喜縣 지역으로 요나라가 강의 이름을 취하여 현명으로 삼았다. 狗河 · 柳河가 있다.] 柳河本渤海粵喜縣地, 遼以河為名。有狗河、柳河。[志第五「地理志」上]
東京路	東京	東京路는 1개의 府와 1개의 절도사군진이 있고, 4개의 자사주가 있고, 17개의 현이 있으며, 5개의 진이 있다. [황통4년(1144) 2월에 동경에 새로운 궁을 세우고 寢殿을 保寧이라 하고, 연회를 하는 殿閣을 嘉惠라 하였으며, 앞과 뒤의 정문을 天華와 乾貞이라고 하였다. 7월에 宗廟를 세우고 孝寧宮이 있었다. 7년 御容殿을 세웠다. 東京路, 府一, 領節鎮一, 刺郡四, 縣十七, 鎮五。皇統四年二月, 立東京新宮, 寢殿曰保寧, 宴殿曰嘉惠, 前後正門曰天華、曰乾貞。七月, 建宗廟, 有孝寧宮。七年, 建御容殿。[志第五「地理志」上]
	遼陽縣 (府)	중등의 府이고 東京留守司를 두었다. 본래는 발해 요양의 옛 성이였는데, 요나라에서 그곳을 보수하고 郡을 東平이라 명명하였다. 天顯 3년(928)에 南京으로 승격되었고, 府를 요양으로 명명하였다. 13년에 동경으로 바꾸었다. 태종 천회 10년(1132)에 南京路 平州軍師司를 변경하여 東南路 도통사로 삼았을 때, 이곳에 司를 설치하여 고려를 진압하였다. 遼陽府, 中, 東京留守司。本渤海遼陽故城, 遼完葺之, 郡名東平。天顯三年, 陞為南京, 府曰遼陽。十三年, 更為東京。太宗天會十年, 改南京路平州軍帥司為東南路都統司之時, 嘗治於此, 以鎮高麗。[志第五「地理志」上]
	臨溟	1개의 진이 있다. [新昌이다.] 臨溟 鎮一新昌。[志第五「地理志」上]
	邑樓 (常安縣)	[요나라의 옛 興州 興中軍 常安縣으로 요나라가 일찍이 이곳에 定理府 刺史를 두었다. 본래 읍루의 옛 지역이었으므로 대정 29년에 장종이 읍루현으로 이름을 변경하였다. 范河 · 清河가 있는데 금나라 말로는 叩隈必剌이라고 한다.]
	貴德州	자사를 두었고 하등의 주에 속한다. 요나라 貴德州 寧遠軍이었고, 금나라 초에 軍을 폐하고 강등하여 刺史郡이 되었다. 貴德州, 刺史, 下。遼貴德州寧遠軍, 國初廢軍, 降為刺郡。[志第五「地理志」上]

東京路	蓋州	봉국군 절도사를 두었고 하등의 주에 속한다. 본래는 고려 개갈모성이며, 요나라의 신주였다. 명창 4년(1193)에 갈소관을 폐지하고, 신주 요해군절도사를 세웠다. 6년(1195)에 '陳'자와 동음이었기 때문에 다시 개갈모라는 이름에서 취하여 개주라고 칭하였다. 호수는 1만 8천 4백 56호였다. 蓋州, 奉國軍節度使, 下。本高麗蓋葛牟城, 遼辰州。明昌四年, 罷曷蘇館, 建辰州遼海軍節度使。六年, 以與「陳」同音, 更取蓋葛牟為名。戶一萬八千四百五十六。[志第五「地理志」上]
	樂郊 (三河縣)	낙교[요나라 태조가 삼하의 백성을 포로로 삼아서 이곳에 삼하현을 세웠는데 후에 지금의 이름으로 바꾸었다. 渾河가 있다. 樂郊遼太祖俘三河之民建三河縣於此, 後改更今名。有渾河。[志第五「地理志」上]
	湯池縣	[요나라의 鐵州 建武軍 湯池縣이다.] 1개의 진이 있다. 湯池遼鐵州建武軍湯池縣。鎮一神鄉。[志第五「地理志」上]
北京路	北京	북경로는 4개의 부가 있고, 7개의 절도사군진이 있고, 3개의 刺史郡이 있고, 42개의 현이 있고, 7개의 진이 있고, 1개의 寨가 있었다. 北京路, 府四, 領節鎮七, 刺郡三, 縣四十二, 鎮七, 寨一。[志第五「地理志」上]
	富庶	[心河가 있다.] 1개의 진이 있다. 富庶有心河。鎮一文安。[志第五「地理志」上]
	松山(州) (中京)	[요나라 松山州 勝安軍 松山縣으로 開泰 연간에 설치하였다. 예전에는 자사를 두었다. 태조 천보 7년(1123)에 관찰사를 두었다. 황통 3년(1143) 주를 폐지하고 來屬시켰다. 승안 3년(1198) 高州에 예속시켰다가 태화 7년(1207)에 다시 本府에 예속하였다. 陰涼河 · 落馬河가 있다.] 松山遼松山州勝安軍松山縣, 開泰中置, 舊置刺史。太祖天輔七年置觀察使。皇統三年廢州來屬。承安三年隸高州, 泰和四年復。有陰涼河、落馬河。[志第五「地理志」上]
	金源	[당나라 青山縣이었는데 요나라 개태(1013)2년에 금원현을 설치하였다. 이 지역을 金甸이라고 하는데 거기에서 이름을 취하였다. 駱駝山이 있다. 金源唐青山縣, 遼開泰二年置, 以地有金甸為名。有駱駝山。[志第五「地理志」上]
	武安縣 (武平)	武平은 요나라가 杏堝에 성을 쌓고 초기에 新州라고 명명하였다가 통화 연간에 武安州로 이름을 바꾸었다. 황통 3년에 武安縣으로 강등하여 내속시키고, 대정 7년에 다시 이름을 바꾸었다. 승안 3년에 高州에 예속시켰다가 태화 4년에 다시 本府로 귀속되었다. 武平遼築城杏堝, 初名新州, 統和間更為武安州。皇統三年降為武安縣來屬, 大定七年更名。承安三年隸高州, 泰和四年復來屬。[志第五「地理志」上]
	三韓	[요나라가 고려를 정벌하고 馬韓 · 辰韓 · 弁韓 삼국의 백성들을 이주시키고 현을 세워 高州를 두었다. 태조 천보 7년(1123)에 고주에 절도사를 두었다가 활통 3년에 폐지하고 현을 만들었으며, 승안 3년에 다시 고주로 승격시켜서 자사를 두고 全州의 支郡으로 삼았으며, 武平 · 松山 · 靜封 3개의 현으로 나누어 예속시켰다. 태화 4년(1204)에 폐지하였다. 落馬河 · 塗河가 있다. 三韓遼伐高麗, 遷馬韓、辰韓、弁韓三國民為縣, 置高州。太祖天輔七年以高州置節度使, 皇統三年廢為縣, 承安三年復陞為高州, 置刺史, 為全州支郡, 分武平、松山、靜封三縣隸焉。泰和四年廢。有落馬河、塗河。[志第五「地理志」上]
	利州	하등의 주이고 자사를 두었다. 요나라 통화 16년(998)에 설치하였다. 利州, 下, 刺史。遼統和十六年置。戶二萬一千二百九十六。[志第五「地理志」上]
	同昌	[요나라 成州 興府軍 속현의 옛 이름이고, 금나라 건국초기에 川州에 속했다가 대정 6년(1166)에 천주를 폐지하고 懿州에 예속되었으며, 승안 2년(1197)에 다시 천주에 속했고, 태화 4년에 본주에 속하였다. 同昌遼成州興府軍縣故名, 國初隸川州, 大定六年罷川州, 隸懿州, 承安二年復隸川州, 泰和四年來屬。[志第五「地理志」上]

<table>
<tr><td rowspan="6">北京路</td><td>廣寧(府)</td><td>1) 散府로 하등의 주이고, 鎭寧軍 절도사를 두었다. 본래는 요나라 顯州 奉先軍으로 한나라 望平縣 지역이었으며 천보 7년(1123)에 승격되어 부가 되었는데 군대 이름으로 절도사를 두었다. 천보 8년에 軍名을 鎭寧으로 바꾸었다. 천덕 2년(1150)에 咸平에 예속되었다가 이후에 군을 폐하고 東京으로 귀속시켰다. 태화 원년(1201) 7월에 본부에 귀속되었다.
2) [예전의 이름은 山東縣으로 대정 29년에 이름을 바꾸었다. 요나라 세종 현릉이 있다.]
廣寧府, 散, 下, 鎮寧軍節度使。本遼顯州奉先軍, 漢望平縣地, 天輔七年升為府, 因軍名置節度。天會八年改軍名鎮寧。天德二年隸咸平, 後廢軍隸東京。泰和元年七月來屬。[志第五「地理志」上]</td></tr>
<tr><td>懿州</td><td>하등의 주이고 寧昌軍 절도사를 두었다. 요나라가 일찍이 軍의 이름을 慶懿로 바꾸었다가 廣順으로 하였고, 다시 지금의 이름으로 바꾸었다. 금나라는 이를 그대로 답습하여 먼저 咸平府에 예속하였다가 태화 말년에 本路로 귀속되었다. 호수는 4만 2천 3백 51호였다.
懿州, 下, 寧昌軍節度使。遼嘗更軍名慶懿, 又為廣順, 復更今名。金因之, 先隸咸平府, 泰和末來屬。戶四萬二千三百五十一。[志第五「地理志」上]</td></tr>
<tr><td>安德(縣)</td><td>[요나라 안덕주 화평군 안덕현으로 세종 대정 7년(1167)에 지금의 이름으로 바꾸었다. 북쪽으로 능하가 있다. 1개의 진이 있다.[부안이다.]
永德遼安德州化平軍安德縣, 世宗大定七年更今名。北有凌河。鎮一阜安。[志第五「地理志」上]</td></tr>
<tr><td>臨潢(府)
縣</td><td>하등의 부이고, 총관부를 두었다. 西樓라고 불렀는데 요나라에서 上京을 두었고, 금나라 건국초에 그대로 부르다가 천권 원년(1138)에 北京으로 고쳤다. 천덕2년(1150)에 북경을 臨潢府路 변경하였고, 北京路 都轉運使를 임황부로 轉運使로 삼았으나 천덕 3년(1151)에 폐지하였다. 정원 원년(1153)에 大定府를 북경으로 삼은 후에 다만 北京臨潢路提刑司를 설치하였다. 대정 이후에 路를 폐지하고 大定府路로 하였다. 정우 2년(1214) 4월에 일찍이 平州에 僑置하였다.
臨潢府, 下, 總管府。地名西樓, 遼為上京, 國初因稱之, 天眷元年改為北京。天德二年改北京為臨潢府路, 以北京路都轉運司為臨潢府路轉運司, 天德三年罷。貞元元年以大定府為北京後, 但置北京臨潢路提刑司。大定後罷路, 併入大定府路。貞祐二年四月嘗僑置于平州。有天平山、好水川, 行宮地也, 大定二十五年命名。有撒里乃地, 熙宗皇統九年嘗避暑于此。有陷泉, 國言曰落孛魯。有合襃追古思阿不漢合沙地。[志第五「地理志」上]</td></tr>
<tr><td>泰州</td><td>태주는 덕창군 절도사를 두었다. 요나라 때에 거란 20부족의 牧場이었으나 해릉 · 정륭 연간에 덕창군을 설치하여 상경에 예속시켰고, 대정25년(1185)에 이를 폐지하였다. 승안 3년(1198)에 다시 장춘현을 설치하였으며, 예전의 태주를 金安縣으로 삼고 본주에 예속시켰다. [예전에 금안현이 있었는데 승안 3년에 설치하였다가 얼마 후에 폐지되었다.]
泰州, 德昌軍節度使。遼時本契丹二十部族牧地, 海陵正隆間, 置德昌軍, 隸上京, 大定二十五年罷之。承安三年復置于長春縣, 以舊泰州為金安縣, 隸焉。北至邊四百里, 南至懿州八百里, 東至肇州三百五十里。舊有金安縣, 承安三年置, 尋廢。[志第五「地理志」上]</td></tr>
<tr><td>長泰縣</td><td>[요나라 長春州 韶陽軍으로 천덕2년에 강등되어 현이 되어 肇州에 예속되었고, 승안 2년에 본주에 귀속되었다. 撻魯古河와 鴨子河가 있다. 別里不泉이 있다.]
長春遼長春州韶陽軍, 天德二年降為縣, 隸肇州, 承安三年來屬。有撻魯古河、鴨子河。有別里不泉。[志第五「地理志」上]</td></tr>
<tr><td rowspan="3">西京路</td><td>西京</td><td>2개의 府가 있고, 관할하는 7개의 절도사 軍鎭과 8개의 刺史郡이 있고, 39개의 현이 있고, 9개의 鎭이 있다.[대정5년(1165)에 궁실을 세우고 殿의 이름은 保安이라 하였으며, 문의 남쪽은 奉天, 동쪽은 宣仁, 서쪽은 阜成이라고 하였다. 천회 3년(1125)에 太祖의 原廟를 세웠다.
西京路, 府二, 領節鎮七, 刺郡八, 縣三十九, 鎮九。大定五年建宮室, 名其殿日保安, 其門南日奉天, 東日宣仁, 西日阜成。天會三年建太祖原廟。[志第五「地理志」上]</td></tr>
<tr><td>雲中縣</td><td>[진나라 옛 현의 이름이다]
雲中晉舊縣名。[志第五「地理志」上]</td></tr>
<tr><td>天成縣</td><td>[요나라 때 운중현을 나누어 설치하였다]
天成遼析雲中置。[志第五「地理志」上]</td></tr>
</table>

西京路	懷仁縣	[요나라가 雲中을 나누어 설치하였다. 정우 2년(1214) 5월에 雲州로 승격되었다. 黃花嶺 · 錦屛山 · 淸涼山 · 金龍山 · 早起城 · 日中城이 있다.] 懷仁遼析雲中置, 貞祐二年五月升為雲州。有黃花嶺、錦屛山、淸涼山、金龍山、早起城、日中城。[志第五「地理志」上]
	弘州	하등의 주이고 자사를 두었다. 요나라 때 군대 이름을 博寧이라고 하였으나 본래는 襄陰村으로, 統和연간에 軍을 설치하였다. 금나라 초기에 保寧軍을 설치하였다가 후에 군을 폐지하였다. 弘州, 下, 刺史。遼名軍曰博寧, 本襄陰村, 統和中建。國初置保寧軍, 後廢軍。[志第五「地理志」上]
	撫州	하등의 주로 鎭寧軍 절도사를 두었다. 요나라의 秦國大長公主가 주를 세웠고, 장종 명창 3년(1192)에 다시 자사를 두었으며, 桓州의 支郡이 되어 柔遠에 官署를 두었다. 명창 4년에 司候司를 두었다. 승안 2년(1197)에 승격되어 절도사 군진이 되었고 軍은 鎭寧으로 명명하였다. 서북로초토사가 관할하는 梅堅必剌 · 王敦必剌 · 拿憐朮花速 · 宋葛斜忒渾 4곳의 맹안을 다스리도록 진녕에 예속시켰다. 撫州, 下, 鎮寧軍節度使。遼秦國大長公主建為州, 章宗明昌三年復置刺史, 為桓州支郡, 治柔遠。明昌四年置司候司。承安二年陞為節鎮, 軍名鎮寧, 撥西北路招討司所管梅堅必剌、王敦必剌、拿憐朮花速、宋葛斜忒渾四猛安以隸之。[志第五「地理志」上]
	德興府(奉聖州)	晉나라 때에 新州였는데 요나라의 奉聖州가 되어 武定軍 절도사를 두었고 금나라가 그대로 따랐다. 대안 원년(1209)에 승격하여 府가 되었고 德興이라 명명하였다. 호수는 8만 8백 698호였다. 德興府, 晉新州, 遼奉聖州武定軍節度, 國初因之。大安元年陞為府, 名德興。戶八萬八百六十八。[志第五「地理志」上]
	朔州 馬邑縣	진나라의 옛 현이다. 정우 2년(1214) 5월에 固州로 승격되었다. 洪濤山과 灅水가 있는데 유수는 桑乾河라고 부르기도 한다. 馬邑晉故縣, 貞祐二年五月陞為固州。有洪濤山、灅水, 又曰桑乾河。[志第五「地理志」上]
	武州	邊州에 속하는 하등의 주이고 자사를 두었다. 대정 연간 전에는 예전처럼 宣威軍을 두었다. 寧遠武州, 邊, 下, 刺史。大定前仍置宣威軍。戶一萬三千八百五十一。[志第五「地理志」上]
	金城	[진나라의 옛 현이다. 黃瓜堆 · 復宿山 · 桑乾河 · 渾河 · 崞川水 · 黃花城이 있다.] 金城晉故縣。有黃瓜堆、復宿山、桑乾河、渾河、崞川水、黃花城。[志第五「地理志」上]
	雲內州	하등의 주이고 開遠軍 절도사를 두었다. 천회7년(1129)에 奚族의 제일부와 제삼부를 이곳으로 옮겨 지키게 하였다. 雲內州, 下, 開遠軍節度使。天會七年徙奚第一、第三部來戍。產青鑌鐵。[志第五「地理志」上]
中道路	寶坻	[본래 新倉鎭으로 대정 12년(1172)에 현을 세웠으며 香河縣 인근의 백성들을 본현으로 귀속시켰다. 승안 3년(1198)에 승격해 盈州를 설치하고 大興府의 支軍으로 삼았고, 香河, 武淸縣을 거기에 예속하였다. 얼마 후에 주를 폐지하였다.] 寶坻本新倉鎮, 大定十二年置, 以香河縣近民附之。承安三年陞置盈州, 為大興府支郡, 以香河、武清隸焉。尋廢州。[志第五「地理志」上]
	昌平縣	[경내에 거용관이 있는데 금나라 말로 사랄합반이라고 한다.] 昌平有居庸關, 國名查剌合攀。[志第五「地理志」上]
	良鄕	[요석강 · 염구가 있다.] 良鄕有料石岡、閻溝。[志第五「地理志」上]
	固安(縣)	[진나라의 옛 현이다.] 固安新城 [志第五「地理志」上]

中道路	平州	중등의 주이고, 홍평군 절도사를 두었다. 요나라 때 요흥군을 두었다. 천보 7년(1123)에 연성 이서지역을 송나라에 나눠 주었기 때문에 평주를 남경으로 삼았으며, 전백사를 삼사로 삼았다. 천회 4년(1126)에 다시 평주라 하고, 군수사를 설치하였다. 천회 10년(1132)에 군수사치를 요양부로 옮겼고, 후에 다시 [이곳에] 전운사를 설치하였다. 정원 원년(1153)에 전운사를 아울러 중도로에 예속시켰다. 정우 2년(1214)에 동면경략사를 설치하였고, 8월에 폐지하였다. [공물로 앵도 · 능을 진상하였다.] 平州, 中, 興平軍節度使。遼為遼興軍。天輔七年以燕西地與宋, 遂以平州為南京, 以錢帛司為三司。天會四年復為平州, 嘗置軍帥司。天會十年徙軍帥司治遼陽府, 後置轉運司。貞元元年以轉運司併隸中都路。貞祐二年四月置東面經略司, 八月罷。貢櫻桃、綾。[志第五「地理志」上]
	遷安	[본래는 한나라 令支縣 옛 성이었고, 요나라 때에 사로잡았던 安喜縣의 백성들로 현을 설치하였기 때문에 그 이름을 安喜라고 하였으며, 대정 7년(1167)에 지금의 이름으로 개명하였다.] 1개의 진이 있다. [건창이다.] 遷安本漢令支縣故城, 遼以所俘安喜縣民置, 因名安喜, 大定七年更今名。鎮一建昌。[志第五「地理志」上]
	雄州	중등의 주이다. 송나라는 易陽軍이라 하였다. 천회 7년(1129)에 永定軍 절도사를 두었다. 河北東路에 예속되어 있다가 정원 2년(1154)에 本路로 예속시켰다. 雄州, 中。宋名易陽郡。天會七年置永定軍節度使。隸河北東路, 貞元二年來屬。[志第五「地理志」上]
	保州	중등의 주이고, 순천군 절도사를 두었다. 송나라의 옛 군사주였는데 천회 7년(1129)에 순천군 절도사를 설치하고 하북동로에 예속시켰으나 정원 2년에 본로로 귀속시켰다. 해릉이 청원군이라는 이름을 하사하였다. 保州, 中, 順天軍節度使。宋舊軍事, 天會七年置順天軍節度使, 隸河北東路, 貞元二年來屬。海陵賜名清苑郡。[志第五「地理志」上]
	安州 (安新縣)	안주는 하등의 주이고, 자사를 설치하였다. 송나라 때 順安軍으로 그 首府가 高陽에 있었고, 천회 7년에 安州로 승격해 하북동로에 예속시켰으며, 이후에 高陽軍을 설치하였다. 대정 28년에 州署를 葛城으로 옮겼고, 그로 인하여 갈성을 승격하여 현으로 삼았으며, 州城에 부설한 현으로 삼았다. 태화 4년(1204)에 混泥城을 고쳐서 악성형으로 하고 본주에 귀속시켰다. 8년에는 주서를 渥城으로 옮기고, 갈성은 속현으로 삼았다. 安州, 下, 刺史。宋順安軍治高陽, 天會七年陞為安州, 隸河北東路, 後置高陽軍。大定二十八年徙治葛城, 因陞葛城為縣, 作倚郭。泰和四年改混泥城為渥城縣, 來屬, 八年移州治於渥城, 以葛城為屬縣。[志第五「地理志」上]
	遂州	하등의 주이고, 자사를 두었다. 송나라 때 광신군이었는데 천회 7년에 고쳐 수주로 하고 하북동로에 예속시켰다가, 정원 2년에 다시 본로에 귀속되었는데, 용산군이라 칭하였다. 태화 4년에 폐하여 수성현이 되어 보주에 예속되었다. 정우 2년에 다시 주를 설치하였다. 遂州, 下, 刺史。宋廣信軍, 天會七年改為遂州, 隸河北東路, 貞元二年來隸, 號龍山郡。泰和四年廢為遂城縣, 隸保州, 貞祐二年復置州。[志第五「地理志」上]
南京路	南京	요양부는 중등의 부이고 동경유수사를 두었다. 본래는 발해 요양의 옛 성이었는데 요나라에서 그곳을 보수하고 군을 동평이라 명명하였다. 천현 3년(928)에 남경으로 승격되었고, 부를 요양으로 명명하였다. 13년에 동경으로 바꾸었다. 태종 천회 10년(1132)에 남경로 평주군수사를 변경하여 동남로 도통사로 삼았을 때, 이곳에 사를 설치하여 고려를 진압하였다. 遼陽府, 中, 東京留守司。本渤海遼陽故城, 遼完葺之, 郡名東平。天顯三年, 陞為南京, 府曰遼陽。十三年, 更為東京。太宗天會十年, 改南京路平州軍帥司為東南路都統司之時, 嘗治於此, 以鎮高麗。[志第六「地理志」中]
	單州	중등의 주이고 자사를 두었다. 송나라에서는 碭郡이었고, 정우 4년(1216) 2월에 防禦使州로 승격시켰으며 흥정 5년(1221) 2월에 招撫司를 설치하여 河北의 遺民을 安撫하여 불러 모았다. 單州, 中, 刺史。宋碭郡, 貞祐四年二月升為防禦, 興定五年二月置招撫司, 以安集河北遺黎。[志第六「地理志」中]

南京路	洛陽縣	[현서가 府城 안에 있다. 北邙山이 있는데 정릉 6년(1161)에 태평산으로 이름을 고쳤고 예전의 이름을 일컫는 자는 제도를 위반하는 것으로 죄를 논하였다 伊·洛·瀍·澗·金水, 銅駝街·金粟山·金谷이 있다.] 진이 1개 있다.[용문이다.] 洛陽倚。有北邙山, 正隆六年更名太平山, 稱舊名者以違制論。有伊、洛、瀍、澗、金水, 銅駝街, 金粟山, 金谷。鎮一龍門。[志第六「地理志」中]
	亳州	박주는 상등의 주이고 방어사를 두었다. 송나라에서는 譙郡 집경군이였고 揚州에 예속되었다. 정우3년(1215)에 節度使軍鎭으로 승격시켰고 軍은 集慶이라 이름하였다. 亳州, 上, 防禦使。宋譙郡集慶軍, 隸揚州。貞祐三年升為節鎮, 軍名集慶。[志第六「地理志」中]
河北東路	南宮縣	[降水의 마른 도랑이 있다.] 진이 3개 있다.[唐陽鎭만 있었는데, 후에 寧化·七公 2개의 진을 증설하였다.] 南宮有降水枯瀆。鎮三唐陽, 後增寧化、七公二鎮。[志第六「地理志」中]
	東鹿縣(深州)	[衡漳水·滹沱河가 있다.] 東鹿有衡漳水、滹沱河。[志第六「地理志」中]
河北西路	中山府(定州)	중산부이다. 송나라에서는 府였는데 천회7년(1129)에 정주 博陵郡 定武軍節度使로 강등되었고 후에 다시 부가 되었다. 中山府。宋府, 天會七年降為定州博陵郡定武軍節度使, 後復為府。[志第六「地理志」中]
	共城(蘇門)	蘇門[본래는 共城이었는데 대정 29년(1189)에 이름을 河平이라 고쳤으니 顯宗의 名諱를 피해서였다. 명창 3년(1192)에 지금의 이름으로 고쳤다. 정우 3년(1215) 9월에 輝州로 승격시켰고, 흥정 4년(1220)에 山陽縣을 설치하고 여기에 예속시켰다. 白鹿山·天門山·淇水·百門陂가 있다.] 蘇門本共城, 大定二十九年改為河平, 避顯宗諱也。明昌三年改為今名。貞祐三年九月升為輝州, 興定四年置山陽縣隸焉。有白鹿山、天門山、淇水、百門陂。[志第六「地理志」中]
	渭州	平涼府는 散府이며 중등의 부이다. 송나라 때 渭州 隴西郡 平涼軍 절도주이었다. 예전에는 軍이었다가 후에 陝西西路 轉運司, 陝西東路·섬서서로 제형사를 두었다. 대정 26년에 봉상로에 예속되었다. 平涼府, 散, 中。宋渭州隴西郡平涼軍節度。舊為軍, 後置陝西西路轉運司、陝西東、西路提刑司。大定二十六年來屬。[志第六「地理志」中]
山東東路	山東東路	산동동로는 송나라에서 경동동로였고 행정기구는 익도에 설치하였다. 부가 2개이고 절도사군진 2개·방어사 2개·자사군 7개·현53개·진83개를 통령하였다. 山東東路, 宋為京東東路, 治益都。府二, 領節鎮二, 防禦二, 刺郡七, 縣五十三, 鎮八十三。[志第六「地理志」中]
	密州	송나라에서는 밀주 高密郡 安化節度使이었다. 密州, 宋為密州高密郡安化軍節度。[志第六「地理志」中]
山東西路	須城縣	[梁山·濟水·清河가 있다.] 須城有梁山、濟水、清河。[志第六「地理志」中]
	平陰	[울총산·치이산이 있다.] 진이 9개가 있다.[단환· 안녕· 영향·상란· 고류·활구· 광리·석횡· 징공·부가안이다.] 平陰有鬱葱山、鴟夷山。鎮九但歡、安寧、寧鄉、翔鸞、固留、滑口、廣里、石横、澄空、傅家岸。[志第六「地理志」中]
	濟州	중등의 주이고 자사를 두었다. 송나라에서는 濟陽郡이었다. 예전에 州署가 鉅野에 있었는데 천덕 2년(1150)에 任城縣으로 옮기고 거야의 民戶를 나누어서 嘉祥·鄆城·金鄉 3개 현에 예속시켰다. 濟州, 中, 刺史。宋濟陽郡, 舊治鉅野, 天德二年徙治任城縣, 分鉅野之民隸嘉祥、鄆城、金鄉三縣。[志第六「地理志」中]

山東西路	徐州	하등의 주이고 무녕군절도사를 두었다. 송나라에서는 팽성군이었는데 정우3년(1215) 9월에 하남로로 고쳐서 예속시켰다. 徐州, 下, 武寧軍節度使。宋彭城郡, 貞祐三年九月改隸河南路。[志第六「地理志」中]
	聊城	聊城[현서가 주성 안에 있다. 茌山 · 黃河 · 金沙水가 있다.] 聊城(倚。有茌山、黃河、金沙水。) [志第六「地理志」中]
	博平縣	[漯河가 있다.] 진이 1개가 있다.[博平이다.] 博平有漯河。鎮一博平。[志第六「地理志」中]
	茌平	진이 2개가 있다.[廣平 · 興利이다.] 茌平 鎮二廣平、興利。[志第六「地理志」中]
	高唐	[黃河 · 鳴犢溝가 있다.] 진이 4개가 있다. [固河 · 齊城 · 靈城 · 夾灘이다.] 高唐(有黃河、鸣犊沟。)镇四(固河、齐城、灵城、夹滩。) [志第六「地理志」中]
	德州	상등의 주이고 防禦使를 두었다. 송나라에서는 平原郡軍이었다. 德州, 上, 防禦。宋平原郡軍。[志第六「地理志」中]
大名府路	武城縣	[永濟渠와 沙河가 있다.] 1개의 진이 있다.[무성이다.] 武城有永濟渠、沙河。鎮一武城。[志第七「地理志」下]
河東北路	汾州	상등의 주이다. 송나라에서는 西河郡의 軍事였는데 천회 6년 汾陽軍 절도사를 설치하였고 후에 또한 하동남로 · 하동북로로 提刑司를 설치하였다. 汾州, 上。宋西河郡軍事, 天會六年置汾陽軍節度使, 後又置河東、南、北路提刑司。[志第七「地理志」下]
河東南路	平陽府	평양부는 상등의 부이다. 송나라 때 平陽郡 建雄軍 절도사가 있었다. 본래 晋州이며 처음에는 次府였고, 건웅군 절도사를 설치하였다. 천회 6년에 총관부로 승격하여 전운사를 두었다. 홍정 2년 12월에 殘破되어 강등되어 지방 관할의 散府가 되었다. 平陽府, 上。宋平陽郡建雄軍節度。本晉州, 初為次府, 置建雄軍節度使。天會六年升總管府, 置轉運司。興定二年十二月以殘破降為散府。[志第七「地理志」下]
	高平縣	[頭顱山, 米山과 丹水가 있다.] 高平有頭顱山、米山、丹水。[志第七「地理志」下]
	沁州	중등의 주이고 자사를 두었다. 錦山郡이라 불렀다. 송나라에서는 威勝軍이였는데 천회 6년에 주로 승격되었다. 원광 2년에 절도사 軍鎭으로 승격되고 軍名은 義勝이라고 명명하였다. 沁州, 中, 刺史。錦山郡。宋威勝軍, 天會六年升為州。元光二年升為節鎮, 軍曰義勝。[志第七「地理志」下]
鳳翔路	平涼縣	[현서가 부성 안에 있다. 笄頭山 · 馬屯山이 있다.] 平涼倚。有笄頭山、馬屯山。[志第七「地理志」下]
慶原路	慶原路(陝西西路)	경원로는 예전의 陝西西路이다. 1개의 부, 2개의 절도사 군진, 3개의 자사주, 18개의 현, 23개의 진, 2개의 성, 4개의 보, 22개의 성채와 8개의 邊將營을 통령하였다. 慶原路, 舊作陝西西路。府一, 領節鎮二, 刺郡三, 縣十八, 鎮二十三, 城二, 堡四, 寨二十二, 邊將營八。[志第七「地理志」下]
臨洮路	臨洮府	중등의 부이다. 송나라 때 熙州 臨洮郡 鎭洮郡 절도주를 두었다가 후에 德順軍으로 바꾸었고 황통 2년에 총관부를 설치하였다. [甘草 · 菴蕳子 · 大黃이 생산되었다.] 臨洮府, 中。宋舊熙州臨洮郡鎮洮軍節度, 後更為德順軍, 皇統二年置總管府。產甘草、菴{卄閭}子、大黃。[志第七「地理志」下]

찾아보기

ㄴ

ㄷ

ㅁ

ㅂ

ㅅ

ㅇ

ㅈ